P9-DXS-685

Russian for Americans

BEN T. CLARK

CABRILLO COLLEGE AND
UNIVERSITY OF CALIFORNIA, SANTA CRUZ

Russian for Americans

HARPER & ROW, PUBLISHERS

NEW YORK · EVANSTON · LONDON

PHOTOGRAPH CREDITS

Russian for Americans

Contents

Второй урок

Третий урок

Четвёртый урок

Пятый урок

Шестой урок

Седьмой урок

Восьмой урок

Девя́тый уро́к

Деся́тый уро́к

Шестна́дцатый уро́к

Семна́дцатый уро́к

Восемна́дцатый уро́к

Двадцать первый урок

Двадцать второй урок

Двадцать третий урок

Двадцать шестой урок

Двадцать седьмой урок

Двадцать восьмой урок

Preface

Russian for Americans is not an old-fashioned grammar book, nor is it a revolutionary new means to effortless language learning. It was compiled with several objectives in mind: to teach Americans to understand, speak, read, and write Russian. Although the text is oriented toward the development of oral-aural skills, it does not neglect the important areas of reading, writing, translating, and structural analysis, all of which play a significant role in developing in the mature student a thorough knowledge of any given language.

Every instructor will approach the task of teaching Russian somewhat differently, and it is obvious that not all persons want to learn the language for the same reason. *Russian for Americans* attempts to expose the student to every possible aspect of language learning and thus give him a broad basis for eventual studies in and about the language.

In preliminary lessons A–D, the student meets basic sentences and expressions in conversations and pattern practice drills which are presented in transcribed form. During this introductory phase, there is no formal presentation of grammar. The conversations and pattern sentences should be practiced in class and in the laboratory until the student can present them in class without actually reading from the printed text. This introductory material acquaints the student with useful expressions and complete sentence patterns, and establishes good habits of pronunciation and intonation beginning with the very first day of instruction. In these lessons, the Russian alphabet is introduced a few letters at a time, and the student practices writing and pronouncing letters, syllables, words, and complete sentences, using only those letters with which he is familiar.

After the last preliminary lesson, there is a review consisting of sentences which the student renders orally in Russian, and a review of the entire alphabet in order.

Next, in lessons 1–4, the conversations, notes, expressions, and pattern drills are repeated, this time in Cyrillic characters. Discrepancies that exist between the spelling and pronunciation of some Russian words are pointed out and made more obvious by the fact that the student already knows how to pronounce nearly all the words, expressions, and sentences which confront him. Now he must learn to read and write them. The author is aware of the aversion which many native speakers of Russian have to seeing their language written in transcribed form; the native Russian may therefore prefer to begin with the review lesson and introduce the alphabet in the manner which he has found to be best suited to his methods and most agreeable to him.

The fifth lesson serves as a transition from the introductory material to the basic structure of all subsequent lessons. Lessons 6–28 have the following pattern:

РАЗГОВÓР (*Conversation*)

Conversations are presented in Russian with parallel English translation. These conversations should be used in the same manner as those in lessons A–D; they should not be mistaken for translation or reading exercises. Since sentences which must be formulated from isolated words are usually constructed with considerable difficulty, and frequently are all but in- comprehensible to the native speaker of Russian, the practice of learning vocabulary in context makes it possible for the student to bring forth complete sentences when the need arises. For presentation in class, some of the longer conversations may be broken up into smaller units to suit the needs of various groups.

ТЕКСТ ДЛЯ ЧТЕНИЯ (*Reading Text*)

Reading texts are intended as practice in reading and translating Russian with the help of a vocabulary list found at the end of each lesson. Difficult constructions and words which are not part of the active vocabulary of the lesson are given in footnotes. The questions following the text should be answered orally in class. The teacher may utilize these texts and questions in the manner which proves most satisfactory for him and his students. The author realizes that translation as such is viewed in some circles as heresy of the highest order, but it is a skill which is developed best by practice, and it does have considerable practical application.

ВЫРАЖЕ́НИЯ (*Expressions*)

This section contains the idiomatic expressions which occur in the conversation and/or reading text. The student should become thoroughly familiar with these constructions.

ПРИМЕЧА́НИЯ (*Notes*)

The notes relate to items of cultural, historic, geographic or political interest, but they also contain hints on pronunciation, intonation, and structure.

ДОПОЛНИ́ТЕЛЬНЫЙ МАТЕРИА́Л (*Supplementary Material*)

This section includes additional vocabulary, useful expressions, and so forth, which are closely related to the material presented in the conversation and reading text, but which do not play an active role in them or in the exercises that follow. Sections of the supplementary material may be assigned in accordance with student interest in the area involved.

УПРАЖНЕ́НИЯ (*Exercises*)

Some of the exercises are best suited for oral presentation and practice without reference to written texts, for example, the pattern drills, substitution drills, and questions of various types **(Вопросы)**. Other exercises are intended for written practice only.

ГРАММА́ТИКА (*Grammar*)

The grammar section of each lesson contains explanations, rules, examples, and tables of the structural points introduced in that lesson. This section must be read and studied thoroughly *before* the student begins the exercises.

To make the structural points introduced in a given lesson readily available for reference throughout the course, this section is presented as a *unit* at the end of each lesson.

ТАБЛЙЦЫ (*Tables*)

Reference tables of declensions, conjugations, and so forth, which have been presented up to a given point, are found at the end of some lessons.

СЛОВА́РЬ (*Vocabulary*)

The vocabulary contains all new words introduced in the lesson and considered necessary in the student's active vocabulary.

Tapes and a laboratory manual are available for use with *Russian for Americans*. The conversations, reading texts, and numerous exercises have been recorded professionally by a variety of native speakers of Russian. The tapes and laboratory manual contain a number of drills which are intended for use in the language laboratory exclusively.

B. T. C.

Acknowledgments

The author wishes to express his sincere thanks to everyone who aided him in any way in the preparation of this text. He is especially indebted to the following persons for the wise counsel and assistance which they offered:

Francis J. Whitfield—University of California at Berkeley; George M. Benigsen—University of California at Santa Cruz; Konstantin D. Hramov—Yale University; Yuri Sorokin—San Francisco State College; Alexander Jadan and Veronika Vetroff—Defense Language Institute; Robert Baker, Alexandra Cetverikova, William Edgerton, Konstantin Kally, Alexander Martianov, Tatiana Sklanczenko, Lydia Slavatinsky, Steve Soudakoff and Vladimir Ushakow—Indiana University.

Charles Woodford and Rochelle Leszczynski—Harper and Row, Publishers; Julie Mather; Jim M'Guinness, the illustrator; Anna Prikaschikoff, the typist.

The author's students, colleagues, and administrators at Cabrillo College.

His wife, children, and parents, without whose aid, understanding and moral support this text never would have been completed.

B. T. C.

Concerning the Phonetic Transcriptions

In lessons A–D, the conversations and supplementary material are presented in phonetic transcription, rather than in Russian (Cyrillic) characters. You should not attempt to learn to spell any of these words; this introductory period has two goals: (1) achievement of good Russian pronunciation and intonation, and (2) thorough familiarity with some commonly used, often quite idiomatic speech patterns. Therefore, your assignments must be prepared in class and in the language laboratory—or with a tape recorder at home.

No Russian vowel or consonant sound is exactly like the equivalent English sound given here. These sound relationships are only approximate and you must use the transcriptions only as a guide or frame of reference in your study.

A. Vowels (similar to English vowel sounds, but shorter)

[a]   *a* in f*a*ther
[o]   *o* in m*o*re
[u]   *u* in fl*u*te
[e]   *e* in b*e*t
[i]   *i* in mach*i*ne
[ə]   *a* in *a*round

[i] No English equivalent. Pronounce *oo* with your lips drawn back in the position for *ee*. The resulting sound is a bit like the *i* in "s*i*t," but can be correctly produced only through drill with a speaker of Russian.

B. Consonants (only those consonants which differ radically from the equivalent English sounds or symbols are given here)

[ts] *ts* in bol*ts*
[ch] *ch* in *ch*eese
[sh] *sh* in *sh*ot, but with the tongue drawn somewhat farther back than in the production of that English sound.
[shch] *shch* in fre*sh ch*eese
[zh] *s* in plea*s*ure, but with the tongue drawn farther back (as for "sh" above).
[x] No equivalent English sound. Similar to the German *ch* in "a*ch*" or the Scotch *ch* in "lo*ch*."
[j] *y* in *y*et, bo*y*

C. "Hard" and "soft" consonants

Many of the consonants in the phonetic transcription of the conversations have a little hook beneath them; this hook indicates that the consonant is "soft." A "soft" consonant is pronounced with the front and middle of the tongue raised higher (arched) in the mouth than for the corresponding "hard" consonant. Some of these "soft" consonant sounds have approximate equivalents in English words, depending upon one's English pronunciation habits.

1. Three consonant sounds are always soft and thus do not require a "hook":

[ch] *ch* in *ch*eese
[shch] *shch* in fre*sh ch*eese
[j] *y* in *y*et, bo*y*

2. Three consonant sounds are always "hard":

[ts] *ts* in bol*ts*
[sh] *sh* in *sh*ot
[zh] *s* in lei*s*ure

3. All other consonants may be "hard" or "soft":

[b] *b*all [p] *P*aul
[b̦] *b*eauty [p̦] *p*ew

[v]   *v*olume
[ʋ]   *v*iew
[f]   *f*ought
[f̜]   *f*ew
[d]   *d*og
[d̢]   *d*ew, a*d*ieu (*French*)
[t]   *t*all
[t̢]   cos*t*ume
[l]   *l*aw (tip of the tongue touches back of upper teeth; middle and rear of tongue are low)
[l̢]   mi*ll*ion
[m]   *m*ore
[m̩]   *m*ew
[n]   *n*ot (tip of the tongue touches the back of the upper teeth)
[n̢]   o*n*ion
[r]   trilled *r*
[r̢]   trilled *r*, but with the tongue higher
[x]   a*ch* (*German*)
[x̣]   the same as above, but with the tongue higher
[z]   *z*oo
[z̧]   pre*s*ume (*British*)
[s]   *s*aw
[ş]   as*s*ume
[g]   *g*auze
[ģ]   ar*g*ue
[k]   *K*oran
[k̦]   *c*ube

Remember: The phonetic transcription system employed in lessons one through four of this text is used to represent the *pronunciation, not the spelling* of the Russian words. This system and variations of it are used extensively in working with Slavic languages and thus are useful to know; however, at this point in your study of Russian, your principal guides must be your teacher and your tape !

Lesson A

CONVERSATION [rəzgavór]

Mike: Hello, Ivan Borisovich!	[zdrástvujți, iván baŗísəyich!]
Ivan Borisovich: Hello, Misha.[1]	[zdrástvuj, m̦íshə.
How are you?	kak pəzhɨvájish?]
Mike: Fine, thanks. How are you?	[spaṣíbə, xərashó. kak vɨ pəzhɨvájiți?]
Ivan Borisovich: Very well.	[óchin̦ xərashó.]
Mike: Where are you going?	[kudá vɨ iḍóți?]
Ivan Borisovich: I'm going home.	[ja idú damój.
You, too?	tɨ tózhɨ?]
Mike: No, I'm going to class.	[n̦et, ja idú naurók.
I have a Russian language class.	u m̦iṇá urók rúskəvə jizɨká.]
Ivan Borisovich: That's fine!	[étə xərashó!
Good-by.	dəsyidán̦jə.]
Mike: Good-by. All the best![2]	[dəsyidán̦jə. fṣivó xaróshivə.]
Ivan Borisovich: All the best.[2]	[fṣivó xaróshivə.]

---

[1] " *Misha* " is the Russian equivalent of "Mike."

[2] The expression [fṣivó xaróshivə] is very commonly used by Russians when they take leave of one another. The translation "All the best!" conveys somewhat the same meaning, but sounds rather stilted in English.

NOTE

As you have observed in the dialog, there are in Russian *two* ways of saying

	Familiar Singular	*Formal and/or Plural*
You	[ti]	[vi]
Hello!	[zdrástvuj!]	[zdrástvujti!]
How are you?	[kak (ti) pəzhivájish?]	[kak (vi) pəzhivájiti?]
Where are you going?	[kudá (ti) iḍósh?]	[kudá (vi) iḍóti?]

These are the *familiar singular* ([ti]-form) and the *formal* and *plural* ([vi]-form). Use the [ti]-form when addressing a child, a close friend, a member of your family, or a pet. Children and teenagers normally address one another as [ti]. [Ti] may be used only when addressing one person. It is thus similar in usage to the German *du*, the French *tu*, and the Spanish *tu*.

Use [vi] whenever addressing more than one person and when addressing one person who is older than yourself, a stranger, or anyone to whom you wish to show respect or reserve. It is also the "safe" form to use should you be in doubt. As noted above, Russians frequently omit the pronoun entirely if the subject is perfectly clear.

ORAL PATTERN PRACTICE

Practice this drill in class and in the laboratory until you can say it without hesitation. Be especially careful of the pronunciation and intonation.

Question: [kudá $\begin{cases} \text{ti iḍósh?}] \\ \text{vi iḍóti?}] \end{cases}$

Answers: [ja idú]...

[damój.]	[vgórət.]
(home.)	(to town.)
[naurók.]	[vḅibḷiaṭéku.]
(to class.)	(to the library.)
[vləbəratóriju.]	[fḳinó.]
(to the lab.)	(to the movies.)
[fshkólu.]	[fṭiátr.]
(to school.)	(to the theater.)

USEFUL CLASSROOM EXPRESSIONS

You should learn to recognize and respond to the following useful class-room expressions immediately. Commands have two forms corresponding to the familiar and formal plural pronouns, [tɨ] and [vɨ]. These pronouns are not used with commands; simply add [-ţi] to the command when addressing a group or a person you normally address with [vɨ]:

1. [ņi gəvaŗí(ţi), pazhálǝstǝ!]   Don't talk, please!
2. [slúshaj(ţi), pazhálǝstǝ!]   Listen, please!
3. [pəftaŗí(ţi), pazhálǝstǝ!]   Repeat, please!
4. [jishchó ras.]   Once more.
5. [grómchi.]   Louder.
6. [dáɪshɨ.]   Go on.
7. [étǝ xərashó.]   That's fine (nice, good).
8. [étǝ plóxǝ.]   That's bad.
9. [étǝ lúchshɨ.]   That's better.
10. [atkrój(ţi)]
    [zakrój(ţi)] kņígi!]   Open
    Close } your books!

The Russian Alphabet

A. These five letters of the Russian (Cyrillic) alphabet resemble Roman letters and represent approximately the same sounds in English:

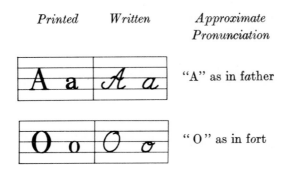

Printed	Written	Approximate Pronunciation
A a	𝒜 𝑎	"A" as in father
O o	𝒪 𝑜	" O " as in fort

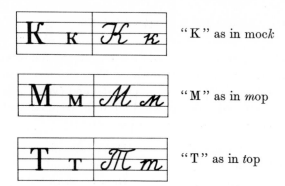

"K" as in mock

"M" as in mop

"T" as in top

B. The following five letters of the Russian alphabet bear little or no resemblance to letters in the Roman alphabet:

Printed   *Written*   *Approximate Pronunciation*

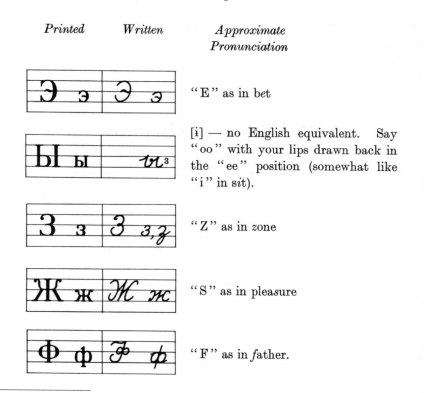

"E" as in bet

[i] — no English equivalent. Say "oo" with your lips drawn back in the "ee" position (somewhat like "i" in sit).

"Z" as in zone

"S" as in pleasure

"F" as in father.

___

[3] Since the letter ы is never the first letter of a word, it has no written capital form.

C. Write and pronounce:

ак	*Ак ак*	ток	*Ток ток*
ам	*Ам ам*	за	*За за, за*
ат	*Ат ат*	зо	*Зо зо, зо*
ка	*Ка ка*	зэ	*Зэ зэ, зэ*
ма	*Ма ма*	жа	*Жа жа*
та	*Та та*	жом	*Жом жом*
ок	*Ок ок*	фа	*Фа фа*
ом	*Ом ом*	фы	*Фы фы*
от	*От от*	эм	*Эф эф*
кто	*Кто кто*	эф	*Эм эм*
там	*Там там*	ты	*Ты ты*
том	*Том том*	мы	*Мы мы*

ASSIGNMENTS

A. ORAL (to be done in class and in the language laboratory):

1. Be prepared to present the dialog in class without referring to either the Russian or the English texts. Be especially careful of your pronunciation and intonation. Use the written transcriptions as a guide only!
2. Practice all the parts of the Oral Pattern Practice so you can give the answers without hesitation.
3. Learn to use and respond to the Useful Expressions.
4. Pronounce the syllables and words in The Russian Alphabet, Section C.

B. WRITTEN (Use lined paper with normal, not wide, spaces. Capital letters should fill two spaces; small letters should fill one complete space. Leave a double space between each line of writing for corrections.):

1. Copy three times the letters, syllables, and words in The Russian Alphabet.

Write, do not print. Do not forget the little hook which begins the letter *м*. Note also how *м* is connected to the letter *о*, and that *к* is the same height as *о*.

2. Write twice each of the following words. Begin each word with a capital letter.

Кто	Акт	Жак	Фа́за
Ма́ма	Ом	Кот	Эф
Зато́	Так	Там	Азо́т
Замо́к	Зык	Мы	Такт
Зака́т	Эта	Ты	Факт

Lesson B

CONVERSATION [rəzgavór]

Teacher: Hello!	[zdrástvujţi!
What are you studying?	shto vɨ úchiţi?]
Mike: I'm studying Russian.	[ja uchú rúsķij jizɨk.]
Teacher: That's interesting.	[étə inţiŗésnə.]
Mike: Are you a teacher?	[vɨ uchíţiļ?]
Teacher: Yes, I'm a teacher	[da, ja uchíţiļ
of Russian (language).	rúskəvə jiziká.]
Mike: Tell (me) please,	[skazhíţi, pazháləstə,
how do you say	kak skazáţ
"How are you?" in Russian?	pa-rúsķi] "How are you?"
Teacher: "How are you?"	"How are you?"
in Russian is	pa-rúsķi búḍit
[kak pəzhɨvájish?] or	"kak pəzhɨvájish?" íļi
[kak pəzhɨvájiţi?]	"kak pəzhɨvájiţi?"]
Mike: Thank you.	[spaşíbə.]
Teacher: You're welcome. Good-by.	[pazháləstə. dəsyidáņjə.]
Mike: Good-by. All the best.	[dəsyidáņjə. fşivó xaróshivə.]

7

NOTES

1. There are two forms of the Russian word for "teacher":

    [uchíṭiḷ]   a *man* teacher
    [uchíṭiḷṇitsə]   a *woman* teacher

2. [pazháləstə] means both "please" and "You're welcome." It also has a number of other meanings, such as "Here you are" (when offering someone something) and "Please do!" It is thus very similar in usage to the German *bitte schön*.

3. The present tense of the verb "to be" (am, is, are) is not usually expressed in Russian: There are also no words for "a" and "the":

    [vɨ uchíṭiḷ?]   (Are) *you* (a) *teacher?*
    [da, ja uchíṭiḷ.]   *Yes, I* (am) (a) *teacher.*

ORAL DRILL AND REVIEW

Following the given example, formulate the question and answer: "How do you say … in Russian?" "… in Russian is …". This is an *oral* exercise only.

Example: [kak skazáṭ] "hello" [pa-rúsḳi?]
"Hello" [pa-rúsḳi búḏit "zdrástvuj" íḷi "zdrástvujṭi".]

1. Good-by.
2. All the best!
3. How are you?
4. Very well.
5. Please.
6. Thank you.
7. You're welcome.
8. Where are you going?
9. I'm going to the laboratory.
10. That's fine.
11. I'm studying Russian.
12. Are you a Russian teacher (a teacher of Russian)?
13. Yes, I'm a Russian teacher (a teacher of Russian).
14. first lesson
15. second lesson
16. That's better.
17. That's bad.
18. Please open your books!
19. Listen, please!
20. Once more (again).
21. Don't talk, please!
22. Louder!
23. Continue!
24. Repeat, please!

The Russian Alphabet

A. The following six letters of the Russian alphabet are similar to Roman letters in form, but they represent *completely different sounds*:

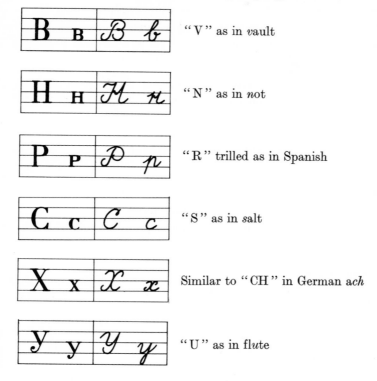

"V" as in *v*ault

"N" as in *n*ot

"R" trilled as in Spanish

"S" as in *s*alt

Similar to "CH" in German a*ch*

"U" as in fl*u*te

B. The following letters are unlike Roman letters:

"B" as in *b*all

"G" as in *g*olf

Д д	*Ꙃ д,д*	"D " as in *dog*

Л л	*Л л*	"L" as in *Lord*

C. The letters **a** and **o** have full sound value *only when they are stressed*! When these letters occur in the syllable directly preceding the stressed syllable they are both pronounced like 3/4 of a stressed Russian **a**. The same is true when they occur as the first letter of a word:

м**о**тóр	[m*a*tór]
д**о**скá	[d*a*ská]
онá	[*a*ná]
ст**а**кáн	[st*a*kán]
об**о**рóна	[*a*barónə]

In any other position **a** and **o** are both pronounced like the *a* in "*a*gain" :

кóмн**ата**	[kómnətə]
át**о**м	[átəm]
м**о**локó	[məlakó]

D. Pronounce and write :

Printed	Written	English
1. вот	*вот*	here
2. вон	*вон*	over there
3. вы	*вы*	you
4. на	*на*	on, to
5. но	*но*	but
6. нос	*нос*	nose
7. ну	*ну*	well
8. рáно	*рано*	early

Printed	Written	English
9. рыба	*рыба*	fish
10. рука́	*рука*	hand
11. ро́за	*роза*	rose
12. сон	*сон*	dream
13. са́хар	*сахар*	sugar
14. сто	*сто*	100
15. су́хо	*сухо*	dry
16. хан	*хан*	khan
17. хала́т	*халат*	robe, dressing gown
18. хвост	*хвост*	tail
19. э́хо	*эхо*	echo
20. ура́!	*ура!*	hurrah!
21. уро́к	*урок*	lesson
22. стул	*стул*	chair
23. у́жас	*ужас*	terror, horror
24. доска́	*доска*	blackboard
25. дым	*дым*	smoke
26. да́ма	*дама*	lady
27. со́да	*сода*	soda
28. га́лстук	*галстук*	necktie
29. губа́	*губа*	lip
30. глава́	*глава*	chapter

Printed	Written	English
31. мно́го	*много*	many, much
32. бал	*бал*	ball
33. брат	*брат*	brother
34. бык	*бык*	bull
35. лу́жа	*лужа*	puddle, pool
36. луна́	*луна*	moon
37. буты́лка	*бутылка*	bottle
38. стол	*стол*	table
39. журна́л	*журнал*	magazine

ASSIGNMENTS

A. ORAL (to be done in class and in the language laboratory):

1. Practice the Conversation.
2. Do the Oral Drill and Review as indicated by the instructions.
3. Pronounce the Russian words in The Russian Alphabet, Sections C and D.

B. WRITTEN (Use lined paper; leave a double space between each line):

1. Copy twice each of the Russian letters and words in The Russian Alphabet sections. Note how the letters *б*, *ъ* and *х* are connected to the preceding letter. Note also that the letter *л* begins with a little hook just as does the letter *м*, particularly in the middle of a word. Otherwise the *л* might be mistaken for *ъ*, and the *м* for *т* or *ш*. When the letters *о*, *б* and *ъ* are followed by a letter which begins with such a hook, the stroke stops and begins again from below: *ам, бъ, въ*.
2. Write twice, don't print, each of the following words. Begin each word with a capital letter (for practice):

А́нна	Аэродро́м
Танк	Эква́тор
Фонта́н	Вы

Бу́хта	Бы́ло
Зо́лото	Два
Знак	Дом
Зло	Лы́жа
Жук	Ло́жа
Жа́рко	Газ
Голова́	Струна́
Нату́ра	Хо́лодно
Нужда́	Храм
Рабо́та	Усы́
Разгово́р	Уда́р
Сын	Ура́л

Lesson C

CONVERSATION [rəzgavór]

Mike: Hi, Tanya!

Tanya: Oh, Mike! It's you! Hello!
How are you?

Mike: All right, thanks.
How are you?

Tanya: I'm not bad either.

Mike: Tell me, please,
is Professor Pavlov here?

Tanya: Yes, he's here.
There's his room,
there on the right. Do you see?

Mike: Oh, yes! I see!
Thanks a lot!

Tanya: Don't mention it. So long!

Mike: So long! All the best!

Mike: Good morning, Professor
Pavlov. May I come in?

Professor Pavlov: Please do! Come
in!

[pṛiγét, táṇə!]

[ax, ṃíshə! étə ti! zdrástvuj!
kak pəzhɨvájish?]

[ṇichivó, spaṣíbə.
kak tɨ?]

[i ja tózhɨ ṇiplóxə.]

[skazhí, pazháləstə,
praférər pávləf tut?]

[da, on tut.
vot jivó kómnətə
tam, naprávə. γíḍish?]

[ax, da! γízhu!
spaṣíbə baḷshójə!]

[ṇézəshtə. paká!]

[paká! fṣivó xaróshɨvə.]

[dóbrəjə útrə, praférər pávləf.
mózhnə vajṭí?]

[pazháləstə! zəxaḍíṭi!]

14

NOTES

1. " Here "—" there "—" over there "

[tut]	the word for " here" when referring to one's immediate environment
[zḍeṣ]	the word for " here " in a very general sense ("here in America ")
[tam]	" there "
[von tam]	" over there " (at a greater distance)
[vot]	the word for "here" when pointing out or giving something to someone ("here it is ")

2. "Thanks very much"
The expression [spaṣíbə baḷshójə] means literally "thanks big."

3. "Left"—"right"

[naḷévə]	"left," "on the left" or "to the left"
[naprávə]	"right," "on the right" or "to the right"

4. " May I come in? "
The expression [mózhnə vajṭí?] means " (Is it) possible to enter? "
The answer, [zəxaḍíṭi] ("Come in "), implies that the person expects you will stay a while.

5. "Do you see?"
The formal and/or plural of [yíḍish?] iṣ [yíḍiṭi?].

SUPPLEMENTARY MATERIAL

Learn all these answers to the question [kak pəzhɨvájish?]
[kak pəzhɨvájiṭi?]

[xərashó]	Fine.
[óchiṇ xərashó]	Very well.
[ṇichivó]	All right.
[ṇiplóxə]	Not bad.
[tak ṣiḅé]	So-so.
[plóxə]	Bad.
[spaṣíbə, a tɨ (vi)?]	Thanks, and you?

(This answer seems to leave the question hanging, but it is frequently used!)

The Russian Alphabet

Consonants

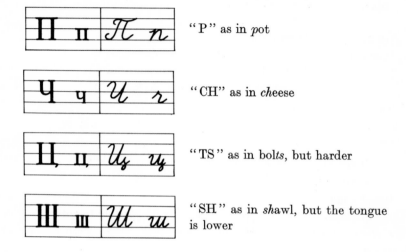

"P" as in *p*ot

"CH" as in *ch*eese

"TS" as in bol*ts*, but harder

"SH" as in *sh*awl, but the tongue is lower

"SHCH" as in fre*sh ch*eese

The "Softening" Vowel Letters

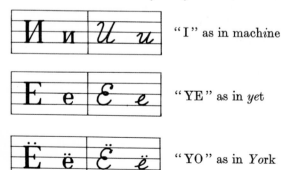

"I" as in mach*i*ne

"YE" as in *y*et

"YO" as in *Y*ork

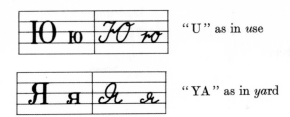

"U" as in *u*se

"YA" as in *ya*rd

A. Notes on the consonants

1. **Ч** and **щ** are always pronounced "soft," that is, with the tongue high and arched:

часто	[chástə]	often
чáшка	[cháshkə]	cup
чýдно	[chúdnə]	marvelous
щи	[shchi]	cabbage soup
борщ	[borshch]	beet soup
Хрущёв	[xrushchóf]	Khrushchev

2. **Ж**, **ш**, and **ц** are *always* pronounced "hard," regardless of the letter which follows them. After these letters, **и** and *unstressed* **е** are both pronounced like **ы**:

тóже	[tózhɨ]	also
цыгáн	[tsɨgán]	gypsy
цикл	[tsɨkl]	cycle
центр	[tsentr]	center
шашлык	[shashlík]	shishkabob
шишка	[shíshkə]	cone
шеф	[shef]	chef

B. Notes on the "softening" vowel letters.

1. **Е**, **ё**, **ю**, and **я** have a definite [j] glide only when they occur alone, as the first letter of a word or after a vowel:

ем	[jem]	(I) eat
ест	[jest]	(he, she) eats
ел	[jel]	(he) ate

ёлка	[jólkə]	Christmas tree
моё	[majó]	my
юмор	[júmər]	humor
мою	[majú]	my
я	[ja]	I
Ялта	[jáltə]	Yalta
моя	[majá]	my

2. The letter **и** in modern Russian has a tendency to lose the [j] glide characteristic. Some speakers of Russian, however, do retain the glide:

мой	[maí]	[mají]

3. All consonants except **ж**, **ш**, and **ц** are pronounced " soft " when they are followed by a " softening " vowel letter. Preceded directly by a consonant, **и**, **е**, **ё**, **ю**, and **я** lose the [j] glide.

Practice pronouncing the following syllables and words, carefully noting the difference between the "hard" and "soft" consonants:

Syllables

ба / бя	[ba / ḅa]
бо / бё	[bo / ḅo]
бэ / бе	[be / ḅe]
бу / бю	[bu / ḅu]
бы / би	[bɨ / ḅi]
ва / вя	[va / ɣa]
во / вё	[vo / ɣo]
вэ / ве	[ve / ɣe]
ву / вю	[vu / ɣu]
вы / ви	[vɨ / ɣi]
ла / ля	[la / ḷa]
ло / лё	[lo / ḷo]
лэ / ле	[le / ḷe]
лу / лю	[lu / ḷu]
лы / ли	[lɨ / ḷi]

ма / мя	[ma / m̦a]
мо / мё	[mo / m̦o]
мэ / ме	[me / m̦e]
му / мю	[mu / m̦u]
мы / ми	[mɨ / m̦i]
на / ня	[na / n̦a]
но / нё	[no / n̦o]
нэ / не	[ne / n̦e]
ну / ню	[nu / n̦u]
ны / ни	[nɨ / n̦i]
па / пя	[pa / p̦a]
по / пё	[po / p̦o]
пэ / пе	[pe / p̦e]
пу / пю	[pu /p̦u]
пы / пи	[pɨ / p̦i]
са / ся	[sa / șa]
со / сё	[so / șo]
сэ / се	[se / șe]
су / сю	[su / șu]
сы / си	[sɨ / și]
фа / фя	[fa / f̦a]
фо / фё	[fo / f̦o]
фэ / фе	[fe / f̦e]
фу / фю	[fu / f̦u]
фы / фи	[fɨ / f̦i]
да / дя	[da / d̦a]
до / дё	[do / d̦o]
ду / дю	[du / d̦u]
дэ / де	[de / d̦e]
ды / ди	[dɨ / d̦i]
та / тя	[ta / ța]
то / тё	[to / țo]
ту / тю	[tu / țu]
тэ / те	[te / țe]
ты / ти	[tɨ / ți]

Words

кино́	movie theater
приве́т	greeting
спаси́бо	thanks
дива́н	divan
тигр	tiger
нет	no
Аме́рика	America
профе́ссор	professor
де́ти	children
те́ма	theme
бюро́	bureau
нюа́нс	nuance
дю́жина	dozen
говорю́	I speak
мя́со	meat
ря́дом	side by side
пя́тница	Friday

Unstressed **e** *and* **я**.   When **e** or **я** occur in an unstressed syllable, they are pronounced less distinctly than when stressed. The preceding consonant, however, remains "soft."

a. Unstressed **e** before the stressed syllable = [ji]; when preceded by a "soft" consonant = [i] with a softening of the consonant; in final position after the stressed syllable = [jə] or [ə]:

Stressed: [je], [e]			*Unstressed:* [ji], [i], [jə], [ə]		
ем	[jem]	I eat	ещё	[jishchó]	still
нет	[n̦et]	no	теа́тр	[țiátr]	theater
Аме́рика	[am̦ér̦ika]	America	ве́чер	[v́échir]	evening
нале́во	[nal̦évə]	left	интере́сно	[ințir̦ésnə]	interesting
профе́ссор	[prafésər]	professor	америка́нец	[am̦er̦ikán̦its]	American man
			мо́ре	[mór̦ə]	sea
			зда́ние	[zdán̦ijə]	building

When an unstressed **е** occurs after **ж**, **ш**, or **ц**, it is pronounced [ɨ]:

тóже	[tózhɨ]	also
лýчше	[lúchshɨ]	better

b. Unstressed **я** before the stressed syllable = [ji]; when preceded by a consonant = [i]; after the stressed syllable = [jə] or [ə]:

Stressed: [ja], [a]			*Unstressed:* [ji], [i], [jə], [ə]		
Я́лта	[jáltə]	Yalta	язы́к	[jizɨk]	language
моя́	[majá]	my	пятнó	[pitnó]	spot
мя́со	[m̦ásə]	meat	Áзия	[áz̦ijə]	Asia
			Тáня	[tán̦ə]	Tanya

A syllable with the letter **ё** is always stressed.

ASSIGNMENTS

A. ORAL:

1. Practice the Conversation.
2. Become thoroughly familiar with all the answers to the question " How are you? " in the Supplementary Material.
3. Pronounce all the syllables and words in The Russian Alphabet.

B. WRITTEN:

1. Copy twice each of the Russian letters and words in The Russian Alphabet.
2. Write the following sentences:

a. Мѝша живёт в Сан-Фран-
циско.

Misha lives in San Francisco.

b. Ереван — столѝца Армении.

Erivan is the capital of Armenia.

c. Моя комната направо, а ваша — налево.

My room is on the right, and yours
is on the left.

d. Я люблю борщ и щи.

I like borshch and shchi.

e. Пётр работает в Чикаго.

Peter works in Chicago.

f. Центр города недалекó отсюда.

The center of town is not far from
here.

g. Щорск нахо́дится на ю́ге СССР.

Shchorsk is located in the south of the U.S.S.R.

h. Фёдор Шаля́пин роди́лся в Росси́и.

Fyodor Chaliapin was born in Russia.

i. Ири́на, к сожале́нию, не игра́ет в ша́хматы.

Irene, unfortunately, doesn't play chess.

j. Плисе́цкая прекра́сно танцу́ет!

Plisetskaya dances wonderfully!

Lesson D

CONVERSATION A [rəzgavór] A

Ivan: Hello!   [zdrástvujţi!]

Mike: Good evening!   [dóbrij γéchir!]

Ivan: Tell me, please,   [skazhíţi, pazháləstə,
are you a foreigner?   vi inastráņits?]

Mike: Yes, I'm an American.   [da, ja aɱiɾikáņits.
And you are a Russian?   a vi rúsķij?]

Ivan: Yes, a Russian.   [da, rúsķij.]

Mike: What is your name?   [kak vas zavút?]

Ivan: My name is Ivan Pavlov.   [ɱiņá zavút iván pávləf.
And what is your name?   a vas kak zavút?]

Mike: Michael Carter. I'm very glad   [ɱixaíl kárter. óchiņ rat
to meet you.   pəznakóɱitsə!]

Ivan: Pleased to meet you.   [óchiņ pɾijátnə!]

Mike: Tell me, please,   [skazhíţi, pazháləstə,
where are you going?   kudá vi iḍóţi?]

Ivan: To the library. You, too?   [vḇibḷiaţéku. vi tózhɨ?]

Mike: Yes. Let's go together!   [da, pajḍómţi vɱésţi!]

Ivan: Fine. Let's go!   [xərashó! pajḍómţi!]

CONVERSATION B   [rəzgavór] B

Ivan: Do you speak Russian?

[vɨ gəvaɽíţi pa-rúsķi?]

Mary: Yes, I speak a little Russian.

[da, ja ņimnógə gəvaɽú pa-rúsķi.]

Ivan: That's good!

[étə xərashó!]

Mary: Why?

[pəchimú?]

Ivan: Because I don't speak English at all!

[pətamúshtə ja safşém ņi gəvaɽú pa-angļíjsķi!]

Mary: Excuse me, please. It's time to go to class!

[izyiņíţi, pazháləstə, pará iţí fklas!]

NOTES

1. The feminine form of [inastráņits] is [inastránkə]; of [aṃiɽikáņits] is [aṃiɽikánkə]; and of [rúsķij] is [rúskəjə].
2. The familiar singular ([tɨ]-form) of [kak vas zavút?] is [kak ţiḅá zavút?] This expression means literally "How you they call?"
3. [ṃiņá zavút...] means literally "Me they call..."
4. When a woman says "I'm very glad..." she says [óchiņ rádə...].
5. The familiar singular ([tɨ]-form) of [pajḍómţi] ("Let's go!") is [pajḍóm].

ORAL PATTERN DRILLS

A. Follow the given examples:

> *Example:* It's time to go to class!   [pará iţí fklas!]

1. It's time to go to school!
2. It's time to go to town!
3. It's time to go to the lesson!
4. It's time to go to the theater!
5. It's time to go to the movies!
6. It's time to go to the library!
7. It's time to go to the laboratory!
8. It's time to go home!

B. Construct statements and responses as in the example. Your response should be negative each time; give a different destination in each response:

> *Example:* (class) [pajdómţi vmésţi fklas!]
> [ņet, ņi magú.¹ ja idú vþibļiaţéku.]

1. (library)
2. (town)
3. (movies)
4. (lesson)

5. (home)
6. (school)
7. (theater)
8. (laboratory)

C. Learn all the following possible answers to the question "Do you speak Russian?": [vɨ gəvaŗíţi | pa-rúsķi?]
   [tɨ gəvaŗísh |

1. [da, ja gəvaŗú pa-rúsķi.]	Yes, I speak Russian.
2. [ja xərashó gəvaŗú pa-rúsķi.]	I speak Russian *well*.
3. [ja ņimnógə gəvaŗú pa-rúsķi.]	I speak Russian *a little*.
4. [ja strudóm gəvaŗú pa-rúsķi.]	I speak Russian *with difficulty*.
5. [ja plóxə gəvaŗú pa-rúsķi.]	I speak Russian *poorly*.
6. [ņet, ja ņi gəvaŗú pa-rúsķi.]	No, I *don't* speak Russian.
7. [ņet, ja safşém ņi gəvaŗú pa-rúsķi.]	No, I don't speak Russian *at all*!

D. Repeat exercise C, substituting [pa-angļíjsķi] for [pa-rúsķi].

The Russian Alphabet

The three remaining letters of the Russian alphabet are:

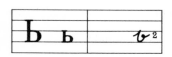

Мягкий знак (the "soft sign"). This letter has no sound value; its function is to indicate that the preceding consonant is "soft" and that if a "softening vowel letter" follows it directly, that vowel has the [j] glide.

---

¹ [ņi magú]: "I can't."

² Since the letters ь and ъ never occur as the first letter of a word, they have no written capital form.

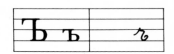

Твёрдый знак (the " hard sign "). This letter also has no sound value; it occurs only after prefixes which are followed by a " softening vowel." The hard sign causes that vowel to be preceded by a [j] sound.

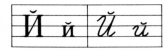

И кра́ткое (" short **и** "). This letter is considered to be a " soft" consonant and represents a sound similar to the " y " in " bo*y*." It normally follows a vowel with which it represents a diphthong ending in a short [i] sound. **Й** never follows a consonant.

A. The " soft sign " (**ь**) :

1. Pronounce the following words :

день	[ḑeṇ]	day
о́чень	[óchiṇ]	very
учи́тель	[uchíṭiḷ]	teacher
да́льше	[dáḷshi]	farther, further, "Go on!"
большо́е	[baḷshójə]	big
две**р**ь	[dɣeṛ]	door
здесь	[zḑeṣ]	here

2. The soft sign after a consonant can completely change the meaning of a word. Practice pronouncing the following words :

брат	brother	по́лка	shelf
бра**ть**	to take	по́лька	Polish woman, dance
был	was	вес	weight
бы**ль**	past event	ве**сь**	all
кров	roof	у́гол	corner
кро**вь**	blood	у́го**ль**	coal

---

³ See p. 25, fn. 2.

3. When **ь** occurs between a consonant and a "softening" vowel (**и, е, ё, ю, я**), that vowel is preceded by a [j] sound:

Hard	Soft	-ь-
бы	би	бьи
бэ	бе	бье
бо	бё	бьё
бу	бю	бью
ба	бя	бья

4. In some instances, **ь** will be found to follow the letters **ж** or **ш**. This spelling peculiarity is purely historic and does not in any way affect the "hardness" of **ж** or **ш**:

мужья́	husbands
пожива́ешь	(you) feel

B. The "hard sign" (**ъ**):

1. Both **ь** and **ъ**, when they occur between a consonant and a "softening" vowel, indicate that that vowel is preceded by a [j] glide. The "hard sign," however, occurs only after prefixes. In the old (pre-revolutionary) orthography **ъ** was used much more extensively than it is in modern Russian.

2. Pronounce the following words with **ъ** and **ь** followed by "soft" vowels:

ъ				**ь**		
объе́кт	[aḅjékt]	object		чьи	[chji]	whose
адъюта́нт	[aḍjutánt]	adjutant		премье́р	[pṛiṃjér]	premier
субъе́кт	[suḅjékt]	subject		ружьё	[ruzhjó]	weapon
объясня́ть	[aḅjisṇáṭ]	to explain		пью	[pju]	(I) drink
				пьян	[pjan]	drunk

C. "Short и" (**й**):

1. Pronounce the following diphthongs represented by a vowel + **й**:

а + й = ай	е + й = ей
о + й = ой	ё + й = ёй
у + й = уй	ю + й = юй
э + й = эй	я + й = яй
и + й = ий	

2. Pronounce the following words:

чай	[chaj]	tea
май	[maj]	May
мой	[moj]	my
Толсто́й	[talstój]	Tolstoy
здра́вствуй	[zdrástvuj]	hello
эй!	[ej]	hey!
ру́сский	[rúsķij]	Russian
юбиле́й	[juḅiḷéj]	jubilee
семьёй	[ṣiṃjój]	family (instrumental case)
хозя́йка	[xaẓájkə]	hostess

3. **Й** rarely occurs before a vowel: Нью-Йо́рк (New York).
4. **Й** can *never* follow a consonant!

D. Note carefully how **ь**, **ъ**, and **й** are written:

ь:

чьи	*чьи*
премье́р	*премьер*
ружьё	*ружьё*
пью	*пью*
пьян	*пьян*
день	*день*

ъ:

объе́кт	*объект*
адъюта́нт	*адъютант*
субъе́кт	*субъект*
объясня́ть	*объяснять*

й:

чай	*чай*
Толстóй	*Толстой*
хозя́йка	*хозяйка*

ASSIGNMENTS

A. ORAL:

1. Practice Conversations A and B.
2. Be prepared to do the Oral Pattern Drills without hesitation.
3. Pronounce all the Russian words and syllables in The Russian Alphabet.

B. WRITTEN:

1. Write twice all the Russian words in The Russian Alphabet.
2. Write the following sentences:

a. Как ты поживáешь? — How are you?
b. Óчень хорошó, спасúбо. — Very well, thanks.
c. Вы учúтель? — Are you a teacher?
d. Да, я учúтель. — Yes, I'm a teacher.
e. Кудá вы идёте? — Where are you going?
f. Я идý домóй. — I'm going home.
g. Мóжно войтú? — May I come in?
h. Пожáлуйста заходúте! — Please come in!
i. Дóбрый день! — Good day!
j. Дóбрый вéчер! — Good evening!
k. Как сказáть по-англúйски « объéкт » и « субъéкт »? — How do you say " объéкт " and " субъéкт " in English?

Review Lesson

ORAL REVIEW

Say in Russian:

1. Louder, please!
2. Once more!
3. That's better!
4. Please open your books!
5. Go on!
6. Repeat, please!
7. Listen!
8. Please don't talk!
9. Good morning, Professor Pavlov.
10. Good evening, Ivan Borisovich.
11. Excuse me, please. May I come in?
12. Please come in.
13. Tell me, please, are you a Russian teacher?
14. No, I'm not a Russian teacher.
15. I speak Russian with difficulty.
16. Tell me, please, do you speak English?
17. How do you say "I can't" in Russian?
18. Where are you going?
19. I'm going to class. I have a Russian class.
20. What's your name?
21. My name is Mary Baxter.
22. I'm very glad to meet you.
23. Let's go to the movies together!
24. It's time to go to the laboratory.
25. Thanks very much!
26. Don't mention it.
27. Do you have a dictionary? Yes, I do. Yes, I have. Yes, I have a dictionary. No, I don't.

WRITTEN REVIEW

Learn to recite and write the Russian alphabet in order:

Ру́сская а́збука

А а	*А*	*а*	а		Р р	*Р*	*р*	эр
Б б	*Б*	*б*	бэ		С с	*С*	*с*	эс
В в	*В*	*в*	вэ		Т т	*Т*	*т*	тэ
Г г	*Г*	*г*	гэ		У у	*У*	*у*	у
Д д	*Д*	*д,g*	дэ		Ф ф	*Ф*	*ф*	эф
Е е	*Е*	*е*	йе		Х х	*Х*	*х*	ха
Ё ё	*Ё*	*ё*	йо		Ц ц	*Ц*	*ц*	цэ
Ж ж	*Ж*	*ж*	жэ		Ч ч	*Ч*	*ч*	че
З з	*З*	*з,з*	зэ		Ш ш	*Ш*	*ш*	ша
И и	*И*	*и*	и		Щ щ	*Щ*	*щ*	ща
Й й	*Й*	*й*	и кра́ткое		Ъ ъ		*ъ*	твёрдый знак
К к	*К*	*к*	ка		Ы ы		*ы*	ы (еры́)
Л л	*Л*	*л*	эл		Ь ь		*ь*	мя́гкий знак
М м	*М*	*м*	эм		Э э	*Э*	*э*	э
Н н	*Н*	*н*	эн		Ю ю	*Ю*	*ю*	йу
О о	*О*	*о*	о		Я я	*Я*	*я*	йа
П п	*П*	*п*	пэ					

Note the following:

1. The letters **м**, **л**, and **я** always begin with a little hook, even when they occur within a word: *лампа, Таня*.
2. The letters **ц** and **щ** have loops below the line which are much shorter than the loop on **у**: *ц, щ, у*.
3. The letter **г** must be rounded on top when written in order to prevent confusion with the letter **ч**: *г, ч*.
4. Russians who tend to be careless in their penmanship usually put a line over **т** and a line under **ш**: *т̄, ш̱*.

Первый урóк

Р А З Г О В О́ Р : Куда́ вы идёте?

Миша: — Здравствуйте, Ива́н Бори́сович!

Ива́н Бори́сович: — Здравствуй, Миша! Как поживáешь?

Миша: — Спаси́бо, хорошó. Как вы поживáете?

Ива́н Бори́сович: — Очень хорошó!

Миша: — Куда́ вы идёте?

Ива́н Бори́сович: — Я иду́ домóй. Ты тоже?

Misha: Hello, Ivan Borisovich!

Ivan Borisovich: Hello, Misha! How are you?

Misha: Fine, thanks. How are you?

Ivan Borisovich: Very well!

Misha: Where are you going?

Ivan Borisovich: I'm going home. You, too?

33

Я иду домой.

Миша: — Нет, я иду́ на уро́к. У меня́ уро́к ру́сского языка́.	*Misha:* No, I'm going to class. I have a Russian language class.
Ива́н Бори́сович: — Это хорошо́! До свида́ния.	*Ivan Borisovich:* That's fine. Goodby.
Миша: — До свида́ния. Всего́ хоро́шего!	*Misha:* Good-by. All the best!
Ива́н Бори́сович: — Всего́ хоро́шего!	*Ivan Borisovich:* All the best!

ПРИМЕЧА́НИЯ[1]

1. From this lesson on, the stress will not be indicated when it falls on the *first syllable*.
2. Note carefully the spelling of the words for "hello!" The first **в** is not pronounced at all, and Russians tend to pronounce all but the first syllable rather indistinctly.
3. **Пожива́ешь** ends in **-ь**; this in no way affects the "hardness" of **ш**.
4. **До свида́ния** is two words.

---

[1] **Примеча́ния**: Notes

5. Note carefully the spelling of **очень** [ochiņ].
6. Russians do not capitalize the word **я** (I), unless, of course, it occurs as the first word of a sentence.
7. When the letter **г** occurs between two **о**'s or between **е** and **о**, it is usually pronounced like the Russian letter **в**:

всегó хорóшего
русского языкá

8. A much more detailed discussion of the Russian spelling and pronunciation system will be found later in this lesson.
9. The Russian expression **всегó хорóшего** is very commonly used by Russians when they take leave of one another. "All the best!" conveys somewhat the same meaning, though it sounds stilted in English.
10. As you have observed in the conversation, there are in Russian *two* ways of saying

	Familiar Singular	*Formal/Plural*
You	ты	вы
Hello!	Здравствуй!	Здравствуйте!
How are you?	Как поживáешь?	Как поживáете?
	Как ты поживáешь?	Как вы поживáете?
Where are you going?	Кудá идёшь?	Кудá идёте?
	Кудá ты идёшь?	Кудá вы идёте?

These are the *familiar singular* (**ты**-*form*) and the *formal/plural* (**вы**-*form*).
a. Use the **ты**-form when addressing a person much younger than yourself, a very close friend or relative, and when addressing an animal. This word for "you" cannot be used when addressing more than one person.
b. Use the **вы**-form when addressing a person older than yourself, with strangers, with persons to whom you wish to show respect, whenever addressing two or more persons, and when in doubt.
c. As noted above in the examples, Russians frequently omit the word for "you" entirely if the subject is perfectly clear.

УПРАЖНÉНИЯ[2]

Кудá {**ты идёшь?** / **вы идёте?**} Я идý домóй. — Where are you going? I'm going home.

1. Я идý на урóк. — I'm going to class.

---
[2] **Упражнéния**: Exercises

2. Я иду́ в го́род.   I'm going to town.
3. Я иду́ в библиоте́ку.   I'm going to the library.
4. Я иду́ в лаборато́рию.   I'm going to the laboratory.
5. Я иду́ в шко́лу.   I'm going to school.
6. Я иду́ в кино́.   I'm going to the movies.
7. Я иду́ в теа́тр.   I'm going to the theater.

Note that **в** and **на** are written separately, but are pronounced as part of the following word.

ВЫРАЖЕ́НИЯ[3]

1. Не говори́(те), пожа́луйста!   Don't talk, please!
2. Слу́шай(те), пожа́луйста!   Listen, please!
3. Повтори́(те), пожа́луйста!   Repeat, please!
4. Ещё раз!   Once more (again)!
5. Гро́мче!   Louder!
6. Да́льше!   Continue (go on)!
7. Это хорошо́!   That's good (fine)!
8. Это пло́хо!   That's bad!
9. Это лу́чше!   That's better!
10. Откро́й(те) ⎱ кни́ги!   Open ⎱ your books!
    Закро́й(те) ⎰   Close ⎰

SPELLING AND PRONUNCIATION

Once you have mastered the Russian alphabet, the spelling system of the language is relatively simple and logical—much more logical, certainly, than that of the English language. There are, however, some apparent inconsistencies between the spoken and written language; these inconsistencies are easily explained and easily mastered by the student, if approached with an open mind! Study the following rules and examples carefully. Listen closely to your instructor's pronunciation of the words in this section. Practice your pronunciation and intonation *regularly* in the laboratory. Repeat everything you hear loudly and distinctly. Do not be satisfied until what you say sounds

---

[3] **Выраже́ния**: Expressions

just like what you hear from your instructor and / or native speakers of Russian. Unless what you say sounds rather strange to you, you are probably speaking with an American (or British) accent!

The following Spelling Rules are extremely important and should be memorized:

---

1. After **г, к, х, ж, ч, ш, щ** *never* write **ы**; write **и** instead, even though the *sound* indicates that **ы** should be written.

2. After **г, к, х, ж, ч, ш, щ, ц** *never* write **ю** or **я**; write instead **у** or **a** respectively.

3. After **ж, ч, ш, щ, ц** *never* write an *unstressed* **o**; write **e** instead.

Russian Vowels

a	**я**
o	**ё**
э	**e**
y	**ю**
ы	**и**

Only the vowel in the stressed syllable of a Russian word has the full sound value indicated in the pronunciation chart on page 31. After the stressed syllable, the second most important vowel in a word is that in the syllable which directly precedes the stressed syllable. Vowels in all other syllables have very low sound value. It will help your pronunciation if you always think of the stress building up rapidly to the stressed syllable and then falling off immediately (if a syllable follows the stressed syllable):

хорошó   в лаборатóрию   преподавáтель

1. Stressed and unstressed **a** and **o**.
a. Stressed:

a [a]:	парк	да	Ивáн
	так	нас	брат
	как	там	класс
o [o]:	то	кто	дом
	но	кинó	что

b. Unstressed:

When either **a** or **o** occurs initially (as the first letter of a word) or in the syllable which *directly precedes the stressed syllable* both are pronounced like a stressed Russian **a** [a] (actually the sound value is 3/4 that of stressed **a**, but this distinction is difficult to perceive):

Initial	*Directly Before Stressed Syllable*	
он**а́**	п**о**ка́	ск**а**жи́те
окно́	М**о**сква́	н**а**ле́во
отве́т	Б**о**ри́с	н**а**пра́во
арти́ст	в**о**про́с	сп**а**си́бо
англи́йский	п**о**-ру́сски	фр**а**нцу́зский
авиа́тор		

In any other syllable (*more than one before the stressed syllable*, or *after the stressed syllable*), both **a** and **o** are pronounced approximately like the " a " in " again " : [ə]

After Stressed Syllable	*More Than One Before Stressed Syllable*	
эт**о**	х**о**рошо́	[xərashó]
ат**о**м	г**о**ворю́	[gəvaṛú]
можн**о**	г**о**споди́н	[gəspaḍín]
спаси́б**о**	г**о**спожа́	[gəspazhá]
дом**а**	к**а**ранда́ш	[kərandásh]
карт**а**	в л**а**б**о**рато́рию	[vləbəratóṛiju]

2. Stressed and unstressed **e**.

a. Stressed **e**:

Initially or when preceded by a vowel, **ь**, or **ъ**: [je]

ем [jem]	по**е́**здка [pajéstkə]	съ**е**зд [șjest]
ел [jel]		в стать**е́** [fstaṭjé]

Preceded by a " soft " consonant (any consonant other than **ж**, **ш**, or **ц**): [e]

н**е**т	[ṇet]	Ам**е́**рика	[aṃéṛikə]
р**е**дко	[ṛetkə]	проф**е́**ссор	[prafésər]
прив**е́**т	[pṛiɣét]	нал**е́**во	[naḷévə]

b. Unstressed **e**:

Initially or when preceded by a vowel, **ь**, or **ъ** in a syllable before the stressed syllable: [ji]

ещё	[jishchó]
ерундá	[jirundá]

Preceded by a "soft" consonant (any consonant other than **ж**, **ш**, or **ц**) in a syllable before the stressed syllable: [i]

немнóго [ņimnógǝ]   ничегó [ņichivó]

Preceded by a "hard" consonant (**ж**, **ш**, or **ц**): [ɨ]; preceded by a vowel after the stressed syllable: [jǝ]; preceded by a "soft" consonant: [ǝ]

тóже	[tozhɨ]
лýчше	[luchshɨ]
дáльше	[daļshɨ]
здáние	[zdáņijǝ]
мóре	[moŗǝ]

3. Stressed and unstressed **я**.

a. Stressed **я**:

Initially or when preceded by a vowel, **ь**, or **ъ**: [ja]

Я [ja]   моя́ [majá]   судья́ [suḍjá]
Ялта [jaltǝ]   прия́тно [pŗijátnǝ]

Preceded by a "soft" consonant (any consonant other than **ж**, **ш**, or **ц**): [a]

ряд	[ŗat]	земля́	[ẓimļá]
пять	[paț]	прямо	[pŗamǝ]
мясо	[ṃasǝ]		

Я can never follow **ж**, **ш**, or **ц** (see Spelling Rule 2)

b. Unstressed **я**:

Initially or when preceded by a vowel, **ь**, or **ъ** in a syllable before the stressed syllable: [ji]; after the stressed syllable: [jǝ]

язы́к [jizɨ́k]   Áзия [Áẓijǝ]   до свидáния [dǝsyidáņjǝ]

Preceded by a "soft" consonant (any consonant other than **ж**, **ш**, or **ц**) in a syllable before the stressed syllable: [i]; after the stressed syllable: [ǝ]

пятнó	[pitnó]
Тáня	[taņǝ]

Vowel Pairs

Russian vowels may be paired thus:

Regular	*"Softening"*
а	я
о	ё
э	е
у	ю
ы	и

It is important to note that vowels are not in themselves "hard" or "soft"; these terms are used linguistically to describe the quality of *consonants*. Whenever any consonant other than **ж**, **ш**, and **ц** is followed by a "softening" vowel, this indicates that that consonant is pronounced "soft."

What sound relationship exists between the paired vowels when they stand alone? The "soft" vowels **я**, **е**, **ё**, and **ю** are "iotated" (begin with a [j] sound). **И** is iotated by some Russians; by others it is not.

It will prove very helpful later on to know these vowel pairs. They should be learned now!

The Consonant **й**

The letter **й** is considered to be a "soft" consonant and can occur only after a vowel (except in a few foreign words and in the Russian spelling of the names of the letters of the alphabet). A vowel + **й** represents a diphthong sound:

а + й = **ай**	я + й = **яй**
о + й = **ой**	ё + й = **ёй**
у + й = **уй**	ю + й = **юй**
э + й = **эй**	е + й = **ей**
ы + й = **ый**	и + й = **ий**

Russian Consonants

A. Voiced and voiceless consonants

Consonant sounds which are produced with the help of the vocal chords are said to be *voiced*. Consonant sounds which are produced without the help of the vocal chords are said to be *voiceless*.

Voiced	Voiceless	Voiced	Voiceless
б	п	л	
в	ф	м	
г	к	н	
	х	р	
д	т		
ж	ш		
	ч		
	щ		
з	с		
	ц		

Twelve of these consonants can be paired thus:

Voiced	Voiceless
б	п
в	ф
г	к
д	т
ж	ш
з	с

Х, ч, ц, and **щ** do not have *voiced equivalents* in modern Russian; **л, м, н,** and **р** do not have *voiceless equivalents* in modern Russian.

It is important to learn the following rules involving voiced and voiceless consonants. They should not be difficult for you, for you already know the correct pronunciation of some of the words which illustrate the principle involved.

1. When a *voiced* consonant occurs as the last letter of a word, it is pronounced *voiceless*:

город	(т)
раз	(с)
Павлов	(ф)
рад	(т)
хлеб	(п)
берег	(к)
Париж	(ш)

2. When a *voiced* consonant *precedes* a *voiceless* consonant, both are pronounced voiceless (like the latter). A preposition (like **в**) is always pronounced as part of the word which follows it:

второй урок	[ftarój]
водка	[votkə]
Повторите!	[pəftaṛíṭi]
Вот ошибка.	[vot ashípkə]
Я иду в класс.	[ja idú fklas]
в театр.	[fṭiátr]
в кино.	[fḳinó]
в школу.	[fshkolu]

But

в город.	[vgorət]
в библиотеку.	[vḅibḷiaṭéku]

3. When a *voiceless* consonant precedes **б, г, д, ж** or **з** (but not **в**!), both are pronounced voiced (again like the latter of the two consonants):

экзамен	[egzáṃin]	просьба	[proẓbə]
сделать	[zḍelaṭ]	вокзал	[vagzál]
отзыв	[odzif]	как же!	[kágzhɨ]

4. The linguistic phenomenon involved in rules 2 and 3 is referred to as "the regressive assimilation of consonants" because it is the latter (second) consonant which affects the former (first). In English the exact opposite occurs; thus English is said to have "progressive assimilation of consonants."

Progressive Assimilation	*Regressive Assimilation*
"be**gs**" pronounced "be**gz**"	"**в** класс" pronounced "**ф**класс"
"dan**ced**" pronounced "dan**st**"	"э**кз**áмен" pronounced "э**гз**áмен"

B. Hard and soft consonants

Ж, **ш**, and **ц** are *always* pronounced *hard*. When the vowels **е**, **ё**, or **и** are written after these consonants, they are pronounced like their "hard" equivalents:

Hard	*"Softening"*			
о	ё	шёлк	pronounced	[ш**о**лк]
э	е	центр	pronounced	[ц**э**нтр]
ы	и	скажи́те	pronounced	[скаж**ы́**те]

As has already been noted, *unstressed* **е** after **ж**, **ш** or **ц** is pronounced like **ы** (rather than **и**):

тож**е**	pronounced	[тож**ы**]
лучш**е**	pronounced	[лучш**ы**]
дальш**е**	pronounced	[дальш**ы**]

Ч, **щ**, and **й** are *always* pronounced *soft*:

учу́	pronounced	[уч**ю́**]
чашка	pronounced	[ч**я**шка]
пощáда	pronounced	[пощ**я́**да]

All other consonants may be either *hard* or *soft*. They are *soft* when followed by **ь** or any "softening" vowel. Compare the pronunciation of the following hard and soft nonsense syllables:

ба / бя	ра / ря	на / ня
бо / бё	ро / рё	но / нё
бэ / бе	рэ / ре	нэ / не
бу / бю	ру / рю	ну / ню
бы / би	ры / ри	ны / ни
ва / вя	за / зя	са / ся
во / вё	зо / зё	со / сё
вэ / ве	зэ / зе	сэ / се
ву / вю	зу / зю	су / сю
вы / ви	зы / зи	сы / си

да / дя	ма / мя	та / тя
до / дё	мо / мё	то / тё
ду / дю	мэ / ме	ту / тю
дэ / де	му / мю	тэ / те
ды / ди	мы / ми	ты / ти

ла / ля
ло / лё
лэ / ле
лу / лю
лы / ли

Now pronounce the following words and sentences, paying particular attention to the soft consonants which are underlined:

Здравствуйте!

Скажи́те, пожа́луйста, что вы учи́те?

Извини́те, пожа́луйста.

Пора́ идти́.

Вы говори́те по-ру́сски?

Я иду́ в библиоте́ку.

Я иду́ в теа́тр.

Господи́н.

Добрый день!

Можно войти́?

Как сказа́ть по-ру́сски...?

УПРАЖЕ́НЕНИЯ

1. Read the **Разгово́р** and copy it twice (write, don't print!).
2. Be prepared to write any part of the **Разгово́р** from dictation.
3. Be prepared to translate any of the sentences in the **Выраже́ния** into Russian (oral and written).
4. Carefully study the section *Spelling and Pronunciation*, and practice the pronunciation of the words that illustrate phonetic principles. Do this only with the help of your teacher, a native speaker of Russian, or in the laboratory.
5. Learn to say and write "first lesson" in Russian: **первый уро́к.**

Второй урок

РАЗГОВОР: Как это сказать по-русски?[1]

Учитель: — Здравствуйте! Что вы учите?	*Teacher:* Hello! What are you studying?
Миша: — Я учу русский язык.	*Misha:* I'm studying Russian.
Учитель: — Это интересно.	*Teacher:* That's interesting.
Миша: — Вы учитель?	*Misha:* Are you a teacher?
Учитель: — Да, я учитель русского языка.	*Teacher:* Yes, I'm a teacher of Russian (language).
Миша: — Скажите, пожалуйста, как сказать по-русски *How are you?*	*Misha:* Tell me, please, how do you say "How are you?" in Russian?

---

[1] "How do you say this in Russian?"

Библиоте́ка.

Учи́тель: — *How are you?* по-ру́сски бу́дет « Как пожива́ешь ? » и́ли « Как пожива́ете ? »	*Teacher:* "How are you?" in Russian is "Как пожива́ешь?" or "Как пожива́ете?"
Ми́ша: — Спаси́бо.	*Misha:* Thank you.
Учи́тель: — Пожа́луйста. До свида́ния.	*Teacher:* You're welcome. Good-by.
Ми́ша: — До свида́ния. Всего́ хоро́шего!	*Misha:* Good-by. All the best!

ПРИМЕЧА́НИЯ

1. The word **что** ("what") is pronounced [shto], rather than [chto].
2. There are two forms of the Russian word for "teacher":

   учи́тель   a *man* teacher
   учи́тельница   a *woman* teacher

3. The word **пожа́луйста** means both "please" and "You're welcome."

It also has a number of other meanings such as "Here you are" (when offering someone something) and "Please do!" It is thus similar to the German *bitte schön*.

4. The present tense of the verb "to be" is not expressed in Russian. There are also no words for "a" and "the":

Вы учи́тель? (Are) you (a) teacher?

Да, я учи́тель. Yes, I (am) (a) teacher.

5. The letter **г** between two **о**'s is normally pronounced like the Russian letter **в**.

6. When the prefix **по-** is added, **й** drops:

русский язы́к Russian language

по-ру́сски in Russian

7. The word "Russian" has three forms.

a. The basic form is **русский язы́к**. This means simply "(the) Russian language":

Я учу́ русский язы́к. I am studying Russian.

b. "Of the Russian language" is **русского языка́**:

учи́тель русского языка́ a teacher of the Russian language

c. "In Russian" is **по-ру́сски**. This is used with verbs like "to speak," "to understand," and in the expression."How do you say ... in Russian?" (**Как сказа́ть по-ру́сски...**).

8. **Бу́дет** means literally "will be":

Это по-ру́сски бу́дет... That is (will be) in Russian ...

9. The **ты** verb form in the present tense always ends in **-ь**, although this letter in no way affects the pronunciation (**ш** remains "hard").

ВЫРАЖЕ́НИЯ

1. Тепе́рь пиши́(те) дикта́нт! Now write from dictation.
2. Иди́(те) к доске́! [gdasķé] Go to the board.
3. Сотри́(те) с доски́ [zdasķí]! Erase the board.
4. Это пра́вильно. That's correct.
5. Это непра́вильно. That's incorrect.

6. Вот ошибка   [ashípkə].   Here's a (the) mistake.
7. Это правда.   That's true.
8. Это всё [fṣo].   That's all.
9. Произнесите это слово.   Pronounce this word.
10. Выучите это наизусть.   Memorize this.

УПРАЖНЕ́НИЯ

A. Read, write, and become thoroughly familiar with the following questions and answers:

1. Что ты учишь?
   Что вы учите? } Я учу́ {
   русский язы́к.   (Russian)
   английский язы́к.   (English)
   испа́нский язы́к.   (Spanish)
   неме́цкий язы́к.   (German)
   францу́зский язы́к.   (French)

3. Ты учишь неме́цкий язы́к?
   Вы учите неме́цкий язы́к? } Нет, я учу́ {
   английский язы́к.
   русский язы́к.
   францу́зский язы́к.
   испа́нский язы́к.

B. Следуйте данному приме́ру:[2]

Приме́р: **вопро́с** (question)   Вы учи́тель (учи́тельница) русского языка́?

отве́ты (answers)   **Да, я учи́тель (учи́тельница) русского языка́.**
Нет, я не учи́тель (учи́тельница) русского языка́.

1. Вы учи́тель францу́зского языка́?
2. Вы учи́тель неме́цкого языка́?
3. Вы учи́тель испа́нского языка́?
4. Вы учи́тель англи́йского языка́?

C. Give correct answers to the following questions:

1. Как сказа́ть « Как пожива́ете? » по-испа́нски?

---

[2] **Следуйте данному приме́ру:** Follow the given example.

2. Как сказа́ть « до свида́ния » по-неме́цки ?
3. Как сказа́ть « спаси́бо » по-францу́зски ?
4. Как сказа́ть « эква́тор » по-англи́йски ?

ДОМА́ШНИЕ УПРАЖНЕ́НИЯ[3]

1. Read the **Разгово́р** and copy it twice.
2. Practice the Oral Exercises; write them out once and learn to spell all the words and expressions.
3. Arrange the following geographical place names alphabetically :

Алта́й	Магнитого́рск
Москва́	Днепропетро́вск
Ленингра́д	Пари́ж
Улья́новск	Берли́н
Кавка́з	Лондон
Волга	Гварде́йск
Сан-Франци́ско	Енисе́й
Байка́л	Новгород
Баку́	Рим
Лос-Анджелес	Ирты́ш
Ура́л	Шебо́йган
Арха́нгельск	Филаде́льфия
Ватсонви́ль	Заго́рск
Оде́сса	Яку́тск
Ялта	Мадри́д
Эльбру́с	Щорск
Санта-Крус	Токио
Рига	Чита́
Тбили́си	Харьков
Нью-Йо́рк	Югосла́вия
Владивосто́к	Стокго́льм
Днепр	Хе́льсинки
Миннеа́полис	Жене́ва

4. Learn to say and write " second lesson " in Russian : **второ́й уро́к**.

---

[3] **Дома́шние упражне́ния**: Homework

Третий уро́к

РАЗГОВО́Р: **Мо́жно войти́?**

Ми́ша: — Приве́т, Та́ня!

Та́ня: — Ах! Ми́ша! Э́то ты!
Здра́вствуй!
Как пожива́ешь?

Ми́ша: — Ничего́, спаси́бо.
Как ты?

Та́ня: — И я то́же непло́хо.

Ми́ша: — Скажи́, пожа́луйста,
профе́ссор Па́влов тут?

Misha: Hi, Tanya!

Tanya: Oh! Mike! It's you!
Hello!
How are you?

Misha: All right, thanks.
How are you?

Tanya: I'm not bad either.

Misha: Tell me, please, is Professor
Pavlov here?

50

— Как поживаешь?
— Ничего, спасибо.

Таня: — Да, он тут. Вот его комната там, направо. Видишь?	*Tanya:* Yes, he's here. There's his room, there on the right. Do you see (it)?
Миша: — Ах да. Вижу! Спасибо большое!	*Misha:* Oh, yes. I see! Thanks very much!
Таня: — Не за что. Пока!	*Tanya:* Don't mention it. So long!
Миша: — Пока! Всего хорошего!	*Misha:* So long! All the best!
Миша: — Доброе утро, профессор Павлов. Можно войти?	*Misha:* Good morning, Professor Pavlov. May I come in?
Профессор Павлов: — Пожалуйста! Заходите!	*Professor Pavlov:* Please do. Come in!

ПРИМЕЧА́НИЯ

1. **Ничего́** is pronounced [ɲichivó].
2. Nouns of address (such as **профе́ссор**) are *never* capitalized unless they are the first word of a sentence.
3. **Не за что** is written as *three* words but pronounced as if it were only one (with the accent on **Не́**): [ɲézəshtə]
4. Note the spelling of [jivó]: **его́**.
5. "Here"—"there"—"over there"

тут	the word for "here" when referring to one's immediate environment
здесь	the word for "here" in a very general sense ("here in America")
там	"there!"
вон там	"over there"
вот	the word for "here" when pointing out or giving something to someone

6. "Left"—"Right"

нале́во	"left," "on the left," "to the left"
напра́во	"right," "on the right," "to the right"

7. "May I come in?"

Мо́жно войти́?	"(Is it) possible to enter?"
Заходи́(те)!	"Come in (and stay awhile)." This expression can also mean "Drop in to see me!"

8. "Do you see?"

Ви́дишь?	the familiar singular form
Ви́дите?	the formal and plural form

ДОПОЛНИ́ТЕЛЬНЫЙ МАТЕРИА́Л[1]

Learn the following possible answers to the question **Как** {поживáешь ?
поживáете ?

1. Хорошо́.	Fine!
2. Óчень хорошо́.	Very well.
3. Ничего́.	All right.
4. Неплóхо.	Not bad.
5. Так себé.	So-so.
6. Плóхо.	Bad!
7. Спаси́бо, а ты (вы)?	Fine, thanks, and you?

УПРАЖНÉНИЯ

Answer the question "Do you have a class now?" as indicated in the example:

Приме́р: У тебя́[2] тепéрь уро́к? (English)
Да, у меня́ тепéрь уро́к англи́йского языка́.

1. У тебя́ тепéрь уро́к? (Russian)
2. У тебя́ тепéрь уро́к? (German)
3. У вас[2] тепéрь уро́к? (Spanish)
4. У вас тепéрь уро́к? (French)

ДОМÁШНИЕ УПРАЖÉНИЯ

1. Read and practice the **Разгово́р**; write out the **Разгово́р** and the **Дополни́тельный материа́л** twice.
2. Be sure you can give the Russian equivalent of any English word, phrase or clause used in this lesson (in writing as well as orally).
3. Be prepared to write the **Разгово́р** and **Дополни́тельный материа́л** from dictation.
4. Learn to say and write "third lesson" in Russian: **тре́тий уро́к**.

---

[1] **Дополни́тельный материа́л:** Supplementary Material
[2] **у тебя́** = familiar singular; **у вас** = formal and plural

Четвёртый урок

РАЗГОВÓР A: **Как вас (тебя́) зовýт?**

Ивáн: — Здравствуйте!

Миша: — Добрый вечер!

Ивáн: — Скажúте, пожáлуйста, вы иностра́нец?

Миша: — Да, я америка́нец. А вы ру́сский?

Ивáн: — Да, ру́сский.

Миша: — Как вас зовýт?

Ивáн: — Меня́ зовýт Ива́н Павлов. А вас как зовýт?

Ivan: Hello!

Misha: Good evening!

Ivan: Tell me, please, are you a foreigner?

Misha: Yes, I'm an American. And are you a Russian?

Ivan: Yes, I'm a Russian.

Misha: What's your name?

Ivan: My name is Ivan Pavlov. And what is your name?

54

Миша: — Михаи́л Ка́ртер. Óчень рад познакóмиться.	*Misha:* Michael Carter. I'm very glad to meet you.
Ивáн: — Óчень прия́тно.	*Ivan:* Pleased to meet you.
Миша: — Скажи́те, пожáлуйста, кудá вы идёте?	*Misha:* Tell me, please, where are you going?
Ивáн: — В библиотéку. Вы тóже?	*Ivan:* To the library. You too?
Миша: — Да! Пойдёмте вмéсте!	*Misha:* Yes! Let's go together!
Ивáн: — Хорошó! Пойдёмте!	*Ivan:* Fine! Let's go!

РАЗГОВÓР Б: **Вы говори́те по-ру́сски?**

Ивáн: — Вы говори́те по-ру́сски?	*Ivan:* Do you speak Russian?
Мэри: — Да, я немнóго говорю́ по-ру́сски.	*Mary:* Yes, I speak a little Russian.
Ивáн: — Это хорошó!	*Ivan:* That's good.
Мэри: — Почему́?	*Mary:* Why?
Ивáн: — Потому́ что я совсéм не говорю́ по-англи́йски!	*Ivan:* Because I don't speak English at all!
Мэри: — Извини́те, пожáлуйста. Порá идти́ в класс.	*Mary:* Excuse me, please. It's time to go to class.

ПРИМЕЧÁНИЯ

1. Note the following masculine and feminine forms:

a. The feminine form of **иностра́нец** is **иностра́нка**.

b. The feminine form of **америка́нец** is **америка́нка**.

c. The feminine form of **ру́сский** is **ру́сская**.

2. The familiar singular form of **Как вас зову́т?** is **Как тебя́ зову́т?**

3. **Óчень прия́тно** means literally "very pleasant."

4. The familiar singular of **пойдёмте** is **пойдём**. (Use this form only when addressing *one* person whom you call " **ты** ".)

— Доброе утро!

ДОПОЛНЍТЕЛЬНЫЙ МАТЕРИА́Л

You should become thoroughly familiar with the following greetings, etc. Say and write them:

1. Приве́т!   Hi (greeting)!
2. Здра́вствуй(те)!   Hello!
3. До́брое у́тро.   Good morning.
4. До́брый день.   Good day (afternoon).
5. До́брый ве́чер.   Good evening.
6. Споко́йной но́чи [Spakójnəj nochi].   Good night (*literally*, "Of a peaceful night").
7. Пока́!   So long!
8. До свида́ния!   Good-by!
9. Всего́ хоро́шего!   All the best!
10. Уви́димся [uyídimṣə]!   See you later (*literally*, "We will see one another")!

УПРАЖНЕНИЯ

A. Следуйте данному примеру:

Пример: It's time to go to class!   **Пора идти в класс!**

1. It's time to go to school!
2. It's time to go to town!
3. It's time to go to the lesson!
4. It's time to go to the theater!
5. It's time to go to the movies!
6. It's time to go to the library!
7. It's time to go to the laboratory!
8. It's time to go home!

B. Construct (write) statements and responses as in the example. Your response should be negative each time; give a different destination in each response:

Пример: (class)   **Пойдёмте вместе в класс.**
Нет, не могу. Я иду в город.

1. (library)   _____
2. (town)   _____
3. (movies)   _____
4. (lesson)   _____
5. (home)   _____
6. (school)   _____
7. (theater)   _____
8. (laboratory)   _____

C. Learn to say and write all the following possible answers to the question
Вы говорите ⎫
Ты говоришь ⎭ **по-русски?** :

1. Да, я говорю по-русски.   Yes, I speak Russian.
2. Я хорошо говорю по-русски.   I speak Russian well.
3. Я немного говорю по-русски.   I speak Russian a little.
4. Я с трудом говорю по-русски.   I speak Russian with difficulty.
5. Я плохо говорю по-русски.   I speak Russian poorly.

6. Нет, я не говорю по-ру́сски.   No, I don't speak Russian.
7. Нет, я совсе́м не говорю по-   No, I don't speak Russian at all.
ру́сски.

ДОМА́ШНИЕ УПРАЖНЕ́НИЯ

1. Read and practice the **Разгово́ры**; write out the **Разговоры**, **Дополни́тельный материа́л**, and **Упражне́ния**.
2. Be sure you can give (orally or in writing) the Russian equivalents of all the words, phrases and clauses used in this lesson.
3. Be prepared to write the **Разгово́ры** from dictation.
4. Learn to say and write "fourth lesson" in Russian: **четвёртый уро́к**.

Пятый урок

РАЗГОВО́Р: Вы понима́ете по-ру́сски?

Та́ня: — Извини́те, пожа́луй-
ста, вы понима́ете по-
ру́сски?

Роберт: — Да, я немно́го пони-
ма́ю. Говори́те ме́дленно, по-
жа́луйста!

Та́ня: — Хорошо́. Скажи́те, вы
зна́ете, кто э́то там?

Роберт: — Я ду́маю, что э́то
профе́ссор Ивано́в.

Tanya: Excuse me, please, do you
understand Russian?

Robert: Yes, I understand a little.
Speak slowly, please.

Tanya: All right. Tell me, do you
know who that is there?

Robert: I think that is Professor
Ivanov.

Таня: — Ах да, конéчно! А кто это, налéво, вы знáете?

Tanya: Oh, yes, of course! And who is that on the left? Do you know?

Роберт: — Да, знаю. Это Борис Макáров.

Robert: Yes, I do. That's Boris Makarov.

Таня: — Он тóже профéссор?

Tanya: Is he also a professor?

Роберт: — Нет, он не профéс-сор, а студéнт.

Robert: No, he's not a professor but a student.

Таня: — Спасибо большóе.

Tanya: Thanks very much.

Роберт: — Пожáлуйста. До свидáния.

Robert: You're welcome. Good-by.

Таня: — Покá. Всегó хорóшего.

Tanya: So long. All the best.

ТЕКСТ ДЛЯ ЧТЕНИЯ[1]

Beginning with this lesson, all lessons will contain, in addition to the customary material, a reading text (**Текст для чтения**), a grammar section **рамматика** and a vocabulary (**Словáрь**). In this lesson, the **Текст для чтения** is actually a dialog. You should be prepared to read it in Russian without hesitation and to translate it into English without reference to a written English translation. All new words will be found in the **Словáрь** (the last page of the lesson). Be prepared to give oral answers to questions similar to those found in the **Текст для чтения**.

— Скажите, пожáлуйста, вы знáете, что это такóе?
   — Да, знаю. Это карандáш.
— Прáвильно. А это что? Это тóже карандáш?
   — Нет, это не карандáш, но я не знаю, как сказáть по-рýсски *pen.*
— *Pen* по-рýсски будет « ручка » или « авторýчка ».
   — Спасибо.
— Пожáлуйста. Тепéрь скажите, что это такóе? Вы знáете?
   — Я дýмаю, что это по-рýсски будет « доскá ».
— Нет, непрáвильно. Это не доскá, а кáрта. А это тóже кáрта?
   — Нет. Я, конéчно, знаю, что это не кáрта, а блокнóт или тетрáдь.
— Скажите, пожáлуйста, вы знáете, где портфéль?
   — Да, портфéль вот тут, налéво.

---

[1] **Текст для чтения**: Reading Text

— А бумага где?

    — Бумага там, направо.

— Что это посередине?

    — Я думаю, что это словарь, но не знаю.

— Хорошо. Это всё. До свидания.

ПРИМЕЧАНИЯ

1. "What is this (that)?" in Russian is **Что это?** or **Что это такое?**

2. In English we normally refer to both a **блокнот** and a **тетрадь** as "notebooks"; there is, however, a difference in Russian. A **блокнот** is normally bound on the short side. The pages are perforated in some way so that they can be torn out easily. A **тетрадь** is normally bound on the long side. No provision is made for the easy removal of pages. It is usually called a "copybook" in dictionaries.

3. Teachers: An **учитель(ница)** is a teacher who teaches classes below the college level. A **преподаватель(ница)** gives instruction in specific subjects, such as chemistry, mathematics, etc., on the college level, but does not possess a doctorate. A **профессор** is a university professor who has completed his doctorate. In the Soviet Union, a college or university instructor who does not have his Ph.D. is not referred to as "professor." There is no special feminine form of **профессор**.

4. Pupils and students: **Ученик** and **ученица** are used to refer to pupils at any level up to college or university. **Студент** and **студентка** are used to refer to college or university students *only*.

5. Erasers: Blackboard erasers are not used in the U.S.S.R.; instead, Russians use a **тряпка** ("rag") or a **губка** ("sponge"). A pencil eraser is called **резинка**.

ДОПОЛНИТЕЛЬНЫЙ МАТЕРИАЛ

Что (кто) это?   ("What [who] is this?")

The words introduced in this lesson should become a part of your *active* vocabulary, for they will occur in future lessons without vocabulary reference. The Russian word **это** means

This (or that) is...	
These (or those) are...	Это...

Is this (or that)...? ⎫
Are these (or those)...? ⎭   Это...?

and a dash (—) is frequently used to indicate a short pause (where we say "am," "is," "are").

1. Что это (такóе)?

Это — стол.	Это — блокнóт и тетрáдь.
Это — стул.	Это — бумáга.
Это — парта.	Это — карандáш.
Это — доскá.	Это — ручка.
Это — мел.	Это — перó.
Это — тряпка.	Это — ключ.
Это — карта.	Это — дом.
Это — портфéль.	Это — школа.
Это — книга.	Это — дверь.
Это — словáрь.	Это — окнó.

2. Кто это?

Это — учи́тель, преподавáтель или профéссор.

Это — учи́тельница, преподавáтельница или профéссор.

Это — учени́ца или студéнтка.

Это — учени́к или студéнт.

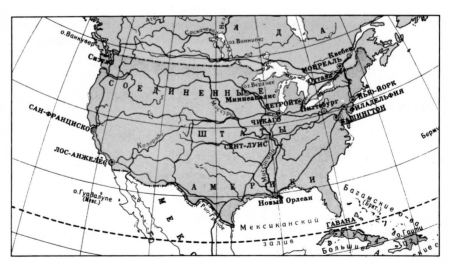

Это — карта. Соединённые Штаты Америки.

УПРАЖНÉНИЯ

Translate:

1. What is this? Do you (**ты** and **вы**) know?
2. I think that that is a dictionary.
3. No, that's incorrect. This is a notebook.
4. Who is that? Do you (**ты** and **вы**) think that that is Professor Karpov?
5. No, I don't know who that is.
6. What's that over there?
7. I don't know what that is.
8. On the right is a table, on the left is a chair, and in the middle is a desk.
9. Do you have a briefcase?
10. Yes, I do. Yes, I have. Yes, I have a briefcase. No, I don't.
11. Is that a window?
12. I don't know, but I think that is a door.
13. Tell me, please, do you (**вы**) understand Russian?
14. Yes, I understand Russian. Please speak slowly.
15. Open the door, please.
16. Please close the window.
17. I speak Russian with difficulty.
18. I think that that is correct.
19. Do you (**ты** and **вы**) think that that is all?
20. I think that you speak Russian very well.
21. I see a table on the left.

ГРАММÁТИКА

When the conjunction **a** occurs between two clauses, it is usually translated "but" or "instead," rather than "and."

> Это не карандáш, **a** ручка.   That's not a pencil *but* a pen
> (instead, it's a pen).

Note the **я**, **ты**, and **вы** forms of the following verbs. (The conjugation of verbs will be discussed in detail in lesson 6.)

> я говорю́   I speak, am speaking, do speak
> (*also* talk, say, tell)

ты говори́шь вы говори́те	you speak, are speaking, do speak (*also* talk, say, tell)
я учу́	I study, am studying, do study
ты у́чишь вы у́чите	you study, are studying, do study
я ви́жу	I see, am seeing, do see
ты ви́дишь вы ви́дите	you see, are seeing, do see
я иду́	I go, am going, do go (*or* walk)
ты идёшь вы идёте	you go, are going, do go (*or* walk)
я ду́маю	I think, am thinking, do think
ты ду́маешь вы ду́маете	you think, are thinking, do think
я зна́ю	I know, do know
ты зна́ешь вы зна́ете	you know, do know
я понима́ю	I understand, do understand
ты понима́ешь вы понима́ете	you understand, do understand.

Note also the expressions:

у меня́ (есть)	I have
у тебя́ (есть) у вас (есть)	you have
у меня́ нет	I do not have
у тебя́ нет у вас нет	you do not have
У тебя́ (вас) есть каранда́ш?	Do you have a pencil?
Да, есть.	Yes, I do.
Да, у меня́ есть.	Yes, I have.
Да, у меня́ есть каранда́ш.	Yes, I have a pencil.
Нет, у меня́ нет.	No, I do not.

The word **есть** is omitted when the question or statement concerns the quantity or some quality of the object, rather than its existence or possession:

У меня́ уро́к **ру́сского языка́**.

To pose a question in Russian, simply add a question mark. In the spoken language, questions are indicated by voice inflection. (Listen to your tapes) :

Это портфéль.	This is a briefcase.
Это портфéль ?	Is this a briefcase?

The word **что** ("what") is also used as the conjunction "that" :

Что это такóе ?	*What* is that?
Я не знáю, **что** это.	I don't know *what* that is.
Я знáю, **что** вы идёте домóй.	I know *that* you are going home.

In very short answers involving a verb, Russians commonly omit the subject (while in English we use the verb form "do"):

Вы говорúте по-рýсски ?	Do you speak Russian?
Да, говорю́.	Yes, I do.
Ты понимáешь ?	Do you understand?
Нет, не понимáю.	No, I don't.
Вы знаете, что это такóе ?	Do you know what this is?
Да, знáю.	Yes, I do.

Но and **a** are both normally translated "but."
A general rule to follow is this: When what is meant is "instead," use **a**.

Это не ручка, **a** карандáш.	This is not a pen but (instead, it's) a pencil.

When what is meant is "however," use **но** :

Я понимáю, **но** не говорю́.	I understand, but (however) don't speak.

Punctuation

In Russian, a comma is *always* used between dependent and independent clauses. This means that whenever the words **кто, что, где, куда́, но,** or **a** occur in the middle of a sentence, they are preceded by a comma :

Я не знáю, кто он.	I don't know who he is.
Вы думаете, что он здесь ?	Do you think that he is here?
Скажи́те, где он.	Tell me where he is.
Вы знаете, куда́ я идý.	You know where I am going.

A quotation is normally introduced by a colon (rather than a comma) and a dash (rather than quotation marks):

Я говорю́: — Я понима́ю по-ру́сски.

I say, "I understand Russian."

Otherwise, punctuation in Russian is about the same as in English.

СЛОВА́РЬ[2]

а	and, but, instead
авторучка	fountain (or ballpoint) pen
блокно́т	notebook
бума́га	paper
всё	all, everything
губка	sponge
дом	house, home
доска́	(black) board
думаю, думаешь, думаете	I, you, you think
знаю, знаешь, знаете	I, you, you know
каранда́ш	pencil
карта	card; map
ключ	key
книга	book
коне́чно	of course
кто	who
медленно	slowly
мел	chalk
окно́	window
парта	desk (school)
перо́	pen point; feather, quill
понима́ю, понима́ешь, понима́ете	I, you, you understand
портфе́ль	briefcase
посереди́не	in the middle
преподава́тель(-ница)	teacher, instructor
профе́ссор	professor
рези́нка	pencil eraser
ручка	pen, pen-holder
слова́рь	dictionary
стол	table
студе́нт(-ка)	student

[2] From now on, the last section of each lesson will be the vocabulary for the lesson, with words listed alphabetically.

стул	chair
тепéрь	now
тетрáдь	copybook
тряпка	rag (for erasing the board)
учени́к (учени́ца)	pupil
учи́тель(-ница)	teacher
что	what, that
школа	school
это	this is, that is; these are, those are

Шесто́й уро́к

РАЗГОВО́Р: Госпожа́ Ивано́ва больна́

Лари́са: — Извини́те, пожа́луйста, вы понима́ете по-ру́сски?	*Larissa:* Excuse me, please. Do you understand Russian?
Ми́ша: — Да, я немно́го понима́ю. Говори́те ме́дленно, пожа́луйста.	*Mike:* Yes, I understand a little. Speak slowly, please.
Лари́са: — Хорошо́. Скажи́те, где господи́н Ивано́в? Он здесь?	*Larissa:* Fine. Tell me, where is Mr. Ivanov? Is he here?
Ми́ша: — Да, я ду́маю, что он здесь. Его́ ко́мната но́мер шесть.	*Mike:* Yes, I think he's here. His room is number six.

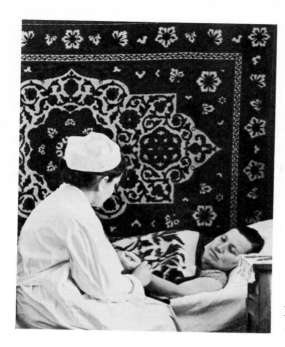

Госпожа Иванова
сегодня больна.

Лари́са: — Он то́же понима́ет
по-ру́сски?

Ми́ша: — Коне́чно, понима́ет!
Он ру́сский. Он совсе́м не
говори́т по-англи́йски.

Лари́са: — А госпожа́ Ивано́ва
то́же здесь сего́дня?

Ми́ша: — Я не зна́ю.
Бори́с! Ты зна́ешь, где гос-
пожа́ Ивано́ва? Она́ здесь?

Бори́с: — Нет, госпожа́ Ива-
но́ва до́ма. Она́ сего́дня
больна́.

Лари́са: — Спаси́бо большо́е.

Ми́ша: — Пожа́луйста. До сви-
да́ния.

Лари́са: — До свида́ния. Вы,
ме́жду про́чим, о́чень хоро-
шо́ говори́те по-ру́сски!

Ми́ша: — Спаси́бо.

Larissa: Does he understand Russian, too?

Mike: Of course he does! He's a
Russian. He doesn't speak English at all.

Larissa: And is Mrs. Ivanova also
here today?

Mike: I don't know.
Boris! Do you know where Mrs.
Ivanova is? Is she here?

Boris: No, Mrs. Ivanova is at home.
She is sick today.

Larissa: Thanks very much.

Mike: You're welcome. Good-by.

Larissa: Good-by. By the way, you
speak Russian very well.

Mike: Thanks.

ТЕКСТ ДЛЯ ЧТЕНИЯ: **Лучше молча́ть!**

Идёт уро́к. Сего́дня мы чита́ем текст для чтения по-ру́сски. Наш преподава́тель ру́сского языка́ господи́н Болко́нский говори́т, что мы о́чень хорошо́ чита́ем. Мы, коне́чно, знаем, что э́то не так. Господи́н Болко́нский о́чень симпати́чный челове́к. Он неда́вно здесь и ещё пло́хо зна́ет англи́йский язы́к. Он говори́т по-англи́йски с акце́нтом, но э́то ничего́. Он говори́т по-ру́сски о́чень бы́стро, но мы его́ понима́ем.

Сего́дня господи́н Болко́нский спра́шивает:

— А где Андре́й Ро́бертс? Вы зна́ете, госпожа́ Джонс?

Анна Джонс отвеча́ет, что Андре́й сего́дня болен. Я знаю, что э́то не так, но ничего́ не говорю́.

Я ду́маю:

— Лу́чше молча́ть!

Вопро́сы[1]

1. Кто наш преподава́тель ру́сского языка́?
2. Мы о́чень хорошо́ чита́ем по-ру́сски?
3. Как говори́т господи́н Болко́нский по-англи́йски?
4. Он давно́ здесь?
5. Что он сего́дня спра́шивает?
6. Ду́маю ли я, что Андре́й сего́дня болен?
7. Почему́ я ничего́ не говорю́?

ВЫРАЖЕ́НИЯ[2]

1. ме́жду про́чим	by the way
2. Идёт уро́к.	Class is in session.
3. текст для чте́ния	reading text
4. Э́то не так.	That's not the case.
5. говори́ть с акце́нтом	to speak with an accent
6. Лу́чше молча́ть.	It's better to be silent.

---

[1] These are questions based on the **Текст для чте́ния.**

[2] These are expressions used in the **Разгово́р** and **Текст для чте́ния.**

7. Это ничего.   That doesn't matter (That's nothing).
8. ничего не говорить   to say nothing

ПРИМЕЧАНИЯ

1. **Господин** and **госпожа** are not capitalized, except, of course, when they occur as the first word of a sentence.
2. **Сегодня** is pronounced [şivódņə].

ДОПОЛНИТЕЛЬНЫЙ МАТЕРИАЛ

Learn to say and write the numbers 1 through 10 :

0	нуль (ноль)
1	один
2	два
3	три
4	четыре
5	пять
6	шесть
7	семь
8	восемь
9	девять
10	десять

УПРАЖНЕНИЯ

A. Answer with complete sentences as in the examples (written and oral):

Пример: Вы говорите по-русски ?   **Да, я немного говорю по-русски.**

1. Вы говорите по-испански ?
2. Он говорит по-французски ?
3. Они говорят по-немецки ?
4. Ты говоришь по-японски ?
5. Она говорит по-итальянски ?

Приме́р: Вы хорошо́ говори́те
и понима́ете по-ру́сски?
**Я хорошо́ понима́ю, но
говорю́ с трудо́м.**

1. Вы хорошо́ говори́те и понима́ете по-францу́зски?
2. Он хорошо́ говори́т и понима́ет по-неме́цки?
3. Они́ хорошо́ говоря́т и понима́ют по-япо́нски?
4. Ты хорошо́ говори́шь и понима́ешь по-испа́нски?
5. Она́ хорошо́ говори́т и понима́ет по-италья́нски?

Приме́р: Мы сего́дня чита́ем
по-англи́йски?
**Нет, мы сего́дня не чита́ем
по-англи́йски.**

1. Вы сего́дня чита́ете по-ру́сски?
2. Они́ сего́дня чита́ют по-францу́зски?
3. Бори́с сего́дня чита́ет по-неме́цки?

Приме́р: Вы хорошо́ зна́ете
англи́йский язы́к?
**Да, я о́чень хорошо́
зна́ю англи́йский язы́к.**

1. Они́ хорошо́ зна́ют францу́зский язы́к?
2. Тама́ра хорошо́ зна́ет испа́нский язы́к?
3. Ты хорошо́ зна́ешь ру́сский язы́к?

B. Give the correct forms of the verbs indicated and complete each sentence
by translating the English words:

1. **ви́деть**

a. Он		the dictionary.
b. Мы		the door.
c. Я		the house.
d. Они́	(see, sees)	the briefcase.
e. Ты		the chair.
f. Вы		the key.

2. **знать**

a. Мы		Russian.
b. Они́		Italian.
c. Ива́н	(know, knows)	English.
d. Я		French.
e. Ты		Spanish.
f. Вы		Japanese.

3. **спрáшивать**

a. Мы

b. Вы

c. Джон и Мэри

d. Ты   (ask, asks)

e. Таня

f. Я

$\left.\begin{array}{l} \text{in Russian.} \\ \text{in Italian.} \\ \text{in English.} \\ \text{in French.} \\ \text{in Spanish.} \\ \text{in Japanese.} \end{array}\right.$

4. **отвечáть**

a. Я

b. Они́

c. Ты

d. Мы   (answer, answers) slowly.

e. Онá

f. Вы

C. Change the subject (or subjects) of the model sentence as indicated, and make any other changes which this necessitates:

> *Примéр:* She, by the way, is   **Онá, между прочим,**
 very sick.   **очень больнá.**

1. Он _____ .
2. Они́ _____ .
3. Я _____ .
4. Мы _____ .
5. Ивáн _____ .
6. Тамáра _____ .

> *Примéр:* He says that he is   **Он говори́т, что он**
 sick today.   **сегóдня болен.**

1. Я _____, я _____ .
2. Они́ _____, они́ _____ .
3. Онá _____, онá _____ .
4. Мы _____, мы _____ .

> *Примéр:* Why don't you think that   **Почемý вы не думаете,**
 he is sick today?   **что он сегóдня болен?**

1. он _____, онá _____ ?
2. они́ _____, мы _____ ?

3. ты _____, они _____?
4. профéссор Павлов _____, я _____?

> *Примéр:* Does he know that   **Он знает, что вы больны́?**
> you are sick?

1. Они́ _____, я _____?
2. Вы _____, он _____?
3. Ива́н Бори́сович _____, госпожá Павлова _____?
4. Ты _____, они́ _____.
5. Миша _____, ты³ _____?

> *Примéр:* He doesn't speak English   **Он совсéм не говори́т**
> at all!   **по-англи́йски!**

1. Я _____.
2. Вы _____.
3. Они́ _____.
4. Мы _____.
5. Ты _____.

D. Translate into Russian as in the examples:

> *Примéр:* No, I don't think that   **Нет, я не думаю, что**
> he's here.   **он здесь.**

1. No, I don't think that she is here today.
2. No, I don't think that he understands Russian.
3. No, I don't think that he is going to town.
4. No, I don't think that they speak French.
5. No, I don't think that she sees the table.

> *Примéр:* Do you know where   **Вы знаете, где карандáш?**
> the pencil is?

1. Do you know where the pen is?
2. Does she know where the book is?
3. Do they know where the blackboard eraser is?
4. We know where Professor Ivanov is.
5. I know where Mrs. Pavlova is.

---

³ addressing a woman

Приме́р: Tell me, please, where is room number five?   **Скажи́те, пожа́луйста, где ко́мната но́мер пять?**

1. Tell me, please, where is room number two?
2. Tell me, please, where is room number seven?
3. Tell me, please, where is room number three?
4. Tell me, please, where is room number eight?
5. Tell me, please, where is room number one?
6. Tell me, please, where is room number four?
7. Tell me, please, where is room number six?
8. Tell me, please, where is room number nine?
9. Tell me, please, where is room number ten?

Приме́р: I don't know where you are going.   **Я не зна́ю, куда́ вы идёте.**

1. You don't know where they are going.
2. He doesn't know where she is going.
3. They don't know where I am going.
4. We don't know where we are going.
5. She doesn't know where Misha is going.

Приме́р: I don't say anything.   **Я ничего́ не говорю́.**

1. I don't see anything.
2. I don't answer anything.
3. I don't understand anything.
4. I don't ask anything.
5. I don't think anything.
6. I don't read anything.
7. I don't know anything.

Вопро́сы

Answer these questions as they apply to you. Your answers must be complete Russian sentences:

1. Како́й (which) язы́к вы учите?
2. Вы понима́ете по-неме́цки?
3. Вы преподава́тель или студе́нт?
4. Как вас зову́т?

5. Вы хорошо говорите по-русски?
6. Вы думаете, что вы хорошо читаете по-русски?
7. Ваш преподаватель русского языка—симпатичный человек?
8. Вы молчите, когда (when) он говорит?
9. Вы понимаете, когда он говорит по-русски быстро?
10. Вы сегодня больны?

Перевод

1. Why are you silent?
2. Because the teacher is talking.
3. Are they reading the reading text?
4. You think that I understand Russian well, but that's not the case.
5. Class is in session.
6. By the way, the briefcase is over there. See?
7. I think that he is sick today.
8. It's better to be silent.
9. Why do you answer so slowly?
10. They have been here only a short time and still speak English with an accent.
11. That doesn't matter.
12. I don't see anything.
13. Speak slowly, please!
14. He says "Good-night" and goes home.
15. The teacher says, "Erase the board!"
16. Do you understand what he is saying? Yes, I do.
17. What is he asking?   He isn't asking anything.
18. I don't understand French at all.
19. I think that that is all.
20. See you later!

ГРАММА́ТИКА

There are two words for the English word "where." **Где** means "where" in reference to *location*.

Где он? Я не знаю, **где** он.

Куда means "where" in reference to *directed motion*.

> **Куда** вы идёте? Я знаю, **куда** вы идёте.

The Russian word for "home" has three forms.

Это — **дом**.	This *is a house* (or *home*).
Я иду **домой**.	I am *going home*.
Я **дома**.	I am *at home*.

Personal Pronouns

Person	Singular		Plural	
1st	я	I	мы	we
2nd	ты	you	вы	you
3rd	он	he	они	they
	она	she		
	оно	it		

The Russian word for "sick" has *four* basic forms (masculine, feminine, neuter, and plural).

Я		(a man or boy speaking)
Ты	} болен.	(addressing a man or boy)
Он		(speaking about a man or boy)

Я		(a woman or girl speaking)
Ты	} больна.	(addressing a woman or girl)
Она		(speaking about a woman or girl)

Оно больно.	(The neuter form, obviously, is little used.)

Мы		(We are sick.)
Вы	} больны.	(You are sick.)
Они		(They are sick.)

The question "Are you sick?" thus has three forms.

Ты болен?	(asking a male person you call **ты**)
Ты больна?	(asking a female person you call **ты**)
Вы больны?	(asking more than one person, or one person you call **вы**)

Questions

There are three basic ways to construct a question in Russian:

1. Place a question mark at the end of the sentence and change the intonation. This is the simplest and most frequently used form. Remember that Russians raise their voice on the important word of a question, rather than at the end of the question.

Statement of Fact	*Question*
Он говорит по-русски.	Он говорит по-русски?

2. You may also reverse the order of the subject and verb, in which case the subject is stressed.

Говорите вы по-русски?   Do you speak Russian?

3. To express serious doubt in a question, begin the question with the word or phrase about which the doubt is truly expressed, and follow that word with the particle **ли**. This particle has no actual meaning by itself, but in a question it may be translated as "really." Only one item may precede **ли**.[4]

Идёте **ли** вы сегодня в город?	Are you *going* to town today?
Вы **ли** идёте сегодня в город?	Are *you* going to town today?
В город **ли** вы сегодня идёте?	Are you going *to town* today?
Сегодня **ли** вы идёте в город?	Are you going to town *today*?

Double Negatives

In Russian, unlike English, double negatives are grammatically correct.

Я **ничего не** читаю.[5]	{I don't read anything. {I read nothing.
Я **ничего не** говорю.	{I don't say anything. {I say nothing.

The Russian word **ничего** means both "nothing" and "all right."

Это ничего.	That's nothing; that doesn't matter; that's all right.

---

4 **Ли** may never be the first word of a sentence or clause.
5 *Literally,* "I *nothing not* read."

| Как поживáете? | How are you? |
| Ничегó. | All right. |

| Я ничегó не говорю́. | ⎰ I don't say anything. |
| | ⎱ I say nothing. |

Verbs

The *infinitive* form of most Russian verbs ends in the letters **-ть**.

понимáть	to understand
говори́ть	to speak
учи́ть	to study
знать	to know
думать	to think
читáть	to read
спрашивать	to ask (a question)
отвечáть	to answer
видеть	to see
молчáть	to be silent

Some verbs, however, have an infinitive form which ends in **-ти**. The only verb of this type which we have had is **идти́** ("to go").

There is only *one present tense* in Russian, as compared to three in English:

Я говорю́.	⎧ I speak (*present indicative*).
	⎨ I am speaking (*present progressive*).
	⎩ I do speak (*present emphatic*).

An action which began in the past and continues into the present is expressed in Russian by the present tense, frequently with the word **ужé** ("already") directly before the period of time involved. In English we express this by the present perfect or present perfect progressive tense:

Я ужé давнó читáю.   I have read (been reading) for a long time.

The verbs in Russian are basically of two types—the first and second conjugations:

Class I (or " **e** ") verbs
Class II (or " **и** ") verbs

To form the present tense conjugation of regular class I verbs, drop **-ть** and add the endings indicated:

	понима́	**ть**	*to understand*
я	понима́	**ю**	I understand
ты	понима́	**ешь**	you understand
он			he
она́	понима́	**ет**	she understands
оно́			it
мы	понима́	**ем**	we understand
вы	понима́	**ете**	you understand
они́	понима́	**ют**	they understand

Class I verbs which you have studied are:

понима́ть	to understand
пожива́ть	to feel (used in inquiring after a person's health)
ду́мать	to think
знать	to know
чита́ть	to read
спра́шивать	to ask (a question)
отвеча́ть	to answer

To form the present tense of regular class II verbs, drop the *last three* letters and add the following endings:

	говор	**и́ть**	*to speak, talk, say, tell*
я	говор	**ю́**	I speak, etc.
ты	говор	**и́шь**	you speak
он			he
она́	говор	**и́т**	she speaks, etc.
оно́			it
мы	говор	**и́м**	we speak
вы	говор	**и́те**	you speak
они́	говор	**я́т**	they speak

Class II verbs which you have had are:

говори́ть	to speak
учи́ть	to learn, memorize
ви́деть	to see
молча́ть	to be silent

The verb **видеть** is *irregular*:

я вижу
ты видишь
он видит

мы видим
вы видите
они видят

To avoid errors in spelling and verb conjugation, it is essential that you *learn* and *observe* the spelling rules given in the first lesson:

1. After **г, к, х, ж, ч, ш, щ** never write **ы**; write **и** instead.
2. After **г, к, х, ж, ч, ш, щ, ц** never write **ю** or **я**; instead write **у** or **а** respectively.
3. After **ж, ч, ш, щ, ц** never write an unstressed **о**; write **е** instead.

What effect is the second rule going to have on the conjugation of the verbs **учить**, **видеть**, and **молчáть**?

учи́ть	**видеть**	**молчáть**
я учу́	я вижу	я молчу́
ты у́чишь	ты видишь	ты молчи́шь
он у́чит	он видит	он молчи́т
мы у́чим	мы видим	мы молчи́м
вы у́чите	вы видите	вы молчи́те
они́ у́чат	они́ видят	они́ молчáт

Most verbs keep the stress throughout the conjugation on the same syllable as in the infinitive. Some, however, change the stress. With very few exceptions, it will be on the same syllable of the **ты, он, мы, вы**, and **они** forms of the verb. The only verbs which have a stress shift in their conjugation are those *which have the stress on the last syllable of the infinitive*! As new verbs are introduced, any shifting of the stress will be indicated thus: **учи́ть—учу́, у́чишь, у́чат.**

Since there is no sure way to tell from the infinitive whether a verb belongs to class I or class II, each new verb will be given thus:

знать (I)   говори́ть (II)

The verb **идти** belongs to the class I group, but the **e** becomes **ё**. **Ё**, of course, is stressed:

я ид **ý**		мы ид **ём**	
ты ид **ёшь**		вы ид **ёте**	
он ид **ёт**		они ид **ýт**	

The verbs **читáть**, **спрáшивать**, **отвечáть**, **говори́ть**, and **понимáть** require **по-рýсски** ("in Russian"), not **рýсский язы́к** ("Russian language").

Я говорю́ и понимáю по-рýсски.

But

Я учý (знáю) рýсский язы́к.

Remember: the **я**, **ты** and **они** forms will be given to you in the vocabulary when there is a stress shift (**учý**, **ýчишь**, **ýчат**), and when the second rule causes **ю** to become **у**, and **я** to become **а** (**лежý**, **лежи́шь**, **лежáт**).

СЛОВÁРЬ

болен, больнá, -нó, -ны́	sick, ill
быстро	fast, quick(ly)
ваш	your
видеть (II)	to see
вижу, видишь, видят	
вопрóс	question
вопрóсы	questions
восемь	eight
все	everyone, everybody
где	where (at)
говори́ть (II)	to talk, speak, say, tell
давнó	(for) a long time, a long time ago
два	two
девять	nine
десять	ten
дома	at home
думать (I)	to think
егó	his, him
ещё	still, yet
знать (I)	to know
какóй	which, what kind of
когдá	when
конéчно	of course
медленно	slow(ly)

между прочим	by the way
молчáть (II)	to be silent, still
молчý, молчúшь, молчáт	
наш	our
недáвно	not long ago, recently
ничегó	nothing; all right
но	but, however
номер	number (of a room, street, etc.)
одúн	one
отвечáть (I)	to answer
понимáть (I)	to understand
пять	five
с акцéнтом	with an accent
сегóдня	today
семь	seven
симпатúчный	likable, nice
спрашивать (I)	to ask (a question)
так	so, thus; in that way
текст для чтения	reading text
три	three
учúть (II)	to study, learn; to memorize
учý, ýчишь, ýчат	
человéк	person
четы́ре	four
читáть (I)	to read
шесть	six

Седьмой урок

РАЗГОВО́Р: Что $\left\{ \begin{array}{l} \text{тебе́} \\ \text{вам} \end{array} \right\}$ ну́жно?

Лари́са Петро́вна: — До́брый день, Андре́й Бори́сович!

Андре́й Бори́сович: — А, здра́вствуйте, Лари́са Петро́вна! Как дела́? Сади́тесь!

Лари́са Петро́вна: — Нет, спаси́бо, Андре́й Бори́сович. Не могу́. Я о́чень спешу́ и мне о́чень ну́жен каранда́ш!

Larissa Petrovna: Good afternoon, Andrei Borisovich!

Andrei Borisovich: Oh hello, Larissa Petrovna! How are things? Sit down!

Larissa Petrovna: No, thank you, Andrei Borisovich. I can't. I'm in a big hurry and need a pencil very much!

Андрей Борисович: — Каранда́ш вам ну́жен? И э́то всё? Пожа́луйста! Вот вам и каранда́ш, и ру́чка там, на столе́.

Лари́са Петро́вна: — А где каранда́ш? Я не ви́жу!

Андре́й Бори́сович: — Ах, прости́те! Он не на столе́, а в кни́ге там, на сту́ле.

Лари́са Петро́вна: — Ах да! Ви́жу! Скажи́те, Андре́й Бори́сович, ваш брат ещё здесь, в Москве́?

Андре́й Бори́сович: — Нет, он уже́ в США, в Нью-Йо́рке.

Лари́са Петро́вна: — Да что вы говори́те! Интере́сно, что он там де́лает?

Андре́й Бори́сович: — Он хи́мик и рабо́тает в лаборато́рии.

Лари́са Петро́вна: — Ах, Андре́й Бори́сович, извини́те! Я опа́здываю на уро́к! Спаси́бо большо́е! Бегу́!

Андре́й Бори́сович: — До свида́ния, Лари́са Петро́вна. Заходи́те.

Лари́са Петро́вна: — Хорошо́! Уви́димся!

Andrei Borisovich: You need a pencil? And is that all? Help yourself! There are both a pencil and a pen for you there on the table.

Larissa Petrovna: And where's the pencil? I don't see (it)!

Andrei Borisovich: Oh, forgive me! It's not on the table, but in the book there on the chair.

Larissa Petrovna: Oh, yes! I see! Tell me, Andrei Borisovich, is your brother still here in Moscow?

Andrei Borisovich: No, he's already in the U. S. A., in New York.

Larissa Petrovna: Really! It would be interesting to know what he is doing there.

Andrei Borisovich: He's a chemist and is working in a laboratory.

Larissa Petrovna: Oh, Andrei Borisovich, pardon me! I'm late for class. Thanks very much! I must run!

Andrei Borisovich: Good-by, Larissa Petrovna. Drop in (to see me).

Larissa Petrovna: Fine! See you later!

ТЕКСТ ДЛЯ ЧТЕНИЯ: **Рассе́янный профе́ссор**

Мы сиди́м в кла́ссе и разгова́риваем. Наш профе́ссор сего́дня, как и всегда́, опа́здывает. Профе́ссор Безу́хов симпати́чный челове́к, но он о́чень рассе́янный.

Профессор и студенты работают в лаборатории.

На уро́ке он ча́сто спра́шивает:

— Скажи́те, пожа́луйста, где слова́рь? Ах, вот он тут — в
портфе́ле! А вы зна́ете, где кни́га? Она́ мне о́чень нужна́!

Мы отвеча́ем, что кни́га вот тут, на столе́.

— Спаси́бо, — говори́т профе́ссор Безу́хов. — А перо́ где? Ах
вот оно́, в карма́не.

Ти́ше, ти́ше! Вот он, наконе́ц, идёт!

— Здра́вствуйте, здра́вствуйте. Прости́те за опозда́ние! Хорошо́.
Откро́йте, пожа́луйста, кни́ги! Сего́дня второ́й уро́к.

Мы, коне́чно, зна́ем, что э́то не так. Сего́дня седьмо́й уро́к, но э́то
ничего́. Все зна́ют, что профе́ссор Безу́хов не слу́шает, когда́ мы
чита́ем. Сего́дня мы чита́ем не по-ру́сски, а по-англи́йски, а он
говори́т:

— Спаси́бо. Это всё. Зада́ние на за́втра: четвёртый уро́к. Ме́жду
про́чим, я о́чень рад, что вы так хорошо́ чита́ете по-ру́сски! До
свида́ния.

Вопро́сы

1. Где мы сейча́с сиди́м?

2. Почему́ мы разгова́риваем?
3. Наш профе́ссор — аккура́тный челове́к?
4. Где его́ слова́рь?
5. Где его́ перо́?
6. А кни́га где?
7. Кто идёт?
8. Почему́ профе́ссор не замеча́ет, что мы чита́ем не по-ру́сски, а по-англи́йски?

ВЫРАЖЕ́НИЯ

1. Что { мне, тебе́, ему́, ей, ему́, нам, вам, им } ну́жно?	What { do I, do you, does he, does she, does it, do we, do you, do they } need?	
2. Как дела́?	How are things?	
3. Сади́сь!	Sit down! (familiar singular)	
Сади́тесь!	(formal/plural)	
4. о́чень спеши́ть	to be in a big hurry	
5. Э́то всё.	That's all.	
6. Вот вам...	Here's a... for you.	
7. и... и	both a (the)... and a (the)	
8. Прости́(те)!	Forgive (me)!	
9. Да что вы говори́те!	Really!	
10. опа́здывать на уро́к	to be late for class	
11. Извини́те } за опозда́ние!	Excuse } me for being late!	
Прости́те }	Forgive }	
12. как и всегда́	as always	
13. Ти́ше!	Sh! (*literally*, "Quieter!")	
14. Вот он идёт!	Here he comes (or goes)!	
15. зада́ние на за́втра	assignment for tomorrow	

ПРИМЕЧА́НИЯ

1. **США** stands for **Соединённые Штаты Аме́рики** ("United States of America").

2. **СССР** stands for **Сою́з Сове́тских Социалисти́ческих Респу́блик** ("Union of Soviet Socialist Republics"). "Russia" is **Росси́я**.

3. **Бегу́!** The Russians say simply "I run!" when in English we would say "I must (have to) run!"

4. **Интере́сно, что он там де́лает?** This construction is somewhat more complex in English than in Russian: "*It would be interesting to know what he is doing there.*" Note also that the Russian turns this statement into a question.

5. Both **сейча́с** and **тепе́рь** are normally translated "now." The difference is that **сейча́с** means "right now," "at this time":

Где он сейча́с?   Where is he now?

Он сейча́с на уро́ке.   He is in class now.

Тепе́рь means "now" in relation to something in the past, thus indicating a change from "then" to "now" ("And now..."):

Тепе́рь пиши́те дикта́нт.   Now write from dictation. (*Until now you were doing something else.*)

6. Both **тогда́** and **пото́м** are normally translated "then." The difference is that **тогда́** means "at that time" or "in that case (event)":

Тогда́ я не могу́ рабо́тать.   *Then* I can't work.

Пото́м means "later on" or "after that":

На уро́ке мы сперва́ чита́ем по-англий-   In class we read first in ски, а **пото́м** по-ру́сски.   English and *then* in Russian.

ДОПОЛНИ́ТЕЛЬНЫЙ МАТЕРИА́Л

Learn to say and write the numbers from 11 to 20:

11	оди́ннадцать
12	двена́дцать
13	трина́дцать

14	четы́рнадцать
15	пятна́дцать
16	шестна́дцать
17	семна́дцать
18	восемна́дцать
19	девятна́дцать
20	два́дцать

УПРАЖНÉНИЯ

A. Translate as in the examples:

Приме́р: Here's a pencil for you!   **Вот вам каранда́ш!**

1. Here's a dictionary for you!
2. Here's a book for you!
3. Here's a key for you!
4. Here's (a piece of) chalk for you!
5. Here's paper for you!

Приме́р: It would be interesting   **Интере́сно, что он там**
to know what he is doing   **де́лает?**
there.

1. It would be interesting to know what he is saying.
2. It would be interesting to know what he is asking.
3. It would be interesting to know what he is reading.
4. It would be interesting to know where he works.
5. It would be interesting to know where he is going today.
6. It would be interesting to know who that is over there.
7. It would be interesting to know who that is sitting there.
8. It would be interesting to know what they are studying.
9. It would be interesting to know why they are conversing.

Приме́р: He is late today, as   **Он сего́дня, как и всегда́,**
always.   **опа́здывает.**

1. She is working today, as always.
2. We are sitting in class today, as always.
3. They are in a hurry today, as always.
4. Sasha is sick today, as always.

Приме́р: They have been talking   **Они́ уже́ давно́ говоря́т.**
for a long time.

1. They have been conversing for a long time.
2. Have you been sitting here for a long time?
3. I have been working there a long time.

B. Group the following nouns into three columns according to gender (*masc.* **он**; *fem.* **она́**; *neuter* **оно́**):

уро́к	портфе́ль	слова́рь
язы́к	окно́	гений
перо́	брат	дядя
доска́	преподава́тель	знамя
бума́га	дом	утро
музе́й	имя	щётка
письмо́	стол	телефо́н
Азия	теа́тр	ручка
мужчи́на	мел	тетра́дь
кино́	чай	продолже́ние
вечер	поле	город
тряпка	русский	день
ключ	преподава́тельница	дедушка
лекция	радио	опозда́ние
жизнь	комната	дива́н
гость	Москва́	русская
приме́р	Ленингра́д	человеконенави́стничество

C. Сле́дуйте да́нному приме́ру:

Приме́р: Что вам нужно? (стул)   **Мне нужен стул.**
Он мне нужен.

1. Что вам нужно? (стол)
2. Что тебе́ нужно? (ручка)
3. Что вам нужно? (радио)
4. Что тебе́ нужно? (слова́рь)
5. Что вам нужно? (тряпка)
6. Что тебе́ нужно? (портфе́ль)
7. Что вам нужно? (тетра́дь)
8. Что тебе́ нужно? (перо́)

9. Что вам ну́жно? (блокно́т)
10. Что тебе́ ну́жно? (ка́рта)
11. Что вам ну́жно? (и каранда́ш, и ру́чка)

D. Answer each pair of questions with the word in parentheses:

Приме́р: { Где вы?
{ Куда́ вы идёте? } (шко́ла)   { **Я в шко́ле.**
                                 { **Я иду́ в шко́лу.**

1. Где вы?
   Куда́ вы идёте? } (библиоте́ка)

2. Где ты?
   Куда́ ты идёшь? } (го́род)

3. Где он?
   Куда́ он идёт? } (класс)

4. Где она́?
   Куда́ она идёт? } (теа́тр)

5. Где мы?
   Куда́ мы идём? } (лаборато́рия)

6. Где они́?
   Куда́ они́ иду́т? } (уро́к)

7. Где Ива́н?
   Куда́ Ива́н идёт? } (дом)

Приме́р: Ваш брат ещё рабо́тает   **Нет, он тепе́рь в СССР,**
в Нью-Йо́рке? (Нет,   **в Москве́!**
СССР, Москва́)

1. Ваш брат ещё рабо́тает в Вашингто́не? (Нет, СССР, Я́лта)
2. Ваш брат ещё рабо́тает в Босто́не? (Нет, СССР, Ленингра́д)
3. Ваш брат ещё рабо́тает в Лос-Анджеле́се? (Нет, Герма́ния, Берли́н)
4. Ваш брат ещё рабо́тает в Пи́тсбурге? (Нет, Испа́ния, Мадри́д)
5. Ваш брат ещё рабо́тает в Индиана́полисе? (Нет, По́льша, Варша́ва)
6. Ваш брат ещё рабо́тает в Сан-Франци́ско[1]? (Нет, Япо́ния, Тóкио[1])
7. Ваш брат ещё рабо́тает в Яку́тске? (Нет, США, Миннеа́полис)

---

[1] Foreign names (and nouns of foreign derivation) that end in **-o** or **-e** are never declined.

E. Answer each question as indicated by the words in parentheses. Your answer must include: a pronoun (**он, онá** or **онó**); the preposition **на** ("on") or **в** ("in"); and the proper form of the noun after **на** or **в**:

Примéр: Где карандáш? (стул)   **Он на стуле.**

1. Где бумáга?   (стол)
2. Где словáрь?   (бумáга)
3. Где книга?   (словáрь)
4. Где блокнóт?   (книга)
5. Где письмó?   (блокнóт)
6. Где щётка?   (письмó)
7. Где тетрáдь?   (щётка)
8. Где мел?   (тетрáдь)

Примéр: Где словáрь? (портфéль)   **Он в портфéле.**

1. Где профéссор Иванóв?   (университéт)
2. Где студéнт?   (библиотéка)
3. Где преподавáтель?   (школа)
4. Где ученúк?   (класс)
5. Где студéнт и студéнтка?   (теáтр)
6. Где ученúк и ученúца?   (урóк)
7. Где мама?   (дом)
8. Где Вашингтóн?   (Амéрика)
9. Где Большóй теáтр?   (Москвá)
10. Где Сан-Францúско?   (Калифóрния)
11. Где Рим?   (Итáлия)

F. Change the subject of each model sentence as indicated:

Примéр: **Я** не могý рабóтать в лаборатóрии сегóдня.

1. Он _____.
2. Мы _____.
3. Онú _____.
4. Вы _____.
5. Ты _____.
6. Онá _____.

Пример: **Я** очень спешу́ и мне очень нужен каранда́ш!

1. Ты _____.
2. Он _____.
3. Она́ _____.
4. Мы _____.
5. Вы _____.
6. Они́ _____.

Пример: **Мы** сиди́м в классе и разгова́риваем.

1. Вы _____.
2. Бори́с и Наде́жда _____.

Пример: **Я** часто опа́здываю на уро́к!

1. Миша и Маша _____.
2. Вы _____.
3. Мы _____.
4. Ты _____.
5. Ива́н _____.
6. Наш преподава́тель _____.

Пример: **Он** не слушает, когда́ мы чита́ем.

1. Я _____, вы _____.
2. Они́ _____, он _____.
3. Вы _____, я _____.
4. Мы _____, они́ _____.
5. Ты _____, Ива́н _____.

Пример: **Он** бежи́т домо́й.

1. Мы _____.
2. Они́ _____.
3. Я _____.
4. Вы _____?
5. Ты _____?

Вопро́сы

Answer the following questions as they relate to you:

1. Вы сего́дня спеши́те?
2. Где вы сейча́с?
3. Вы опа́здываете на уро́к?
4. У вас есть каранда́ш?
5. Когда́ ваш преподава́тель опа́здывает, что он говори́т?
6. Он слушает, когда́ вы говори́те или чита́ете?
7. Он рассе́янный?

Перево́д

1. Please come in! Sit down! How are things?
2. Not bad. Tell me, please, do you know where Mr. Karlov is? I need him very much.
3. Boris Karlov? I think that he's in the laboratory.
4. I need his Russian dictionary. Do you know where it is?
5. I think that it's there on the table. Do you see?
6. Oh, yes, I see.
7. Why do you need a Russian dictionary? Are you studying Russian?
8. No, but (**но**) Tanya is studying Russian and she needs a dictionary.
9. Aren't you late for class?
10. Yes. Good-by! Thanks very much!
11. The professor says, "The assignment for tomorrow is the sixth lesson."
12. I am very glad that you are finally here!
13. Please pardon me for being late!
14. Here he comes.
15. Sh!
16. Here's a pencil for you.
17. I don't understand why they are silent.
18. Do you have a pen? Yes, I do.
19. Can you work today? No, I can't. I'm sick.
20. Ivan has been working in the laboratory for a long time.
21. Do you know why Anna is at home? Is she sick today?
22. She's not sick. She's working in the library.
23. Let's go to the library!

ГРАММА́ТИКА

New Irregular Verbs

1. **мочь** (I)   to be able (can, may)

я могу́	мы мо́жем
ты мо́жешь	вы мо́жете
он мо́жет	они́ мо́гут

Normally, **мочь** is used as an auxiliary (helping) verb, in which case the infinitive of the main verb is used:

Я могу́ рабо́тать.	I can work.
Он мо́жет идти́.	He can go.
Они́ не мо́гут тут сиде́ть.	They can't sit here.

When **мочь** is used without a second verb, the subject is frequently omitted:

Вы мо́жете сего́дня рабо́тать?	Can you work today?
Да, могу́.	Yes, I can.
Нет, не могу́.	No, I can't.

When requesting permission to do something, the impersonal form of this verb (**мо́жно?**) is used, rather than **могу́ я?** which is a bit awkward:

Мо́жно войти́?	May (I) come in?
Мо́жно тут сиде́ть?	May (I) sit here?
Да, мо́жно.	Yes, (you) may.

2. **бежа́ть** (II)   to run

я бегу́	мы бежи́м
ты бежи́шь	вы бежи́те
он бежи́т	они́ бегу́т

3. **сиде́ть** (II)   to sit

я сижу́	мы сиди́м
ты сиди́шь	вы сиди́те
он сиди́т	они́ сидя́т

The Gender of Nouns

There are three genders in Russian (as in English):

Masculine:	**он**	(мужскóй род)
Feminine:	**онá**	(женский род)
Neuter:	**онó**	(средний род)

The gender of a Russian noun can usually be determined from its ending:

он	онá	онó
Consonant профéссо**р** карандá**ш** Ленингрá**д**	**-а** учи́тельниц**а** книг**а** Москв**á**	**-о** пер**ó** письм**ó** окн**ó**
-й гени**й** музé**й**	**-я** (except **-мя**) Тан**я** фотогрáфи**я**	**-е** мор**е** продолжéни**е**
Nouns ending in **-ь** can be either masculine or feminine. In the vocabularies they will be listed (м.) for masculine and (ж.) for feminine: день (м.) мать (ж.) портфéль (м.) дверь (ж.) словáрь (м.) жизнь (ж.) преподавáтель (м.) тетрáдь (ж.)		**-мя** им**я** знам**я** врем**я**

In Russian, nouns which denote *inanimate objects* may be masculine, feminine, or neuter. In English we generally use the pronoun "it" to refer to inanimate objects. In Russian *any* noun may be masculine (**он**), feminine (**онá**), or neuter (**онó**) depending upon its *grammatical* gender:

Вот **карандáш**. Вот **он**!	Here's a pencil. Here *it* is!
Вот **кáрта**. Вот **онá**!	Here's a map. Here *it* is!
Вот **письмó**. Вот **онó**!	Here's a letter. Here *it* is!

The pronoun **они́** ("they") is used to refer to two or more persons or things regardless of gender:

Ручка и **каранда́ш** на столе́.
Они́ на столе́.

The pen and the pencil are on the table. They are on the table.

A few nouns which denote *male persons* end in **-a** or **-я**; in spite of the ending, such a noun is considered to be *masculine*! The most common nouns of this type are:

дедушка	grandfather
дядя	uncle
мужчи́на	man

In addition, the diminutive forms of most men's names end in **-a** or **-я**:

Миша—short for **Михайл**
Саша—short for **Алекса́ндр**
Воло́дя—short for **Влади́мир**
Боря—short for **Бори́с**

The Russian Expression for To Need

If we were to translate the Russian equivalent of the question " What do you need? " into English word for word, it would come out like this : " What to you necessary? ". The pronouns used in this construction are dative case pronouns. Learn them so that you can use this most useful construction without hesitation. For now, nouns will not be used with the expression " to need " (except in referring to *what* is needed):

Что
⎧ мне ⎫
⎨ тебе́ ⎬
⎪ ему́ ⎪
⎪ ей ⎪
⎨ ему́ ⎬ нужно ?   What
⎪ нам ⎪
⎪ вам ⎪
⎩ им ⎭

⎧ do I ⎫
⎨ do you ⎬
⎪ does he ⎪
⎪ does she ⎪
⎨ does it ⎬ need?
⎪ do we ⎪
⎪ do you ⎪
⎩ do they ⎭

Notice in the above example that the word **нужно** is used.

1. If what is needed is *masculine*, the form to use in answering the question is

   нужен: Мне нужен каранда́ш.

2. If what is needed is *feminine*, the form to use is

   нужна: Мне нужна ручка.

3. If what is needed is *neuter*, the form to use is

   нужно: Мне нужно перо.

4. If what is needed is *plural*, the form to use is

   нужны: Мне нужны и карандаш, и ручка.

In the preceding examples, the noun (the thing *needed*) always *follows* **нужен, нужна, нужно, нужны**. When *what is needed* is a *pronoun*, that pronoun *begins* the sentence:

Мне нужен карандаш.	I need a pencil.
Он мне нужен.	I need *it*.
Мне нужна ручка.	I need a pen.
Она мне нужна.	I need *it*.
Мне нужно перо.	I need a pen point.
Оно мне нужно.	I need *it*.
Мне нужны ручка и карандаш.	I need a pen and pencil.
Они мне нужны.	I need *them*.

Compare the various forms of the words for "necessary" and "sick":

Masculine:	болен	нужен
Feminine:	больна	нужна
Neuter:	больно	нужно
Plural:	больны	нужны

Where? : **Где?** *and* **Куда?**

As noted in lesson 6, there are in Russian two words for the English word "where." **Где** means "where (at)" and thus is used in questions and statements about *location*:

Где он?	Where is he?
Я не знаю, **где** он.	I don't know where he is.
Где Москва?	Where is Moscow?
Москва в СССР.	Moscow is in the U.S.S.R.

Кудá means "where (to)" and thus is used in questions and statements concerning *motion directed toward a specific place*. This word is the exact equivalent of the old English word *whither* and of the modern German word *wohin*:

Кудá он идёт?	Where is he going?
Я не знаю, **кудá** он идёт.	I don't know where he is going.

In answer to the question **где?** you may use the following familiar words:

Где он рабóтает?	Where is he working?
Тут (здесь).	Here.
Там.	There.
Вон там.	Over there.

In answer to the question **кудá?**, "here" is **сюдá** and "there" is **тудá**:

Кудá он идёт?	Where is he going?
Он идёт **сюдá**.	He's coming here.
Он идёт **тудá**.	He's going there.

Learn the prepositions **в** and **на**:

1. In answer to the question **где?**

> **в** means *in, inside*
> **на** means *on, at, on top of*

2. In answer to the question **кудá?**

> **в** means *to, into*
> **на** means *on, onto*

Now note the changes that occur in certain nouns after the prepositions **в** and **на** in answer to the questions **где?** and **кудá?**:

	Кудá вы идёте?	**Где вы рабóтаете?**
(гóрод)	Я идý в гóрод.	Я рабóтаю в гóроде.
(теáтр)	Я идý в теáтр.	Я рабóтаю в теáтре.
(шкóла)	Я идý в шкóлу.	Я рабóтаю в шкóле.
(библиотéка)	Я идý в библиотéку.	Я рабóтаю в библиотéке.
(лаборатóрия)	Я идý в лаборатóрию.	Я рабóтаю в лаборатóрии.

You are already familiar with the proper answers to the question **куда́ вы идёте?** The answers to the question **где?** are encountered for the first time in this lesson. Here, then, is a grammatical explanation of these changes in noun endings (noun declension).

1. The accusative case of nouns is used after the prepositions **в** and **на** when these prepositions mean "to," "into" or "on," "onto" respectively. This is an extremely simple case; all you do is change **-a** to **-y** and **-я** to **-ю**. Other nouns remain unchanged:

Вот школ	**a.**
Я иду́ в школ	**y.** (to school)

Вот библиотéк	**a.**
Я иду́ в библиотéк	**y.** (to the library)

Вот лаборато́ри	**я.**
Я иду́ в лаборато́ри	**ю.** (to the laboratory)

2. The prepositional case of nouns is used after the prepositions **в** and **на** when these prepositions mean "in," "inside" and "on," "on top of," or "at," respectively. The prepositional case ending is always either **-e** or **-и**. Nouns ending in a *consonant* add **-e**:

го́род	**-**
в го́род	**e** (in town)

теа́тр	**-**
в теа́тр	**e** (in the theater)

класс	**-**
в класс	**e** (in class)

Feminine nouns ending in **-ь** or **-ия** and neuter nouns ending in **-ие** drop the last letter and add **-и**:

тетра́д	**ь**
в тетра́д	**и**

лаборато́ри	**я**
в лаборато́ри	**и**

зда́ни	**e**
в зда́ни	**и**

All other nouns drop the last letter and add **-e**:

школ	**а**
в школ	**е**

окн	**ó**
в окн	**é**

галерé	**я**
в галерé	**е**

портфéл	**ь**
в портфéл	**е**

мор	**е**
в мор	**е**

Remember that "lesson" requires the preposition **на** (not **в**):

Я идý **на** урóк. I am going *to* class (lesson).
Я **на** урóке. I am *in* class (at the lesson).

Remember that "home" has two special forms and does not take a preposition:

Я идý **домóй**. I'm going *home*.
Я **дома**. I'm *at home*.

It will be helpful to note that the vast majority of nouns in the prepositional case end in the letter **-e**. The interrogative word **где** also ends in this letter.

Гд**е** вы рабóтаете? В Москв**é**.

By the same token, the interrogative word **кудá** contains the two vowels involved in the change which occurs in the accusative case!

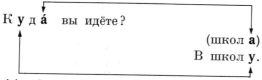

К у д **á** вы идёте?

(школ **а**)
В школ **у**.

In the prepositional case, the words **словáрь** and **стол** have the stress on the ending:

словáрь: Бумáга на словарé.
стол: Словáрь на столé.

СЛОВА́РЬ

аккура́тный	punctual; tidy
бежа́ть (II)	to run
бегу́, бежи́шь, бегу́т	
вам	to you
все	everybody, everyone, all
всё	everything, all
всегда́	always
гость (м.)	guest
де́душка	grandfather
дела́	things
де́лать (I)	to do, make
дя́дя	uncle
ей	to her
ему́	to him
жизнь (ж.)	life
за́втра	tomorrow
зада́ние	assignment, homework
замеча́ть (I)	to notice
зда́ние	building
зна́мя	banner
им	to them
и́мя	first name
карма́н	pocket
лаборато́рия	laboratory
ле́кция	lecture
мать (ж.)	mother
мочь (I)	to be able (can)
могу́, мо́жешь, мо́гут	
мужчи́на	man
музе́й	museum
наконе́ц	finally
нам	to us
ну́жен, нужна́, ну́жно, нужны́	necessary (need)
опозда́ние	tardiness
опа́здывать (на) (I)	to be late
письмо́	letter (mail)
по́ле	field
пото́м	then, later on
продолже́ние	continuation
Прости́(те) (за)...!	Forgive me (for)...!
рабо́тать (I)	to work
разгова́ривать (I)	to converse

рассе́янный	absent-minded
Сади́сь!	Sit down! (familiar singular)
Сади́тесь!	(formal/plural)
сейча́с	now, right now
сиде́ть (II)	to sit
сижу́, сиди́шь, сидя́т	
слушать (I)	to listen (to)
спеши́ть (II)	to be in a hurry
спешу́, спеши́шь, спеша́т	
США	U.S.A.
тебе́	to you
тише	quieter; "sh!"
химик	chemist
чай	tea
часто	often
человеконенави́стничество	misanthropy
щётка	brush

Восьмо́й уро́к

Р А З Г О В О́ Р : **Кому́ нужен инжене́р ?**[1]

(Опро́с в конто́ре)   *An interview in an office*

Она́: — Good morning.   *She:* Good morning.

Он: — Извини́те, я о́чень пло́хо   *He:* Excuse me, I understand Eng-
понима́ю по-англи́йски. Вы   lish very poorly. Do you speak
говори́те по-ру́сски ?   Russian?

Она́: — Да, коне́чно. Сади́тесь,   *She:* Yes, of course. Have a seat,
пожа́луйста. Что вам нуж-   please. What do you need?
но ?

---

[1] Because of the length of this interview, it may be presented with reference to the
English text.

Инженеры на работе.

Он:	— Мне очень нужна работа.	*He:*	I need work very badly.
Она:	— Кто вы по профессии?	*She:*	What is your profession?
Он:	— Я инженер.	*He:*	I'm an engineer.
Она:	— Хорошо. Где вы хотите работать: в городе или в деревне?	*She:*	Fine. Where do you want to work? In the city or in the country?
Он:	— Я очень хочу работать; мне всё равно где, но лучше в городе.	*He:*	I very much want to work; I don't care where, but preferably in the city.
Она:	— Как ваша фамилия?	*She:*	What is your last name?
Он:	— Моя фамилия Семёнов.	*He:*	My last name is Semyonov.
Она:	— А ваше имя и отчество?	*She:*	And your first name and patronymic?
Он:	— Александр Иванович.	*He:*	Aleksandr Ivanovich.
Она:	— Какой вы национальности?	*She:*	What is your nationality?
Он:	— Я русский, конечно.	*He:*	I'm a Russian, of course.
Она:	— Вы гражданин США?	*She:*	Are you a citizen of the U.S.A?
Он:	— К сожалению, ещё нет.	*He:*	Unfortunately, not yet.
Она:	— Где вы живёте?	*She:*	Where do you live?

Он:	— Я живу́ в Окле́нде.	*He:*	I live in Oakland.
Она́:	— Како́й ваш а́дрес?	*She:*	What is your address?
Он:	— Мой а́дрес: у́лица Брод-ве́й, дом № 45, кварти́ра 13.	*He:*	My address is 45 Broadway Street, apartment 13.
Она́:	— Ско́лько вре́мени вы там живёте?	*She:*	How long have you lived there?
Он:	— Я там живу́ уже́ год.	*He:*	I have lived there for a year.
Она́:	— Ско́лько вам лет?	*She:*	How old are you?
Он:	— Мне 24 го́да.	*He:*	I am 24 years old.
Она́:	— Вы жена́ты?	*She:*	Are you married?
Он:	— Да.	*He:*	Yes.
Она́:	— Где ва́ша семья́?	*She:*	Where is your family?
Он:	— Жена́, сын, дочь, брат и сестра́ здесь. Ма́ма и па́па ещё живу́т в СССР.	*He:*	(My) wife, son, daughter, brother, and sister are here. Mama and Papa still live in the U.S.S.R.
Она́:	— Ва́ша жена́ то́же ру́сская?	*She:*	Is your wife Russian too?
Он:	— Нет, моя́ жена́ не́мка.	*He:*	No, my wife is German.
Она́:	— Как её и́мя и о́тчество?	*She:*	What are her first name and patronymic?
Он:	— Мари́я Ка́рловна.	*He:*	Maria Karlovna.
Она́:	— Она́ говори́т по-англи́й-ски?	*She:*	Does she speak English?
Он:	— Да, немно́го. Мы вме́сте изуча́ем англи́йский язы́к в шко́ле.	*He:*	Yes, a little bit. We are studying English together in school.
Она́:	— Кто ва́ша жена́ по про-фе́ссии?	*She:*	What is your wife's profession?
Он:	— Она́ маши́нистка.	*He:*	She's a typist.
Она́:	— Она́ то́же хо́чет рабо́-тать?	*She:*	Does she want to work, too?
Он:	— Да, но сейча́с не мо́жет. Она́ больна́.	*He:*	Yes, but (she) can't right now. She is ill.
Она́:	— Жаль. Нам о́чень нужна́ маши́нистка. Ме́жду про-чим, ва́ша сестра́ за́мужем?	*She:*	Too bad. We need a typist very much. By the way, is your sister married?
Он:	— Да. Её муж рабо́тает в дере́вне, на фе́рме.	*He:*	Yes. Her husband works in the country, on a farm.

Она: — Извините. Одну минуточку! Вот идёт мой начальник. Может быть он знает, кому нужен инженер.	*She:* Excuse me. Just a minute! There goes my boss. Maybe he knows who needs an engineer.

ТЕКСТ ДЛЯ ЧТЕНИЯ: **Английский язык очень трудный!**

Меня зовут Пётр Степанович Гончаров. По профессии я инженер и уже 4 года живу и работаю в Новгороде. Я давно женат, и моя жена Елена Фёдоровна живёт, конечно, тоже здесь. Наша квартира на улице Смирнова.

Мой брат Миша тоже живёт здесь. Ему 31 год. Миша — химик, но он сейчас не работает.

Наш сын Дмитрий и наша дочь Надежда живут в деревне. Надя замужем. Ей 19 лет. Дима тоже женат. Ему 22 года. Он колхозник и работает, конечно, в колхозе.

Я работаю в конторе. Я тоже изучаю английский язык в институте. Я хочу хорошо знать английский язык, потому что мой дядя живёт в Англии и я тоже хочу там жить. Мой преподаватель английского языка мистер Джонс очень плохо знает русский язык. Он англичанин и думает, что русский язык очень трудный. На уроке мистер Джонс часто говорит, что английский язык очень лёгкий,[2] но мы знаем, что это неправда. К сожалению, английский язык очень трудный! Например: « они читают » по-английски будет *they read, they are reading, they do read!*

Вопросы

1. Как моя фамилия?
2. Как моё имя и отчество?
3. Кто я по профессии?
4. Сколько времени я работаю в Новгороде?
5. Я женат?
6. Где я живу в Новгороде?
7. Что делает мой брат?

---

[2] **Лёгкий** is pronounced [lóxķi].

8. Как его́ имя и о́тчество?
9. Кто мой сын по профе́ссии?
10. Ско́лько ему́ лет?
11. Како́й национа́льности Ми́стер Джонс?
12. Я ду́маю, что ру́сский язы́к тру́дный и́ли лёгкий?

ВЫРАЖЕ́НИЯ

1. Кому́ ну́жно...?	Who needs ...?
2. Жаль!	Too bad (a pity)!
3. мо́жет быть	perhaps (maybe)
4. к сожале́нию	unfortunately
5. ещё нет	not yet
6. всё вре́мя	all the time
7. Э́то всё равно́.	That doesn't make any difference.

8.
Мне
Тебе́
Ему́
Ей ⎬ всё равно́.
Нам
Вам
Им

I
You
He
She ⎬ don't (doesn't) care.
We
You
They

9.
Ско́лько мне
тебе́
ему́
ей
ему́ ⎬ лет?
нам
вам
им

How old ⎨ am I?
are you?
is he?
is she?
is it?
are we?
are you?
are they?

10. Ско́лько вре́мени?	How long?
11. Кто вы по профе́ссии?	What is your profession?
12. Како́й вы национа́льности?.	What is your nationality?
13. Како́й ваш а́дрес?	What is your address?
14. Вы жена́ты?	Are you married (asking a *man* only)?
15. Вы за́мужем?	Are you married (asking a *woman* only)?

ПРИМЕЧÁНИЯ

1. **Жаль** means "too bad" or "a pity." To show a greater degree of pity or sorrow Russians say **óчень жаль** ("very too bad").

2. "What's your name?" This question may be posed in three ways in Russian:

a. Как $\left\{ \begin{array}{c} \text{тебя} \\ \text{вас} \end{array} \right\}$ зовýт?   *Literally*, "How you [they] call?"

Меня зовýт   "Me [they] call
   Борúс Петрóв.   Boris Petrov."

b. Как $\left\{ \begin{array}{c} \text{твоё} \\ \text{ваше} \end{array} \right\}$ имя?   *Literally*, "How your [first] name?"

Моё имя   "My [first] name [is]
   Борúс (Петрóв).   Boris [Petrov]."

Technically this question asks only for the person's first name (**имя**), but it is used loosely to mean full name:

c. Как $\left\{ \begin{array}{c} \text{твоё} \\ \text{ваше} \end{array} \right\}$ имя,   *Literally*, "How your first name,

óтчество и фамúлия?   patronymic, and family name?"

Моё имя, óтчество   "My first name, patronymic,
   и фамúлия — Борúс   and family name is Boris Ivan-
   Ивáнович Петрóв.   ovich Petrov."

3. Addresses: Russians put the word **улица** ("street") before the street's name and the number after it.

улица Кирова 45
кварти́ра 12

In addressing an envelope, the order of the items of the address are

country:	СССР
city:	Москвá
street:	ул. Кирова Дом № 33
apartment:	кв. 27
addressee:	Королéнко, В. Г.

4. There are two Russian words for the English word "married." When a *woman* refers to herself, when one is speaking to or about a woman, the word is **замужем**:

Я		I am	
Ты		You are	
Она́	} замужем.	She is	} married.
Мы		We are	
Вы		You	
Они́		They	

This word means literally "behind husband."

When a *man* is referring to himself, when one is speaking to or about a man, the word is **жена́т(ы)**. This word has both a singular and a plural form:

Я		I am	
Ты	} жена́т.	You are	
Он		He is	} married.
Мы		We are	
Вы	} жена́ты.	You are	
Они́		They are	

When referring to a man *and* a woman, use **жена́ты**:

Они́ жена́ты.   They are married.

5. Both **учи́ть** and **изуча́ть** mean "to study, learn." There is, however, a difference. **Учи́ть** is used in a general sense and is *not* used to describe a detailed or scholarly study of a specific subject:

Что вы учите?
Я учу́ уро́к.
Я учу́ русский язы́к.

Изуча́ть is used to describe a detailed or scholarly study of a specific subject or subject area:

В институ́те я изуча́ю англи́йский язы́к.

Both **учи́ть** and **изуча́ть** require a direct object.

ДОПОЛНЙТЕЛЬНЫЙ МАТЕРИА́Л

Learn to say and write the numbers 21–59:

21	двадцать оди́н
22	двадцать два
23	двадцать три
24	двадцать четы́ре
25	двадцать пять
26	двадцать шесть
27	двадцать семь
28	двадцать восемь
29	двадцать девять
30	тридцать
40	сорок
50	пятьдеся́т
59	пятьдеся́т девять

Семья́ (The Family)

мужчи́на	man
женщина	woman
мальчик	little boy
юноша	boy (up to about 18)
молодо́й челове́к	boy (from about 18 on), young man
девушка	girl (young woman)
девочка	little girl
муж	husband
жена́	wife
оте́ц (папа)	father (papa)
мать (мама)	mother (mama)
сын	son
дочь	daughter
брат	brother
сестра́	sister

дедушка	grandfather
бабушка	grandmother
дядя	uncle
тётя	aunt

Профéссия (Professions)

Here are the Russian words used to describe some of the more frequently encountered professions. These terms are used for both men and women:

врач	physician
агронóм	agronomist (agricultural specialist)
инженéр	engineer
профéссор	professor
адвокáт	lawyer
химик	chemist

Some professions have both a masculine and a feminine form:

преподавáтель/преподавáтельница	instructor
учѝтель/учѝтельница	teacher
перевóдчик/перевóдчица	translator
рабóчий/рабóтница	worker
колхóзник/колхóзница	collective farm worker
журналѝст/журналѝстка	reporter

There is no masculine equivalent of

машинѝстка	stenographer, typist

Национáльности (Nationalities)

Nationalities invariably have both a masculine and feminine form:

америкáнец/америкáнка	American
англичáнин/англичáнка	Englishman/woman
канáдец/канáдка	Canadian
немец/немка	German
русский/русская	Russian
францýз/францýженка	French
японец/японка	Japanese

Русские именá (Russian First Names, Including Diminutive Forms)

Мужскйе именá

Алексáндр	Сáша, Шýра, Сáня	Alexander
Алексéй	Алёша	Alex
Андрéй	Андрюша	Andrew
Борйс	Бóря, Бóренька	Boris
Васйлий	Вáся, Вáсенька	Basil
Владймир	Волóдя, Вóва	Vladimir
Геóргий	Юрий	George
Григóрий	Грйша	Gregory
Дмйтрий	Мйтя, Мйтенька, Дйма	Dmitry
Евгéний	Жéня	Eugene
Ивáн	Вáня	John
Йгорь		Igor
Ильá	Ильюша	Ilya
Иóсиф	Óся	Joseph
Константйн	Кóстя, Кóстенька	Constantine
Лев	Лёва	Leon
Максйм	Макс	Maxim
Михайл	Мйша	Michael
Николáй	Кóля, Николáша	Nicholas
Пáвел	Пáша, Пáвлик, Павлýша	Paul
Пётр	Пéтя, Петрýша	Peter
Сергéй	Серёжа	Sergei
Степáн	Стёпа, Стéнька	Stephen
Тимофéй	Тимóша	Timothy
Фёдор	Фéдя, Фéденька	Theodore
Фомá		Thomas
Яков	Яша	James

Женские именá

Алексáндра	Сáша, Шура	Alexandra
Анастасúя	Настя	Anastasia
Анна	Аня, Анюта, Аннушка	Anna
Варвáра	Варя, Варенька	Barbara
Вера	Верочка	Vera
Екатерúна	Катя, Катерúна, Катенька, Катюша	Catherine
Елéна	Лена, Леночка	Helen
Елизавéта	Лиза, Лизанька	Elizabeth
Ирúна	Ира, Ирúша	Irene
Констáнция		Constance
Ларúса	Лара, Ларочка	Larissa
Лидия	Лида	Lydia
Людмúла	Люда, Мила	Ludmila
Марúя	Маша, Марýся	Maria
Надéжда	Надя, Наденька	Hope
Натáлья	Натáша, Ната	Natalie
Ольга	Оля, Оленька	Olga
Тамáра	Тама	Tamara
Татьúна	Таня	Tatyana

УПРАЖНÉНИЯ

A. Следуйте данным примéрам:

Примéр: It's really too bad that   **Очень жаль, что он ещё**
he still isn't married.   **не женáт.**

1. It's really too bad that she still isn't married.
2. It's really too bad that they don't need an engineer.
3. It's really too bad that Ivan doesn't want to work here.

Пример: Unfortunately, I don't know where he works. Perhaps in Moscow.
К сожале́нию, я не зна́ю, где он рабо́тает. Мо́жет быть, в Москве́.

1. Unfortunately, I don't know where they live. Perhaps in Kiev.
2. Unfortunately, I don't know where his mother is. Perhaps in Leningrad.
3. Unfortunately, I don't know where they are going. Perhaps to the theater.
4. Unfortunately, I don't know where they are going. Perhaps to the laboratory.

Пример: They don't care.   **Им всё равно́.**

1. I don't care.
2. You (**ты**) don't care.
3. She doesn't care.
4. We don't care.
5. You (**вы**) don't care.
6. He doesn't care.

Пример: Who needs an engineer?   **Кому́ ну́жен инжене́р?**

1. Who needs a physician?
2. Who needs an apartment?
3. Who needs a radio?
4. Who needs both a table and a chair?

B. Read and write the following numbers including the Russian word for "year" or "years" in the correct form:

1 year	14 years	32 years
4 years	15 years	36 years
8 years	21 years	41 years
11 years	27 years	50 years
12 years	30 years	53 years

C. Следуйте данным приме́рам:

Пример: Сколько тебе́ лет? (8)   **Мне во́семь лет.**

1. Сколько ему́ лет? (12)
2. Сколько им лет? (3)
3. Сколько ей лет? (1)
4. Сколько вам лет? (14)

5. Сколько тебе́ лет? (23)
6. Сколько нам лет? (41)
7. Сколько вам лет? (30)

Приме́р: Где он хочет жить? (Ялта)   **Он хочет жить в Ялте.**

1. Где она́ хочет жить? (Минск)
2. Где вы хоти́те жить? (Пинск)
3. Где ты хочешь жить? (Омск)
4. Где они́ хотя́т жить? (Томск)

Приме́р: Сколько времени вы живёте   **Я уже́ год живу́**
в Ленингра́де? (1)   **в Ленингра́де.**

1. Сколько времени вы живёте в Оде́ссе? (57)
2. Сколько времени он живёт в Новгороде? (17)
3. Сколько времени ты живёшь в Архáнгельске? (43)
4. Сколько времени они живу́т в Магнитого́рске? (45)
5. Сколько времени она́ живёт в Москве́? (31)

D. Answer the questions as indicated in the example:

Приме́р: Како́й вы национа́льности?   **Я америка́нец**
(American)   **(америка́нка).**

1. Како́й он национа́льости? (English)
2. Како́й она́ национа́льности? (Russian)
3. Како́й ты национа́льности? (Canadian)
4. Како́й он национа́льности? (French)

E., Where given the masculine, you give the feminine; where given the feminine, you give the masculine:

1. Он — англича́нин.   Она́ —_____.
2. Он — _____.   Она́ — русская.
3. Он — францу́з.   Она́ — _____.
4. Он — _____.   Она́ — америка́нка.
5. Он — кана́дец.   Она́ — _____.
6. Он — _____.   Она́ — немка.

F. Answer the questions as indicated in the example:

Приме́р: Ва́ша жена́ ру́сская? (No, German) **Нет, моя́ жена́ не́мка.**

1. Ваш муж не́мец? (No, Canadian)
2. Ва́ша ба́бушка кана́дка? (No, French)
3. Ваш де́душка францу́з? (No, American)
4. Ва́ша тётя америка́нка? (No, Russian)
5. Ваш дя́дя ру́сский? (No, English)

G. Answer the following questions concerning professions as indicated by the words in parentheses:

Приме́р: Кто он по профе́ссии? **Он по профе́ссии инжене́р.**
 (engineer)

1. Кто ты по профе́ссии? (lawyer)
2. Кто он по профе́ссии? (chemist)
3. Кто она́ по профе́ссии? (typist)
4. Кто вы по профе́ссии? (teacher)

H. Complete the second sentence with the correct form of the profession:

1. Мой оте́ц — инжене́р.   Моя́ мать — то́же …
2. Мой дя́дя — колхо́зник.   Моя́ тётя — то́же …
3. Мой сын — перево́дчик.   Моя́ дочь — то́же …
4. Мой брат — учи́тель.   Моя́ сестра́ — то́же …
5. Моя́ мать — журнали́стка.   Мой оте́ц — то́же …
6. Моя́ тётя — врач.   Мой дя́дя — то́же …

I. Give the correct form of the Russian word for "whose" and one-word answers as indicated:

1. (Whose) э́то дом? (Mine).
2. (Whose) э́то ра́дио? (Yours—**ты**).
3. (Whose) э́то тетра́дь? (His).
4. (Whose) э́то чай? (Hers).
5. (Whose) э́то слова́рь? (Ours).
6. (Whose) э́то зда́ние? (Yours—**вы**).
7. (Whose) э́то ру́чка? (Theirs).

J. Give the correct form of the possessive adjectives :

1. (My) мать идёт домо́й.
2. (My) оте́ц уже́ дома.
3. (Your—**ты**) бабушка идёт в библиоте́ку.
4. (Your—**ты**) дедушка уже́ в библиоте́ке.
5. (His) тётя идёт в город.
6. (His) дядя рабо́тает в городе.
7. (Her) сестра́ бежи́т в лаборато́рию.
8. (Her) брат рабо́тает в лаборато́рии.
9. (Our) дочь бежи́т в музе́й.
10. (Our) сын рабо́тает в музе́е.
11. (Your—**вы**) жена́ сиди́т дома и чита́ет.
12. (Your—**вы**) муж спеши́т домой.

L. Give the complete name of each of the following persons:

1. Лев/Елизаве́та (оте́ц: Никола́й Толсто́й)
2. Ива́н/Светла́на (оте́ц: Алекса́ндр Гончаро́в)
3. Анто́н/Наде́жда (оте́ц: Павел Чехов)
4. Фёдор/Мари́я (оте́ц: Михаил Достое́вский)
5. Влади́мир/Ольга (оте́ц: Галактио́н Короле́нко)
6. Пётр/Анна (оте́ц: Илья́ Чайко́вский)
7. Никола́й/Тама́ра (оте́ц: Андре́й Римский-Ко́рсаков)
8. Святосла́в/Татья́на (оте́ц: Джеймс Смит)
9. Ники́та/Тама́ра (оте́ц: Серге́й Хрущёв)

Вопро́сы

1. Как ваше имя, о́тчество и фами́лия ?
2. Кто вы по профе́ссии ?
3. Како́й вы национа́льности ?
4. Где вы живёте ?
5. Како́й ваш адрес ?
6. Сколько времени вы там живёте ?
7. Сколько вам лет, если (if) это не секре́т ?
8. Вы жена́ты (замужем) ?
9. Где вы рабо́таете ?
10. Сколько времени вы там рабо́таете ?
11. Где живу́т и рабо́тают ваш оте́ц и ваша мать ?

12. Сколько времени они женáты?
13. Вы знаете, где живёт ваш преподавáтель русского языкá?
14. Вы знаете его áдрес?
15. Где живёт президéнт США?
16. Вы хотúте хорошó говорúть по-рýсски?
17. Вы думаете, что русский язы́к трудный?
18. Вы хотúте сегóдня идтú в кинó?
19. Вам нужнá рабóта?
20. Вы гражданúн СССР или США?

Перевóд

1. I don't want to know how old she is.
2. I don't care what your profession is.
3. Unfortunately, he doesn't live here now.
4. It's too bad that they don't want to work in the country.
5. Can you work today? Yes, but I don't want to work here.
6. You speak Russian very well! We don't need an interpreter.
7. My name is John Smith. Very glad to meet you.
8. It doesn't matter to him that you are always late. That's not true!
9. Do you know where she works? Perhaps in an office in Brooklyn.
10. Aren't you a collective farmer? No, I'm not a collective farmer.
11. Do you have a brother and a sister? Yes. They live in Moscow.
12. I don't want to live in the city; my son and my daughter don't want to live in the country. I don't know what to do!
13. Please forgive me for being late.
14. Do you know who that is? No, I don't.

ГРАММÁТИКА

Verbs

Хотéть, the verb meaning "to want," like **мочь**, is used as an auxiliary verb. It is quite irregular and should be learned now, for it occurs very frequently in conversation. The **т** of the infinitive becomes **ч** in the *singular only*, and the singular conjugation is class I, while the plural is class II!

я хочý	мы хотúм
ты хóчешь	вы хотúте
он хóчет	они хотя́т

Examples of its usage are:

Он хочет рабо́тать?	Does he want to work?
Да, он хочет рабо́тать.	Yes, he wants to work.
Они́ хотя́т говори́ть?	Do they want to talk?
Да, хотя́т.	Yes, they do.
Нет, не хотя́т.	No, they don't.
Вы хоти́те идти́ в шко́лу?	Do you want to go to school.
Да, я хочу́, но не могу́.	Yes, I do, but I can't.

Жить, the verb meaning "to live," is irregular in that it adds the letter **в** to the stem in its conjugation. It is conjugated just like **идти́**. Whenever the stem of a class I verb ends in a consonant, the **я** and **они́** forms of that verb are **у** and **ут**, respectively (not **ю** and **ют**). Whenever the ending of a class I verb is stressed, **е** becomes **ё**:

я иду́	я живу́
ты идёшь	ты живёшь
он идёт	он живёт
мы идём	мы живём
вы идёте	вы живёте
они́ иду́т	они́ живу́т

Год, года, лет

In Russian there are two words for the English word "years." The following chart should indicate to you whether to use **год**, **года**, or **лет**:

1	год	21	год	31	год
2		22		32	
3	года	23	года	33	года
4		24		34	
5		25		35	
↓	лет	↓	лет	↓	лет
20		30		40	

Год is used after 1, or any number which ends in 1, *except* 11. Normally Russians drop the number **оди́н** before **год**:

Я там живу́ ужé год.   I have lived there for one year (or
a year).

Гóда is used after 2, 3, 4, or any number which ends in 2, 3, or 4, *except* 12, 13, and 14. **Лет** is used after all other numbers and after **скóлько?** ("how many?").

In asking a person's age, the Russian asks literally "How many to you years?" The answer to this question is "To me...year(s)." The pronouns used here are the same as those used in the "need" construction (the *dative* pronouns):

Вопрóсы:

$$
\text{Скóлько} \left\{ \begin{matrix} \text{мне} \\ \text{тебé} \\ \text{емý} \\ \text{ей} \\ \text{емý} \\ \text{нам} \\ \text{вам} \\ \text{им} \end{matrix} \right\} \text{лет?}
\qquad
\text{How} \left\{ \begin{matrix} \text{old am I?} \\ \text{old are you?} \\ \text{old is he?} \\ \text{old is she?} \\ \text{old is it?} \\ \text{old are we?} \\ \text{old are you?} \\ \text{old are they?} \end{matrix} \right.
$$

Отвéты:

Мне четы́ре гóда.	I'm four.
Тебé пять лет.	You're five.
Емý оди́ннадцать лет.	He's eleven.
Ей пятнáдцать лет.	She's fifteen.
Емý двáдцать оди́н год.	It's twenty-one.
Нам двáдцать три гóда.	We're twenty-three.
Вам три́дцать шесть лет.	You're thirty-six.
Им сóрок два гóда.	They're forty-two.

Чей? чья? чьё?

The Russian equivalent of our interrogative word "whose?" has three forms (masculine, feminine, and neuter). **Чей?** is used if the *word modified* is *masculine*:

Чей это карандáш?	Whose pencil is this?
Чей это дом?	Whose house is this?

Чья? is used if the *word modified* is *feminine*:

Чья это книга?	Whose book is this?
Чья это тетрадь?	Whose copybook is this?

Чьё? is used if the *word modified* is *neuter*:

Чьё это перо?	Whose pen point is this?
Чьё это здание?	Whose building is this?

Similarly, there are three forms of the possessive pronouns/adjectives "my (mine)," "your (yours)," and "our (ours)":

Это {

мой карандаш.	Он мой.		my pencil.	It's mine.
моя ручка.	Она моя.		my pen.	It's mine.
моё радио.	Оно моё.		my radio.	It's mine.
твой карандаш.	Он твой.		your pencil.	It's yours.
твоя ручка.	Она твоя.		your pen.	It's yours.
твоё радио.	Оно твоё.	This is	your radio.	It's yours.
наш карандаш.	Он наш.		our pencil.	It's ours.
наша ручка.	Она наша.		our pen.	It's ours.
наше радио.	Оно наше.		our radio.	It's ours.
ваш карандаш.	Он ваш.		your pencil.	It's yours.
ваша ручка.	Она ваша.		your pen.	It's yours.
ваше радио.	Оно ваше.		your radio.	It's yours.

The possessive pronouns/adjectives **его** ("his," "its"), **её** ("her," "hers," "its"), and **их** ("their," "theirs") never change:

Это {

его	карандаш. ручка. радио.	his	pencil. pen. radio.
её	карандаш. ручка. радио.	her	pencil. pen. radio.
их	карандаш. ручка. радио.	their	pencil. pen. radio.

This is {

The following table may be useful for reference:

Pronoun	он	она́	оно́
my (mine)	мой	моя́	моё
your (yours)	твой	твоя́	твоё
his	его́	его́	его́
her (hers)	её	её	её
its	его́	его́	его́
our (ours)	наш	наша	наше
your (yours)	ваш	ваша	ваше
their (theirs)	их	их	их

Имя, отчество и фами́лия

Имя is the Russian word for "first name."

Отчество is a middle name which every Russian (male and female) derives from his or her father's first name. This is called the "patronymic" in English. Russians normally address adults who are not relatives or quite close friends by their first name and patronymic. This form of address is less formal than **господи́н...** and **госпожа́...** but it is considerably more formal than the first name alone. Pupils normally address their teachers by their **имя и отчество**, thus indicating a close relationship based on respect.

The patronymic can be derived as follows:

1. If the father's first name ends in a *consonant*, add **-ович** for men, **-овна** for women:

    Ива́н Ива́нович   Ivan, the son of Ivan
    Мари́я Ива́новна   Maria, the daughter of Ivan

2. If the father's first name ends in **-й**, drop that letter and add **-евич** for men, **-евна** for women:

    Карл Никола́евич   Carl, the son of Nicholas
    Еле́на Никола́евна   Helen, the daughter of Nicholas

3. If the father's first name ends in **-а** or **-я**, drop that letter and add **-ич** for men, **-ична** or **-инична** for women:

    Ива́н Ники́тич   Ivan, the son of Nikita
    Ве́ра Ники́тична   Vera, the daughter of Nikita

Фёдор Ильи́ч	Fyodor, the son of Ilya
Нина Ильи́нична	Nina, the daughter of Ilya.

4. Five common names have slightly irregular patronymic forms:

Пётр	Петро́вич	Петро́вна
Па́вел	Па́влович	Па́вловна
Михаи́л	Миха́йлович	Миха́йловна
Лев	Льво́вич	Льво́вна
Васи́лий	Васи́льевич	Васи́льевна

Фами́лия does not mean "family," but, rather, "family name" (or "last name"). Most women's family names have a special form. If the masculine form of the last name ends in a consonant, **-a** is added in order to form the feminine:

господи́н Ивано́в
госпожа́ Ивано́в**а**

If the masculine form of the last name ends in **-ий** or **-ой**, that ending is dropped and **-ая** is added to form the feminine:

господи́н Жуко́вск**ий**	господи́н Толст**о́й**
госпожа́ Жуко́вск**ая**	госпожа́ Толст**а́я**

Names that end in **-o** or are of obvious foreign origin do not have a separate form for the feminine:

господи́н Ещё́нко	господи́н Смит
госпожа́ Ещё́нко	госпожа́ Смит

СЛОВА́РЬ

(For numbers and words relating to the members of the family or professions, see **Дополни́тельный материа́л**.)

а́дрес	address
ваш, ва́ша, ва́ше	your(s)
всё вре́мя	all the time
год, года́	year, years (*see* **Грамма́тика**)
граждани́н (гражда́нка)	citizen
дере́вня	country, village
его́	his
её	her

если	if
жаль	pity, too bad
Как жаль!	What a pity!
Очень жаль!	Terribly sorry!
жена́т(ы)	married (*see* **Примеча́ния**)
жить (I)	to live
живу́, живёшь, живу́т	
замужем	married (*see* **Примеча́ния**)
изуча́ть (I)	to study
институ́т	institute
ирла́ндский	Irish (*adj.*)
их	their(s)
кварти́ра	apartment
колхо́з	collective farm
коммуни́ст (-ка)	communist
кому́	to whom
конто́ра	office
к сожале́нию	unfortunately
лёгкий	easy
лет	years (*see* **Грамма́тика**)
может быть	perhaps, maybe
мой, моя́, моё	my (mine)
наприме́р	for example
наш, наша, наше	our(s)
нача́льник	boss, superior
нет ещё	not yet
опро́с	interview
отчество	patronymic
рабо́та	work
равно́	even, level
Всё равно́.	It doesn't matter.
семья́	family
сколько	how many, how much
сколько времени	how long
твой, твоя́, твоё	your(s)
трудный	difficult
улица	street
фами́лия	last name
ферма	farm
хоте́ть (I–II)	to want
хочу́, хо́чешь, хо́чет,	
хоти́м, хоти́те, хотя́т	
чей? чья? чьё?	whose
шпио́н	spy

Девя́тый уро́к

РАЗГОВО́Р: « Лу́чше по́здно, чем никогда́ »

Бори́с: — Пожа́луйста, вот папиро́сы. Я зна́ю, что ты ку́ришь.

Та́ня: — Спаси́бо, я бо́льше не курю́.

Бори́с: — Молоде́ц! Я то́же хочу́ бро́сить кури́ть, но не могу́.

Та́ня: — Жаль. Ну, скажи́, Бори́с, как иду́т твои́ заня́тия? Ты де́лаешь успе́хи?

Boris: Please have a cigarette. I know that you smoke.

Tanya: Thanks, I don't smoke any more.

Boris: Good for you! I want to quit smoking, too, but I can't.

Tanya: That's too bad. Well, tell me, Boris, how are your studies going? Are you making progress?

126

Бори́с: — К сожале́нию, нет. Мои́ бра́тья и сёстры отли́чники, а я нет.

Таня: — Это непра́вда, Бо́ря. Ты мно́го[1] рабо́таешь. Ме́жду про́чим, чьи это кни́ги там, на столе́? Это твой?

Бори́с: — Да, мой.

Таня: — А мои́ ве́щи все до́ма. Я всегда́ всё забыва́ю!

Бори́с: — Ах, извини́, Та́ня! Я опа́здываю на уро́к, а господи́н Ивано́в никогда́ не опа́здывает.

Таня: — Да, но ничего́ не поде́лаешь: « Лу́чше по́здно, чем никогда́! » Беги́ скоре́й![2]

Boris: Unfortunately, I'm not. My brothers and sisters are "A" students, but I'm not.

Tanya: That's not true, Borya. You work a great deal. By the way, whose books are those there on the table? Are they yours?

Boris: Yes, they're mine.

Tanya: And my things are all at home. I always forget everything!

Boris: Oh, excuse me, Tanya! I'm late for class, and Mr. Ivanov is never late.

Tanya: Yes, but it can't be helped. "Better late than never!" Hurry!

Т Е К С Т Д Л Я Ч Т Е Н И Я : **Мои́ друзья́**

Меня́ зову́т Никола́й Трофи́мович. Моя́ фами́лия Лысе́нко. Я студе́нт, поэ́тому я ещё не жена́т, хотя́ мне уже́ 29 лет. Оте́ц и мои́ бра́тья все агроно́мы, а я бу́дущий врач. Мои́ преподава́тели и профессора́ говоря́т, ме́жду про́чим, что я де́лаю успе́хи.

Я уже́ три го́да живу́ в го́роде, в общежи́тии, на у́лице Петро́ва. Мои́ това́рищи по ко́мнате, Влади́мир Кузнецо́в и Андре́й Каре́нин, то́же студе́нты. Они́ не отли́чники, но заня́тия у них[3] иду́т непло́хо. Здесь мы мно́го чита́ем и пи́шем, иногда́ мы разгова́риваем и поём. Влади́мир и Андре́й, к сожале́нию, ку́рят, а я нет. Ничего́ не поде́лаешь; они́ не мо́гут бро́сить кури́ть.

Жить в го́роде, коне́чно, о́чень интере́сно. Здесь шко́лы и институ́ты, теа́тры и музе́и, у́лицы, па́рки и пло́щади. Жизнь здесь кипи́т. В го́роде лю́ди всегда́ спеша́т.

---

[1] **Мно́го** is pronounced [mnogə].

[2] *Literally,* " Run more quickly!" The formal/plural is **Беги́те скоре́й!**

[3] **заня́тия у них:** their studies

Товарищи по комнате.

Мои родители, братья и сёстры и их дети живут не в городе, а в деревне. Там люди много работают, но никогда никуда не спешат. Родители думают, что жизнь в деревне лучше, чем в городе. Правду сказать, я тоже предпочитаю жить и работать в деревне, но это сейчас, к сожалению, невозможно.

Вопросы

1. Как моё имя, отчество и фамилия?
2. Сколько мне лет?
3. Почему я ещё не женат?
4. Кто мой отец по профессии?
5. Как его имя?
6. Кто мои братья по профессии?
7. Я давно живу в городе?

8. Где я живу́?
9. Где живу́т мои́ роди́тели?
10. Где я предпочита́ю жить и рабо́тать?

ВЫРАЖЕ́НИЯ

1. Вот папиро́сы.	Have a cigarette.
2. бо́льше не	no longer, not any more
3. Молоде́ц!	Good for you!
4. бро́сить кури́ть	to quit smoking
5. Как иду́т заня́тия?	How are the studies going?
6. де́лать успе́хи	to make progress
7. ..., а я нет.	..., but I don't (can't, won't, etc.)
8. пра́вду сказа́ть	to tell the truth
9. Ничего́ не поде́лаешь!	It can't be helped!
10. лу́чше, чем	better than
11. бо́льше, чем	more than
12. Вот почему́!	Here's (that is) why.
13. Это { возмо́жно. / невозмо́жно.	That's (this is) { possible. / impossible.
14. или... или	either...or
15. това́рищ по ко́мнате	roommate
16. (э́то) зна́чит	that means; well, then
17. Жизнь кипи́т!	Life is in full swing!

ПРИМЕЧА́НИЯ

1. **Молоде́ц** and **друг** (like **челове́к**) have no special form for the feminine:

   Он (Она́) молоде́ц!
   Он (Она́) мой друг.[4]

2. When a Russian wishes to *stress* the items in a series, he puts **и** in front of each item, *including* the *first one*: ...**и уче́бник, и слова́рь, и блокно́т**.

3. The verb **зна́чить** ("to mean") is normally used only in the third person

---

[4] Note also the word **подру́га**, which may be used *only by women* in reference to a lady friend.

(singular or plural); it is translated "That means…" or "Well, then…" depending upon the context:

Что значит это слово?	What does this word mean?
Я не знаю, что это значит.	I don't know what this means.
Значит, вы не хотите идти в кино?	Well, then, don't you want to go to the movies? (It means, you don't…?)

ДОПОЛНИТЕЛЬНЫЙ МАТЕРИАЛ

Review the numbers 1–59; then learn the numbers 60–100:

шестьдесят	60
семьдесят	70
восемьдесят	80
девяносто	90
сто	100
(сто двадцать пять)	(125)

In Russian, adverbs normally answer the questions *how? when? where?* or *how much (many)?* Many of the following adverbs are already familiar to you:

1. Когда?

всегда	always	поздно	late
обычно	usually	наконец	finally
часто	often	сейчас	(right) now
иногда	sometimes	теперь	now
редко	seldom	тогда	then
никогда	never	потом	then, later
рано	early	сегодня	today

2. Как?

отлично	excellent(ly)	медленно	slow(ly)
хорошо	well, fine	просто	simple(ly)
плохо	bad(ly)	сложно	complicated(ly)
ужасно	terrible(ly)	возможно	possible(ly)
быстро	quick(ly)	невозможно	impossible(ly)

3. Где?

тут	(right) here	направо	on the right
здесь	here	налево	on the left
там	there	посередине	in the middle
вон там	over there	дома	at home

4. Куда́?

сюда́	(to) here	напра́во	to the right
туда́	(to) there	нале́во	to the left
домо́й	(to) home		

5. Сколько?

мно́го	much, many, a lot
немно́го	some, a little, few
немно́жко	a little bit
ма́ло	little, not much, not enough

6. Други́е[5]

о́чень	very
да́же	even
то́же	also, too
по-ру́сски	in Russian

УПРАЖНЕ́НИЯ

A. Следуйте данным приме́рам:

Приме́р: He doesn't want to smoke any more.   **Он больше не хочет кури́ть.**

1. They don't want to smoke any more.
2. Why don't you (**ты**) want to smoke any more?
3. Why don't you (**вы**) want to work any more?
4. I don't want to talk any more.

Приме́р: To tell the truth, he speaks Russian better than I do!   **Пра́вду сказа́ть, он говори́т по-ру́сски лу́чше, чем я!**

1. To tell the truth, they know Russian better than she does!
2. To tell the truth, you sing better than I do!
3. To tell the truth, Maria writes better than Vladimir does!

---

[5] **други́е**: others

Приме́р: He writes more than she   **Он пишет бо́льше, чем она́.**
       does.

1. I write more than he does.
2. You (**ты**) write more than I do.
3. We write more than they do.
4. Do you (**вы**) write more than we do?

B. Да́йте мно́жественное число́:[6]

1. Э́то — блокно́т.
2. Э́то — ка́рта.

3. Вот преподава́тельница.
4. Вот преподава́тель.
5. Вот музе́й.
6. Вот пло́щадь.
7. Вот лаборато́рия.

8. Э́то — окно́.
9. Э́то — сло́во.
10. Э́то — мо́ре.

11. Вот зда́ние.
12. Вот упражне́ние.
13. Вот общежи́тие.

C. Rewrite, changing the bold-faced words to the plural and making any
   other necessary changes:

1. **Наш уче́бник** лежи́т на столе́.
2. **На́ша кни́га** лежи́т на столе́.
3. **Наш преподава́тель** о́чень бы́стро чита́ет.
4. **На́ша ба́бушка** ме́дленно пи́шет по-англи́йски.
5. **Наш дя́дя** не понима́ет по-ру́сски.
6. **На́ша тётя** не говори́т по-англи́йски.
7. **Наш гость** поёт!
8. **На́ша тетра́дь** лежи́т на па́рте.
9. **Наш това́рищ** живёт в общежи́тии.
10. **На́ша студе́нтка** у́чит уро́к.

---

[6] **Да́йте мно́жественное число́**: Give the plural.

11. **Наш дедушка** сегодня болен.
12. **Наша бабушка** сегодня сидит дома.

D. Change the questions to the plural and give one-word answers as indicated by the words in parentheses:

1. **Чей** это **карандаш**?   (mine)
2. **Чей** это **ключ**?   (yours—**ты**)
3. **Чей** это **словарь**?   (ours)
4. **Чей** это **стол**?   (yours—**вы**)

E. Rewrite, changing the bold-faced words to the plural and making any other necessary changes:

1. **Мой брат** сейчас пишет **урок**.
2. **Моя сестра** пишет **письмо**.
3. **Ваш отец** много работает.
4. **Ваша мать** редко слушает радио.
5. **Твой сын** опаздывает на урок.
6. **Твой друг** очень мало курит.
7. **Твой учитель** предпочитает читать **журнал**.
8. **Наш профессор** предпочитает читать **журнал**.
9. **Наш доктор** знает, что он делает.
10. **Ваш ребёнок** не хочет идти в школу сегодня.

F. Rewrite, changing the bold-faced words to the plural and making any other necessary changes:

1. Мне нужен **стул**.
2. Тебе нужна **папироса**?
3. Ему нужно **радио**.
4. Ей нужен **журнал**.
5. Нам нужна **газета**.
6. Вам нужно **перо**?
7. Им нужна **доска**.
8. Там живёт **американец**.
9. В конторе сидит **иностранец**.
10. **Он молодец!**

G. Use plural nouns to answer the questions. In the first example, use *inanimate* nouns (things) only; in the second, use *animate* nouns (persons) only. Do not use the same noun twice. Your answers must be complete sentences:

Приме́р: Что ты пишешь ? **Я пишу́ упражне́ния.**

1. Что вы пишете ?
2. Что вы чита́ете ?
3. Что вы хоти́те чита́ть ?
4. Что вы хоти́те ?
5. Что вы иногда́ забыва́ете ?
6. Что вы видите ?

Приме́р: Кто говори́т ? **Мои́ бра́тья говоря́т.**

1. Кто идёт в лаборато́рию ?
2. Кто рабо́тает в по́ле ?
3. Кто опа́здывает на уро́к ?
4. Кто хочет идти́ в кино́ ?

I. Complete each sentence by supplying **а**, **и**, or **но**:

1. Ваши бра́тья понима́ют по-япо́нски, _____ я нет.
2. Они́ обы́чно пло́хо знают уро́к, _____ сего́дня они́ всё знают.
3. Я сего́дня знаю уро́к, _____ ты нет.
4. Мой оте́ц в Нью-Йо́рке, _____ мать в Вашингто́не.
5. Это не мои́ карандаши́, _____ ваши.
6. На столе́ лежа́т: книги, журна́лы _____ газе́ты.
7. Они́ испа́нцы, _____ не говоря́т по-испа́нски.
8. Мои́ сыновья́ знают англи́йский _____ францу́зский языки́.
9. Преподава́тели спра́шивают, _____ ученики́ не отвеча́ют.
10. Он хорошо́ говори́т по-ру́сски, _____ она́ нет.
11. Ваши книги там, _____ мои́ тут.
12. Та́ня _____ Ва́ня чита́ют по-япо́нски _____ по-неме́цки.
13. Мы говори́м _____ по-ру́сски, _____ по-францу́зски, _____ по-италья́нски.
14. Наши роди́тели живу́т в Аме́рике, _____ их роди́тели в Росси́и.
15. Я живу́ _____ рабо́таю в Миннеа́полисе.
16. Мои́ това́рищи не рабо́тают, _____ то́лько говоря́т!
17. Он забыва́ет не очки́, _____ часы́.
18. Я говорю́ _____ чита́ю по-ру́сски.

19. Это не перо́, _____ авторучка.
20. Я всегда́ рабо́таю, _____ жена́ то́лько говори́т.
21. Наши дети понима́ют по-англи́йски, _____ не говоря́т.

Вопро́сы

Answer these questions as they pertain to *you*.

1. Вы ку́рите?
2. Как иду́т ваши заня́тия?
3. Вы де́лаете успе́хи в шко́ле?
4. Вы отли́чник (отли́чница)?
5. Вы иногда́ забыва́ете ве́щи до́ма?
6. Вы живёте в общежи́тии?
7. Что вы предпочита́ете: чита́ть или писа́ть?
8. Где вы предпочита́ете жить: в го́роде или в дере́вне?
9. Что вы предпочита́ете чита́ть: газе́ты или журна́лы?
10. Что вы предпочита́ете де́лать: сиде́ть до́ма или рабо́тать?

Перево́д

1. Excuse me, please, do you perhaps smoke?
2. No, I don't smoke any more. Why do you ask?
3. Because I need a cigarette. Unfortunately, I can't quit smoking.
4. Do your parents also smoke?
5. Yes, my parents smoke, but my brothers and sisters don't.
6. Do you know where my watch is?
7. Whose watch is that there on the table? Perhaps it's yours.
8. No, I know now; my watch, my glasses, my copybooks and textbooks are on a chair in the laboratory!
9. I never forget anything.
10. Where's my money?
11. Where does your roommate work?
12. Usually he works in an office, but today he's working in the field. He's a future agronomist (**агроно́м**).
13. Is he usually at home?
14. No, he is usually in the club.
15. What does he do there?

16. He writes letters and reads magazines and newspapers.
17. Do you prefer to speak English or Russian?
18. To tell the truth, I prefer to speak Russian.
19. Don't you speak English in class any more?
20. No, in class we usually converse in German. I'm glad that I'm studying German!
21. There's my Russian teacher, Boris Makarov.
22. Do you know his patronymic?
23. No, I don't. By the way, who's that over there?
24. Those are my professors.
25. Who wants to sit at home?
26. No one ever wants to sit at home!

ГРАММА́ТИКА

Two New Verbs: **Писа́ть** *and* **Петь**

Писа́ть (I) ("to write") is irregular:

я пишу́	мы пи́шем
ты пи́шешь	вы пи́шете
он пи́шет	они́ пи́шут

Петь (I) ("to sing") is also irregular; like **идти́** and **жить**, it has stressed endings:

	петь	**идти́**	**жить**
я	пою́	иду́	живу́
ты	поёшь	идёшь	живёшь
он	поёт	идёт	живёт
мы	поём	идём	живём
вы	поёте	идёте	живёте
они́	пою́т	иду́т	живу́т

Verbs That Involve Languages

Following is a relatively complete list of verbs that require the **по**-form, rather than the direct object:

говорѝть		to speak (talk, say, tell)
дýмать		to think
петь		to sing
писáть		to write
понимáть	по-рýсски	to understand
отвечáть		to answer
спрáшивать		to ask (a question)
читáть		to read
разговáривать		to converse

Under all other circumstances, use the form of the language ending in **-й** (without **по-**). This form is an adjective and is usually used with the word **язы́к** ("language"):

Англѝйский язы́к лёгкий.	English is easy.
Он знает немéцкий язы́к.	He knows German.
Онѝ изучáют рýсский язы́к.	They are studying Russian.

Adverbs

In Russian, adverbs are words that answer the questions

Как?	How?
Скóлько?	How much (many)?
Когдá?	When?
Кудá?	Where?
Где?	Where?

Adverbs frequently modify verbs:

Он **хорошó** говорѝт по-рýсски!   He speaks Russian *well*.

They may also modify adjectives

Он **óчень** стрáнный человéк.   He is a *very* strange person.

or other adverbs:

Он говорѝт **óчень** бы́стро.   He speaks *very* quickly.

Most adverbs end in **-о** or **-ски**; however, they may also end in **а, я, е,** or **ь**:

дом**а**
сегó**дня**
даж**е**
очен**ь**

The important thing to notice about adverbs is that *they do not change their form in any way.*

For a list of commonly used adverbs, see the **Дополни́тельный материа́л.**

Double Negatives

We have already noted that Russian uses double negatives, constructions which are quite incorrect in English. The following words are commonly used in such constructions, provided a verb is present to negate:

ничего́	nothing
никогда́	never
нигде́	nowhere
никуда́	(to) nowhere
никто́	no one, nobody

Note the following sentences:

Я **ничего́ не** хочу́.	I don't want anything.
Я **никогда́ не** отвеча́ю.	I never answer.
Я **нигде́ не** рабо́таю.	I don't work anywhere.
Я **никуда́ не** иду́.	I'm not going anywhere.
Никто́ не хочет рабо́тать.	No one wants to work.

When no verb is involved, **не** is dropped:

Что вы хоти́те?	**Ничего́.**
Когда́ вы отвеча́ете?	**Никогда́.**
Где вы рабо́таете?	**Нигде́.**
Куда́ вы идёте?	**Никуда́.**
Кто хочет рабо́тать?	**Никто́.**

The Conjunctions **И**, **А**, *and* **Но**

И means "and" and is used to join words, phrases, or clauses that are equal in some respect. **И** may be considered to be a grammatical plus sign (+):

Там каранда́ш **и** ру́чка.

Он говори́т по-ру́сски **и** по-неме́цки.

Они́ говоря́т **и** чита́ют по-англи́йски.

А can mean "and" or "but" ("instead"), depending on the context. It thus seems to overlap (and, indeed, sometimes it does) in meaning with both **и** and **но**. Read, study, and say the following examples until you develop a "feeling" for this conjunction. Note that **a** normally involves a contrast.

1. **A... нет** (one person does [or is] something, but someone else does [or is] not):

Он чита́ет по-ру́сски, **a** я нет.	He reads Russian, *but* I don't.
Она́ хорошо́ рабо́тает, **a** ты нет!	She works well, *but* you don't!

2. **Тут—там; сюда́—туда́** (contrasting "here" with "there"):

Окно́ не тут, **a** там.	The window is not here, *but* there.
Он идёт не сюда́, **a** туда́.	He's not coming here; he's going there!

3. Contrasting different actions by different persons:

Я рабо́таю, **a** она́ чита́ет.	I work, and (but) she reads.
Он сиди́т до́ма, **a** она́ рабо́тает.	He sits at home, and (but) she works.

4. Denial of an action or object:

Мы не чита́ем, **a** пи́шем.	We are not reading *but* writing.
Мне ну́жен не стол, **a** стул.	I don't need a table *but* a chair.

5. **Но** means "but" in the sense of "however." Generally speaking, if you can substitute "however" for "but," **но** will be correct. Here are some examples of situations in which **но** is commonly used.

a. To introduce a clause which contains a *contradiction* to the statement in the preceding clause:

Он говори́т, что ру́сский язы́к не тру́дный, **но** мы зна́ем, что э́то не так!	He says Russian is not difficult, but we know that's not so!
Он ду́мает, что я америка́нец, **но** э́то непра́вда!	He thinks I am an American, but this is not true!

b. To introduce a clause which places some sort of *limitation* on the preceding statement or an element of surprise in relation to it:

Он понима́ет по-ру́сски, **но** пло́хо.	He understands Russian, but poorly.
Он рассе́янный, **но** симпати́чный.	He is absent-minded but nice.

Она́ отвеча́ет ча́сто, **но** ре́дко отвеча́ет пра́вильно!	She answers often, but seldom answers correctly!
Я хорошо́ понима́ю по-япо́нски, **но** не говорю́.	I understand Japanese well, but don't speak it.
Вы о́чень бы́стро говори́те, **но** я хорошо́ понима́ю.	You speak very quickly, but I understand you well.

Punctuation: in Russian, a comma is used before **и** only when it joins clauses with *different subjects*; however, a comma *must* precede **a** or **но** (except, of course, when they occur as the first word of a sentence).

The Plural of Nouns

The basic plural ending of masculine and feminine nouns is **-ы** (hard) or **-и** (soft).

1. If the noun ends in a consonant, add **-ы**:

студе́нт	студе́нт**ы**
вопро́с	вопро́с**ы**
инжене́р	инжене́р**ы**

2. If the noun ends in **-а**, change that letter to **-ы**:

ко́мната	ко́мнат**ы**
шко́ла	шко́л**ы**
мужчи́на	мужчи́н**ы**

3. If the noun ends in **-й**, **-ь**, or **-я** (except **-мя**), change that letter to **-и**:

музе́й	музе́**и**
ге́ний	ге́ни**и**
портфе́ль	портфе́л**и**
дя́дя	дя́д**и**
тетра́дь	тетра́д**и**
дере́вня	дере́вн**и**
лаборато́рия	лаборато́ри**и**

a. Spelling Rule 1: after **г, к, х, ж, ч, ш, щ**, instead of **ы** write **и** (this is a variation, *not* an irregularity):

кни́га	кни́г**и**
де́вушка	де́вушк**и**
уро́к	уро́к**и**

ключ	ключи́
каранда́ш	карандаши́ [kərəndashí]

b. Nouns that end in **-ец** drop the letter **е** and add **-ы**:

иностра́нец	иностра́нцы
америка́нец	америка́нцы
не́мец	не́мцы

c. Some masculine nouns have the stress on the ending in the plural (and normally in oblique cases). These nouns are either monosyllabic or have the stress on the *last* syllable in the singular:

врач	врачи́
ключ	ключи́
каранда́ш	карандаши́
молоде́ц	молодцы́
оте́ц	отцы́
слова́рь	словари́
стол	столы́
учени́к	ученики́
язы́к	языки́

d. Some bisyllabic feminine nouns with the stress on the second syllable in the singular change the stress to the first syllable in the plural. When the stress shifts to **е**, it normally becomes **ё**:

доска́	до́ски
жена́	жёны
сестра́	сёстры

Neuter nouns ending in **-о** drop **-о** and add **-а**; those that end in **-е** drop **е** and add **-я**. The vast majority of neuter nouns (except those ending in **-ие** or **-ство**) shift the stress in the plural.

1. Nouns ending in **-о** (note the stress shift):

окно́	о́кна
письмо́	пи́сьма
де́ло	дела́

2. Nouns ending in **-е** (note the stress shift):

мо́ре	моря́
по́ле	поля́

3. Nouns ending in **-ие** or **-ство** (there is *no* stress shift):

здание	здания
упражнéние	упражнéния
отчество	отчества

4. *Exceptions:* nouns ending in **-мя**, drop **-я** and add **-енá**:

имя	именá
время	временá

A small group of masculine nouns have *stressed* **-а** or **-я** for the plural ending:

адрес	адресá
вечер	вечерá
город	городá
доктор	докторá
дом	домá
номер	номерá
профéссор	профессорá
учúтель	учителя́

A very small group of masculine and neuter nouns have the plural ending **-ья**:

Unstressed		*Stressed*	
брат	братья	друг	друзья́
перó	перья	муж	мужья́
стул	стулья	сын	сыновья́

Мать and **дочь** both drop **-ь** and add **-ери**:

мать	матери
дочь	дочери

A few nouns are *completely irregular* and should be memorized:

господúн	господá (Gentlemen or "ladies and gentlemen")
ребёнок	дети
человéк	люди

Some nouns exist in the *plural only*:

деньги	money
очкú	eyeglasses

родители   parents
часы́   watch, clock

Foreign nouns which end in **-o** or **-e** *never change that ending*, even in the plural. Nouns of this type are:

кино́	movie theater	радио	radio
метро́	subway	бюро́	bureau
пальто́	overcoat	кофе	coffee

The Plural of Possessive Adjectives/Pronouns

Possessive adjectives / pronouns have the same ending for all genders in the plural. This ending is **-и**. **Его́**, **её**, and **их**, of course, never change:

Singular	*Plural*
мой каранда́ш	
моя́ ручка	мой ⎰карандаши́ / ручки / перья
моё перо́	
твой каранда́ш	
твоя́ ручка	твой ⎰карандаши́ / ручки / перья
твоё перо́	
его́ ⎰каранда́ш / ручка / перо́	его́ ⎰карандаши́ / ручки / перья
её ⎰каранда́ш / ручка / перо́	её ⎰карандаши́ / ручки / перья
наш каранда́ш	
наша ручка	наши ⎰карандаши́ / ручки / перья
наше перо́	
ваш каранда́ш	
ваша ручка	ваши ⎰карандаши́ / ручки / перья
ваше перо́	
их ⎰каранда́ш / ручка / перо́	их ⎰карандаши́ / ручки / перья

The Russian word for "whose" also has only one form in the plural:

Singular	*Plural*
Чей это каранда́ш?	каранда́ши́?
Чья это ру́чка?	**Чьи** это ручки?
Чьё это перо́?	перья?

СЛОВА́РЬ

бо́льше	more, any more
бро́сить кури́ть	to quit smoking
бу́дущий	future (*adj.*)
вещь (*ж.*)	thing
возмо́жно	possible (ly)
газе́та	newspaper
да́же	even
де́ло (*pl.* дела́)	thing, affair, business
де́ньги	money (*always pl.*)
де́ти (*sing.* ребёнок)	children
друг (*pl.* друзья́)	friend
журна́л	magazine
забыва́ть (I)	to forget
заня́тие	occupation (*in the pl.*, studies)
зна́чить (II)	to mean (*used in the 3rd person only*)
зна́чит, зна́чат	it (this, that) means; they (these) mean
иногда́	sometimes
како́й	which, what, what a..., what kind of...
клуб	club
кури́ть (II)	to smoke
курю́, ку́ришь, ку́рят	
лежа́ть (II)	to lie (be lying down)
лежу́, лежи́шь, лежа́т	
лю́ди (*sing.* челове́к)	people
мно́го	many, much, a lot (of)
молоде́ц	a smart person
мо́ре	sea
невозмо́жно	impossible
немно́го	some, a bit
нигде́	nowhere
никогда́	never
никто́	no one, nobody
никуда́	(to) nowhere
общежи́тие	dormitory
обы́чно	usually

отли́чник (-ница)	"A" student
отли́чно	excellent
очки́	(eye)glasses (*always pl.*)
папиро́са	cigarette
парк	park
петь (I)	to sing
пою́, поёшь, пою́т	
писа́ть (I)	to write
пишу́, пи́шешь, пи́шут	
пло́щадь (ж.)	(city) square
по́здно [póznə]	late
поэ́тому	therefore
предпочита́ть (I)	to prefer
про́сто	simple (ly)
ра́но	early
ребёнок (*pl.* де́ти)	child
ре́дко	seldom
роди́тели	parents
сло́жно	complicated (ly)
стра́нный	strange
това́рищ	comrade
това́рищ по ко́мнате	roommate
то́лько	only
ужа́сно	terrible (ly)
успе́х	progress (*usually in the pl.*), success
уче́бник	textbook
хотя́	although
часы́	hours; clock, watch (*always pl.*)
чем	than

Десятый урок

РАЗГОВО́Р: **Пойдём в кино́!**

Встреча на улице	*A meeting on the street*
Юрий: — Приве́т, Оля! Куда́ идёшь ?	*Yuri:* Hi, Olya! Where are you going?
Оля: — Никуда́, Юрий. Я про́сто гуля́ю.	*Olya:* Nowhere, Yuri. I'm simply out for a stroll.
Юрий: — А ты зна́ешь, како́й фильм идёт сего́дня в кино́ ?	*Yuri:* Do you know what film is on today at the movies?
Оля: — Да, сего́дня в кино-теа́тре « Метро́ » идёт но́вый америка́нский фильм: « Война́ и мир ».	*Olya:* Yes, today at the Metro Theater there's a new American film— *War and Peace.*

146

Юрий: — Этот фильм, наве́рно, о́чень интере́сный!

Оля: — Да, там вообще́ пока́зывают интере́сные фи́льмы.

Юрий: — Зна́ешь что? Пойдём в кино́! Хо́чешь?

Оля: — Но... сего́дня хо́лодно, и начина́ет идти́ дождь. Где твой автомоби́ль?

Юрий: — До́ма, в гараже́, но э́то ничего́. Кино́ совсе́м недалеко́ отсю́да, и дождь не о́чень си́льный.

Оля: — Ну что же. Я не прочь. Но когда́?

Юрий: — Сейча́с! Мы уже́ опа́здываем на пе́рвый сеа́нс. Пойдём!

По пути́ в кино́

Юрий: — Где твои́ бра́тья и сёстры сего́дня?

Оля: — Бо́ря и Та́ня сего́дня в дере́вне, а Ва́ня и На́дя до́ма.

Юрий: — А почему́ они́ сидя́т до́ма?

Оля: — Потому́ что така́я плоха́я пого́да.[1]

Юрий: — Что они́ де́лают?

Оля: — Им на́до писа́ть упражне́ния.

Юрий: — Как иду́т их заня́тия?

Оля: — Они́ де́лают больши́е успе́хи.

Юрий: — Зна́чит, На́дя не то́лько краси́вая, но и у́мная де́вушка!

Yuri: That picture is undoubtedly very interesting!

Olya: Yes, they generally show interesting films there.

Yuri: Know what? Let's go to the movies! Do you want to?

Olya: But... it's cold today, and it's beginning to rain. Where is your car?

Yuri: At home, in the garage, but that doesn't matter. The movie theater isn't far from here at all, and it's not a very heavy rain.

Olya: Well, I have no objections. But when?

Yuri: Right now! We're already late for the first show. Let's go!

On the way to the movies

Yuri: Where are your brothers and sisters today?

Olya: Borya and Tanya are in the country today, and Vanya and Nadya are at home.

Yuri: Why are they (sitting) at home?

Olya: Because the weather's so bad.

Yuri: What are they doing?

Olya: They have to write exercises.

Yuri: How are their studies going?

Olya: They're both making great progress!

Yuri: Well, then, Nadya is not only a pretty girl, but an intelligent one as well!

---

[1] The **г** in **пого́да** is pronounced [g].

Оля: — Ну, да... и она тоже так думает!   *Olya:* Well, yes... and she thinks so, too!

ТЕКСТ ДЛЯ ЧТЕНИЯ: Климат СССР

Это — карта СССР. Как вы видите и, наверно, уже знаете, Советский Союз — огромная страна. Климат там вообще континентальный. Это значит: летом жарко, дожди бывают нечасто, а зимой холодно, идёт часто снег.

Вот Уральские горы или просто Урал. На западе — европейская часть СССР, а на востоке — азиатская. На западе находятся самые большие города в СССР: Москва и Ленинград, и самые важные реки: Волга, Дон и Днепр.

На востоке, т. е. в Сибири, в Азии, зима очень длинная, холодная, а лето короткое, но жаркое. Далеко на севере, например, в Якутске, лето очень короткое, но, всё равно, жаркое. На карте можно видеть следующие города: Владивосток, Якутск, Иркутск, Новосибирск. Вот озеро Байкал, самое глубокое озеро в мире.

На юге СССР климат вообще приятный, тёплый. В Казахстане летом жарко: там пустыня. На юге зимой не очень прохладно, даже тепло. Города Алма-Ата, Ташкент, Самарканд и Ашхабад не русские города, а азиатские, хотя они и находятся в СССР. Вот вы видите Чёрное и Азовское, Каспийское и Аральское моря. Самая высокая гора в Европе — это гора Эльбрус в Грузии, на Кавказе. Другие республики на Кавказе: Армения и Азербайджан.

Далеко на севере находятся города-порты: Мурманск и Архангельск. В Мурманске неприятный климат, часто бывают туманы. Порт Архангельск замерзает зимой, а Мурманск не замерзает, потому что там проходит Гольфстрим.[2] Поэтому Мурманск для СССР очень важный порт.

Вопросы

1. СССР — маленькая или большая страна?
2. Какой вообще климат в СССР?
3. Какая погода в СССР летом?

---

[2] **Там проходит Гольфстрим**: The Gulf Stream passes there.

4. Кака́я пого́да там зимо́й?
5. Когда́ там идёт дождь?
6. А снег?
7. Где Сиби́рь: на за́паде и́ли на восто́ке СССР?
8. Како́е ле́то в Сиби́ри?
9. Как вы ду́маете: тепло́ ли зимо́й в Сиби́ри?
10. Како́е са́мое глубо́кое о́зеро в ми́ре?
11. Где оно́ нахо́дится?
12. Кака́я са́мая высо́кая гора́ в Евро́пе?
13. Где в СССР она́ нахо́дится?
14. Кака́я пого́да на ю́ге СССР?
15. Как бу́дет « пусты́ня » по-англи́йски?
16. Каки́е моря́ нахо́дятся на ю́ге СССР?
17. Каки́е респу́блики нахо́дятся на Кавка́зе?
18. Како́й кли́мат в Му́рманске?
19. Замерза́ет ли порт Арха́нгельск?
20. Почему́ Му́рманск не замерза́ет?

ВЫРАЖЕ́НИЯ

1. Идёт фильм.	A picture (movie) is showing (playing).
2. Идёт дождь.	It is raining.
3. Идёт снег.	It is snowing.
4. (совсе́м) недалеко́ отсю́да	not (at all) far from here
5. Ну что же!	Well!
6. Я не прочь.	I have no objection.
7. по пути́	on the way
8. Мне (тебе́, ему́, ей, ему́, нам, вам, им) на́до писа́ть упражне́ния	I (you, he, she, it, we, you, they) have to write the exercises.
9. не то́лько..., но и...	not only..., but... as well
10. т. е. (то есть)	that is (to say)
11. нахо́дится	is located
нахо́дятся	are located
12. всё равно́	it doesn't matter; nevertheless
13. мо́жно ви́деть	one can see
14. ча́сто быва́ют тума́ны	it is often foggy

15. зимóй   in the winter (time)
    веснóй   in the spring (time)
    летом   in the summer (time)
    осенью   in the fall

16. на $\begin{cases}\text{севере}\\ \text{юге}\\ \text{востóке}\\ \text{западе}\end{cases}$ in the $\begin{cases}\text{north}\\ \text{south}\\ \text{east}\\ \text{west}\end{cases}$

ПРИМЕЧÁНИЯ

1. **На улице** means literally "on the street"; however, it also is used to mean "outside," when one is in the city. In the country, "outside" is . **на дворé** (on the yard).
2. **Дождь** is pronounced [doshch].
3. Note the stress shift:

Singular: гарáж дождь óзеро мóре рекá горá странá
Plural: гаражú дождú озёра моря́ рéки гóры стрáны

4. **Тумáны**: Although in English we occasionally use the plural of "rain" ("rains"), we rarely use the plural of "fog." In Russian, the plural **тумáны** is quite commonly used.
5. **Нахóдится** ("is located"), **нахóдятся** ("are located"): Verbs ending in **-ся** are called "reflexive" verbs. They will be discussed in detail in a later chapter.
6. **Бывáть** is an interesting verb. It is frequently used with the meaning "to occur" or "happen with some regularity," and thus is often used with expressions involving the weather. This verb also means "to frequent," "to be often":

    Здесь бывáет жáрко.   It gets hot here.
    Здесь бывáют дождú.   Rains occur here.
    Я чáсто бывáю в Нью-Йóрке.   I am often in New York.

7. **На севере**, **на юге**, **на западе**, and **на востóке**: Russians say "*on* the north," etc., not "*in* the north."
8. **Урáльские гóры**: The Ural Mountains separate the Russian plain from the West Siberian lowland. The highest peak is Mt. Naródnaya (6,210 feet).

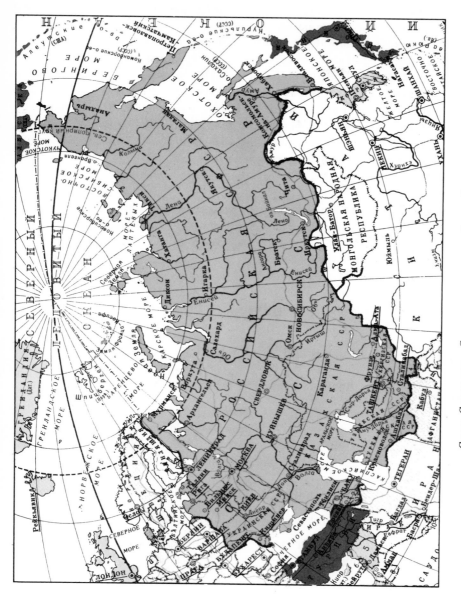

Союз Советских Социалистических Республик.

9. **Ура́л**: The Urals is one of Russia's most important industrial areas. The region is very rich in natural resources.
10. **Казахста́н**: Kazakhstan is a republic in Central Asia.
11. **Гру́зия, Арме́ния, Азербайджа́н**: Georgia, Armenia, and Azerbaijan are the three countries (republics) of the Caucasus.
12. **Кавка́з**: The Caucasus is located between the Black and Caspian Seas and is bordered on the south by Iran and Turkey. **М. Ю. Ле́рмонтов** (1814–1841) served as an officer in the Caucasus and wrote many poems and stories about the region. One of his most famous works is *A Hero of Our Time* (**«Геро́й на́шего вре́мени»**).
13. **Гора́ Эльбру́с**: Mt. Elbrus, the highest mountain in Europe, is 18,470 feet high.
14. **Озеро Байка́л**: Lake Baikal, the deepest fresh water lake in the world, is approximately 5,660 feet deep and covers an area of about 12,500 square miles.
15. **Чёрное мо́ре**: The Black Sea
Азо́вское мо́ре: The Sea of Azov
Каспи́йское мо́ре: The Caspian Sea
Ара́льское мо́ре: The Aral Sea

ДОПОЛНЙТЕЛЬНЫЙ МАТЕРИА́Л

Времена́ го́да (The Seasons of the Year)

зима́	winter	зимо́й	in the winter (time)
весна́	spring	весно́й	in the spring (time)
ле́то	summer	ле́том	in the summer (time)
о́сень	fall	о́сенью	in the fall (time)

Кака́я сего́дня пого́да? (What's the Weather Like Today?)

The long and the short forms are equally correct.

Сего́дня **холо́дная пого́да**.	The *weather* is *cold* today.
Сего́дня **хо́лодно**.	It's *cold* today.
Сего́дня **жа́ркая пого́да**.	The *weather* is *hot* today.
Сего́дня **жа́рко**.	It's *hot* today.
Сего́дня **прохла́дная пого́да**.	The *weather* is *cool* today.
Сего́дня **прохла́дно**.	It's *cool* today.

Сегодня **тёплая погода**.	The *weather* is *warm* today.
Сегодня **тепло**.	It's *warm* today.
Сегодня **туман**.	There's *fog* today.
Сегодня идёт (сильный) **дождь**.	It's *raining* (hard) today.
Сегодня идёт (сильный) **снег**.	It's *snowing* (hard) today.
Сегодня (сильный) **ветер**.	There's a (strong) *wind* today.
Сегодня (сильный) **мороз**.	It's (way) below *freezing* today.
Сегодня **мороз с инеем**.	There's *frost* today.
Сегодня **светит солнце**.[3]	The sun is shining today.

Какая погода бывает здесь? (What's the Weather Like Here?)

Здесь бывает { холодная погода. / холодно.	It is cold here.
Здесь часто бывают дожди.	It frequently rains here.
Здесь иногда бывают туманы.	It's sometimes foggy here.
Здесь редко бывают морозы.	It seldom is below freezing here.
Здесь бывает снег.[4]	It snows here.

УПРАЖНЕНИЯ

A. Следуйте данным примерам:

> *Пример:* They say that it is often cold there.

Говорят, что там часто бывает холодно.

1. They say that it is often hot there.
2. They say that it is seldom cool there.
3. They say that it is never warm there.

> *Пример:* In the winter here it never rains.

Зимой здесь никогда не идёт дождь.

1. In the spring here it usually rains.
2. In the summer here it often rains.
3. In the fall here it rains all the time.

---

[3] **Солнце** произносится [sóntsə].

[4] The word **снег** is not used in the plural in this context!

Приме́р: The climate there is generally pleasant.   **Кли́мат там вообще́ прия́тный.**

1. The climate there is generally unpleasant.
2. The climate there is generally good.
3. The climate there is generally bad.

Приме́р: In the east it often rains.   **На восто́ке ча́сто идёт дождь.**

1. In the north it often snows.
2. In the west it sometimes rains.
3. In the south it never snows.

Приме́р: Today I have to work.   **Сего́дня мне на́до рабо́тать.**

1. Today I have to write letters.
2. Today we have to speak only Russian.
3. Today he has to read.
4. Today she has to work in the laboratory.
5. Today you (**вы**) have to sit at home. You are sick.

Приме́р: I need a good new dictionary.   **Мне ну́жен хоро́ший но́вый слова́рь.**

1. I need a good new briefcase.
2. You (**ты**) need a good new pen.
3. You (**вы**) need a good new radio.
4. He needs a good new watch.
5. She needs good new (eye)glasses.
6. They need a good new car.

B. Change the bold-faced words to those which are opposite (or nearly so) in meaning:

1. Мой брат **глу́пый** ма́льчик.
2. Наш профе́ссор **интере́сный** челове́к.
3. Твой сын **хоро́ший** учени́к.
4. Э́та шко́ла — **ста́рая**.
5. Э́тот уро́к — **лёгкий**.
6. Э́то упражне́ние — **коро́ткое**.
7. Э́то — **ма́ленькое** ра́дио.
8. Э́то — **хоро́ший но́вый** автомоби́ль.

9. Э́тот ру́сский о́чень **у́мный**.
10. Их ребёнок о́чень **большо́й**.

C. Repeat the sentences in the preceding exercise, changing the nouns with their modifiers to the *plural*.

D. Change the bold-faced adjectives to those which are opposite in meaning:

1. Зима́ здесь **прия́тная**.
2. Ле́то здесь **холо́дное**.
3. Весна́ здесь **прохла́дная**.
4. О́сень здесь **жа́ркая**.

E. In the preceding exercise, change the season to "in the... time," and the adjective to the short form, as in the example:

    Приме́р: Зима́ здесь **прия́тная**.   Зимо́й здесь **прия́тно**.

F. Change the following statements concerning the weather to the short expressions which have the same meaning (indicate the stressed syllables):

1. Сего́дня жа́ркая пого́да.
2. Сего́дня холо́дная пого́да.
3. Сего́дня прохла́дная пого́да.
4. Сего́дня тёплая пого́да.

G. Translate the words in parentheses:

1. (In the north) быва́ют си́льные моро́зы.
2. (In the south) быва́ют си́льные дожди́.
3. (In the west) быва́ют тума́ны.
4. (In the east) нечáсто быва́ет жа́рко.
5. (In the winter) иногда́ быва́ет жа́рко.
6. (In the spring) никогда́ не быва́ет хо́лодно.
7. (In the fall) обы́чно быва́ет тепло́.
8. (In the summer) ре́дко быва́ет прохла́дно.

H. In the first blank use the correct form of the Russian word for "which?", "what kind of...?". Then fill in the correct adjectival endings:

1. _____ э́то ра́дио? Э́то — хоро́ш_____ нов_____ ра́дио.
2. _____ э́то автомоби́ль? Э́то — хоро́ш_____ нов_____ автомоби́ль.

3. _____ это кварти́ра? Это — хоро́ш_____ нов_____ кварти́ра.
4. _____ это университе́т? Это — больш_____ краси́в_____ университе́т.
5. _____ это улицы? Это — больш_____ краси́в_____ улицы.
6. _____ это здание? Это — больш_____ краси́в_____ здание.
7. _____ они́ люди? Они́ хоро́ш_____ молод_____ люди.

I. Translate:

1. This is my new table. This new table is mine. This one is mine.
2. This is your small book. This small book is yours. This one is yours.
3. This is our old radio. This old radio is ours. This one is ours.
4. This is a new car, and that is an old one. This car is mine, and that one is yours.
5. These are new dictionaries, and those are old ones. These dictionaries are mine, and those over there are yours.

Вопро́сы[4]

1. Кака́я сего́дня пого́да? Идёт дождь или снег?
2. Там, где вы живёте, кака́я пого́да быва́ет зимо́й? весно́й? летом? осенью?
3. Где быва́ют тума́ны: на океа́не или в пусты́не?
4. Где быва́ют моро́зы: на эква́торе или в Аля́ске?
5. Вы знаете все времена́ года?
6. Кака́я самая высо́кая гора́ в мире?
7. Кака́я самая длинная река́ в мире?
8. Кака́я самая больша́я страна́ в мире?
9. Како́й самый большо́й штат в США?
10. Где в Аме́рике нахо́дятся города́ Вашингто́н и Нью-Йо́рк: на западе или на восто́ке?
11. А где нахо́дится штат Флори́да: на юге или на севере?
12. ' Где в СССР нахо́дится гора́ Эльбру́с?
13. Как вы думаете: озёра и реки в Сиби́ри замерза́ют зимо́й?

Перево́д

1. Our movie theater is new but very ugly.
2. There they show very uninteresting films!

---

4 Answer in complete sentences.

3. Siberia is located in the east of the U.S.S.R.
4. Do you want to go to the museum?
5. I don't care. Is the museum far from here?
6. No, not very. Let's go there!
7. I have no objection, but it's raining.
8. That doesn't matter. My car is over there on the street.
9. Our brothers are studying Russian. Russian grammar is very hard.
10. My sisters are in class. There they have to speak only Russian.
11. The Caucasus is very beautiful. There one can see cities and villages, mountains and fields, rivers, lakes, and seas.
12. The teacher says that your children are very intelligent and that they are making great progress in school.
13. That is possible.
14. I think that the weather in California is, in general, pleasant.
15. Do you have to work at home today?
16. Yes, either at home or in the library.
17. Vladimir is the nicest person in the world!

ГРАММА́ТИКА

На́до — Ну́жно (To Have To—Must)

Review the expressions which involve the *dative pronouns*.

1. To need:

Что вам ну́жно?
Мне ну́жен каранда́ш.
Тебе́ нужна́ жена́.
Ему́ ну́жно ра́дио.
Ей нужны́ очки́.

2. Asking (giving) a person's age:

Ско́лько вам лет?
Мне 21 год.

3. To not care ("It's all the same to ... "):

Это вам всё равно́?
Да, мне всё равно́.
Нет, нам не всё равно́, но ничего́ не поде́лаешь.

The Russian expression for "to have to" ("must") also requires that one use the *dative pronouns*. After the word **надо** or **нужно** use the *infinitive form* of the verb which indicates *what is to be done*. **Надо** and **нужно** may be used interchangeably:

Мне
Тебе
Ему
Ей
(Ему)   **надо (нужно)**   писать письма.
Нам   работать.
Вам   читать эти книги.
Им   говорить по-русски.

The words **надо** and **нужно** may be used impersonally, in which case no subject is expressed:

Надо (Нужно) работать?
Does one have to work?
Is it necessary to work?
Do you have to work?

Да, надо (нужно).
Yes, one must.
Yes, it's necessary.
Yes, you do.

Нет, не надо (нужно).
No, one doesn't have to.
No, it's not necessary.
No, you don't.

The Demonstrative Pronouns/Adjectives:
Этот, эта, это, эти   Тот, та, то, те

Before discussing the demonstrative pronouns/adjectives, it is important to recall the word **это** ("this is, that is, these are, those are"): **Кто это?**, **Что это?**

Кто это? Это — Иван.	Who is this? That is John.
Что это? Это — ручка.	What is that? That is a pen.
Что это? Это — книги.	What are these? Those are books.

As you can see from the above examples, the word **это** never changes its form and always includes some form of the English verb "to be" (*is* or *are*) in translation.

The demonstrative pronouns/adjectives are adjectives when they occur before a noun, pronouns when they stand in place of a noun. **Э́тот, э́та, э́то, э́ти; тот, та, то,** and **те** must agree in gender and number with the nouns they modify or stand for:

Masculine:	э́тот (тот) журна́л	this (that) magazine
Feminine:	э́та (та) газе́та	this (that) newspaper
Neuter:	э́то (то) ра́дио	this (that) radio
Plural:	э́ти (те) журна́лы	these (those) magazines

The demonstrative pronouns/adjectives frequently answer the questions "which?", "what kind of...?" (**како́й? кака́я? како́е? каки́е?**), and also can involve the question "whose?" (**чей? чья? чьё? чьи?**). When the words **э́тот, э́та, э́то, э́ти; тот, та, то,** and **те** are not followed by a noun, they are usually translated "this one," "that one," "these," or "those":

1. Чей э́то журна́л? Э́то — мой журна́л.

   Whose magazine is this? This is my magazine.

   a. **Э́тот журна́л** мой, а **тот журна́л** ваш.

   This magazine is mine and *that magazine* is yours.

   b. **Э́тот** — мой, а **тот** — ваш.

   This one is mine and *that one* is yours.

2. Чья э́то газе́та? Э́то — моя́ газе́та.

   Whose newspaper is this? This is my newspaper.

   a. **Э́та газе́та** — моя́, а **та газе́та** — ва́ша.

   This newspaper is mine and *that newspaper* is yours.

   b. **Э́та** — моя́, а **та** — ва́ша.

   This one is mine and *that one* is yours.

3. Чьё э́то ра́дио? Э́то — моё ра́дио.

   Whose radio is this? This is my radio.

   a. **Э́то ра́дио** — моё, а **то ра́дио** — ва́ше.

   This radio is mine, and *that radio* is yours.

   b. **Э́то** — моё, а **то** — ва́ше.

   This one is mine and *that one* is yours.

4. Чьи это журна́лы? Э́то — мой журна́лы. — Whose magazines are these? These are my magazines.

   a. **Эти журна́лы** — мой, а **те журна́лы** — ваши. — *These magazines are mine, and those magazines are yours.*

   b. **Эти** — мой, а **те** — ваши. — *These are mine, and those are yours.*

Note carefully the difference between the two sentences in each of the following pairs. This difference is not great, but it is significant and exists both in English and in Russian. Read these sentences aloud:

Э́то — мой каранда́ш.	This is my pencil.
Э́тот каранда́ш — мой.	This pencil is mine.
Э́то — моя́ ру́чка.	This is my pen.
Э́та ру́чка — моя́.	This pen is mine.
Э́то — моё перо́.	This is my pen point.
Э́то перо́ — моё.	This pen point is mine.
Э́то — мой карандаши́.	These are my pencils.
Э́ти карандаши́ — мой.	These pencils are mine.

A dash is sometimes (but not always) placed after **это** and **то** where we use the verb "to be".

Review of the Spelling Rules

1. After **г, к, х, ж, ч, ш, щ** never write **ы**; write **и** instead.
2. After **г, к, х, ж, ч, ш, щ, ц** never write **ю** or **я**; write **у** or **а**, respectively, instead.
3. After **ж, ч, ш, щ, ц** never write *unstressed* **о**; write **е** instead.

By learning and observing how these rules are used, you will spare yourself the necessity of memorizing countless seemingly irregular verb conjugations and noun and adjective declensions.

Adjectives

In Russian, adjectives must agree with the nouns which they modify in *gender, case,* and *number.* The interrogative words most commonly associated with statements including adjectives are

Како́й?
Кака́я?
Како́е?
Каки́е? } What? Which? What kind of...?

Что is an interrogative pronoun and thus may not be used to modify a noun.

Что э́то?   *What* is this?
Кака́я э́то кни́га?   *What* book is that?

1. When all adjectives thus far presented modify *masculine nouns* they have the endings:

   -ый (the standard ending)
   -ий (the variant ending expressed by Spelling Rule 1)
   -о́й (the ending used if the ending itself is stressed)

2. Adjectives that modify *feminine nouns* have the ending:

   -ая

3. Adjectives that modify *neuter nouns* have the endings:

   -ое (the standard ending)
   -ее (the variant ending expressed by Spelling Rule 3)

4. Adjectives that modify *plural nouns* have the endings:

   -ые (the standard ending)
   -ие (the variant expressed by Spelling Rule 1)

Note the following sentences:

Како́й э́то дом?
     Э́то — хоро́ш**ий**, больш**о́й**, но́в**ый** дом.

Кака́я э́то шко́ла?
     Э́то — хоро́ш**ая**, больш**а́я**, но́в**ая** шко́ла.

Како́е э́то окно́?
     Э́то — хоро́ш**ее**, больш**о́е**, но́в**ое** окно́.

Каки́е э́то {дома́?
шко́лы?
о́кна?

     Э́то — хоро́ш**ие**, больш**и́е**, но́в**ые** {дома́.
шко́лы.
о́кна.

The words **русский** and **русская** (*pl.* **русские**) are adjectives that may be used as nouns:

Это русский журнáл.	This is a Russian magazine.
Это русская книга.	This is a Russian book.
Это русские книги.	These are Russian books.
Он русский.	He is a Russian.
Онá русская.	She is a Russian.
Они русские.	They are Russians.

It is helpful to learn adjectives in opposite pairs. Here only the masculine form of each adjective is given. All the adjectives, of course, also have feminine and neuter endings:

аккурáтный/рассéянный	punctual/absent-minded
большóй/маленький	big, large/small
высóкий/низкий	tall, high/short, low
длинный/корóткий	long/short
интерéсный/скучный	interesting/boring
красивый/урóдливый	pretty, beautiful/ugly
лёгкий/трудный	easy/hard
молодóй⎫ новый ⎭/старый	young⎫ new ⎭/old
прохлáдный/тёплый	cool/warm
сильный/слабый	strong/weak
симпатичный[5]/несимпатичный[5]	nice/not nice
умный/глупый	smart, intelligent/stupid
холóдный/жаркий	cold/hot
хорóший[6]/плохóй	good/bad

The prefix **не-** can be added to almost any adjective in the Russian language to construct the descriptive word which is opposite in meaning. This is similar to the use of the prefixes "un-," "in-" and "im-" in English, but the Russians use their negative prefix much more frequently than we use ours. The adjectives (or adverbs) with the prefix **не-** are not as strong in meaning as the true opposites which are listed above. The following adjectives are frequently used with the prefix **не-**:

---

[5] **Симпатичный** may be used with reference to persons only.

[6] **Хорóший** may be used with persons and things.

аккура́тный	**не**аккура́тный
большо́й	**не**большо́й
высо́кий	**не**высо́кий
дли́нный	**не**дли́нный
интере́сный	**не**интере́сный
краси́вый	**не**краси́вый
лёгкий	**не**лёгкий
молодо́й	**не**молодо́й
прия́тный	**не**прия́тный
симпати́чный	**не**симпати́чный
спосо́бный	**не**спосо́бный
умный	**не**у́мный
хоро́ший	**не**хоро́ший

How many of the above adjectives can take the prefixes "un," "in," or "im" in English? And how can you determine which negative prefix to use in English? Russian, fortunately, uses **не-** for all three.

The *superlative degree of adjectives* is remarkably simple in Russian; simply place **самый (-ая, -ое, -ые)** in front of the adjective involved. **Самый** is the equivalent of the English word "most," but in English we use "most" only with adjectives of three or more syllables, while in Russian **самый** can be used with *any* adjective:

большо́й	big
самый большо́й	*biggest*
краси́вый	pretty, beautiful,
самый краси́вый	*prettiest, most beautiful*
интере́сный	interesting
самый интере́сный	*most interesting*

Since **самый** is an *adjective*, it must agree with the noun modified in gender and number:

Masculine:	Это — больш**о́й** дом.
	Это — сам**ый** большо́й дом в го́роде.
Feminine:	Это — больш**а́я** лаборато́рия.
	Это — сам**ая** больша́я лаборато́рия в институ́те.
Neuter:	Это — больш**о́е** окно́.
	Это — са**мое** большо́е окно́ в зда́нии.

Plural: Это — больш**и́е** кни́ги.
Это — са**мые** больши́е кни́ги в библиоте́ке.

СЛОВА́РЬ

автомоби́ль (м.)	car
азиа́тский	Asiatic
большо́й	big, large
быва́ть (I)	to occur, happen; to frequent
ва́жный	important
весна́	spring
весно́й	in the spring (time)
ве́тер	wind
война́	war
вообще́	in general
восто́к	east
встре́ча	meeting, encounter
высо́кий	tall, high
гара́ж (*pl.* гаражи́)	garage
глубо́кий	deep
глу́пый	stupid, dumb
гора́ (*pl.* го́ры)	mountain
гуля́ть (I)	to stroll, take a walk, (*also*, to carouse)
далеко́	far, far away
дли́нный	long
дождь (м.)	rain
друго́й	other, another
дуть (I)	to blow
европе́йский	European
жа́ркий	hot
замерза́ть (I)	to freeze
за́пад	west
зима́	winter
зимо́й	in the winter (time)
интере́сный	interesting
кинотеа́тр	movie theater
кли́мат	climate
континента́льный	continental
конча́ть (I)	to finish
коро́ткий	short
краси́вый	pretty, beautiful, good-looking, handsome
ле́то	summer
ле́том	in the summer (time)
ма́ленький	small

мир	world; peace
молодо́й	young
моро́з	below freezing weather
моро́з с инеем	frost
наве́рно	undoubtedly, surely
надо	it is necessary
нахо́дится	is located
нахо́дятся	are located
начина́ть (I)	to begin, start
недалеко́	not far, not far away
неприя́тный	unpleasant
низкий	low
новый	new
огро́мный	huge
озеро (*pl.* озёра)	lake
осень	fall, autumn
осенью	in the fall
отсю́да	from here
первый	first
плохо́й	bad
пого́да	weather
пока́зывать (I)	to show
по пути́	on the way
порт	port
прия́тный	pleasant
прохла́дный	cool
пусты́ня	desert
река́ (*pl.* ре́ки)	river
респу́блика	republic
самый	the most (*superlative—see* **Грамма́тика**)
сеа́нс	showing (of a movie)
север	north
Сиби́рь (ж.)	Siberia
сильный	hard, strong
скучный	boring
слабый	weak
следующий	following
снег	snow
сове́тский	soviet
солнце [sóntsə]	sun
Солнце светит.	The sun is shining.
союз	union
старый	old
страна́ (*pl.* стра́ны)	country, land
тёплый	warm
тот, та, то; те	that (one); those

тумáн	fog
умный	intelligent, smart
фильм	film, movie
холóдный	cold
хорóший	good, nice, fine
часть (ж.)	part
этот, эта, это; эти	this (one); these
юг	south

Одиннадцатый урок

РАЗГОВОР: **Завтра будет экзамен!**[1]

Оля: — Сергей! Где же[2] ты был вчера?

Сергей: — Я был дома.

Оля: — Почему? Ты был болен?

Сергей: — Да, я был простужен и, к тому же,[3] я очень устал.

Оля: — Жаль. Я не знала. Тебе надо было весь день лежать в постели?

Olya: Sergei! Where in the world were you yesterday?

Sergei: I was at home.

Olya: Why? Were you sick?

Sergei: Yes, I had a cold and, in addition, I was very tired.

Olya: Too bad. I didn't know. Did you have to stay in bed all day?

---

[1] **Экзамен** произносится [egzámin].

[2] **Где же** произносится [gḏézhi].

[3] **К тому же** произносится [ktamúzhi].

Завтра будет экзамен!

Сергей: — Нет, утром я просто отдыхал,[4] днём писал письма, а вечером я учил уроки.	*Sergei:* No, in the morning I simply rested, in the afternoon I wrote letters, and in the evening I studied my lessons.
Оля: — А сегодня?	*Olya:* And today?
Сергей: — Сегодня я совсем здоров. Между прочим, Вера, ты хочешь видеть интересный фильм? Сегодня вечером идёт « Иван Грозный ».	*Sergei:* Today I'm completely well. By the way, Vera, do you want to see an interesting film? This evening *Ivan the Terrible* is playing.
Оля: — Конечно, хочу, но не могу! Разве ты не знаешь, что завтра на уроке английского языка будет проверочный экзамен?	*Olya:* Of course I want to, but I can't. Do you mean to say you don't know that there's going to be a quiz in English class tomorrow?
Сергей: — Ах нет! Это невозможно! Я ещё не готов. Или ты просто шутишь?	*Sergei:* Oh, no! That's impossible! I'm not ready. Or are you just joking?

---

[4] **Отдыхал** произносится [addixál].

Оля: — Нет, не шучу́. Экза́мен будет. И, к тому́ же, я слы́шала, что Дми́трий Ники́тич даёт тру́дные экза́мены.

Серге́й: — Ах, Бо́же!

Оля: — Ну, как, Серёжа? Ты за́втра бу́дешь в шко́ле?

Серге́й: — Нет, не ду́маю. Я за́втра, наве́рно, опя́ть бу́ду бо́лен и мне на́до бу́дет лежа́ть и отдыха́ть.

Olya: No, I'm not joking. There's going to be a test. And, in addition, I've heard that Dmitry Nikitich gives difficult tests.

Sergei: Oh, good grief!

Olya: Well, how about it, Seryozha? Will you be in school tomorrow?

Sergei: No, I don't think so. Tomorrow I will undoubtedly be sick again and I will have to stay in bed and rest.

ТЕКСТ ДЛЯ ЧТЕНИЯ: **Сего́дня праздник!**[5]

Вчера́ ве́чером в кино́ шёл интере́сный фильм, но мне на́до бы́ло сиде́ть до́ма, и вот почему́: на у́лице бы́ло хо́лодно, шёл дождь, был си́льный ве́тер. Кино́ нахо́дится далеко́ отсю́да, и я не $\left\{\begin{array}{l}\text{хоте́л}\\\text{хоте́ла}\end{array}\right\}$ идти́ туда́ пешко́м. Я $\left\{\begin{array}{l}\text{был просту́жен}\\\text{была́ просту́жена}\end{array}\right\}$ и, к тому́ же, мне на́до бы́ло гото́вить уро́ки на за́втра. Я $\left\{\begin{array}{l}\text{ду́мал}\\\text{ду́мала}\end{array}\right\}$ про себя́:

— Гм... я $\left\{\begin{array}{l}\text{нездоро́в}\\\text{нездоро́ва}\end{array}\right\}$ сего́дня, я о́чень $\left\{\begin{array}{l}\text{за́нят}\\\text{занята́}\end{array}\right\}$ и я $\left\{\begin{array}{l}\text{уста́л}\\\text{уста́ла}\end{array}\right\}$.

За́втра на уро́ке неме́цкого языка́, наве́рно, бу́дет прове́рочный экза́мен. Е́сли я сего́дня бу́ду сиде́ть до́ма, гото́вить уро́ки и отдыха́ть, то я за́втра бу́ду $\left\{\begin{array}{l}\text{здоро́в}\\\text{здоро́ва}\end{array}\right\}$ и $\left\{\begin{array}{l}\text{гото́в}\\\text{гото́ва}\end{array}\right\}$. Я о́чень $\left\{\begin{array}{l}\text{рад}\\\text{ра́да}\end{array}\right\}$, что пого́да така́я плоха́я.

Сего́дня у́тром я $\left\{\begin{array}{l}\text{был}\\\text{была́}\end{array}\right\}$ в шко́ле, но я $\left\{\begin{array}{l}\text{был}\\\text{была́}\end{array}\right\}$ там $\left\{\begin{array}{l}\text{оди́н}\\\text{одна́}\end{array}\right\}$.[6] Сего́дня праздник. Ах, Бо́же! Как я $\left\{\begin{array}{l}\text{глуп}\\\text{глупа́}\end{array}\right\}$! Всегда́ забыва́ю, когда́ свобо́дный день.

---

[5] **Праздник** произно́сится [praẓṇik].

[6] The number "one" in Russian has three basic forms: **оди́н** (*masc.*), **одна́** (*fem.*), and **одно́** (*neuter*). Here, **оди́н** (**одна́**) means "alone."

Вопро́сы

1. Кака́я вчера́ была́ пого́да?
2. Почему́ мне на́до бы́ло сиде́ть до́ма?
3. Почему́ я не $\begin{Bmatrix} \text{хоте́л} \\ \text{хоте́ла} \end{Bmatrix}$ идти́ в кино́ пешко́м?
4. Како́й язы́к я изуча́ю?
5. Что бу́дет за́втра на уро́ке неме́цкого языка́?
6. Почему́ други́е студе́нты бы́ли до́ма сего́дня у́тром, когда́ я $\begin{Bmatrix} \text{был} \\ \text{была́} \end{Bmatrix}$

в шко́ле?

ВЫРАЖЕ́НИЯ

1. Где же...?	Where in the world...?
2. к тому́ же	in addition
3. лежа́ть в посте́ли	to lie in bed
4. совсе́м	completely
5. совсе́м не	not at all
6. весь день	all day
7. Ра́зве...?	Do you mean to say that...?
8. идти́ пешко́м	to go on foot
9. ду́мать говори́ть } про себя́	to think to talk } to oneself
10. Гм...	Hm...
11. Ты шу́тишь?	Are you joking (kidding)?
Нет, не шучу́!	No, I'm not!
12. Э́то сло́во произно́сится...	This word is pronounced...
13. Как я $\begin{Bmatrix} \text{глуп} \\ \text{глупа́} \end{Bmatrix}$!	How stupid I am!

ПРИМЕЧА́НИЯ

1. **Же** is referred to as a particle because it has no meaning when it stands alone. **Же** is added after words for emphasis and is pronounced as part of the preceding word. Sometimes **же** can be translated "...in the world...!" On other occasions it is best left untranslated.

2. **Праздник, поздно**: The consonant cluster **здн** is always pronounced [zn]. In the word **праздник**, both **з** and **н** are "soft": [praẓṇik].

3. **Ива́н Гро́зный**: Ivan the Terrible (1530–84). The word **гро́зный** actually means "awe-inspiring," rather than "terrible." During the latter years of his reign, however, Ivan truly earned the appellation "terrible." The film classic about Ivan's life was produced in 1942 by the famous Russian director Sergei Eisenstein (1898–1948). In the first of this series of two films, Eisenstein portrayed Ivan as a beneficent despot and likened him to Stalin. In the second film, however, Ivan was pictured as a deranged tyrant; as a consequence, Eisenstein was denounced by Stalin and the Party allowed him to make no more films.

ДОПОЛНИ́ТЕЛЬНЫЙ МАТЕРИА́Л

Time Expressions

The Russian words for "today," "yesterday," "day before yesterday," etc., are *adverbs* and thus can never be the subject of a sentence:

сего́дня	today
вчера́	yesterday
позавчера́	day before yesterday
за́втра	tomorrow
послеза́втра	day after tomorrow

1. Morning:

у́тро	morning
До́брое у́тро!	Good morning!
всё у́тро	all morning
у́тром	in the morning
сего́дня у́тром	this morning
вчера́ у́тром	yesterday morning
за́втра у́тром	tomorrow morning

2. Day:

день (м.)	day
До́брый день!	Good day! (Good afternoon!)
весь день	all day

днём	during the daytime (*or* in the afternoon)
сегодня днём	this afternoon
вчера днём	yesterday afternoon
завтра днём	tomorrow afternoon

3. Evening:

вечер	evening (up till about 11 P.M.)
Добрый вечер!	Good evening!
весь вечер	all evening
вечером	in the evening
сегодня вечером	this evening, at night
вчера вечером	yesterday evening, last night
завтра вечером	tomorrow evening, tomorrow night

4. Night:

ночь (ж.)	night (from 11 P.M. till dawn)
Спокойной ночи!	Good night! (*literally*, Of a peaceful night!)
всю ночь[7]	all night
ночью	during the night
(сегодня ночью)[8]	(this night, tonight)
(вчера ночью)[8]	(last night)
(завтра ночью)[8]	(tomorrow night)

УПРАЖНЕНИЯ

A. Следуйте данным примерам:

> *Пример:* Did you have to lie **Тебе надо было весь**
> (stay) in bed all day? **день лежать в постели?**

1. Did she have to lie in bed all day?
2. Did they have to lie in bed all day?
3. Did he have to lie in bed all day?
4. Did you (**вы**) have to lie in bed all day?

---

[7] In answering the question "How long?" expressions involving "all..." are in the accusative case. This is obvious only from the expression **всю ночь** (**вся ночь**).

[8] These expressions are theoretically possible but rarely used. Most English expressions using the word "night" will involve the word **вечер**.

Приме́р: You will have to work all morning. **Вам на́до бу́дет всё у́тро рабо́тать.**

1. I will have to work all morning.
2. He will have to work all evening.
3. She will have to work all night.
4. They will have to work all morning.

Приме́р: That was nothing! **Э́то бы́ло ничего́!**

1. That was bad!
2. That was excellent!
3. That was impossible!
4. That was very simple!

Приме́р: That will be fine! **Э́то бу́дет хорошо́!**

1. That will be terrible!
2. That will be possible!
3. That will be very complicated!
4. That will be very good.

Приме́р: Do you mean to say you don't know that there will be a test tomorrow? **Ра́зве ты не зна́ешь, что за́втра бу́дет экза́мен?**

1. Do you mean to say you don't know that there will be a test the day after tomorrow?
2. Do you mean to say you don't know that there was a test yesterday?
3. Do you mean to say you don't know that there was a test the day before yesterday?
4. Do you mean to say he doesn't know that there will be a test tomorrow morning?

B. Complete each sentence by translating the words in parentheses; then change the subject(s) as indicated and make any other necessary changes:

1. **Он** был (sick) и, к тому́ же, о́чень (tired).

a. Она́ _____.
b. Они́ _____.
c. Вы _____.

d. Мы _____.

e. Я _____.

f. Ты[9] _____.

2. **Он** завтра будет совсём (well).

a. Они́ _____.

b. Мы _____.

c. Мари́ Никола́евна _____.

d. Я _____.

e. Вы _____.

f. Ты[9] _____.

3. **Он** не (to blame).

a. Мы _____.

b. Они́ _____.

c. Я _____.

d. Татья́на Гео́ргиевна _____.

e. Вы _____.

4. **Он** (sure), что завтра будет экза́мен.

a. Я _____.

b. Они́ _____.

c. Вы _____?

d. Таня _____.

e. Мы _____.

f. Ты[10] _____?

5. **Он** сего́дня (has a cold).

a. Мы _____.

b. Эти́ студе́нты _____.

c. Я _____.

d. Анна Васи́льевна _____.

e. Вы _____?

f. Ты[11] _____?

---

[9] to a man

[10] to a woman

[11] to a man

6. **Он** (happy), что **вы** не (busy).

a. Я _____ , что они́ _____ .
b. Мы _____ , что Алекса́ндра Павловна _____ .
c. Они́ _____ , что Пётр Миха́йлович _____ .
d. Тама́ра Петро́вна _____ , что вы _____ .

C. In the following exercises, change to the past or future tenses.

1. Change to the past and future tenses:

a. Сего́дня я в Москве́.   Вчера́... Завтра...
b. Сего́дня ты[12] дома?   Вчера́... Завтра...
c. Сего́дня он в лаборато́рии.   Вчера́... Завтра...
d. Сего́дня она́ просту́жена.   Вчера́... Завтра...
e. Сего́дня мы гото́вы.   Вчера́... Завтра...
f. Сего́дня вы больны́?   Вчера́... Завтра...
g. Сего́дня они́ о́чень за́няты.   Вчера́... Завтра...

2. Change to the past tense:

a. Мне ну́жен хоро́ший автомоби́ль.
b. Тебе́ нужна́ хоро́шая ка́рта СССР.
c. Ему́ ну́жно хоро́шее ра́дио.
d. Ей нужны́ хоро́шие часы́.

3. Change to the future tense:

a. Нам ну́жен но́вый журна́л.
b. Вам нужна́ папиро́са?
c. Им нужны́ очки́.
d. Мне нужны́ де́ньги.

4. Change to the past and future tenses:

a. Сего́дня у́тром нам на́до рабо́тать.
b. Сего́дня ве́чером им на́до сиде́ть до́ма.
c. На уро́ке ну́жно говори́ть то́лько по-ру́сски.

5. Change the indicated words to the past tense:

a. Мы **чита́ем** текст для чте́ния.
b. Он отли́чно **говори́т** по-ру́сски.

---

[12] to a woman

c. Я **учу́** уро́к.

d. Интере́сно, что они там **делают**?

e. Ты[13] **живёшь** в Мурманске?

f. Мы **делаем** успе́хи в шко́ле.

g. Вы всегда́ всё **забыва́ете**.

h. Дождь **идёт**.

i. Она́ **идёт** в го́род.

j. Они́ **иду́т** в библиоте́ку.

k. Я ча́сто **ви́жу** ваш автомоби́ль на у́лице.

l. Она́ **живёт** в дере́вне.

m. Он **живёт** в Ленингра́де.

n. Они́ **живу́т** в Нью-Йо́рке.

6. Change the indicated words to the future tense:

a. Эти химики **рабо́тают** в лаборато́рии в Москве́.

b. Я не **курю́** в автомоби́ле.

c. В кла́ссе мы **говори́м** то́лько по-ру́сски.

d. Вы **живёте** в Нью-Йо́рке?

e. Влади́мир **сиди́т** и **молчи́т**.

f. Ты ничего́ не **делаешь**.

g. Там **пока́зывают** хоро́шие фи́льмы.

h. **Идёт** но́вый америка́нский фильм.

i. Си́льный снег **идёт**.

7. Change the indicated words to the past tense:

a. Я **хочу́** рабо́тать, но не **могу́**.

b. Ты[14] **хо́чешь** рабо́тать, но не **мо́жешь**.

c. Ты[15] **хо́чешь** рабо́тать, но не **мо́жешь**.

d. Он **хо́чет** рабо́тать, но не **мо́жет**.

e. Она́ **хо́чет** рабо́тать, но не **мо́жет**.

f. Мы **хоти́м** рабо́тать, но не **мо́жем**.

g. Вы **хоти́те** рабо́тать, но не **мо́жете**.

h. Они́ **хотя́т** рабо́тать, но не **мо́гут**.

8. Change to the past and future tenses:

a. Сего́дня хоро́шая пого́да.   Вчера́...   За́втра...

---

[13] to a woman

[14] to a man

[15] to a woman

b. Сегóдня тумáн.   Вчерá...   Завтра...
c. Сегóдня хóлодно.   Вчерá...   Завтра...
d. Сегóдня плохáя погóда.   Вчерá...   Завтра...
e. Сегóдня сильный морóз.   Вчерá...   Завтра...

D. Give the correct form of the verb **давáть** ("to give"):

1. Виктор Михáйлович _____ трудные экзáмены.
2. Я иногдá _____ трудные экзáмены.
3. Мы редко _____ трудные экзáмены.
4. Вы часто _____ трудные экзáмены.
5. Ты обы́чно _____ трудные экзáмены.
6. Наши профессорá _____ трудные экзáмены.

Вопрóсы

1. Где вы были вчерá утром? А вечером?
2. Вы вчерá вечером были больны́?
3. Вы были простýжены вчерá?
4. Вы сегóдня здорóвы?
5. Вы рады, что изучáете русский язы́к?
6. Как идýт ваши занятия?
7. Вы сегóдня вечером заняты?
8. Вы сегóдня устáли?

Перевóд

1. I'm very happy that you were in Leningrad in the summer.
2. It's too bad that he was in Moscow in the winter time.
3. The weather there was cool in the spring.
4. In the fall it was cold and, in addition, it snowed.
5. Are you sick or simply tired?
6. My roommates were singing, smoking, and conversing.
7. I rested this morning.
8. She has been resting a long time.
9. Do you think that she's married?
10. I think that he's married.
11. I think that Dmitry Nikitich is the best teacher in the school.
12. Does he always give difficult tests?

13. I needed work.
14. I think that he will need work.
15. We needed a new house.
16. She needed a new radio.
17. To tell the truth, I didn't care!

18. Who was that? That was my $\left\{\begin{array}{l}\text{brother.}\\\text{sister.}\\\text{parents.}\end{array}\right.$

ГРАММА́ТИКА

The Verb Дава́ть

Any verb that ends in **-вать** drops **-вать** in the present tense and adds *stressed class I endings*:

	да	ва́ть
я да		ю́
ты да		ёшь
он да		ёт
мы да		ём
вы да		ёте
они́ да		ю́т

Short Adjectives

Most adjectives have both a short and a long form. The short form may be used only as a *predicate adjective*; that is to say, it may never precede the noun it modifies.

Short and long forms of predicate adjectives may be used, for the most part, interchangeably, but certain short adjectives are *always* used to describe a *temporary condition*. The following short adjectives are very frequently used:

	sick	*necessary*	*sure*	*(have a) cold*
я, ты, он	бо́лен	ну́жен	уве́рен	просту́жен
я, ты, она́	больна́	нужна́	уве́рена	просту́жена
оно́	(больно́)	ну́жно	уве́рено	(просту́жено)
мы, вы, они́	больны́	нужны́	уве́рены	просту́жены

	ready	well	happy, glad	busy	to blame
я, ты, он	гото́в	здоро́в	рад	за́нят	винова́т
я, ты, она́	гото́ва	здоро́ва	ра́да	занята́	винова́та
оно́	гото́во	(здоро́во)	(ра́до)	за́нято	винова́то
мы, вы, они́	гото́вы	здоро́вы	ра́ды	за́няты	винова́ты

Formation: as you can see from the preceding examples, the short adjectives have the following endings:

> *Masculine:* -consonant (the final letter of the stem)
> *Feminine:* **-a**
> *Neuter:* **-o**
> *Plural:* **-ы**

Stress: the stress sometimes shifts to the ending, and an **o**, **e**, or **ё** is sometimes present between the last two consonants of the masculine form, but missing in the other forms, or replaced by **ь**. These irregularities will be pointed out as the words occur in future lessons:

Long Form	*Short Form*
глу́пый	глуп
глу́пая	глупа́
глу́пое	глу́по
глу́пые	глу́пы
у́мный	умён
у́мная	умна́
у́мное	у́мно [16]
у́мные	у́мны [16]

Short adjectives/adverbs: the neuter short adjective is identical to the adverb and has essentially the same meaning.

> *Short Adjectives:*   Это очень **интере́сно**.
> *Adverbs:*   Он очень **интере́сно** говори́л.

Following is a list of commonly used neuter short adjectives/adverbs:

> хорошо́   good, well
> пло́хо   bad, badly

---

[16] **Умно́, умны́** are also correct.

отлично	excellent, excellently
ужáсно	terrible, terribly
интерéсно	interesting, interestingly
скучно	boring, boringly
легкó	easy, easily
трудно	hard, difficult, with difficulty
понятно	understandable, understandably
непонятно	not understandable, incomprehensibly
красиво	beautiful, beautifully
некрасиво	ugly, in an ugly way
приятно	pleasant, pleasantly
неприятно	unpleasant, unpleasantly
просто	simple
сложно	complicated

The Past Tense of Russian Verbs (**Прошéдшее время**)

The formation of the past tense of Russian verbs is simple; merely drop the **-ть** from the infinitive form and add the following endings:

If the subject is *masculine*:   **-л**
If the subject is *feminine*:   **-ла**
If the subject is *neuter*:   **-ло**
If the subject is *plural*:   **-ли**

Note the following examples:

Я (*a male person speaking*)
Ты (*addressing a male person*) } читáл и говорил.
Он (*any masculine noun*)

Я (*a female person speaking*)
Ты (*addressing a female person*) } читáла и говорила.
Онá (*any feminine noun*)

[Онó (*any neuter noun*) читáло и говорило.]

Мы
Вы (*all plural forms*) } читáли и говорили.
Они

Normally, the stressed syllable is the same as for the infinitive form;

however, a small number of verbs have the stress on the **-ла́**, **-ло́** and/or **-ли́**:

Я (ты, он)   жил   в Москве́.
Я (ты, она́)   жила́ в Москве́.
(Оно́)   жило в Москве́.
Мы (вы, они́) жили в Москве́.

A very small number of verbs are irregular in the past tense. The only verbs of this type which we have had are:

идти́:	я (ты, он)	**шёл**	**мочь:**	я (ты, он)	**мог**
	я (ты, она́)	**шла**		я (ты, она́)	**могла́**
	оно́	**шло**		оно́	**могло́**
	мы (вы, они́)	**шли**		мы (вы, они́)	**могли́**

Even verbs that have some sort of irregularity in the present tense are normally regular in the past:

видеть:	вижу	видел	**дава́ть:**	даю́	дава́л
	видишь	видела		даёшь	дава́ла
	видят	видело		даю́т	дава́ло
		видели			дава́ли

Note how many more past tense verb forms there are in English than in Russian:

He worked.
He was working.
He did work.   } **Он рабо́тал.**
He had worked.
He had been working.

Remember that the present perfect progressive tense (and usually the present perfect, as well) is expressed in Russian with the *present tense* of the verb, frequently with the word **уже́** ("already") in front of the time element. This is used to describe an action which *began in the past and continues into the present*:

Он живёт здесь уже́ 3 года.	{ He has lived here for 3 years.
	{ He has been living here for 3 years.
Он рабо́тает в Киеве уже́ 10 лет.	{ He has worked in Kiev for 10 years.
	{ He has been working in Kiev for 10 years.

We have noticed already that the verb **быть** is not expressed in the present tense in Russian:

Я на уро́ке.	I am in class.
Вы до́ма?	Are you at home?
Здесь хо́лодно.	It is cold here.

However, the verb "to be" *is expressed in the past*:

$$\left.\begin{array}{ll} \text{Я (ты, он)} & \textbf{был} \\ \text{я (ты, она́)} & \textbf{была́} \\ \text{оно́} & \textbf{бы́ло} \\ \text{мы (вы, они́)} & \textbf{бы́ли} \end{array}\right\} \text{(was, were)}$$

For example:

Он был бо́лен.	He was sick.
Вы бы́ли там?	Were you there?
Э́то бы́ло хорошо́.	That was good.
Вчера́ пого́да была́ хоро́шая.	Yesterday the weather was good.

Note the stress shift to **не** when used with **был, бы́ло**, or **бы́ли** (*not* **была́**!):

Он был до́ма. Он не́ был до́ма.
Оно́ бы́ло там. Оно́ не́ было там.
Они́ бы́ли в шко́ле. Они́ не́ были в шко́ле.

But:

Она́ была́ до́ма. Она́ не была́ до́ма.

Кто ("who") is always masculine singular and **что** ("what") is always neuter singular:

Кто э́то был?
Что э́то бы́ло?

"To be tired" is expressed in Russian with a word which looks as though it might be a short adjective. The plural form, however, ends in **-и**, rather than **-ы**; it is a past tense verb form which is used both in the present and past:

уста́л
уста́ла
уста́ло
уста́ли

1. Present:

Я сего́дня уста́л(**а**).	I'm tired today.
Ты сего́дня уста́л(**а**).	You're tired today.
Он сего́дня уста́л.	He's tired today.
Она́ сего́дня уста́**ла**.	She's tired today.
Мы сего́дня уста́**ли**.	We're tired today.

2. Past:

Я вчера́ уста́л(**а**).	I was tired yesterday.
Ты вчера́ уста́л(**а**).	You were tired yesterday.
Он вчера́ уста́л.	He was tired yesterday.
Она́ вчера́ уста́**ла**.	She was tired yesterday.
Они́ вчера́ уста́**ли**.	They were tired yesterday.

The Future Tense of Russian Verbs (**Будущее время**)

The future tense of Russian verbs is even less complicated than the past tense. All you need do is learn the conjugation of the verb **быть**:

Я	**бу́ду**		I		
Ты	**бу́дешь**		You		
Он	**бу́дет**	там за́втра.	He		will be there tomorrow.
Мы	**бу́дем**		We		
Вы	**бу́дете**		You		
Они́	**бу́дут**		They		

If another verb is involved, it is always in the *infinitive* form:

Я	бу́ду		I		
Ты	бу́дешь		You		
Он	бу́дет	там рабо́та**ть**.	He		will work there.
Мы	бу́дем		We		
Вы	бу́дете		You		
Они́	бу́дут		They		

The Past and Future Tenses of Sentences Having No Grammatical Subject

Many sentences in Russian do not have a grammatical subject (a subject must be a noun or *subject* pronoun, thus excluding **мне, тебе́, ему́, ей, нам,**

вам, им). Such sentences form the past and future tenses with the *neuter singular* form of **быть, было,** and **будет**:

Present	Past	Future
Здесь хорошо!	Здесь **было** хорошо!	Здесь **будет** хорошо!
Там жарко.	Там **было** жарко.	Там **будет** жарко.
В Сибири холодно.	В Сибири **было** холодно.	В Сибири **будет** холодно.
Мне надо работать.	Мне надо **было** работать.	Мне надо **будет** работать.
Мне всё равно.	Мне **было** всё равно.	Мне **будет** всё равно.

When a sentence begins with the word **это** ("this is, that is, these are, those are") followed by a noun or pronoun, that noun or pronoun (not **это**) is the subject:

Present	Past	Future
Это **мой дом**.	Это **был мой дом**.	Это **будет мой дом**.
Это **моя ручка**.	Это **была моя ручка**.	Это **будет моя ручка**.
Это **моё окно**.	Это **было моё окно**.	Это **будет моё окно**.
Это **мой деньги**.	Это **были мой деньги**.	Это **будут мой деньги**.

If, however, no noun or pronoun is present, then the neuter singular form is used:

Present	Past	Future
Это хорошо.	Это **было** хорошо.	Это **будет** хорошо.
Это интересно.	Это **было** интересно.	Это **будет** интересно.

The Past and Future Tenses of the Russian Expressions for To Need

We have already noted that sentences of this type have as their subject that which is needed, not the person (or thing) that needs it; consequently, that which is needed determines the form of **быть** which is used in the past and future tenses:

Present	Past	Future
Мне **нужен словарь**.	Мне **нужен был словарь**.	Мне **нужен будет словарь**.
Мне **нужна книга**.	Мне **нужна была книга**.	Мне **нужна будет книга**.

Мне **ну́жно ра́дио.**

Мне **нужны́ де́ньги.**

Мне **ну́жно бы́ло ра́дио.**

Мне **нужны́ бы́ли де́ньги.**

Мне **ну́жно бу́дет ра́дио.**

Мне **нужны́ бу́дут де́ньги.**

СЛОВА́РЬ

Бо́же!	Good grief!
быть (I)	to be
Future: бу́ду, бу́дешь, бу́дут	will be
Past: был, была́, бы́ло, бы́ли	was, were
весь, вся, всё, все	all (*masc., fem., neuter, pl.*)
ве́чером	in (during) the evening
винова́т (а, о, ы)	"to blame"; guilty
вчера́	yesterday
гото́в (а, о, ы)	ready
гото́вить (II)	to prepare
гото́влю, гото́вишь, гото́вят	
дава́ть (I)	to give
даю́, даёшь, даю́т	
днём	in (during) the day(time)
дово́льно	rather, quite
друго́й, -а́я, -о́е, -и́е	other, different
за́нят (а́, о, ы)	busy, occupied
здоро́в (а, о, ы)	healthy, well
к тому́ же	in addition
ночь (ж.)	night
но́чью	during the night
опя́ть	again
отдыха́ть (I)	to rest
позавчера́	day before yesterday
послеза́втра	day after tomorrow
посте́ль (ж.)	bedding
лежа́ть в посте́ли	to lie (stay) in bed
почти́	almost
пра́здник	holiday
произно́сится	is pronounced
ра́зве	do you mean to say
ра́зный, -ая, -ое, -ые	various, different
свобо́дный, -ая, -ое, -ые	free
свобо́дный день	day off, day of leisure
слы́шать (II)	to hear
слы́шу, слы́шишь, слы́шат	

совсе́м	completely
совсе́м не	not at all
стоя́ть (II)	to stand
сто́ю, сто́йшь, стоя́т	
уве́рен (а, о, ы)	sure, certain
уста́л (а, о, и)	tired
у́тром	in (during) the morning
шути́ть (II)	to joke
шучу́, шу́тишь, шу́тят	
экза́мен	test, examination
прове́рочный экза́мен	quiz

Двена́дцатый уро́к

РАЗГОВО́Р: **Толсто́й не мо́жет ждать!**

(Звони́т телефо́н.)

Та́ня: — Алло́! Слу́шаю.

Серге́й: —Та́ня, э́то я —Серге́й!

Та́ня: — А, э́то ты! Здра́вствуй, Серёжа! Что но́вого? Что хоро́шего?

Серге́й: — А вот слу́шай, Та́ня: ты хо́чешь пойти́ в консерва́торию ве́чером? Там сего́дня хоро́ший конце́рт.

(The telephone rings.)

Tanya: Hello! I'm listening.

Sergei: Tanya, it's I, Sergei!

Tanya: Oh, it's you! Hello, Seryozha! What's new? "What's good?"

Sergei: Listen, Tanya. Do you want to go to the conservatory this evening? There's a good concert there.

187

Таня: — Да, я очень хочу́! Ты зна́ешь, как я люблю́ му́зыку, но сего́дня мне на́до чита́ть.	*Tanya:* Yes, I want to very much! You know how I like music; but I have to read today.
Серге́й: — Жаль. Я зна́ю, что ты лю́бишь хоро́шую му́зыку. Но ничего́ не поде́лаешь. Ме́жду про́чим, что ты чита́ешь?	*Sergei:* Too bad. I know that you like good music. But that's that. By the way, what are you reading?
Таня: — Толсто́го.	*Tanya:* Tolstoy.
Серге́й: — Алексе́я?	*Sergei:* Aleksei?
Таня: — Нет, Серёжа! Льва́:[1] я чита́ю «Войну́ и мир». Это о́чень дли́нный рома́н, и я то́лько сего́дня начина́ю чита́ть его́.	*Tanya:* No, Seryozha, Leo. I'm reading *War and Peace*. It's a very long novel, and I'm only today starting to read it.
Серге́й: — Я о́чень люблю́ Толсто́го!	*Sergei:* I like Tolstoy very much!
Таня: — А я бо́льше люблю́ Достое́вского, но это, коне́чно, де́ло вку́са.	*Tanya:* And I prefer Dostoevsky; but that, of course, is a matter of taste.
Серге́й: — Ну, Та́ня, до свида́ния. Всего́ хоро́шего!	*Sergei:* Well, Tanya, good-by. All the best!
Таня: — Подожди́,[2] Серёжа! Зна́ешь что? Пойдём на... Нет! Не могу́! Толсто́й не мо́жет ждать!	*Tanya:* Wait a minute, Seryozha! Know what? Let's go to the... No! I can't! Tolstoy can't wait!

ТЕКСТ ДЛЯ ЧТЕНИЯ: «**Пойдёмте на о́перу!**»

Вчера́ была́ суббо́та. На у́лице бы́ло хо́лодно; со́лнце совсе́м не свети́ло, и начина́л идти́ снег. Когда́ быва́ет така́я пого́да, лю́ди обы́чно предпочита́ют сиде́ть до́ма, осо́бенно е́сли до́ма прия́тно, тепло́.

---

[1] **Льва** is the accusative of **Лев**.
[2] **Подожди́(те)!** These are the *command forms* of the verb **подожда́ть**.

Опера « Борис Годунов ».

Молодо́й ру́сский инжене́р Никола́й Рожде́ственский лю́бит холо́д-
ную пого́ду, но он не лю́бит, когда́ идёт снег; поэ́тому, он вчера́
сиде́л до́ма и чита́л кни́гу. Его́ жена́, Ю́лия Петро́вна, то́же была́ до́ма.
Она́ писа́ла пи́сьма, а их де́ти—Па́ша, Пе́тя и Ма́ша смотре́ли теле-
ви́зор. Э́то о́чень хоро́шая семья́: все они́ лю́бят друг дру́га.

Зна́чит, карти́на была́ така́я: оте́ц сиди́т на дива́не и чита́ет, мать
пи́шет пи́сьма, де́ти смо́трят телеви́зор.

Вдруг Рожде́ственский де́лает мра́чное лицо́ и говори́т:

— Э́то ску́чная кни́га! Вообще́ я люблю́ коро́ткие расска́зы, но
э́ти расска́зы глу́пые, неинтере́сные... про́сто ерунда́ и бо́льше
ничего́! Зна́ешь что, Ю́линька? Пойдём на о́перу! Сего́дня даю́т
« Бори́са Годуно́ва ». Ну как? Пойдём?

—Хорошо́. Я вообще́ о́чень люблю́ о́перу, а « Бори́с Годуно́в » —
моя́ люби́мая о́пера! Интере́сно, кто сего́дня поёт Бори́са?
— спра́шивает Ю́лия Петро́вна.

— Америка́нский бас Джордж Ло́ндон. Говоря́т, что он отли́чно
поёт э́ту па́ртию, хотя́ он не говори́т по-ру́сски!

—А как де́ти? — спра́шивает Ю́лия Петро́вна. — Они́ то́же иду́т
на о́перу?

— Нет, ма́ма, — отвеча́ет Ма́ша (ей то́лько 5 лет). — Я не могу́!

Сейча́с пока́зывают мою́ люби́мую програ́мму! Това́рищ Годуно́в
может подожда́ть!

Вопро́сы

1. Како́й вчера́ был день неде́ли?
2. Кака́я была́ пого́да?
3. Шёл дождь вчера́?
4. Кто Рожде́ственский по профе́ссии?
5. Како́й он национа́льности?
6. Почему́ он вчера́ сиде́л дома?
7. Что делала его́ жена́?
8. Что делали их дети?
9. Каку́ю книгу читает Никола́й Рождественский?
10. Он любит коро́ткие расска́зы?
11. Как сказа́ть « ерунда́ » по-англи́йски?
12. Каку́ю оперу дают сего́дня?
13. Куда́ Никола́й Рождественский хочет пойти́?
14. Любит ли его́ жена́ оперу?
15. Кака́я её люби́мая опера?
16. Кто сего́дня поёт Бори́са Годуно́ва?

ВЫРАЖЕ́НИЯ

1. Что ново́го? Что хоро́шего? — What's new? What's good?
2. бо́льше люби́ть — to prefer
3. дело вку́са — a matter of taste
4. пойти́ на оперу — to go to the opera
5. Он не любит, когда́... — He doesn't like it when...
6. смотре́ть телеви́зор — to watch television
7. люби́ть друг дру́га — to like (*or* love) one another
8. делать мрачное лицо́ — to make a gloomy face
9. бо́льше ничего́ — nothing else
10. Слу́шай(те)! — Listen (*command forms*)!
11. Карти́на была́ така́я: — The picture was like this:
12. Ну как? — Well, how about it?
13. Ну что? — Well, what about it?
14. петь па́ртию — to sing a part (role)

ПРИМЕЧА́НИЯ

1. **Алло́! Слушаю:** When a Russian answers the phone, he says, "Hello. I'm listening." **Алло** may be omitted.
2. **Лев Никола́евич Толсто́й** (1828–1910), the famous Russian novelist, wrote numerous short stories and three major novels: « **Война́ и мир** » (*War and Peace*), « **Анна Каре́нина** » (*Anna Karenina*), and « **Воскресе́ние** » (*Resurrection*).
3. **Алексе́й Никола́евич Толсто́й** was a distant relative of Leo Tolstoy, and an author extremely popular among the Soviet Party-loyal.
4. **Фёдор Миха́йлович Достое́вский** (1822–81) is one of the most celebrated figures in world literature. His major novels are « **Преступле́ние и наказа́ние** » (*Crime and Punishment*), « **Идио́т** » (*The Idiot*), « **Бесы** » (*The Possessed*), and « **Бра́тья Карама́зовы**» (*The Brothers Karamazov*).
5. « **Бори́с Годуно́в** » is an opera by the nineteenth-century Russian composer **Моде́ст Мусоргский**. The opera is based on a blank verse historical drama by **Алекса́ндр Серге́евич Пушкин**. **Бори́с Фёдорович Годуно́в** (1552–1605) became czar of Muscovy in 1598 after the death of **Фёдор**, the son of **Ива́н Грозный**. It is thought that Boris caused the death of Fyodor's brother **Дми́трий** in order that he might himself become czar. During Boris' reign, a young monk who claimed to be the dead Dimitry gained much popular support and, with help from Lithuania and Poland, marched on Moscow. This brought on the terrible period of insurrection, war and general revolt referred to as "The Time of Troubles" (**Смутное время**).

ДОПОЛНИ́ТЕЛЬНЫЙ МАТЕРИА́Л

Дни неде́ли[3] (The Days of the Week)

Како́й сего́дня день неде́ли? Сего́дня...

понеде́льник	Monday
вторник	Tuesday

[3] **Дни** is the plural of **день**. The Russian word for "week" is **неде́ля**; "of the week" is **неде́ли** (genitive case).

среда́	Wednesday
четве́рг	Thursday
пя́тница	Friday
суббо́та	Saturday
воскресе́нье	Sunday

Review the numbers from 0 to 100; learn the numbers from 100 to 1000:

сто	100
сто пятьдеся́т	150
две́сти	200
три́ста	300
четы́реста	400
пятьсо́т	500
шестьсо́т	600
семьсо́т	700
восемьсо́т	800
девятьсо́т	900
ты́сяча	1000
(ты́сяча пятьсо́т пятьдеся́т пять)	(1555)
(ты́сяча девятьсо́т девяно́сто де́вять)	(1999)

УПРАЖНЕ́НИЯ

A. Следу́йте да́нным приме́рам:

Приме́р: They like (love) each other.   **Они́ лю́бят друг дру́га.**

1. We like each other.
2. Do you like each other?
3. They understand each other.
4. We understand each other.
5. Do you understand each other?
6. We know each other.
7. They know each other.
8. Do you know each other?

Примéр: I'll wait here a while.   **Я тут подождý.**

1. He'll wait here a while.
2. They'll wait here a while.
3. She'll wait here a while.
4. We'll wait here a while.
5. Will you (**ты**) wait here a while?
6. Will you (**вы**) wait here a while?

Примéр: He didn't want to work   **Он тóже не хотéл**
yesterday either. He was   **рабóтать вчерá.**
tired!   **Он устáл!**

1. I didn't want _____.
2. They didn't want _____.
3. She didn't want _____.
4. We didn't want _____.
5. You (**ты** *masc.*) didn't want _____.
6. You (**вы**) didn't want _____.

B. Replace the adjectives and nouns as indicated:

1. Вы знаете **этого молодóго инженéра**?

(этот стáрый профéссор)
(этот хорóший учѝтель)
(этот молодóй человéк)
(этот стáрый дéдушка)

2. Онѝ, навéрно, ужé знают **эту молодýю дéвушку**.

(эта красѝвая секретáрша)
(эта мáленькая дéвочка)

3. Онѝ вѝдели **этот большóй теáтр**.

(это большóое окнó)
(этот стáрый автомобѝль)
(эти красѝвые домá)

C. Answer the following questions as indicated by the words in parentheses:

1. Что вы читáете? (кнѝга)
2. Что вы читáете? (журнáл)
3. Что вы читáли? (газéта)

   4. Что вы читали? (романы)
   5. Что вы читаете сегодня утром? (« Война и мир »)
   6. Что вы читаете сегодня вечером? (« Анна Каренина »)
   7. Что вы сейчас читаете? (« Воскресение »)
   8. Что вы любите читать? (короткие рассказы)
   9. Какого писателя вы любите? (Лев Толстой)
  10. Какого писателя вы любите? (Фёдор Достоевский)
  11. Какого писателя вы любите? (Александр Пушкин)
  12. Какого писателя вы любите? (Борис Пастернак)

D. Give positive answers to the following questions; in your answer substitute pronouns for the indicated nouns (and modifiers) as in the example:

   Пример: Вы понимаете **учителя**?   Да, я понимаю **его**.

   1. Вы пишете **упражнение**?
   2. Он читает **эту книгу**?
   3. Они спрашивают **учительницу**?
   4. Она писала **письма**?
   5. **Тамара** вчера видела **Ивана Петровича**.
   6. Ты знаешь **Таню и Сергея**?
   7. **Миша и Маша** знают **этого адвоката**?
   8. Вы понимаете **Бориса и меня**?
   9. **Андрей** очень любит **дедушку**?
  10. Вы видите **словарь** на столе?
  11. Они очень любят **Мусоргского**?
  12. **Модест Мусоргский** — русский композитор?
  13. **Алёша** будет читать **эти журналы**?
  14. **Господин и госпожа Петровы** хотели слушать **эту оперу**?

E. Answer each question with all the nouns or noun phrases in each group:

   1. Кого вы видите? Я вижу... (профессор)
                                 (этот профессор)
                                 (этот старый профессор)
                                 (профессор Николай Михайлович
                                 Жуковский)

   2. Что вы читаете? Я читаю... (этот интересный журнал)
                                 (эта интересная книга)
                                 (это интересное письмо)
                                 (эти интересные рассказы)

3. Кого́ вы ждёте? Я жду... (брат)
    (сестра́)
    (оте́ц)
    (мать)
    (муж)
    (жена́)

F. Fill in the adjective and noun endings as required:

Ива́н_____ Всеволодович_____ — хоро́ш_____ учите́л_____.
Он живёт в Москв_____ уже́ 4 год_____. Сего́дня на уро́к_____
он спра́шивает Андре́_____ Петро́в_____:
— Как_____ пого́д_____ был_____ вчера́?
Андре́_____ отвеча́ет, что вчера́ был_____ тепло́, но шё_____
дождь.
Тогда́ Анн_____ Петро́в_____ говори́т:
— Я о́чень люблю́ тёпл_____ пого́д_____!
Ива́н Всеволодович лю́бит Анн_____ и Андре́_____. Анна
о́чень хоро́ш_____ учени́ц_____; Андре́_____ то́же хоро́ш__
_____ учени́к_____. Анна, Андре́й и Ива́н Всеволодович
о́чень лю́бят друг_____ друг_____.

G. Give the complete present, past, and future tense conjugations; follow
the given order:

1. сиде́ть до́ма и писа́ть
2. гото́вить уро́ки на за́втра
3. ре́дко смотре́ть телеви́зор

	Present *and Future*	*Past*
	я...	я, ты, он...
	ты...	я, ты, она́...
	он...	(оно́)...
	мы...	мы, вы, они́...
	вы...	
	они́...	

H. Supply the correct Russian word for "can" (**мочь** or **уме́ть**):

1. Я не _____ пойти́ в город сего́дня утром.
2. Я не _____ писа́ть по-ру́сски.
3. Ты _____ чита́ть по-неме́цки?
4. Он _____ смотре́ть телеви́зор весь день!
5. Он _____ говори́ть по-япо́нски.
6. Мы не _____ петь по-францу́зски.
7. Мы не _____ тут сиде́ть.
8. Вы _____ видеть его́ сего́дня.
9. Вы _____ чита́ть по-испа́нски?
10. Они́ не _____ люби́ть друг дру́га!

I. Complete the questions by putting the words in parentheses in the proper case and supplying names for the persons in question:

1. Как (вы) зову́т? (Я) зову́т _____.
2. Как (ты) зову́т? (Я) зову́т _____.
3. Как (они́) зову́т? (Они́) зову́т _____.
4. Вы зна́ете, как зову́т (этот молодо́й челове́к)? Да, (он) зову́т

   _____.

5. Вы зна́ете, как зову́т (этот старый дядя)? Да, (он) зову́т

   _____.

6. Вы зна́ете, как зову́т (эта молода́я де́вушка)? Да, (она́) зову́т

   _____.

Вопро́сы

1. Како́й сего́дня день неде́ли?
2. Како́й день неде́ли был вчера́?
3. Како́й день неде́ли будет завтра?
4. Кака́я сего́дня пого́да?
5. Кака́я пого́да была́ вчера́?
6. Как вы думаете: кака́я пого́да будет завтра?
7. Вы лю́бите, когда́ идёт дождь или снег?
8. Вы сего́дня просту́жены?
9. Вы были больны́ вчера́?
10. Вы будете за́няты сего́дня ве́чером?

11. Вы сего́дня уста́ли ?
12. Вы лю́бите о́перу « Бори́с Годуно́в » ?
13. Когда́ и где вы слы́шали « Бори́са Годуно́ва » ?
14. Кто пел гла́вную па́ртию ?
15. У вас есть телеви́зор ?
16. Вы лю́бите смотре́ть телеви́зор ?
17. Кака́я ва́ша люби́мая програ́мма ?
18. Кака́я ва́ша люби́мая о́пера ?
19. Как вы ду́маете : кто са́мый хоро́ший ру́сский компози́тор ?
20. Кто ваш люби́мый ру́сский писа́тель ?
21. Кто ваш люби́мый америка́нский писа́тель ?
22. Как зову́т президе́нта США ?
23. Как зову́т премье́ра СССР ?

Перево́д

1. Are those your friends over there?
2. Where? I don't see.
3. Don't you see them? They are sitting in a car on the street.
4. Oh, I see. No, those are not my friends, but I know who they are.
5. What are their names?
6. That young man's name is Peter Ivolgin, the girl's name is Maria Pavlova, and I think that the tall man's name is Vsevolod Lunacharsky.
7. And whose children are those? I don't know.
8. Do you like good music?
9. Yes, I do (like).
10. What is your favorite opera?
11. I like *Boris Godunov*, but it's (**э́то**) not my favorite opera.
12. I think that the most beautiful opera is (**э́то**) *Eugene Onegin* (« Евге́ний Оне́гин »).
13. I also like Tchaikovsky (**Чайко́вский**), but I like Moussorgsky more.
14. My parents liked Tchaikovsky very much. They knew all his operas well and could listen to his music all day.
15. Do they put on (give) good concerts here in the conservatory?
16. Yes, of course, but unfortunately my family prefers to watch television.
17. That's terrible!
18. Yes, I know. But it can't be helped!

ГРАММА́ТИКА

Но́вые глаго́лы (New Verbs)

1. **ждать** (I)   to wait (*or* wait for)

Present	Past
я жду	он ждал
ты ждёшь	она́ ждала́
он ждёт	оно́ ждало
мы ждём	они́ ждали
вы ждёте	
они́ ждут	

This verb, when used with an object, *includes* the English preposition "for":

Я тут давно́ жду.   I have been waiting here a long time.

Я жду брата.   I am waiting *for* my brother.

2. **подожда́ть** (I)   to wait a (little) while

Future	Past
я подожду́	он подожда́л
ты подождёшь	она́ подожда́ла
он подождёт	оно́ подожда́ло
мы подождём	они́ подожда́ли
вы подождёте	
они́ подожду́т	

This verb, when conjugated, has a *future* meaning! Verbs of this type are called "perfective" verbs. Perfective verbs have no present tense; only future and past.

3. **пойти́** (I)   to go, set out

This verb is also a perfective verb; that is, it has no present tense. For your purposes now, use only the infinitive with the auxiliary verbs **мочь** and **хоте́ть**:

Ты **хо́чешь пойти́** на конце́рт?

Я не **могу́ пойти́** на конце́рт. Я о́чень за́нят(а́).

Note also **Пойдём(те)!** "Let's go!"

Auxiliary (Helping) Verbs

The most common auxiliary (helping) verbs are:

хотéть	to want
мочь	to be able (can, may)
умéть	to be able (can, know how)
любúть	to like, love
начинáть	to begin, start
кончáть	to finish

Любúть, like **готóвить**, has an **л** in the first person singular. Note the stress pattern in the conjugation below:

я люблю́	я готóвлю
ты лю́бишь	ты готóвишь
он лю́бит	он готóвит
мы лю́бим	мы готóвим
вы лю́бите	вы готóвите
онú лю́бят	онú готóвят

Любúть may take a direct object or be used with a verb infinitive:

Я люблю́ Áнну.	I love Anna.
Áнна лю́бит Ивáна.	Anna loves Ivan.
Я люблю́ рýсский язы́к.	I like Russian.
Я люблю́ говорúть по-рýсски.	I like to speak Russian.
Я люблю́ читáть.	I like to read.

"To love (*or* to like) very much" is in Russian **óчень любúть**:

Он её **óчень лю́бит!**	He loves her very much!
Он **óчень лю́бит** читáть!	He likes to read very much!

"To dislike (very much)" is (**óчень**) **не любúть**:

Я егó **óчень не люблю́!**	I dislike him very much!
Я **óчень не люблю́** читáть!	I dislike reading very much!

"To prefer" may be expressed in Russian with the verb **предпочитáть** or with the expression **бóльше любúть**. Russians prefer **бóльше любúть**:

Я люблю́ Чайкóвского,	I like Tchaikovsky, but I
но я {бóльше люблю́ Мусóргского. / предпочитáю Мусóргского.	prefer Moussorgsky.

Я люблю писа́ть,	I like to write, but I prefer
но я ⎰больше люблю чита́ть.	to read.
⎱предпочита́ю чита́ть.	

The Difference Between **Мочь** and **Уме́ть**

Уме́ть (I) means "can," "to be able" (to know how, have the mental ability). Note the conjugation:

я уме́ю	мы уме́ем
ты уме́ешь	вы уме́ете
он уме́ет	они́ уме́ют

Both **мочь** and **уме́ть** are normally translated into English as "can." If you keep in mind that the Russian word **ум** means "intellect," "mind," then it should be clear why the verb **уме́ть** is used when a person "can" do something which requires *study* and/or *mental ability*, while **мочь** simply implies *permission, possibility,* and/or *physical ability*. What, then, is the difference between these two statements:

Я нė **могу́** говори́ть по-ру́сски.	I can't speak Russian.
Я не **уме́ю** говори́ть по-ру́сски.	I can't speak Russian.

The first sentence implies that the person knows how to speak Russian, but is not allowed to at the present time. The second sentence indicates that the person has never *learned* to speak Russian.

The Nominative Case: **Кто? Что?**

Russian nouns, pronouns, and adjectives as they are found in the dictionary are said to be in the *nominative case*. This is the basic form of the word and is used as the *subject* or *predicate nominative* in a sentence.

In the following sentences, the bold-faced nouns and pronouns are used as *subjects*:

Ива́н рабо́тает.	*Ivan* is working.
Этот **профе́ссор** знает.	That *professor* knows.
Я говорю́ по-ру́сски.	*I* speak Russian.
Кто это?	*Who* is that?
Что это?	*What* is that?

In the following sentences, the bold-faced nouns in the predicate (that part of the sentence which follows the verb) refer to the same person or thing as the subject. These sentences are called *equational sentences* because they are similar in construction to the mathematical equation $A = B$. A noun in the predicate of a sentence which refers to the same person or thing as the subject is called a *predicate nominative* and is thus always in the nominative case:

Я — **профе́ссор**.	I am ($=$) a *professor*.
Он — хоро́ший **адвока́т**.	He is ($=$) a good *lawyer*.
Мой брат — **врач**.	My brother is ($=$) a *physician*.

Russians generally refer to the *nominative case* as **кто? что?** because subject nouns and pronouns answer those questions:

Кто он?	Он — мой **брат**.
Кто говори́т?	**Я** говорю́.
Кто рабо́тает?	**Оте́ц** рабо́тает.
Что э́то?	**Э́то** — каранда́ш.
Что э́то?	**Э́то** — пальто́.

The Accusative Case: **Кого́? Что?**

Transitive and intransitive verbs: A *transitive* verb is a verb that has a *direct object* (the receiver of the action from the verb). In the following sentences, the words underlined *once* are *transitive* verbs; those underlined *twice* are *direct objects* of the verbs:

> I <u>read</u> the <u>book</u>.
> He <u>hits</u> the <u>man</u>.
> They <u>throw</u> the <u>ball</u>.

An *intransitive verb* is a verb that *does not have* a *direct object*:

> We are tired.
> The boys run.
> She talks a lot.

In Russian, when a noun or pronoun is used as a *direct object*, it is in the *accusative case*. The accusative case form of some nouns is exactly the same as the nominative; other nouns, however, undergo a change when they receive the action of a verb. The following nouns *do not change* in the accusative case.

1. *Masculine inanimate* nouns (those that are masculine only from a grammatical point of view):

Nominative	*Accusative*
Это — хоро́ший <u>слова́рь</u>.	Я <u>хочу́</u> хоро́ший <u>слова́рь</u>.
Это — большо́й <u>стол</u>.	Я <u>ви́жу</u> большо́й <u>стол</u>.
Это — ста́рый <u>музе́й</u>.	Я <u>люблю́</u> этот ста́рый <u>музе́й</u>.

2. All *neuter* nouns:

Nominative	*Accusative*
Моё <u>письмо́</u> тут.	Я <u>хочу́</u> моё <u>письмо́</u>.
Вот краси́вое <u>поле</u>.	Я <u>ви́жу</u> краси́вое <u>поле</u>.
Это — ру́сское <u>имя</u>.	Я <u>люблю́</u> это ру́сское <u>имя</u>.

3. *Feminine* nouns ending in **-ь**:

мать:	Я <u>ви́жу</u> <u>мать</u>.
жизнь:	Я <u>люблю́</u> <u>жизнь</u>.
тетра́дь:	Я <u>хочу́</u> <u>тетра́дь</u>.

The following nouns *do change* in the accusative case.

1. *Masculine animate* nouns (those that represent male persons or animals):

a. Masculine animate nouns ending in a *consonant* add **-a**.

профе́ссо**р**:	Я понима́ю профе́ссор**а**.
до́кто**р**:	Я ви́жу до́ктор**а**.
Бори́с Ива́нови**ч**:	Я зна́ю Бори́с**а** Ива́нови**ч**а.
господи́**н** Петро́**в**:	Я спра́шиваю господи́**на** Петро́**ва**.

b. Masculine animate nouns ending in **-ь** or **-й** drop that letter and add **-я**.

учи́тел**ь**:	Я понима́ю учи́тел**я**.
гост**ь**:	Я спра́шиваю гост**я**.
библиоте́кар**ь**:	Я ви́жу библиоте́кар**я**.
Никола́**й**:	Я зна́ю Никола́**я**.
Серге́**й**:	Я люблю́ Серге́**я**.

c. Some nouns take the stress on the ending. If so, this will be noted in the vocabulary. For now, note the following:

врач:	Я знáю этого врачá.
старúк:	Вы знáете этого старикá?
ученúк:	Он спрáшивает этого ученикá.

d. Nouns ending in **-ец** drop **e** in all cases (just as they do in the plural):

| америкáн**ец**: | Вы знáете этого америкá**нц**а? |

e. When **этот** stands in front of or replaces a masculine animate noun in the accusative case, it becomes **этого**; **тот** becomes **того**.

этот профéссор:	Вы знáете **этого** профéссор**а**?
тот учúтель:	Я спрáшиваю **того** учúтел**я**.
Вы любите **этого** доктора?	Да, **этого** я люблю, а **того** — нет.

f. *Adjectives* that modify masculine animate nouns in the accusative case change their ending to **-ого** or **-его** (see Spelling Rule 3).

| этот молод**óй** профéссор: | Я знáю этого молод**óго** профéссор**а**. |
| этот хорó**ший**, стáр**ый** учúтель: | Я люблю этого хорó**шего** стáр**ого** учúтел**я**. |

2. All nouns ending in **-а** or **-я** (except **-мя**) change those letters to **-у** and **-ю**, respectively:

кни**га**:	Я читáю книг**у**.
Тá**ня** Ивáнов**а**:	Я знáю Тá**ню** Ивáнов**у**.
дéдушк**а**:	Я люблю дéдушк**у**.
дя**дя**:	Он спрáшивает дя**дю**.
фотогрáфи**я**:	Онá вúдит фотогрáфи**ю** на столé.

a. When **эта** stands in front of or replaces a *feminine* noun in the accusative case, it becomes **эту**; **та** becomes **ту**.

эта кни**га**:	Я читáю **эту** книг**у**.
эта дéвушк**а**:	Он любит **эту** дéвушк**у**.
Вы любите **эту** дéвушку?	Да, **эту** я люблю... но **ту** тоже!

b. *Adjectives* that modify *feminine* nouns in the accusative case change **-ая** to **-ую** (even if the noun ends in **-ь**).

| эта интерéсн**ая** кни**га**: | Я читáю эту интерéсн**ую** книг**у**. |
| молодá**я** мать: | Я вúжу молод**ýю** мать. |

c. *Adjectives* that modify *masculine* nouns ending in **-а** or **-я** take masculine endings, although the noun changes as though it were feminine.

э́т**от** стар**ый** де́душка:	Я люблю́ э́т**ого** стар**ого** де́душк**у**.
э́т**от** мужчи́н**а**:	Я зна́ю э́т**ого** мужчи́н**у**.
э́т**от** дя́дя:	Я спра́шиваю э́т**ого** дя́д**ю**.

3. Many Russian family names end in **-ий** or **-ой** (*fem.* **-ая**). They take the normal *adjective endings* (not noun endings!) in all cases:

Лев Толсто́**й**:	Я люблю́ Льва Толсто́**го**.
Фёдор Достое́вск**ий**:	Я люблю́ Фёдора Достое́вск**ого**.
Никола́й Ри́мск**ий**-Ко́рсаков:	Я люблю́ Никола́я Ри́мск**ого**-Ко́рсаков**а**.

4. However, first (given) names are always treated as nouns, even when they have the ending **-ий**:

> *Nominative:* Евге́ни**й**
> *Accusative:* Евге́ни**я**

Note the accusative case of the personal pronouns:

Nominative (Subject)	*Accusative (Direct Object)*
Я здесь.	Он ви́дит **меня́**.
Ты здесь.	Он ви́дит **тебя́**.
Он здесь.	Он ви́дит **его́**.
Она́ здесь.	Он ви́дит **её**.
Оно́ здесь.	Он ви́дит **его́**.
Мы здесь.	Он ви́дит **нас**.
Вы здесь.	Он ви́дит **вас**.
Они́ здесь.	Он ви́дит **их**.

Russians refer to the accusative case as **кого́? что?** because nouns and pronouns in this case answer the question "whom?" or "what?".

Кого́ вы спра́шиваете?	Я спра́шиваю Бори́с**а** (его́).
Кого́ вы лю́бите?	Я люблю́ э́ту учи́тельниц**у** (её).
Что вы чита́ете?	Я чита́ю « Войну́ и мир ».
Что вы пи́шете?	Я пишу́ письмо́.

The accusative case of *inanimate nouns* and their modifiers in the *plural* is *the same as the nominative*:

> Это о́чень интере́сные расска́зы.
>
> Я люблю́ чита́ть **интере́сные расска́зы**.

Вот краси́вые горы и реки!
Вы там ви́дите **краси́вые горы и реки!**

My Name Is... *and the Accusative Case*

You have already learned how to ask a person's name and how to respond when the question is asked of you:

Как ⎰**тебя́**⎱ зову́т?
　　⎱**вас**　⎰

Меня́ зову́т Ива́н Ка́ртер.

The verb **звать** is an irregular class I verb:

я зову́
ты зовёшь
он зовёт

мы зовём
вы зовёте
они́ зову́т

The person whose name is asked or who gives his name is the *direct object* of the verb **звать** and is thus in the *accusative case*:

Как **тебя́** зову́т?
Как **его́** зову́т?
Как **её** зову́т?
Как **вас** зову́т?
Как **их** зову́т?

Как зову́т **э́того профе́ссора**?
Как зову́т **э́ту же́нщину**?

Меня́ зову́т Ива́н Петро́в.

Э́того профе́ссора зову́т Влади́мир Гончаро́в.
Э́ту же́нщину зову́т Екатери́на Гончаро́ва.

Зову́т remains constant in this expression because the subject is always understood to be **они́**.

Как зову́т...? can be used only with *persons*. How to ask the name of *things* will be taken up in a later lesson.

ТАБЛИЦЫ

Adjectives

REGULAR AND STRESSED ADJECTIVES

		Regular	*Stressed*	*Spelling Rules 1 and 3*
Masc. Anim.	*Nom.*	нов **ый**	больш **о́й**	хоро́ш **ий** (1)
	Acc.	нов **ого**	больш **о́го**	хоро́ш **его** (3)
Masc. Inanim.	Accusative is the same as the nominative.			
Fem.	*Nom.*	нов **ая**	больш **а́я**	хоро́ш **ая**
	Acc.	нов **ую**	больш **у́ю**	хоро́ш **ую**
Neuter	Accusative is the same as the nominative. *Nom.* } *Acc.* }	нов**ое**	больш**о́е**	хоро́ш**ее** (3)

FORMS OF **ЭТОТ** AND **ТОТ**

	Masc. Anim.	*Masc. Inanim.*	*Fem.*	*Neuter*
Nom.	этот	этот	эта	это
Acc.	этого	этот	эту	это
Nom.	тот	тот	та	то
Acc.	того́	тот	ту	то

Nouns

MASCULINE ANIMATE NOUNS

Nom.	кто? что?	профе́ссор –	учи́тел **ь**	Никола́ **й**	дедушк **а**	дяд **я**
Acc.	кого́? что?	профе́ссор **а**	учи́тел **я**	Никола́ **я**	дедушк **у**	дяд **ю**

MASCULINE INANIMATE NOUNS

Nom. кто? что?	
Acc. кого? что?	стол музе́й слова́рь

FEMININE NOUNS

Nom. кто? что?	девушк **а** Тан **я** фотогра́ф **ия**	мать
Acc. кого? что?	девушк **у** Тан **ю** фотогра́ф **ию**	

NEUTER NOUNS

Nom. кто? что?	
Acc. кого? что?	письмо́ солнце здание имя

СЛОВА́РЬ

Алло́!	Hello! (when answering the phone)
бас	bass (singer)
библиоте́карь (м.)	librarian
бо́льше ничего́	nothing else
воскресе́нье	Sunday
вторник	Tuesday
вдруг	suddenly
гла́вный, -ая, -ое, -ые	main, principal
дива́н	divan, sofa
друг дру́га	each other
ерунда́	nonsense, stupidity
ждать	to wait (for)
жду, ждёшь, ждут	
звони́ть (II)	to ring
карти́на	picture
кого́	whom (*acc.*)
компози́тор	composer
консервато́рия	(music) conservatory
конце́рт	concert
кро́ме того́	besides
лицо́ (*pl.* ли́ца)	face

люби́мый, -ая, -ое, -ые	favorite
люби́ть (II)	to like, love
люблю́, лю́бишь, лю́бят	
опера	opera
осо́бенно	especially
партия	role (in an opera, ballet, etc.)
петь партию	to sing a role
петь гла́вную партию	to sing the leading role
писа́тель (м.)	writer, author
писа́тельница	female writer
подожда́ть (I)	to wait a while (*future when conjugated*)
подожду́, подождёшь, подожду́т	
пойти́ (I)	to go, set out (*future when conjugated*)
пойду́, пойдёшь, пойду́т	(*Use the infinitive with* мочь *and* хоте́ть.)
понеде́льник	Monday
програ́мма	program
пя́тница	Friday
расска́з	story, tale
коро́ткий расска́з	short story
рома́н	novel
свети́ть (II)	to shine
свечу́, све́тишь, све́тят	
смотре́ть (II)	to watch, look
смотрю́, смо́тришь, смо́трят	
среда́	Wednesday
суббо́та	Saturday
телеви́зор	television
телефо́н	telephone
тео́рия	theory
уме́ть (I)	to know how
четве́рг	Thursday

Тринадцатый урок

РАЗГОВОР: **Где Красная площадь?**

Турист: — Извините, пожалуйста, вы знаете, где находится Красная площадь? Она далеко отсюда?

Москвич: — Да, но это ничего. Вы видите вон там автобусную остановку?

Турист: — Да, вижу.

Москвич: — Идите туда и садитесь на автобус номер 13. Он идёт прямо на Красную площадь.

Tourist: Pardon me, please, do you know where Red Square is located? Is it far from here?

Moscovite: Yes, but that's nothing. Do you see the bus stop over there?

Tourist: Yes, I do.

Moscovite: Go there and get on bus number 13. It goes directly to Red Square.

Турист: — Вот хорошо! Спасибо большое!

Москвич: — Вы в первый раз в Москве?

Турист: — Да, и я думаю, что это чудесный город!

Москвич: — Скажите, пожалуйста, откуда вы?

Турист: — Я американец.

Москвич: — Американец? Не может быть! Американцы не говорят по-русски так хорошо, как вы! Ваше произношение удивительно хорошее!

Турист: — Спасибо, а мне иногда кажется, что я совсем не умею говорить по-русски.

Москвич: — А вот и ваш автобус! Идите скорее!

Турист: — Хорошо. До свидания. Спасибо за помощь!

Москвич: — Пожалуйста. Всего хорошего!

Москвич: — Эй, Борис! Ты видишь этого молодого американца? Он говорит по-русски лучше, чем ты.

Борис: — Он, наверно, шпион.

Москвич: — Господи[1] Боже мой! Всюду шпиона видишь!

Tourist: Oh, that's fine! Thanks very much!

Moscovite: Are you in Moscow for the first time?

Tourist: Yes, and I think this is a marvelous city!

Moscovite: Tell me, please, where are you from?

Tourist: I'm an American.

Moscovite: An American? That can't be! Americans don't speak Russian as well as you do! Your pronunciation is surprisingly good!

Tourist: Thank you, but sometimes it seems to me that I can't speak Russian at all.

Moscovite: There goes your bus! Go quickly!

Tourist: Fine. Good-by. Thanks for the help!

Moscovite: You're welcome. All the best!

Moscovite: Hey, Boris! Do you see that young American? He speaks Russian better than you.

Boris: He's undoubtedly a spy.

Moscovite: Oh, for heaven's sake! You see a spy everywhere!

ТЕКСТ ДЛЯ ЧТЕНИЯ: **Американский турист в Москве**

Молодой американский турист Джеффри Браун сейчас в Москве. Наталья Фёдоровна Жуковская, его советский гид, отлично знает английский язык, но в первый же день Джеффри просит её:

---

[1] The г in **Господи** is pronounced as a voiced х (as it is in Church Slavonic).

— Слушайте, Наталья Фёдоровна! Я знаю, что вы говорите по-английски гораздо лучше, чем я говорю по-русски, но мне очень нужна практика в разговоре. Прошу вас, не говорите сегодня по-английски. Хорошо?

— Конечно, — отвечает Наталья Фёдоровна. — Я хорошо понимаю ваше положение. В США вы день и ночь говорили только по-английски; поэтому вы хотите здесь слышать русский язык и говорить только по-русски. Это понятно. Ну, скажите, пожалуйста, куда вы хотите идти сегодня утром? В Большой театр, на Красную площадь, в Третьяковскую галерею, на Центральный стадион, или, может быть, в нашу Государственную библиотеку?

— Подождите, Наталья Фёдоровна, — говорит Джеффри. — Я слышал, что ваше знаменитое московское метро самое красивое в мире. Я хочу посмотреть его!

— Хорошо. Но сначала пойдёмте на Красную площадь, — предлагает Наталья Фёдоровна. — Там, между прочим, есть и станция метро.

— Отлично! Пойдёмте туда!

ВЫРАЖЕНИЯ

1.	Садитесь на автобус!	Get on (take) the bus!
2.	Вот хорошо!	That's fine!
3.	в первый (же) раз	for the (very) first time
4.	Откуда вы?	Where are you from?
5.	Не может быть!	That can't be!
6.	**так** хорошо, **как** вы	*as* well *as* you

7.
Мне
Тебе
Ему
Ей
(Ему) ⎬ кажется, что…
Нам
Вам
Им

It seems to
me that…
you that…
him that…
her that…
(it) that…
us that…
you that…
them that…

8.	Иди(те) скорее!	Go quickly!
9.	Спасибо за (*acc.*)…	Thanks for the…

Красная площадь в Москве.

10. Господи Боже мой!	Good grief! (*literally*, Lord my God!)
11. гораздо лучше	much better
12. Прошу́ вас!	I request (beg) of you! Please!
13. есть (и)	there is (also)[2]

ПРИМЕЧА́НИЯ

1. **Красная площадь**: Red Square is located in the center of Moscow. The Kremlin, Lenin's Tomb, and St. Basil's Cathedral are all on Red Square.
2. **Большо́й теа́тр**: The Bolshoi ("Big") Theater is located on Sverdlov Square. It is Russia's leading theater of opera and ballet.
3. **Третьяко́вская галере́я**: The Tretyakov Gallery is a famous picture gallery. It was founded by P. U. Tretyakov and donated by him to the city of Moscow in 1892.
4. **Госуда́рственная библиоте́ка**: The Governmental Library was completed in 1929.
5. **Центра́льный стадио́н**: The Central Stadium is located at a large bend in the Moscow River (**Москва́-река́**), directly below Moscow University. It has a capacity of over 100,000.

---

[2] The word **есть** stresses existence.

ДОПОЛНИ́ТЕЛЬНЫЙ МАТЕРИА́Л

Дни неде́ли

On Monday, etc.

понеде́льник	в понеде́льник
вторник	**во** вторник [vaftórņik]
среда́	в сре́ду
четве́рг	в четве́рг
пятница	в пятницу
суббо́та	в суббо́ту
воскресе́нье	в воскресе́нье

1. "On Monday," etc., is expressed by the preposition **в** with the day in the *accusative case.*
2. "Tuesday" requires **во** rather than **в**: **во вторник**.
3. The stress shifts to the first syllable of **среда́** in the accusative:

Сего́дня среда́.

В сре́ду мы были в городе.

УПРАЖНЕ́НИЯ

A. Следуйте данным приме́рам:

Приме́р: I need practice in conversation very much.

Мне очень нужна́ практика в разгово́ре.

1. *He needs* practice in conversation very much.
2. *She needs* practice in conversation very much.
3. *They need* practice in conversation very much.
4. *We need* practice in conversation very much.
5. *You* (**ты**) *need* practice in conversation very much.
6. *You* (**вы**) *need* practice in conversation very much.

Приме́р: It seems to me that he is very tired.

Мне кажется, что он очень уста́л.

1. It seems to *us* that he is very tired.
2. It seems to *them* that he is very tired.

3. It seems to *her* that he is very tired.
4. It seems to *him* that he is very tired.
5. Does it seem to *you* (**ТЫ**) that he is tired?
6. Does it seem to *you* (**ВЫ**) that he is tired?

B. Complete the sentence "It seems to me..." as indicated (this is an oral and written drill!):

Мне кажется,...

1. that he doesn't know where Red Square is.
2. that we were already in the gallery.
3. that in the summertime in Moscow it is warm.
4. that she is in Moscow for the first time.
5. that yesterday it rained.
6. that this morning it was cold.
7. that last night there was fog.
8. that in the north it frequently snows.
9. that in the south the weather is pleasant.
10. that Maria Fyodorovna lived in the east of the U.S.S.R.[3]
11. that those people lived in the west of the U.S.A., in California (Калифóрния).
12. that Tamara was in town yesterday.
13. that Vladimir was sick yesterday and was (lay) in bed.
14. that they had a cold.
15. that my parents are finally ready!
16. that he is busy.
17. that she is busy right now.
18. that you (**ВЫ**) are very busy right now.
19. that he is to blame (it's his fault).
20. that I know Anna Pavlovna better than you do.
21. that Ivan understands English better than she does.
22. that Nikolai writes French better than I do.
23. that you don't like me!
24. that these people never understand anything!
25. that you like Boris Ivanovich very much.
26. that Boris doesn't like you.
27. that your sisters are very pretty.

---

[3] Do not translate "of the."

28. that your children are very intelligent.
29. that this is the most beautiful city in the world.
30. that his name is Petrov.

C. Complete each sentence by putting the words in parentheses in the correct case:

1. Вы видите (этот большо́й америка́нец)?
2. Вы знаете (этот молодо́й иностра́нец)?
3. Вы понима́ете (этот старый немец)?

D. Complete the following sentences by putting the words in parentheses in the correct case:

1. Посмотри́те на... (эта девушка)!
   (этот мальчик)!
   (это здание)!
   (этот дом)!
   (эта фотогра́фия)!
   (эти дома́)!
   (этот молодо́й челове́к)!
   (эта краси́вая новая школа)!

2. Не опа́здывайте на... (концерт)!
   (уро́к)!
   (лекция)!
   (опера)!
   (концерты)!
   (лекции)!

3. Спаси́бо за... (помощь)!
   (информа́ция)!
   (слова́рь)!
   (карта)!
   (комплиме́нт)!
   (книга)!
   (книги)!
   (всё)!

4. Иди́те через... (парк)!
   (улица)!
   (площадь)!

E. Complete the following sentences using possessive adjectives:

1. Все знают... (мой профéссор).
     (мой отéц).
     (твой учи́тель).
     (твой гость).
     (наш дядя).
     (наш дедушка).

2. Почемý эти дети смотрят на... (моя́ женá)?
         (моя́ бабушка)?
         (твоя́ тётя)?
         (твоя́ мать)?
         (ваша дочь)?

3. Они́ любят... (наша сестрá).
     (наш профéссор).
     (мой дом).
     (моя́ учи́тельница).
     (ваши краси́вые парки и площади).

F. Complete each sentence with **в** or **на** and give the correct form of the destinations in parentheses:

1. Пойдёмте скорéе... (концéрт)! (вокзáл)!
      (дом)!   (фильм)!
      (урóк)!   (университéт)!
      (класс)!   (матч)!
      (рабóта)!   (съезд)!
      (лекция)!   (фабрика)!
      (библиотéка)! (балéт)!
      (город)!   (опера)!
      (почта)!

2. Сегóдня утром мы идём...
     (Москóвский госудáрственный университéт).
     (Москóвская консерватóрия).
     (Центрáльный стадиóн).
     (Третьякóвская госудáрственная галерéя).
     (Красная площадь).

G. Memorize the days of the week so that you can say them and write them without hesitation. In this exercise, follow the example in constructing sentences which involve the days of the week:

1. Како́й сего́дня день неде́ли?

> *Приме́р:* (Monday)   **Сего́дня понеде́льник.**

a. (Tuesday) _____
b. (Friday) _____
c. (Wednesday) _____
d. (Sunday) _____
e. (Thursday) _____
f. (Saturday) _____

2. Како́й день неде́ли был вчера́?

> *Приме́р:* (Monday)   **Вчера́ бы́ло воскресе́нье.**

a. (Tuesday) _____
b. (Friday) _____
c. (Wednesday) _____
d. (Sunday) _____
e. (Thursday) _____
f. (Saturday) _____

3. Где вы бы́ли тогда́?

> *Приме́р:* (country)   **В воскресе́нье мы бы́ли в дере́вне.**

a. (theater) _____
b. (university) _____
c. (gallery) _____
d. (town) _____
e. (library) _____
f. (movies) _____

H. Change from **сего́дня** to **за́втра**:

> *Приме́р:* Сего́дня понеде́льник.   **За́втра бу́дет вто́рник.**

1. Сего́дня среда́.
2. Сего́дня четве́рг.
3. Сего́дня пя́тница.

4. Сего́дня суббо́та.
5. Сего́дня вто́рник.

I. Answer the questions as indicated:

1. Како́й уро́к мы сего́дня у́чим?   **Сего́дня мы у́чим...**

first
fifth
eleventh
sixteenth
twenty-second } **уро́к.**
twentieth
thirtieth
fortieth
fiftieth

2. Каку́ю страни́цу вы чита́ете?   **Я чита́ю...**

third
seventh
fourteenth
nineteenth } **страни́цу.**
twenty-eighth
one hundred and eighty-ninth

3. Како́е упражне́ние вы пи́шете?   **Я пишу́...**

third
fourth } **упражне́ние.**
fifteenth
seventieth

J. Construct **ты** and **вы** commands as in the example. Indicate which syllable is stressed for each verb:

Приме́р: рабо́тать: **Рабо́тай!**
Рабо́тайте!

1. кури́ть: Не _____ !
             Не _____ !

2. слу́шать учи́теля: _____ !
                       _____ !

3. говори́ть по-ру́сски: _____!
  _____!

4. забыва́ть писа́ть упражне́ния: Не _____!
  Не _____!

5. молча́ть: _____!
  _____!

6. писа́ть упражне́ния ка́ждый ве́чер: _____!
  _____!

7. опа́здывать на уро́к: Не _____!
  Не _____!

8. идти́ сюда́: _____!
  _____!

9. гото́вить уро́ки: _____!
  _____!

Вопро́сы

1. Како́й сего́дня день неде́ли?
2. Како́й день неде́ли был вчера́?
3. А како́й бу́дет за́втра?
4. Кака́я сего́дня пого́да?
5. Идёте ли вы сего́дня ве́чером на конце́рт?
6. Когда́ вы сиди́те в библиоте́ке — днём или ве́чером?
7. Каки́е больши́е города́ нахо́дятся на за́паде США?
8. Каки́е больши́е города́ нахо́дятся на восто́ке США?
9. Где вы живёте?
10. Скажи́те ваш а́дрес!
11. Како́й уро́к мы у́чим сего́дня?
12. Вам на́до ча́сто писа́ть ру́сские упражне́ния?
13. Вам ка́жется, что ру́сская грамма́тика тру́дная?
14. Где вы бы́ли вчера́?

Устный перево́д

Read the Russian text and translate the English text into Russian. You may write out your translation, but do not refer to it in class when you do this exercise.

1. Здравствуйте!
   Good morning.

2. Мне кажется, что вам нужна помощь. Вы иностранец?
   Yes. I'm an American and I'm in Moscow for the first time. And are you a Moscovite?

3. Нет, я ленинградец, но теперь я работаю в Москве.
   That's interesting. What is your profession?

4. Я переводчик.
   That's (**вот**) fine! I'm also an interpreter! What languages do you know?

5. Французский и итальянский.
   Too bad. I know only German, Russian, and Spanish.

6. Ваши родители — русские?
   No, they're Americans. My family has lived in the U.S.A. a long time.

7. Не может быть! Значит, вы никогда не говорили дома по-русски, а только в университете? Вы удивительно хорошо говорите!
   I, of course, know that I speak rapidly, but it seems to me that my pronunciation is terrible!

8. Нет, это не так! Ваше произношение совсем неплохое.
   Well, thanks for the compliment!

9. Что вы хотите посмотреть в Москве?
   I want very much to see (**посмотреть**) Red Square, your famous Bolshoi Theater, and the Tretyakov Governmental Gallery.

10. Вы уже видели наше метро? Нам кажется, что наши станции метро самые красивые в мире!
    Yes, and this is true. I saw them yesterday. Tell, me, please, do you know where a bus stop is here?

11. Да. Идите прямо, а потом налево. Там есть и автобусная остановка, и станция метро.
    Thanks very much for the help and information!

12. Не за что. Между прочим, вы видите этого молодого человека?
    Yes, I see. Apparently he is coming (over) here. Why do you ask? Do you know him?

13. Да, он мой приятель. Он немец и плохо знает русский язык. Ему очень нужна практика в разговоре!
    Well, then, he speaks German much better than I! Please! Don't say (**не говорите**) that I can speak German. All right?

14. Хорошо́. Между про́чим, моё и́мя Дми́трий Ма́рков.
    Frank Johnson. Glad to meet you (get acquainted)!
15. Óчень прия́тно. Здра́вствуй, Карл! Как дела́! Э́то мой но́вый
    прия́тель Франк Джо́нсон. Он америка́нец, но он говори́т по-
    неме́цки так же хорошо́, как и ты!
    Karl: *Freut mich sehr!*
16. Óчень рад познако́миться.

ГРАММА́ТИКА

The Verbs Смотре́ть *and* Посмотре́ть

The verbs **смотре́ть** ("to look, watch") and **посмотре́ть** ("to take a look, see,") are conjugated in the same way:

смотре́ть	посмотре́ть
я смотрю́	я посмотрю́
ты смо́тришь	ты посмо́тришь
он смо́трит	он посмо́трит
мы смо́трим	мы посмо́трим
вы смо́трите	вы посмо́трите
они́ смо́трят	они́ посмо́трят

Посмотре́ть, however, when conjugated, has a *future meaning!* In this respect it is just like the verb **подожда́ть** ("to wait a little while") and **пойти́** ("to go, set out"). Verbs of this type are called *perfective verbs:*

Я подожду́.	I'll wait a little while.
Я посмотрю́.	I'll take a look.
Я пойду́.	I'll go.

In the past tense, **посмотре́ть** is frequently used with the meaning "saw":

Вчера́ мы посмотре́ли	Yesterday we saw
Кра́сную пло́щадь.	Red Square.

Commands (the Imperative Mood)

To form the imperative of Russian verbs, drop the ending of the third person plural (**они́**) form of the verb.

1. If the stem of the **они́** form ends in a vowel, add **-й** for the **ты** command, **-йте** for the **вы** command:

они́	рабо́та	ют
Рабо́та	й!
Рабо́та	йте!

} Work!

они́	слуша	ют
Слуша	й!
Слуша	йте!

} Listen!

2. If the stem ends in a consonant, add **-и** for the **ты** command, **-ите** for the **вы** command:

они́	ид	у́т
Ид	и́!
Ид	и́те!

} Go! (Come!)

они́	говор	я́т
Говор	и́!
Говор	и́те!

} Speak!

3. The stressed syllable of the commands is the same as that of the first person singular (**я**) form of the verb:

я посмотрю́ — они́

посмо́тр	ят
Посмотр	и́!
Посмотр	и́те!

} Take a look!

я пишу́ — они́

пиш	ут
Пиш	и́!
Пиш	и́те!

} Write!

4. When the *stem* of the **я** form of the verb is *stressed* and the **они́** form stem ends in a *single consonant*, add **-ь** for the **ты** command, **-ьте** for the **вы** command:

я гото́влю — они́

гото́в	ят
Гото́в	ь!
Гото́в	ьте!

} Prepare!

```
я буду — они́   буд │ ут
                Буд │ ь    здоро́в(а)!⎫
                Буд │ ьте  здоро́вы! ⎬ Gesundheit!
                                     ⎭
```

The Accusative Case: Кого́? Что? *(Continued)*

A. The accusative case of possessive pronouns and adjectives

Nominative			Accusative			
					No Change	
Masc.	*Fem.*	*Neuter*	*Masc. Anim.*	*Fem.*	*Masc. Inanim.*	*Neuter*
мой	моя́	моё	моего́	мою́	мой	моё
твой	твоя́	твоё	твоего́	твою́	твой	твоё
его́	его́	его́	его́	его́	его́	его́
её	её	её	её	её	её	её
наш	наша	наше	нашего	нашу	наш	наше
ваш	ваша	ваше	вашего	вашу	ваш	ваше
их	их	их	их	их	их	их

Nominative	Accusative
Это **мой профе́ссор.**	Вы знаете **моего́ профе́ссора**?
Это **мой дом.**	Вы видите **мой дом**?
Это **моя́ сестра́.**	Вы видели **мою́ сестру́**?
Это **моё пальто́.**	Вы видите **моё пальто́**?

B. Prepositions with the accusative case

In answering a "**куда́** question" or in making a statement of any kind concerning *destination* (*directed motion*), the prepositions **в** (*to, into*), **на** (*on, to, onto*), and **через** (*across, over, through*) require that their objects be in the accusative case:

Я иду́ **в** го́род.	I'm going to town.
Я иду́ **в** шко́лу.	I'm going to school.

Я иду́ **на** уро́к.	I'm going to class (the lesson).
Я иду́ **через** у́лицу.	I'm going across the street.
Я иду́ **через** парк.	I'm going through the park.

Certain words require that **на** be used rather than **в** to mean "to." We have already observed this in the statements **Я иду́ на уро́к** and **Я иду́ на конце́рт**. **На** is always used when the destination is a place where people can or do gather; for example, a performance of some sort (such as an opera, football game, or meeting). **На** is also used when the English preposition is "onto." In other instances, however, there is no apparent reason for using **на** instead of **в**, and it is thus best to learn the following nouns (destinations) along with the preposition **на**:

вокза́л	(railroad) station
вы́ставку (вы́ставка)	exhibition
ста́нцию (ста́нция)	station
по́чту (по́чта)	post office
фа́брику (фа́брика)	factory
заво́д	plant
пло́щадь	square
уро́к	lesson
рабо́ту (рабо́та)	work
стадио́н	stadium
у́лицу (у́лица)	street (outside)
двор	yard (outside)
собра́ние	meeting
съезд	congress, conference
конце́рт	concert
о́перу (о́пера)	opera
бале́т	ballet
фильм	film
ле́кцию (ле́кция)	lecture
матч	match (sports)
спорти́вную встре́чу (спорти́вная встре́ча)	sports meet
се́вер	north
восто́к	east
юг	south
за́пад	west

C. Idiomatic expressions with the accusative case

1. **смотрéть на**   to look at (direct one's gaze at a specific person or object)[4]

> Я смотрю́ на **э́ту дéвушку.**
> Он смо́трит на **моего́ дру́га.**
> Он стои́т на пло́щади и смо́трит на **Кремль.**

2. **посмотрéть на**   to glance at

> Онá посмотрéла на **меня́.**

3. **опáздывать на**   to be late for

> Я опáздываю на **лéкцию.**
> Он опáздывает на **концéрт.**

4. **спаси́бо за**   thanks for

> Спаси́бо за **кни́гу.**
> Спаси́бо за **информáцию.**

"On Monday," "on Tuesday," etc., is expressed in Russian by the preposition **в** followed by the day of the week in the accusative case:

Какóй сегóдня день недéли?   В какóй день?

понедéльник	в понедéльник
вто́рник	**во** вто́рник [vaftórɲik]
средá	в срéду
четвéрг	в четвéрг
пя́тница	в пя́тницу
суббóта	в суббóту
воскресéнье	в воскресéнье

Ordinal Numbers

If you have learned the chapter numbers as we came to them, you already know the ordinal numbers (masculine form) from "first" to "thirteenth." In Russian, as in English, these numbers are adjectives; thus in Russian they must agree with the word modified in gender, case, and number.

The numbers listed here are given in the masculine form. Feminine endings

---

[4] Without **на**, **смотрéть** may not be used with persons.

are **-ая**, neuter endings are **-ое**. Only "third" is irregular:

	Masc.	Fem.	Neuter
Nom.	третий	третья	третье
Acc.	третьего	третью	третье

первый	1st	восемнáдцатый	18th
вторóй	2nd	девятнáдцатый	19th
третий, -ья, -ье	3rd	двадцáтый	20th
четвёртый	4th	двадцать первый	21st
пятый	5th	тридцáтый	30th
шестóй	6th	тридцать вторóй	32nd
седьмóй	7th	сороковóй	40th
восьмóй	8th	сорок третий	43rd
девятый	9th	пятидесятый	50th
десятый	10th	пятьдесят четвёртый	54th
одúннадцатый	11th	шестидесятый	60th
двенáдцатый	12th	шестьдесят пятый	65th
тринáдцатый	13th	семидесятый	70th
четы́рнадцатый	14th	восьмидесятый	80th
пятнáдцатый	15th	девянóстый	90th
шестнáдцатый	16th	сотый	100th
семнáдцатый	17th	сто семьдесят седьмóй	177th

СЛОВÁРЬ

автóбус	bus
автóбусная останóвка	bus stop
балéт	ballet
вокзáл	railroad station
всюду	everywhere
галерéя	gallery
горáздо (лучше)	much (better)
Господи!	Lord!
государственный, -ая, -ое, -ые	governmental
детский, -ая, -ое, -ие	child's, children's
есть	there is (are); this word stresses the existence of a given thing

знамени́тый, -ая, -ое, -ые	famous
информа́ция	information
ка́ждый, -ая, -ое, -ые	every, each
ка́жется	apparently, it seems (so)
мне (etc.) ка́жется, что...	It seems to me (etc.) that...
комплиме́нт	compliment
кра́сный, -ая, -ое, -ые	red
ле́кция	lecture
матч	match (sports event)
метро́	subway
Москви́ч (*pl.* Москвичи́)	Moscovite (*masc.*)
-ка	(*fem.*)
моско́вский	Moscow (*adj.*)
остано́вка	stop
авто́бусная остано́вка	bus stop
пе́рвый, -ая, -ое, -ые	first
положе́ние	situation
по́мощь (ж.)	help, aid
поня́тно	understandable
посмотре́ть (II) (на + *acc.*)	to take a look (at)
посмотрю́, посмо́тришь, посмо́трят	
по́чта	post office
пра́ктика	practice
предлага́ть (I)	to suggest
прия́тель	friend (not as close a friend as **друг**) (*masc.*)
-ница	(*fem.*)
произноше́ние	pronunciation
проси́ть (II)	to ask (a favor)
прошу́, про́сишь, про́сят	
пря́мо	direct, straight
раз	once, (one) time
скоре́е (скоре́й)	quicker (Quickly!)
смотре́ть (II) (на + *acc.*)	to watch, look (at)
смотрю́, смо́тришь, смо́трят	
снача́ла	first (of all)
стадио́н	stadium
ста́нция	station
страни́ца	page
съезд	meeting, congress, conference
удиви́тельно	surprising(ly)
центра́льный, -ая, -ое, -ые	central
че́рез	through, across, over
чуде́сный, -ая, -ое, -ые	marvelous

Четы́рнадцатый уро́к

РАЗГОВО́Р: **Пойдём в Парк культу́ры и отдыха!**

Дмитрий: — Лари́са! Вот сюр-
при́з! Я не знал, что ты в
Москве́!

Лари́са: — А я зна́ла, что ты
здесь! Мои́ роди́тели видели
тебя́ вчера́ на Кра́сной площади.

Дмитрий: — Неуже́ли? Я их
не видел! Они́ бы́ли в
Кремле́?

Dmitry: Larissa! What a surprise!
I didn't know that you were in
Moscow.

Larissa: But I knew that you were
here! My parents saw you yesterday on Red Square.

Dmitry: Really? I didn't see them!
Were they in the Kremlin?

Лари́са: — Да, и в Кремлé, и в Третьяко́вской галерéе, и на Центра́льном стадио́не.

Дми́трий: — В Кремлé о́чень интерéсно! Ты то́же была́ там?

Лари́са: — Ещё нет. Я вчера́ весь день была́ на съе́зде в МГУ.[1]

Дми́трий: — О чём там говори́ли?

Larissa: Yes, in the Kremlin, the Tretyakov Gallery, and the Central Stadium.

Dmitry: It's very interesting in the Kremlin! Were you there too?

Larissa: Not as yet. Yesterday I was at a meeting at MGU all day.

Dmitry: What did they talk about there?

В Парке культуры и отдыха: играют в шахматы.

---

[1] **МГУ:** Моско́вский госуда́рственный университéт

Лариса: — О педагóгике. Было довóльно интерéсно. Ты знаешь, что я тепéрь учи́тельница?

Дмитрий: — Не мóжет быть! Ты ещё слишком молодáя!

Лариса: — Спаси́бо за комплимéнт, Дмитрий, но мне ужé 22 года.

Дмитрий: — Бóже, как время лети́т! Ты замужем?

Лариса: — Нет, а ты женáт?

Дмитрий: — Конéчно, нет! Скажи́, Лáра, что ты дéлаешь сегóдня?

Лариса: — Я? Ничегó! Абсолю́тно ничегó!

Дмитрий: — Слушай, Лáра! Пойдём тогдá в Парк культу́ры и отдыха! Я сегóдня читáл в газéте, что там часто игрáет хорóший джаз-бáнд!

Лариса: — Хорошó! Пойдём! Я так рада тебя видеть!

Larissa: About education. It was rather interesting. Did you know that I'm a teacher now?

Dmitry: That can't be! You're still too young!

Larissa: Thanks for the compliment, Dmitry, but I'm already 22.

Dmitry: Good grief, how time flies! Are you married?

Larissa: No, are you?

Dmitry: Of course, not! Tell me, Lara, what are you doing today?

Larissa: I? Nothing! Absolutely nothing!

Dmitry: Listen, Lara! Then let's go to the Park of Culture and Rest! I read today in the newspaper that a good jazz band often plays there!

Larissa: Fine! Let's go! I'm so glad to see you!

ТЕКСТ ДЛЯ ЧТЕНИЯ: Центрáльный Парк культу́ры и отдыха

В почти́ каждом большóм городе в Совéтском Сою́зе есть « Парк культу́ры и отдыха ». Самый извéстный из них[2] нахóдится в Москвé: это « Центрáльный парк культу́ры и отдыха имени Горького ».[3]

В этом чудéсном большóм парке есть теáтры и ресторáны, теннисные корты, волейбóльные и баскетбóльные[4] площáдки, библиотéка, шахматный клуб и « детский городóк ». Весь день в парке спортсмéны игрáют в теннис, в волейбóл, в баскетбóл, в футбóл. Другие игрáют

---

[2] **из них**: of them
[3] **имени Горького**: named for Gorky

там в шахматы, слушают концерты, гуляют или просто сидят и читают. В « детском городке »[4] дети играют и читают, в то время как их родители работают в городе.

Сегодня на станции метро в Москве молодой инженер Дмитрий Макаров встречает старую приятельницу Ларису Збитневу. Дмитрий и Лариса знали друг друга в Магнитогорске, но они не видели друг друга с тех пор, как они были в вузе.[5] Это было 4 года тому назад. Теперь Дмитрий живёт в Новгороде, а Лариса живёт на юге, в Киеве. Они в Москве на экскурсии.

Вчера Дмитрий был на Красной площади, в Кремле, в Третьяковской галерее, в Историческом музее, в Государственном универсальном магазине (ГУМ), и также[6] на спортивной встрече на Центральном стадионе. Лариса была на съезде в Московском государственном университете (МГУ), где она слышала интересную лекцию о жизни в Сибири.

Сейчас Дмитрий и Лариса идут в Парк культуры и отдыха, а вечером они идут или на оперу « Евгений Онегин » в Большом театре, или на симфонический концерт в Московской консерватории.

Вопросы

1. Где находится Центральный парк культуры и отдыха имени Горького ?
2. Что люди там делают ?
3. Что делают дети в « детском городке » ?
4. Что делают родители в то время, как их дети играют в парке ?
5. Кого встречает Дмитрий Макаров ?
6. Где он её встречает ?
7. Где Дмитрий был вчера ?
8. Что он видел на Центральном стадионе ?
9. А где была Лариса ?
10. О чём там говорили ?
11. Куда они теперь идут ?
12. Что они хотят делать сегодня вечером ?

---

[4] **Городо́к** loses its last **o** in the plural and in all oblique cases.
[5] **Вуз** is the abbreviation for **высшее учебное заведение** (" higher learning institution ").
[6] **Также** произносится [tágzhi].

ВЫРАЖЕ́НИЯ

1. Вот сюрпри́з!	What a surprise!
2. Как вре́мя лети́т!	How time flies!
3. с тех пор	since that time
4. с тех пор, как...	since the time that...
5. друг о дру́ге	about (of) each another
6. слы́шать ле́кцию	to attend a lecture (*literally*, to hear a lecture)
7. в то вре́мя, как...	during the time that...
8. Бо́же! (This is the old vocative case form of **Бог**.)	God! Good Heavens!
9. тому́ наза́д	ago
10. на экску́рсии	on an excursion

ПРИМЕЧА́НИЯ

1. **Сове́тский Сою́з**: The Soviet Union. This shortened form of the unwieldy name "Union of Soviet Socialist Republics" is frequently used.
2. **Гости́ница « Москва́ »**: Hotel Moscow is one of Moscow's large pre-revolutionary hotels.
3. **Кремль** (м.): The Kremlin. This old Slavic word means "fortress."
4. **Центра́льный парк культу́ры и о́тдыха имени Го́рького**: The Central Park of Culture and Rest named for Gorky is normally referred to simply as **Парк культу́ры и о́тдыха**.
5. **Моско́вский госуда́рственный университе́т (МГУ)**: Moscow University was founded in 1755 by **М. В. Ломоно́сов**. The new university building on the Lenin Hills was completed in 1953.
6. **Госуда́рственный универса́льный магази́н (ГУМ)**: The Governmental Department Store (GUM) is located on Red Square opposite the Kremlin. It was constructed during the reign of Nicholas II.
7. **Истори́ческий музе́й**: The Historical Museum also stands on Red Square. It was completed in 1883.
8. **Моско́вская консервато́рия**: The Moscow Conservatory is the city's theater for orchestral concerts.

9. **Большóй теáтр**: Only ballets and operas are performed at the Bolshoi Theater.

10. « **Евгéний Онéгин** »: This is the most famous opera of **Пётр Ильѝч Чайкóвский**. It is based on the great "novel in verse" by **А. С. Пушкин**.

ДОПОЛНЍТЕЛЬНЫЙ МАТЕРИÁЛ

Спорт

"To play…" in Russian is **игрáть в**… The game is in the *accusative case*:

> игрáть в баскетбóл [bəsᶄidból]
> игрáть в волейбóл
> игрáть в гольф
> игрáть в тéннис
> игрáть в футбóл [fudból]
> игрáть в бейсбóл [ᶀezból]
> игрáть в хоккéй
> игрáть в кáрты
> игрáть в шáхматы[7]

Какóе сегóдня числó?

The date in Russian is always expressed in ordinal numbers. Since the number modifies the word **числó** the neuter singular of the number is used:

Какóе сегóдня числó?		Сегóдня…
пéрвое.	седьмóе.	тринáдцатое.
вторóе.	восьмóе.	четы́рнадцатое.
трéтье.	девя́тое.	пятнáдцатое.
четвёртое.	деся́тое.	двадцáтое.
пя́тое.	одѝннадцатое.	тридцáтое.
шестóе.	двенáдцатое.	тридцать пéрвое.

---

[7] **Шáхматы** is a corruption of the Persian "Shah mata" ("The king is dead").

УПРАЖНЕ́НИЯ

А. Следуйте данным приме́рам:

Приме́р: My parents saw you
yesterday on Red
Square.

**Мой роди́тели видели тебя́
вчера́ на Кра́сной пло́щади.**

1. My brothers saw him yesterday on Red Square.
2. My sisters saw her yesterday on Red Square.
3. Our friends saw them yesterday on Red Square.
4. Our husbands saw you (**вы**) yesterday on Red Square.
5. Your (**вы**) wives saw me yesterday on Red Square.
6. Your (**ты**) children saw us yesterday on Red Square.

Приме́р: We saw each other a
year ago.

**Мы видели друг друга
год тому́ наза́д.**

1. They saw each other 2 years ago.
2. We saw each other 5 years ago.
3. They saw each other 21 years ago.
4. We saw each other 34 years ago.
5. They saw each other 47 years ago.

Приме́р: Since that time, they
hadn't heard about one
another.

**С тех пор они́ не слы́шали
друг о дру́ге.**

1. Since that time, we hadn't heard about one another.
2. Since that time, they hadn't thought about one another.
3. Since that time, we hadn't spoken about one another.

Приме́р: I think that they were
at the stadium last night.

**Я ду́маю, что они́ бы́ли
на стадио́не вчера́ ве́чером.**

1. I think that they were at the railroad station last night.
2. I think that he was at the concert last night.
3. I think that she was at the opera last night.
4. They think that we were at the ballet at the Bolshoi Theater last night.

B. Replace the bold-faced words as indicated. Remember that **o** becomes **об** before words which begin with a vowel *sound* only!

1. Онú говоря́т об **этом гиде.**
          (этот профéссор)
          (этот мужчи́на)
          (этот учи́тель)
          (Истори́ческий музéй)

2. Он чáсто дýмал об **этой девушке.**
          (эта колхóзница)
          (эта немка)
          (эта учи́тельница)
          (Третьякóвская галерéя)

3. Я ничегó не знáю об **этой лаборатóрии.**
          (эта площадь)
          (эта фотогрáфия)
          (эта консерватóрия)
          (Москóвская консерватóрия)

4. Онú говори́ли об **этом упражнéнии.**
          (это здание)
          (это общежи́тие)

5. На лекции профéссор читáл о **Льве Николáевиче Толстóм.**
          (Фёдор Михáйлович Достоéвский)
          (Модéст Мусоргский)
          (Макси́м Горький)
          (Пётр Ильи́ч Чайкóвский)
          (Николáй Андрéевич Римский-
                        Корсаков)

6. Нáши гиды говори́ли об **этом американце.**
          (этот немец)
          (этот инострáнец)
          (этот италья́нец)

C. Give the correct form of the words in parentheses. Indicate the stressed syllable:

1. Карандáш лежи́т на (стол).

2. Кни́га лежи́т на (каранда́ш).
3. Бума́га лежи́т в (слова́рь).
4. Учителя́ говори́ли об э́том (учени́к).
5. Почему́ они́ говоря́т об э́том (врач)?
6. Вчера́ мы бы́ли в (Кремль).
7. Студе́нты говори́ли о (ру́сский язы́к).
8. Э́ти ма́льчики всегда́ говоря́т об (оте́ц).
9. Колхо́зники говоря́т о (дождь).

D. Answer the questions as indicated by the words in parentheses:

1. О ком они́ говоря́т? (профе́ссор)
   О како́м профе́ссоре? (профе́ссор Жуко́вский)

2. О чём студе́нты говори́ли? (университе́т)
   О како́м университе́те? (Моско́вский госуда́рственный университе́т)

3. В чём лежа́ло письмо́? (слова́рь)
   В како́м словаре́? (э́тот большо́й слова́рь там, на столе́)

4. Где вы сейча́с живёте? (общежи́тие)
   В како́м общежи́тии? (большо́е но́вое общежи́тие в го́роде)

5. О ком э́ти молоды́е лю́ди говоря́т? (студе́нтка)
   О како́й студе́нтке? (краси́вая америка́нская студе́нтка)

6. О чём говори́т наш гид? (пло́щадь)
   О како́й пло́щади? (Кра́сная пло́щадь)

7. Где она́ была́ вчера́? (ле́кция)
   На како́й ле́кции? (интере́сная ле́кция в университе́те)

E. Answer the questions as indicated by the words in parentheses:

1. Куда́ вы идёте?
   Где вы бы́ли вчера́? } **(Кремль)**

2. Куда́ они́ иду́т?
   Где они́ бы́ли вчера́? } **(Большо́й теа́тр)**

3. Куда́ он идёт?
   Где он был вчера́? } **(Центра́льный стадио́н)**

4. Куда́ она́ идёт?
Где она́ была́ вчера́? } **(Третьяко́вская галере́я)**

5. Куда́ ты идёшь?
Где ты был(а́) вчера́? } **(Кра́сная пло́щадь)**

6. Куда́ иду́т ваши друзья́?
Где были ваши друзья́ вчера́? } **(Моско́вская консервато́рия)**

F. Answer each question positively, omitting the word **рома́н** or **о́пера** and putting the title in the correct case:

1. Вы лю́бите рома́н « Анна Каре́нина »? Да, я люблю́...
2. Вы лю́бите рома́н « Война́ и мир »? Да, я люблю́...
3. Вы лю́бите рома́н « Преступле́ние и наказа́ние »? Да, я люблю́...
4. Вы лю́бите рома́н « Идио́т »? Да, я люблю́...
5. Вы слу́шаете о́перу « Бори́с Годуно́в »? Да, мы слу́шаем...
6. Вы слы́шали о́перу « Евге́ний Оне́гин »? Да, мы слы́шали... в Большо́м теа́тре.

G. Complete each sentence with the title in the preceding statement, but omitting the word **рома́н** or **о́пера**:

1. На ле́кции профе́ссор Ивано́в чита́л о рома́не « Анна Каре́нина ». На ле́кции он чита́л об...
2. На ле́кции профе́ссор Ивано́в чита́л о рома́не « Война́ и мир ». На ле́кции он чита́л о...
3. На ле́кции профе́ссор Ивано́в чита́л о рома́не « Преступле́ние и наказа́ние ». Он чита́л о...
4. На ле́кции профе́ссор Ивано́в чита́л об о́пере « Бори́с Годуно́в ». На ле́кции он чита́л о...
5. На ле́кции профе́ссор Ивано́в чита́л об о́пере « Евге́ний Оне́гин ». На ле́кции он чита́л о...

H. Use the correct form of the pronoun to complete the second sentence:

1. **Он** мой хоро́ший друг. Я ча́сто ду́маю о...
2. **Они́** наши хоро́шие друзья́. Мы ча́сто говори́м о...
3. **Я** тепе́рь в Москве́. Вы иногда́ ду́маете обо...?
4. **Ты**, зна́чит, тепе́рь в Аме́рике. Я ча́сто ду́маю о...
5. **Она́** о́чень люби́ла Ива́на. Ива́н всегда́ говори́т о...

6. **Вы**, может быть, не знаете меня́. Я много знаю о...
7. **Это** очень хорошо́! Что вы думаете об...?

I. In this interview you are a Russian. Answer each question as indicated with a complete sentence:

1. В како́й стране́ вы живёте? (США)
2. В како́й стране́ вы раньше (formerly) жили? (Сове́тский Сою́з)
3. Ваши роди́тели ещё живу́т там? (Нет, Герма́ния, Мюнхен)
4. В како́м городе в СССР вы жили? (Ерева́н)
5. Где этот город нахо́дится: на севере? (Нет, юг, Арме́ния)
6. Где Арме́ния? (Кавка́з)
7. На како́й улице вы там жили? (Пушкинская улица)
8. В како́м доме? (четвёртый дом напра́во)
9. В како́й кварти́ре? (кварти́ра № 8)
10. Где вы там рабо́тали? (большо́й старый завод)
11. Где вы здесь рабо́таете? (хоро́шая новая лаборато́рия)

J. Complete the sentences using the indicated phrase:

1. (этот хоро́ший новый теа́тр)
a. _____ нахо́дится в Новгороде.
b. Завтра мы́ идём в _____.
c. Мы уже́ были в _____.
d. Наш гид говори́т об _____.

2. (этот молодо́й челове́к)
a. _____ мой хоро́ший прия́тель.
b. Москви́ч посмотре́л на _____.
c. Он ничего́ не знает об _____.

3. (эта хоро́шая больша́я гости́ница)
a. _____ нахо́дится в Киеве.
b. Вы помните _____ в Киеве?
c. Моя́ прия́тельница работает в _____ в Киеве.
d. Наш гид ничего́ не знает об _____ в Киеве.

4. (Каспи́йское море и озеро Байка́л)
a. Вы знаете, где нахо́дятся _____?
b. Вы были на _____ и на _____?
c. Вы видите _____ на карте?
d. На уро́ке сего́дня мы говори́ли о _____ и об _____.

K. Answer the following questions based on your knowledge of geography. The countries, continents and regions needed in your answers are listed below:

Азия	Asia	США	U.S.A.
Англия	England	Япóния	Japan
Áфрика	Africa	океáн	ocean
Гермáния	Germany	горá	mountain
Еврóпа	Europe	город	city, town
Китáй	China	море	sea
Польша	Poland	озеро	lake
Сибúрь (ж.)	Siberia	рекá	river
Совéтский Сою́з	Soviet Union	странá	country

1. В какóй странé нахóдится город Вашингтóн?
2. В какóй странé нахóдится го‧ од Лóндон?
3. В какóй странé нахóдится город Варшáва?
4. В какóй странé нахóдится город Берлúн?
5. В какóй странé нахóдится город Пекúн?
6. В какóй странé нахóдятся реки Волга и Дон?
7. В какóй странé нахóдится рекá Миссисúпи?
8. В какóй странé нахóдится рекá Рейн?
9. В какóй странé нахóдится горá Эльбрýс?
10. В какóй странé нахóдится горá Фудзиúма?
11. Чёрное море и Каспúйское море нахóдятся на севере или на юге СССР?
12. Озеро Байкáл нахóдится на востóке или на западе СССР?
13. Где нахóдятся Альпы?
14. Где нахóдится Китáй?
15. Где нахóдится Егúпет?
16. Где нахóдится Сибúрь?
17. Где нахóдится город Якýтск?

Вопрóсы

1. Какóй урóк мы сегóдня учим?
2. Какóй сегóдня день недéли?
3. Какóй день был вчерá?
4. Какóе сегóдня числó?

5. Какóе числó бы́ло вчерá?
6. Какáя сегóдня погóда?
7. Какáя погóда былá вчерá?
8. Вы лю́бите игрáть в шахматы? В футбóл? В баскетбóл? В карты?
9. Где мóжно игрáть в теннис?
10. Где мóжно игрáть в волейбóл?
11. Вы лю́бите смотрéть спортúвные встречи на стадиóне?
12. Вы лю́бите слушать симфонúческие концéрты?
13. Где мóжно слушать оперу и смотрéть балéт в Москвé?

Перевóд

1. Today in the Hotel Metropol (**Метрополь**) in Moscow, Ivan Makarov meets an old acquaintance, Nikolai Kirov.
2. They haven't seen each other for a long time, and, therefore, they talk almost all morning.
3. Nikolai formerly lived in the Soviet Union, but now he lives in America, in Minneapolis.
4. Minneapolis is located in the north in the state of Minnesota (**в штате Миннесóта**).
5. Nikolai likes Minnesota because the winter there is long and cold, as it is (**как**) in Russia (**Россúя**).
6. He lived 3 years in the West, in California, but there in the fall, winter and spring it was too warm.
7. In California, where he lived, it very seldom snows, and the lakes and rivers never freeze.
8. There, in the summertime and fall the weather is warm, and in the winter and spring it is cool.
9. Nikolai and Ivan studied English together at the Moscow Governmental University.
10. They liked to play tennis and often played on the tennis court in the Park of Culture and Rest.
11. The best tennis courts and volleyball courts in Moscow are located at the Central Stadium.
12. Nikolai also likes to play basketball and hockey, but Ivan doesn't.
13. Ivan knows how to play chess, but Nikolai prefers to play cards.
14. Today Ivan wants to take a look at the sports meet at the Central Stadium, but Nikolai doesn't.

15. He says, "Let's go to the Moscow Conservatory, or to the Bolshoi Theater. I like opera, ballet, and symphony concerts more than sports meets."

16. "Well, that, of course, is a matter of taste," says Ivan.

ГРАММА́ТИКА

The Prepositional Case: **О ком? О чём?**

The prepositional case of nouns, pronouns, and adjectives is used after the following prepositions:

в (во)	in, inside, at
на	on, on top of, at (and sometimes "in")
о (об) (обо)	about

The object of the preposition **о (об)** is in the prepositional case:

О чём вы думаете?	About what are you thinking?
О рабо́те.	About work.
О ком они́ говоря́т?	About whom are they talking?
О профе́ссоре.	About the professor.

Об is used instead of **о** whenever the word that follows begins with a *vowel sound* (represented by the letters **а, о, у, э, и, ы**). Note that the letters **я, е, ю, ё** have an initial consonant sound [j]; they are thus preceded by **о** (not **об**).

The prepositional case is used after the prepositions **в** and **на** if the statement indicates *location* and thus answers or poses the question "Where (at)"? (**Где?**) Refer back to lesson 7 to review this usage. Logically enough, the prepositional case is sometimes referred to as the *locative case.*

Nouns that require **на** meaning "to" (see lesson 13) also require **на** (not **в**) for location, regardless of whether we use "in," "on" or "at" in English. Some new nouns that require **на** are:

площа́дка:	Я иду́ **на** волейбо́льную площа́дку.
	Мы игра́ем **на** волейбо́льной площа́дке.
корт:	Мы идём **на** тенни́сный корт.
	Мы игра́ем **на** тенни́сном корте.
Ура́л:	Мы жи́ли **на** Ура́ле.
Кавка́з:	Они́ живу́т **на** Кавка́зе.

and all sports events:

Пойдёмте **на** футбо́л!   Они́ бы́ли **на** футбо́ле.
Пойдёмте **на** хоккей!   Они́ бы́ли **на** хоккее.

When it precedes a word beginning with the letter **в** or **ф** followed by another consonant, the preposition **в** becomes **во**:

во Фра́нции
во Владивосто́ке
во Флори́де

Russians frequently refer to the prepositional case as **О ком? О чём?** ("About whom? About what?").

The prepositional case is formed as follows.

1. Nouns:

a. All nouns that end in a *consonant* add **-е**.

бра́т: Мы говори́м о бра́т**е**.
го́род: Они́ живу́т в го́род**е**.
концéрт: Я был на концéрт**е**.
Ленингра́д: Вы жи́ли в Ленингра́д**е**?
Ива́н: Я ча́сто ду́маю об Ива́н**е**.

b. All nouns that end in **-а**, **-о**, *masculine* **-ь**, **-й**, or **-я** (except **-мя**, **-ия**) *drop that final letter and add* **-е**.

дéдушк**а**:   Он ду́мает о дéдушк**е**.
по́чт**а**:   Мы бы́ли на по́чт**е**.
Та́н**я**:   Я ма́ло зна́ю о Та́н**е**.
окн**о́**:   Му́ха сиди́т на окн**é**.
учи́тел**ь**:   Студéнты говоря́т об учи́тел**е**.
музé**й**:   Она́ рабо́тает в музé**е**.

c. All nouns that end in **-е** (except **-ие**) remain *unchanged*.

мо́р**е**:   Он ду́мает о мо́р**е**.
по́л**е**:   Колхо́зник рабо́тает в по́л**е**.

d. All nouns that end in **-ия**, **-ие**, or *feminine* **-ь** drop the last letter and add **-и**.

геогра́ф**ия**:   Он мно́го зна́ет о геогра́ф**и**и СССР.
зда́н**ие**:   Он рабо́тает в зда́н**и**и.
пло́ща**дь**:   Он стои́т на пло́ща**д**и.

e. Nouns that end in **-o** and are of foreign origin never change in any way.

пальтó:	Моя́ кни́га лежи́т на пальтó.
метрó:	Мы бы́ли вчера́ в кинó.
кинó:	Они́ говори́ли о метрó.
ра́дио:	Каранда́ш лежи́т на ра́дио.
Тóкио:	Они́ дóлго жи́ли в Тóкио.
Сан-Франци́ско:	Мы бы́ли уже́ в Сан-Франци́ско.

f. The **e** of the noun suffix **-ец** drops in the prepositional case as it does in the accusative case and in the plural. In general, nouns that have the ending *-consonant* + **e, ë** or **o** + *consonant* drop **e, ë** or **o** whenever the noun changes its form. These vowels are referred to as "fleeting" **e, ë** and **o**:

нéмец:	о нéмце
отéц:	об отцé
городóк:	в городкé

g. Some masculine nouns have a stress shift to the ending in all cases and in the plural. This stress shift is normally encountered in monosyllabic masculine nouns and polysyllabic masculine nouns which have the stress on the last syllable in the nominative singular; however, since there is no invariable rule to describe this phenomenon, the best thing to do is memorize these words and practice them orally in the various cases, so that you stress the correct syllable in speech automatically!

стол:	на столé
язы́к:	о языкé
гара́ж:	в гаражé
врач:	о врачé
каранда́ш:	на карандашé
учени́к:	об ученикé
Кремль:	в Кремлé
дождь:	о дождé
слова́рь:	на словарé
Пётр Ильи́ч	о Петрé Ильичé

h. Nouns that end in **-мя** drop **-я** and add **-ени**.

и́мя:	**и́мени**
вре́мя:	**вре́мени**

i. The prepositional case forms of **мать** and **дочь** are identical to their nominative plural forms.

мать: матери
дочь: дочери

2. Adjectives:

a. Adjectives that modify *masculine* or *neuter nouns* have the ending **-ом** or **-ем** (see Spelling Rule 3).

этот большо́й хоро́ший дом	Они́ живу́т в эт**ом** больш**о́м** хоро́ш**ем** доме.
этот хоро́ший молодо́й учи́тель	Они́ говоря́т об эт**ом** хоро́ш**ем** молод**о́м** учи́теле.
то длинное скучное собра́ние	Они́ были на т**ом** длинн**ом** скучн**ом** собра́нии.

b. Adjectives that modify *feminine nouns* have the ending **-ой** or **-ей** (see Spelling Rule 3).

эта хоро́шая умная девушка	Он говори́т об эт**ой** хоро́ш**ей** умн**ой** девушке.
эта хоро́шая новая школа	Вчера́ мы были в эт**ой** хоро́ш**ей** нов**ой** школе.
та старая фотогра́фия	Он спрашивает о т**ой** стар**ой** фотогра́фии.

c. Don't forget that family names (**фами́лии**) that end in **-ий** are *adjectives* and are declined as such.

Достое́вск**ий**: Сего́дня мы будем говори́ть о Достое́вск**ом**.

d. The ordinal number **третий** is irregular.

	Masc.	*Fem.*	*Neuter*
Nom.	третий	третья	третье
Acc.	третьего третий	третью	третье
Prep.	третьем	третьей	третьем

3. Pronouns:

Nom.	я	ты	он	онá	онó	мы	вы	онú
Prep.	(обо) мне[8]	(о) тебé	(о) нём	(о) ней	(о) нём	(о) нас	(о) вас	(о) них

4. Possessive adjectives/pronouns

Nom.	мой	моя́	моё	твой	твоя́	твоё
Prep.	моём	моéй	моём	твоём	твоéй	твоём

Nom.	наш	наша	наше	ваш	ваша	ваше
Prep.	нашем	нашей	нашем	вашем	вашей	вашем

Егó, **её** and **их** never change.

Appositives

When a word or phrase is placed beside another in order that the second word or phrase might explain or in some way clarify the first, it is referred to as an *appositive*. In Russian, appositives must be in the same case as the word or words with which they are in apposition:

Nominative:	Вы знаете, где **Ивáн, мой брат**?
Accusative:	Вы знаете **Ивáна, моегó брáта**?
Prepositional:	Он говорúт об **Ивáне, моём брáте**.

The names of books, plays, operas, songs, ballets, etc., must always be declined (put in the proper case) just like any other noun. If, however, they are used as appositives and are enclosed in quotes, they are then not declined:

Я читáю « Войнý и мир ».	Я читáю ромáн « Войнá и мир ».
Мы слушаем « Борúса Годунóва ».	Мы слушаем опéру « Борúс Годунóв ».
Мы поём « Метéлицу ».	Мы поём пéсню « Метéлица ».

---

[8] Note **обо** before **мне**.

Тоже — Также (Too, Also)

Both **тоже** and **также** may be used with the meaning "too," "also," when different persons are involved in the same activity (**тоже** is preferred):

Ива́н говори́т по-англи́йски.	Ivan speaks English.
Я тоже (также) говорю́ по-англи́йски.	I speak English *too*.
Я иду́ в го́род.	I'm going to town.
Вы тоже (также) идёте туда́?	Are you *also* going there?

(А) также (и) is used when the statement involves one person doing more than one thing. **(А) также (и)** is usually rendered by "too" or "also," but it implies "likewise," "in addition." (In such cases, **тоже** is not used!):

Ива́н говори́т **по-англи́йски, а также и по-неме́цки.**	Ivan speaks English and German too.
Я иду́ в **теа́тр, а также и в рестора́н.**	I'm going to the theater and also to the restaurant.

ТАБЛИЦЫ

The nouns and adjectives used in these declension charts will be utilized regularly to show the basic declension patterns as each case is introduced. You should become thoroughly familiar with each type of noun and adjective, because the vast majority of nouns and adjectives in the Russian language fall into one of these categories.

Nouns

MASCULINE NOUNS

	-	-й	-ь
Nom.	студе́нт	Серге́ **й**	учи́тел **ь**
Acc.	⎰ студе́нт **а** ⎱ стол　　—	⎰ Серге́ **я** ⎱ музе́ й	⎰ учи́тел **я** ⎱ автомоби́л **ь**[9]
Prep.	студе́нт **е**	Серге́ **е**	учи́тел **е**

---

[9] The *accusative case* of *inanimate masculine nouns* is the same as the *nominative*.

FEMININE NOUNS

	-а[10]	**-я**[10]	**(и)-я**	**-ь**
Nom.	ко́мнат а	галере́ я	лаборато́ри я	тетра́д ь
Acc.	ко́мнат у	галере́ ю	лаборато́ри ю	тетра́д ь
Prep.	ко́мнат е	галере́ е	лаборато́ри и	тетра́д и

NEUTER NOUNS

	-о	**-е**	**(и)-е**	**(м)-я**
Nom.	окн о́	пол е	здани е	им я
Acc.	окн о́	пол е	здани е	им я
Prep.	окн е́	пол е	здани и	им ени

Adjectives and Pronouns

MASCULINE ADJECTIVES

	Regular	*Stressed Ending*	*Spelling Rules*
Nom.	но́в ый	молод о́й	хоро́ш ий (1)
Acc.	нов {о́го / ый}	молод {о́го / о́й}	хоро́ш {его (3) / ий (1)}
Prep.	но́в ом	молод о́м	хоро́ш ем (3)

---

[10] *Masculine nouns* ending in **-а** or **-я** are declined as *feminine nouns.* Their *modifiers,* however, are always *masculine*:

Nominative:	(о) мой де́душка
Accusative:	моего́ де́душку
Prepositional:	моём де́душке

FEMININE ADJECTIVES

Nom.	нов ая	молод áя	хорóш ая
Acc.	нов ую	молод ýю	хорóш ую
Prep.	нов ой	молод óй	хорóш ей (3)

NEUTER ADJECTIVES

Nom.	нов ое	молод óе	хорóш ее (3)
Acc.	нов ое	молод óе	хорóш ее (3)
Prep.	нов ом	молод óм	хорóш ем (3)

DEMONSTRATIVE ADJECTIVES/PRONOUNS

	Masculine	*Feminine*	*Neuter*
Nom.	этот	эта	это
Acc.	этого / этот	эту	это
Prep.	этом	этой	этом

PERSONAL PRONOUNS

Nom.	я	ты	он	онá	онó	мы	вы	онú
Acc.	меня́	тебя́	егó	её	егó	нас	вас	их
Prep.	(обо) мне	(о) тебé	(о) нём	(о) ней	(о) нём	(о) нас	(о) вас	(о) них

POSSESSIVE ADJECTIVES/PRONOUNS

Nom.	мой	моя́	моё	твой	твоя́	твоё
Acc.	⎰моего́ ⎱мой	мою́	моё	⎰твоего́ ⎱твой	твою́	твоё
Prep.	моём	мое́й	моём	твоём	твое́й	твоём
Nom.	наш	наша	наше	ваш	ваша	ваше
Acc.	⎰нашего ⎱наш	нашу	наше	⎰вашего ⎱ваш	вашу	ваше
Prep.	нашем	нашей	нашем	вашем	вашей	вашем

СЛОВА́РЬ

абсолю́тно	absolutely
баскетбóл	basketball
баскетбóльная площáдка	basketball court
бейсбóл	baseball
вестибю́ль (м.)	vestibule, lobby
волейбóл	volleyball
волейбóльная площáдка	volleyball court
встречáть (I)	to meet
вуз	"VUZ" (higher learning institution)
гольф	golf
городóк (*pl.* городки́)	little town
гости́ница	hotel
джаз-бáнд	jazz band
довóльно	rather, quite, enough
игрáть (I)	to play
изве́стный, -ая, -ое, -ые	known
Кремль (м.)	Kremlin
лете́ть (II)	to fly
лечу́, лети́шь, летя́т	
магази́н	store
ми́лый, -ая, -ое, -ые	charming, nice
назáд	back; ago
неуже́ли!	really!
парк культу́ры и отдыха	park of culture and rest
педагóгика	education, pedagogy
песня	song

помнить (II)	to remember
раньше	earlier, formerly
рестора́н	restaurant
симфони́ческий, -ая, -ое, -ие	symphony (*adj.*), symphonic
сли́шком	too (much)
спорт	sport, sports
спорти́вный, -ая, -ое, -ые	sports (*adj.*)
спортсме́н	sportsman
сюрпри́з	surprise
та́кже	also, too, likewise
те́ннис	tennis
те́ннисный корт	tennis court
тому́ наза́д	ago
универса́льный, -ая, -ое, -ые	universal; department (*adj.*)
футбо́л	football
хокке́й	hockey
число́ (*pl.* чи́сла)	number, digit; date (calendar)
ша́хматы	chess
ша́хматный, -ая, -ое, -ые	chess (*adj.*)
экску́рсия	excursion

Пятна́дцатый уро́к

РАЗГОВО́Р: « Где мо́жно снима́ть? »

Дми́трий: — Вот Кра́сная пло́-
щадь. Нале́во ГУМ, посере-
ди́не стои́т це́рковь, напра́во
Кремль, а позади́ нас —
Истори́ческий музе́й.

Тури́стка: — А как называ́ется
эта це́рковь? Она́ о́чень инте-
ре́сная и краси́вая!

Дми́трий: — Это храм Васи́-
лия Блаже́нного, замеча́-
тельный па́мятник церко́в-
ной архитекту́ры шестна́д-
цатого ве́ка.

Dmitry: Here's Red Square. On the
left is GUM, in the middle stands
a church, on the right is the
Kremlin, and behind us is the
Historical Museum.

Tourist: What's that church called?
It's very interesting and beautiful.

Dmitry: That's the Temple of Vasily
the Blessed (St. Basil's), a remarkable monument of church
architecture of the 16th century.

251

Турйстка: — А что это за здание там, напрáво у стены́ Кремля́? Там очень длинная очередь!

Дмитрий: — Там всегдá длинная очередь. Это Мавзолéй Ленина. Хочешь посмотрéть «Отцá русской револю́ции»?

Турйстка: — А можно там снимáть?

Дмитрий: — Нет, в Мавзолéе снимáть нельзя́!

Турйстка: — Тогдá не надо. Я не хочý стоя́ть в такóй длинной очереди. Пойдём прямо в Кремль!

Дмитрий: — Хорошó, но у меня́ нет фотографи́ческого аппарáта.

Турйстка: — А у меня́ есть! Он совсéм новый!

Дмитрий: — Вот в чём дело! Ну, пойдём!

Tourist: And what sort of building is that there on the right at the Kremlin wall. There's a long line there!

Dmitry: There's always a long line there. That's Lenin's Tomb. Do you want to take a look at the "Father of the Russian Revolution"?

Tourist: May one take pictures there?

Dmitry: No, in the Mausoleum one may not take pictures.

Tourist: Then let's not. I don't want to stand in such a long line. Let's go directly to the Kremlin!

Dmitry: All right, but I don't have a camera.

Tourist: I do! It's brand new!

Dmitry: So that's it! Well, let's go!

ТЕКСТ ДЛЯ ЧТЕНИЯ: **Столи́ца Совéтского Сою́за**

Москвá, столи́ца Совéтского Сою́за и РСФСР,[1] нахóдится в центре европéйской части СССР. Населéние этого большóго, интерéсного, культýрного города приблизи́тельно 5 миллиóнов. Круглый год турйсты осмáтривают достопримечáтельности Москвы́: Кремль, Красную площадь, Парк культýры и отдыха, Выставку нарóдного хозя́йства, стари́нные церкви[2] и собóры, замечáтельные теáтры и музéи, новые высóтные здания и жилы́е домá.

Красная площадь нахóдится в центре столи́цы. Выражéние

---

[1] Росси́йская Совéтская Федерати́вная Социалисти́ческая Респýблика — это самая большáя респýблика СССР.

[2] **Церковь** has a "fleeting" **о**.

« Красная площадь » тепе́рь перево́дят как *Red Square*. На са́мом де́ле слово « красный » ра́ньше зна́чило не *red*, a *beautiful*. Но на совреме́нном ру́сском языке́ сло́во « красный » зна́чит *red*, a *beautiful* бу́дет « краси́вый ».

На Красной площади нахо́дятся: ГУМ, Истори́ческий музе́й, стари́нная моско́вская кре́пость « Кремль »,[3] Ло́бное ме́сто, храм Васи́лия Блаже́нного (бы́вшее назва́ние э́того замеча́тельного па́мятника церко́вной архитекту́ры 16-го ве́ка: Покро́вский собо́р), и Мавзоле́й Ле́нина. Оста́нки Ста́лина ра́ньше то́же лежа́ли в Мавзоле́е Ле́нина, но тепе́рь они́ лежа́т в просто́й моги́ле у стены́ Кремля́. Е́сли вы хоти́те посмотре́ть те́ло « Отца́ ру́сской револю́ции », то на́до до́лго стоя́ть в дли́нной о́череди. В Мавзоле́е, ме́жду про́чим, снима́ть стро́го[4] воспреща́ется.

И сове́тские лю́ди, и иностра́нные тури́сты ча́сто посеща́ют моско́вский Кремль, са́мый интере́сный музе́й столи́цы. Говоря́т, что там ка́ждый ка́мень говори́т об исто́рии ру́сского наро́да и его́ страны́. На высо́кой ба́шне мо́жно ви́деть огро́мные часы́; э́то Спа́сская ба́шня. Спа́сские воро́та — гла́вный вход в Кремль.

Истори́ческое се́рдце Кремля́ — Собо́рная площадь. Здесь нахо́дятся: Колоко́льня Ива́на Вели́кого, Царь-пу́шка и Царь-ко́локол, Оруже́йная и Грано́ви́тая пала́ты и знамени́тые моско́вские хра́мы — Успе́нский, Благове́щенский и Арха́нгельский собо́ры. В Кремле́ то́же нахо́дятся администрати́вные зда́ния сове́тского прави́тельства.

Вопро́сы

1. В како́й ча́сти Сове́тского Сою́за нахо́дится Москва́ ?
2. Где нахо́дится Красная площадь ?
3. Что зна́чило выраже́ние « Красная площадь » ра́ньше ?
4. Где нахо́дится храм Васи́лия Блаже́нного ?
5. Где лежи́т те́ло Ле́нина ?
6. Где тепе́рь лежа́т оста́нки Ста́лина ?
7. Мо́жно ли снима́ть в Мавзоле́е Ле́нина ?
8. Каки́е собо́ры нахо́дятся в Кремле́ ?
9. На како́й площади стои́т Колоко́льня Ива́на Вели́кого ?
10. Как называ́ется гла́вный вход в Кремль ?

---

[3] Слово « Кремль » на совреме́нном ру́сском языке́ бу́дет « кре́пость ».

[4] « Стро́го » произно́сится [stró gə].

ВЫ РАЖЕ́НИЯ

1. Как называ́ется...?	What is... called?
Как называ́ются...?	What are... called?
(These expressions are used in relation to inanimate objects *only*.)	
2. Как назва́ние (*genitive*)?	What's the name of...?
3. Что э́то за (*nominative*)?	What sort of... is (are) this (these, that, those)?
4. Снима́ть (стро́го) воспреща́ется!	Taking pictures is (strictly) forbidden!
5. Мо́жно снима́ть.	One (you) may (can) take pictures.
6. Нельзя́ снима́ть!	Taking pictures is not allowed!
7. стоя́ть в о́череди	to stand in line
8. Не на́до.	That's not necessary; let's not.
9. Вот в чём де́ло!	So that's it!
10. кру́глый год	all year round
це́лый год	all year
11. осма́тривать достопримеча́тельности	to take in the sights (points of interest)
12. переводи́ть как...	to translate as...
13. на са́мом де́ле	in reality, actually
14. е́сли..., то...	if..., then...
15. У (кого́? чего́?) есть...?	(Who, what) has...?

ПРИМЕЧА́НИЯ

1. **Храм Васи́лия Блаже́нного**: The Temple of Vasily the Blessed (St. Basil's Cathedral) was completed in 1561 in commemoration of the joining of Kazan and Astrakhan to the Russian Empire. Originally called Pokrovsky Cathedral, this remarkable structure is composed of nine separate chapels, under one of which lie the remains of Vasily the Blessed, a simple holy man (**юро́дивый**).

2. **Мавзоле́й Ле́нина**: Lenin's Tomb (mausoleum) is located on Red Square right next to the Kremlin wall. Lenin's body is displayed inside, and people wait for hours to get a glimpse of this macabre monument to the Revolution. Just how the body is kept so well preserved is kept

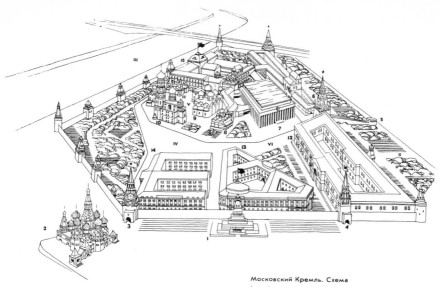

Московский Кремль. Схема

I — Красная площадь; II — Александровский сад; III — Москва-река; IV — Ивановская площадь; V — Соборная площадь; VI — улица Каляева; 1 — Мавзолей Ленина; 2 — собор Василия Блаженного; 3 — Спасская башня; 4 — Никольская башня; 5 — Кутафья башня; 6 — Троицкая башня; 7 — Кремлевский Дворец съездов; 8 — собор 12 апостолов; 9 — Успенский собор; 10 — Иван Великий; 11 — Благовещенский собор; 12 — Арсенал; 13 — здание Сената; 14 — Кремлевский театр; 15 — Большой Кремлевский дворец

secret, but Khrushchev once implied that Lenin must be periodically re-embalmed. Stalin's body lay next to Lenin's until the autumn of 1961; at that time it was removed on orders from Khrushchev as part of his "destalinization" campaign. It is from a platform on Lenin's Tomb that the leaders of the Communist Party observe the famous May Day parade and the celebration of the anniversary of the Revolution.

3. **Лобное место**: The Place of Execution is the circular structure on Red Square, between St. Basil's Cathedral and GUM. The word **лоб** means "forehead."

4. **Колокольня Ивана Великого**: The Bell Tower of Ivan the Great (1440–1505) was completed in 1600 and was named for the grandfather of Ivan the Terrible. The tower is approximately 260 feet high and its foundation extends 120 feet under the ground surface.

5. **Спасская башня**: The Tower of the Savior is the tallest structure in the Kremlin wall. It is topped by four clocks and a large star and can be seen in most views of the Kremlin and/or Red Square. The tower was designed in the seventeenth century by Ogurtsov and an Englishman, Christopher Halloway.

6. **Спасские ворота**: The Gates of the Savior are the main entrance to the Kremlin.

7. **Царь-ко́локол**: The Czar Bell weighs 200 tons. It was cast in the early part of the eighteenth century, but was broken when it fell to the ground during a fire in 1737.

8. **Царь-пу́шка**: The Czar Cannon was constructed in 1586. It weighs forty tons and required 1000 pounds of powder to fire each two-ton cannon ball.

9. **Арха́нгельский собо́р**: Archangel Cathedral was designed by an Italian architect, Alevisio, in the early part of the sixteenth century. This cathedral contains the crypts of the early monarchs of Muscovy.

10. **Благове́щенский собо́р**: The Cathedral of the Annunciation was constructed in the fifteenth century and rebuilt in the sixteenth century.

11. **Успе́нский собо́р**: The Cathedral of the Assumption was built in the fifteenth century for full-dress services, coronations, and the formal public appearances of the sovereigns of Muscovy.

12. **Оруже́йная пала́та**: The Oruzheinaya Palata (Armory) houses a remarkable collection of weapons and manufactured artifacts of various types.

13. **Графови́тая пала́та**: The Granovitaya Palata received its name from the fact that its exterior walls are faced with rectangular white stones which give the impression that they are cut (**грань** is the Russian word for "facet"). This palace was used by the czars as a banquet and reception hall.

14. **Вы́ставка наро́дного хозя́йства**: The Exhibition of the National Economy is a 540-acre park to the north of Moscow. There each of the fifteen republics maintains a pavilion where products of agriculture, industry, science, and art of the region are displayed. The full name of this exhibition is **Вы́ставка достиже́ний наро́дного хозя́йства (ВДНХ)**—Exhibition of the Achievements of the National Economy.

ДОПОЛНИ́ТЕЛЬНЫЙ МАТЕРИА́Л

Ме́сяцы[5]

In reciting the months, the nominative case is used; "in…" requires the prepositional; "of…" requires the genitive:

---

[5] Dates will be discussed in detail in a later chapter.

Nominative	*Prepositional*	*Genitive*
янва́рь	в январе́	**Сего́дня пе́рвое...** января́.
февра́ль	в феврале́	февраля́.
март	в ма́рте	ма́рта.
апре́ль	в апре́ле	апре́ля.
май	в ма́е	ма́я.
ию́нь	в ию́не	ию́ня.
ию́ль	в ию́ле	ию́ля.
а́вгуст	в а́вгусте	а́вгуста.
сентя́брь	в сентябре́	сентября́.
октя́брь	в октябре́	октября́.
ноя́брь	в ноябре́	ноября́.
дека́брь	в декабре́	декабря́.

1. The months are not capitalized in Russian (unless they occur as the first word of a sentence).
2. *All* months are *masculine*!
3. It is very important to know the prepositional and genitive cases of the months, as they normally occur in one of these two cases.
4. Watch the stress when months are inflected! Unstressed **я** becomes [i]: **в сентябре́** [fṣinṭibṛé].

УПРАЖНЕ́НИЯ

А. Следуйте данным приме́рам:

> *Приме́р:* What's this building called? That's the Bolshoi Theater.
>
> **Как называ́ется э́то зда́ние?**
> **Э́то — Большо́й теа́тр.**

1. What's this church called? That's St. Basil's Cathedral.
2. What's this cathedral called? That's the Cathedral of the Annunciation.
3. What's this store called? That's GUM.
4. What's this newspaper called? That's *Pravda*.
5. What's this magazine called? *Ogonyok* (**Огонёк**).
6. What's that tower called? That's the Tower of the Savior.

Приме́р: What sort of building is that there on the left? **Что это за зда́ние там, нале́во?**

1. What sort of book is that there on the table?
2. What sort of magazine is that there on the chair?
3. What sort of car is that there on the street?
4. What sort of bus is that there on the square?
5. What sort of church is that there at the Kremlin wall?

Приме́р: In this building one is not allowed to play cards. **В э́том зда́нии нельзя́ игра́ть в ка́рты.**

1. In this church one is not allowed to sit.
2. In this class one is not allowed to speak English.
3. In this room one is not allowed to play chess.

B. Complete each question by putting the word in parentheses in the correct case; then answer positively or negatively as indicated:

1. Мо́жно снима́ть в (галере́я)? Да,...
2. Мо́жно снима́ть в (э́та це́рковь)? Нет,...
3. Мо́жно снима́ть в (Кремль)? Да,...
4. Мо́жно снима́ть на (о́пера)? Нет,...
5. Мо́жно снима́ть на (Центра́льный стадио́н)? Да,...
6. Мо́жно снима́ть в (Благове́щенский собо́р)? Нет,...

C. Отве́тьте на вопро́сы:

Приме́р: Чей э́то автомоби́ль? (Бори́с) **Э́то автомоби́ль Бори́са.**

1. Чей э́то автомоби́ль? (профе́ссор Моро́зов)
2. Чья э́то кни́га? (до́ктор Жу́ков)
3. Чьё э́то ра́дио? (Макси́м Шаховско́й)
4. Чей э́то фотографи́ческий аппара́т? (Андре́й Петро́вич)
5. Чья э́то ру́чка? (учи́тель)
6. Чьё э́то письмо́? (И́горь Бори́сович)
7. Чьи э́то очки́? (оте́ц)
8. Чей э́то дом? (де́душка)
9. Чья э́то газе́та? (дя́дя Фе́дя)

Приме́р: Чей это автомоби́ль ?   **Это автомоби́ль**
(Тама́ра)   **Тама́ры.**

1. Чей это каранда́ш ? (Татья́на)
2. Чья это ка́рта ? (Ольга Ива́новна)
3. Чьё это письмо́ ? (учи́тельница)
4. Чьи это кни́ги ? (тётя Ка́тя)

D. Answer each question as indicated by the words that follow:

1. **У кого́ есть автомоби́ль ?**
a. ба́бушка
b. мать
c. сестра́
d. Васи́лий
e. дя́дя Ва́ня
f. учи́тель
g. това́рищ Жуко́вский
h. тётя А́нна

2. **Кого́ сего́дня здесь нет ?**
a. профе́ссор Бунин
b. Серге́й Миха́йлович
c. Алекса́ндра Григо́рьевна
d. госпожа́ Жуко́вская
e. господи́н Смит

3. **Чего́ в э́том го́роде нет ?**
a. хоро́ший музе́й
b. хоро́шая шко́ла
c. хоро́шая консервато́рия
d. но́вая це́рковь
e. большо́й стадио́н
f. больша́я гости́ница
g. краси́вая пло́щадь

4. **Где Влади́мир стои́т ?**   **Влади́мир стои́т у** (at)...
a. окно́
b. дверь (ж.)
c. стена́
d. доска́
e. автомоби́ль

5. **Где вы были вчера?**   **Вчера мы были у** (at the home of)...

a. Наташа
b. Андрей
c. отец
d. дедушка
e. профессор Павлов

E. Answer each question as indicated. Your answer must be a complete
sentence:

1. У вас есть словарь? Нет,...
2. В этой комнате есть стол? Нет,...
3. Когда вы были в Москве, вы видели Кремль? Нет,...
4. У них есть отец? Нет,...
5. У студента есть карандаш? Нет,...
6. Вы видите гараж вон там? Нет,...
7. Вы знаете русский язык? Нет,...
8. Сегодня дождь? Нет,...
9. В этом городе есть врач? Нет,...

F. Answer negatively as in the example:

Пример: У вашего брата   **Нет, у моего брата**
есть дом?   **нет дома.**

1. У вашего учителя есть словарь?
2. У вашего друга есть карандаш?
3. У вашего дяди есть жена?
4. У вашей сестры есть муж?
5. У вашей дочери есть автомобиль?
6. У вашей учительницы есть книга?

G. Complete the sentence "I don't remember the name of..." as indicated:

Я не помню фамилии... (этот маленький мальчик)
(этот знаменитый русский писатель)
(эта молодая русская девушка)
(эта знаменитая русская писательница)

H. Change from the expression "What is...called?" to "What's the name of...?" as in the example:

Примéр: Как называ́ется этот
вокзáл?

**Как назвáние этого
вокзáла?**

1. Как называ́ется этот город?
2. Как называ́ется эта башня?
3. Как называ́ется это озеро?
4. Как называ́ется это здание?
5. Как называ́ется эта школа?
6. Как называ́ется это море?
7. Как называ́ется эта гости́ница?

I. Complete each sentence as indicated. The English translation of all these sentences requires the preposition "of."

1. **Он профéссор...** (физика)
   (матемáтика)
   (истóрия)
   (химия)
   (русский язы́к)
   (францýзский язы́к)

2. **Я очень люблю́ музыку...** (Чайкóвский)
   (Мусоргский)
   (Римский-Корсаков)
   (Прокóфьев)
   (Бетхóвен)
   (Глинка)

3. **Здесь нахóдится администрати́вный центр...**
   (совéтское прави́тельство)
   (америкáнское прави́тельство)
   (этот райóн)

J. Переведи́те на русский язы́к:

1. Who has a pen?
2. I have.
3. I have a pen.

4. Who has the dictionary? Where is it?
5. I have.
6. I have the dictionary.
7. What kind of house do they have?
8. They have a big, beautiful house.
9. Do you have a pencil?
10. Yes, I do.
11. Yes, I have a pencil.
12. Sergei has a car.
13. Sergei had a car.
14. Sergei will have a car.
15. Tamara doesn't have a car.
16. Tamara didn't have a car.
17. Tamara won't have a car.

K. Use the indicated phrase to complete each of the following sentences:

1. (эта краси́вая гости́ница)
a. _____ нахо́дится в Ленингра́де.
b. Тури́сты стоя́т и смотрят на _____ .
c. Мы никогда́ не́ были в _____ .
d. Я не знаю назва́ния _____ .

2. (Госуда́рственный универса́льный магази́н)
a. Он не знает, где нахо́дится _____ .
b. Они́ иду́т в _____ .
c. Мои́ друзья́ рабо́тают в _____ .
d. Мы ещё не видели _____ .

3. (Каспи́йское море)
a. Вы видите _____ на карте?
b. Нет, я не вижу _____ на карте.
c. Вы знаете, где _____ нахо́дится?
d. Наш профе́ссор геогра́фии сего́дня говори́л о _____ .

L. Change to the past tense:

1. На уро́ке нельзя́ говори́ть по-англи́йски!
2. На Центра́льном стадио́не можно снима́ть.
3. В библиоте́ке надо говори́ть тихо.
4. Отту́да можно видеть весь город.

M. Write out the following dates and be prepared to give them orally:

1. January 12th	7. July 4th
2. February 14th	8. August 27th
3. March 30th	9. September 10th
4. April 1st	10. October 20th
5. May 8th	11. November 23rd
6. June 24th	12. December 25th

N. Translate the words in parentheses:

1. (In January) мы (were) в Москвé. Там бы́ло (cold).
2. (In March) они́ (were) в Сиби́ри. Там (it was snowing).
3. (In May) он (was) на (east). Там бы́ло (warm).
4. (In July) онá (was) на (Caucasus). Там погóда былá (hot).
5. (In October) я (was) на (south). Там бы́ло (cool).
6. (In December) они́ (were) на (north). Там чáсто бывáют (freezing weather).

Вопрóсы

1. Какóй урóк мы учим сегóдня?
2. Какóй сегóдня день недéли? (**недéля:** "week")
3. Какóе сегóдня числó?
4. Какóй день был вчерá?
5. Какóе числó бы́ло вчерá?
6. Как называ́ется ваш гóрод?
7. В какóм штате он нахóдится?
8. Как называ́ется столи́ца вашего штáта?
9. Какóй гóрод столи́ца вашей рóдины? (**рóдина:** "native land")
10. Как фами́лия вашего профéссора (учи́теля) рýсского языкá?
11. У вас есть автомоби́ль?
12. Какóй у вас автомоби́ль?
13. У вас есть гарáж?
14. Где стои́т ваш автомоби́ль нóчью?
15. Как назва́ние вашей шкóлы?
16. У вас есть семья́?
17. Где живёт ваша семья́?
18. У вас есть телефóн?
19. Какóй нóмер вашего телефóна?
20. У вас есть брат и сестрá?

21. Где они живут?
22. У вас есть фотографический аппарат?
23. Какой у вас фотографический аппарат?
24. Какой город столица Советского Союза?
25. Какой город столица Америки?
26. Какой город столица Англии?

Устный перевод

1. Извините, пожалуйста, вы знаете, где кабинет профессора Долгорукого?
   > Yes, I do (**знаю**). His office is number (**номер**) 27. But Professor Dolgoruky isn't here today.
2. Жаль. Вы знаете его адрес?
   > No, I don't. Wait a bit! It seems to me that he lives on 14th Street.
3. Какая это часть города?
   > Not far from the movie... I don't remember what it's name is.
4. Оно называется « Спутник ».
   > Yes, of course. His apartment is not far from there. In house number 10.
5. Вы думаете, что он сегодня болен?
   > No, I don't. He had a cold yesterday, but he's well today. He's playing tennis in the park.
6. Вот в чём дело! Я слышал, что он очень любит играть в теннис.
   > Yes, he plays almost all year round!
7. Простите, здесь можно снимать?
   > Yes, you may. Only in the Mausoleum is picture taking forbidden.
8. Вот хорошо. Здесь в Кремле так интересно!
   > Yes, the Kremlin is the capital's most interesting museum. Tourists visit it all year round.
9. Вы знаете название этой высокой башни?
   > Of course. That's the Tower of the Savior. The Gates of the Savior are the main entrance into the Kremlin.
10. А где храм Василия Блаженного?
    > Take a look through the gates. Do you see that big interesting church? That's St. Basil's.
11. Господи! Какое странное здание! Оно очень старое?
    > Yes, it's about 400 years old.

12. Там, наве́рно, снима́ть стро́го воспреща́ется?

>   No, St. Basil's Cathedral is now a museum. One can take pictures there. (*Begin with* **Там.**)

13. Отсю́да ви́ден Мавзоле́й Ле́нина?

>   No, it's on the left, at the wall of the Kremlin. From here you can't see the Mausoleum.

14. Вы зна́ете, где Царь-ко́локол?

>   Yes. Go straight ahead. Do you see the Bell Tower of Ivan the Great? Near it are the Czar Bell and Czar Cannon. And also (**и то́же**) take a look at the Cathedral of the Assumption, Archangel Cathedral and the Cathedral of the Annunciation. They are (**э́то**) very interesting monuments of Russian history and religious architecture.

15. Ме́жду про́чим, моё и́мя Влади́мир Кузнецо́в. Я ленингра́дец. Вы, ка́жется, москви́ч?

>   No, I'm an American. My name is Jeffrey Black. I'm very glad to meet you.

16. Зна́чит, вы америка́нец? Не мо́жет быть! Как э́то вы так хорошо́ зна́ете Москву́?

>   When I was in school in America, I studied Russian. In class we often read and talked about the capital of the Soviet Union. Now I'm finally here and am taking in the sights of Moscow! Today I want to see (**посмотре́ть**) the Exhibition of the National Economy.

17. А, вот в чём де́ло! Ну спаси́бо за информа́цию. До свида́ния!

>   Good-by! All the best!

18. Всего́ хоро́шего!

ГРАММА́ТИКА

Мо́жно, на́до, ну́жно, нельзя́

Russians are very fond of these words which are used to express permission, possibility, necessity, impossibility or refusal of permission. In Russian these words are frequently used in sentences without a subject, whereas in English a subject is normally required (usually "one," "it," or "you," depending upon the context). In requesting permission to do something, a Russian will almost invariably ask **Мо́жно?** instead of the more awkward sounding **Могу́ я?** or **Могу́ ли я?**

When a verb is used with **можно, надо, нужно, нельзя**, it is always in the infinitive form:

Можно здесь снима́ть ?

May⎫ one (I, we) take pictures here?
Can ⎭

Да, мо́жно. Yes, one (you) may (can).
Нет, нельзя́. No, one (you) may (can) not.

Надо ⎫ сего́дня рабо́тать ? Is it necessary to work today?
Ну́жно⎭

Да, надо (ну́жно). Yes, it is.
Нет, не надо (ну́жно). No, it is not.

В библиоте́ке нельзя́ говори́ть гро́мко! Надо (ну́жно) говори́ть ти́хо!

In the library loud talking is not permitted! One must speak softly!

The past and future tenses of these expressions are formed with **бы́ло** and **бу́дет** respectively, because sentences of this type have no grammatical subject. Note that the forms **бы́ло** and **бу́дет** come between **мо́жно** (etc.) and the verb infinitive:

Сего́дня... **Вчера́...** **За́втра...**

Мо́жно. Мо́жно **бы́ло**. Мо́жно **бу́дет**.
На́до рабо́тать. На́до **бы́ло** рабо́тать. На́до **бу́дет** рабо́тать.
Там нельзя́ снима́ть. Там нельзя́ **бы́ло** снима́ть. Там нельзя́ **бу́дет** снима́ть.

The Genitive Case : **Кого́ ? Чего́ ?**

A. Formation of nouns

1. Masculine :[6]

	Nouns ending in a consonant add **-а**	**-й** becomes **-я**	**-ь** becomes **-я**
Nom.	студе́нт -	Серге́ й	учи́тел ь
Gen.	студе́нт а	Серге́ я	учи́тел я

[6] Animate and inanimate nouns are not distinguished in the genitive.

2. Feminine:[7]

	-а *becomes* -ы *or* -и	-я *becomes* -и	-ь *becomes* -и
Nom.	комнат **а**	галерé **я**	тетрáд **ь**
Gen.	комнат **ы**	галерé **и**	тетрáд **и**
Nom.	книг **а**	лаборатóри **я**	*Masculine nouns*
Gen.	книг **и**	лаборатóри **и**	*ending in* -**а** *or* -**я** *are declined like feminine nouns.*

3. Neuter:[7]

	-о *becomes* -а	-е *becomes* -я	-мя *becomes* -мени
Nom.	окн **ó**	мор **е**	им **я**
Gen.	окн **á**	мор **я**	им **ени**
No change: кинó	метрó	пальтó	радио

Note these three irregularities.

1. Fleeting **о**, **е**, **ё** (Whenever the stress is on the "fleeting" letter, it moves to the ending in all cases):

Nom.	церковь	день	немец	городóк
Gen.	церкви	дня	немца	городкá

2. "Mother" and "daughter":

Nom.	мать	дочь
Gen.	матери	дочери

---

[7] Feminine and neuter nouns undergo no stress shift in the genitive.

3. The following nouns always have the stress on the ending:

Nominative	Prepositional	Genitive	Plural
врач	врачé	врачá	врачи́
гара́ж	гаражé	гаражá	гаражи́
дождь	дождé	дождя́	дожди́
Ильи́ч	Ильичé	Ильичá	(Ильичи́)
каранда́ш	карандашé	карандашá	карандаши́
ключ	ключé	ключá	ключи́
Кремль	Кремлé	Кремля́	(Кремли́)
москви́ч	москвичé	москвичá	москвичи́
Пётр	Петрé	Петрá	(Петры́)
слова́рь	словарé	словаря́	словари́
стол	столé	столá	столы́
учени́к	ученикé	ученикá	ученики́
царь	царé	царя́	цари́
язы́к	языкé	языкá	языки́
янва́рь	январé	января́	
февра́ль	февралé	февраля́	
сентя́брь	сентябрé	сентября́	
октя́брь	октябрé	октября́	
ноя́брь	ноябрé	ноября́	
дека́брь	декабрé	декабря́	

The genitive case of *all masculine nouns* (except those ending in **a** or **я**) is formed in the same way as the accusative of masculine *animate* nouns.

The genitive case of *all feminine nouns* is formed in the same way as the nominative plural; however, in the genitive there is no stress shift:

Nom. sing.	сестрá	женá	странá	рекá
Nom. pl.	сёстры	жёны	стрáны	рéки
Gen. sing.	сестры́	жены́	страны́	реки́

The genitive case of neuter nouns ending in **o** or **e** is formed in the same way as the nominative plural; however, there is no stress shift:

Nom. sing.	окнó	мóре	письмó	пóле
Nom. pl.	óкна	моря́	письма	поля́
Gen. sing.	окнá	мóря	письмá	пóля

The genitive case is used

1. To show ownership:

Это — кни́га Ива́на.	This is Ivan's book.
Это — слова́рь Серге́я.	This is Sergei's dictionary.
Это — каранда́ш А́нны.	This is Anna's pencil.

2. To correspond to the English prepositional phrases "of the...," and "of a...":

вестибю́ль гости́ницы	the lobby of the hotel
назва́ние пло́щади	the name of the square
стена́ Кремля́	the wall of the Kremlin
и́мя его́ отца́	the name of his father
Парк культу́ры и о́тдыха	the Park of Culture and Rest

3. To form the direct object of a negated verb[8]:

Я не ви́жу стола́.	I don't see the table.
Она́ не пи́шет письма́.	She isn't writing a letter.
Он не зна́ет её а́дреса.	He doesn't know her address.

4. To show the absence or lack of a person or thing:

Здесь нет теа́тра.	There's no theater here.
Там нет шко́лы.	There's no school there.
В кла́ссе нет учи́теля.	There's no teacher in the classroom.

5. In giving dates (the month is always in the genitive case):

Сего́дня 1-ое ма́рта.	Today is the first of March.
Вчера́ бы́ло 23-ье ию́ня.	Yesterday was the 23rd of June.
Сего́дня 31-ое декабря́.	Today is the 31st of December.

6. With the object of the preposition **y** ("next to, by, at, at the home of, at the office of"):

Он стои́т у стены́.	He stands by the wall.
Стол стои́т у окна́.	The table stands next to the window.
Мы бы́ли у Никола́я.	We were at Nikolai's (home).
Они́ сейча́с у профе́ссора.	They are now at the professor's (office).

7. To show possession (the Russian expression for "to have" is **y** [*genitive*] **есть**) (see pages 273–274):

---

[8] With feminine nouns, however, the accusative is preferred, even when the verb is negated: **Он не зна́ет э́ту де́вушку.**

У Бори́са **есть** кни́га.   Boris has a book.
У Татья́ны **есть** ру́чка.   Tatyana has a pen.

When one does *not* have a given thing, that thing is in the genitive; **нет** then replaces **есть**:

У вас есть журна́л?
Да, у меня́ есть журна́л.
Нет, у меня́ нет журна́ла.

B. Formation of adjectives

Adjectives that modify *masculine* or *neuter* nouns have the ending **-ого** or **-его** (Spelling Rule 3)[9]:

Nom.	хоро́ш ий	нов ый	дом
Gen.	хоро́ш **его**	нов **ого**	до́ма
Nom.	хоро́ш ее	нов ое	зда́ние
Gen.	хоро́ш **его**	нов **ого**	зда́ния

Adjectives that modify *feminine* nouns have the ending **-ой** or **-ей** (Spelling Rule 3):

Nom.	хоро́ш ая	нов ая	шко́ла
Gen.	хоро́ш **ей**	нов **ой**	шко́лы

The demonstrative adjectives/pronouns have the same endings as the adjectives given above:

Nom.	э́тот	э́та	э́то	тот	та	то
Gen.	э́того	э́той	э́того	того́	той	того́

Note the following examples:

Он наш профе́ссор **ру́сского языка́**.
У меня́ нет **хоро́шего автомоби́ля**.
Я не люблю́ ма́тери **э́той молодо́й де́вушки**.
Назва́ние **э́той гости́ницы**: « Москва́ ».
Они́ не ви́дели **э́того высо́кого зда́ния**.

---

[9] **Г** between two **о**'s or **е** and **о** is pronounced like the Russian letter **в** only in genitive case endings (**сего́дня** means literally "of this day," the genitive of **сей день**).

B. Formation of possessive adjectives/pronouns

Nom.	мой	моя́	моё	твой	твоя́	твоё
Gen.	моего́	мое́й	моего́	твоего́	твое́й	твоего́

Nom.	наш	на́ша	на́ше	ваш	ва́ша	ва́ше
Gen.	на́шего	на́шей	на́шего	ва́шего	ва́шей	ва́шего

Nom. *Gen.*	его́ её их

Note the following examples:

У мо**его́** профе́ссора но́вый автомоби́ль.
Я не ви́жу ваш**его** упражне́ния на столе́.
Тво**е́й** сестры́ здесь нет.
Дом наш**его** адвока́та о́чень краси́вый.
Учи́тель тво**его́** бра́та живёт в го́роде.
Автомоби́ль **их** отца́ совсе́м ста́рый.
Кни́га ваш**ей** ма́тери лежи́т на столе́.

C. Formation of personal pronouns
The genitive is the same as the accusative:

Nom.	я	ты	он	она́	оно́
Acc. *Gen.*	меня́	тебя́	его́[10]	её[10]	его́[10]

Nom.	мы	вы	они́
Acc. *Gen.*	нас	вас	их[10]

---

[10] When preceded by a preposition all forms of the *personal pronouns* **он, она́, оно́, они́** add the letter **н**. This is not true, however, of the *possessive adjectives/pronouns:*

у ⎧него́⎫ есть кни́га.　　　He has ⎫
　 ⎨неё ⎬　　　　　　　　　She has ⎬ a book.
　 ⎩них ⎭　　　　　　　　　They have ⎭

у ⎧его́⎫ отца́ есть кни́га.　His father ⎫
　 ⎨её ⎬　　　　　　　　　Her father ⎬ has a book.
　 ⎩их ⎭　　　　　　　　　Their father ⎭

D. Family names and given names

Many Russian family names are *adjectives* from a grammatical point of view and must be declined as such:

Nom.	Толст ой	Достоевск ий	Римск ий-Корсаков
Gen.	Толст ого	Достоевск ого	Римск ого-Корсаков а

Given names, however, are declined as nouns, even though they end in **-ий**:

Nom.	Васили й	Евгени й
Gen.	Васили я	Евгени я

E. Nationality

In the question "What is your nationality?" the Russian uses the genitive case idiomatically: "Of which you nationality?"

Как**ой** вы (ты, он, она, они) национа́льности?[11]

The answer, however, is in the nominative.

> Я американец.
> Он русский.
> Она немка.

Есть (There Is, There Are)

The word **есть** is used to stress the *existence* or *presence* of a person or thing. Such statements and questions in English always begin with the words "There is (are)...." This usage of the word "there" has nothing to do with location, and thus does not involve the Russian word **там**. When location is involved, as in the statement "There is (are)... *there* (*here*)," then the Russian statement begins with **там** (**здесь**).

Note the examples with **здесь** and **там**:

Здесь есть словарь.	There is a dictionary *here*.
Там есть книги.	There are books *there*.

---

[11] **национа́льность** (ж.)

as well as the examples without **здесь** and **там**:

В гараже́ есть автомоби́ль.	There is a car in the garage.
В библиоте́ке есть кни́ги.	There are books in the library.

У кого́ есть...? (Who has...?)

The Russian expression for "to have" is **y** followed by the *possessor* in the genitive case and the thing possessed in the nominative. The thing possessed is the subject of the sentence.

У меня́		I have	
У тебя́		You have	
У него́		He has	
У неё	есть кни́га.	She has	a book.
У него́		It has	
У нас		We have	
У вас		You have	
У них		They have	

У Ива́на есть ру́сские кни́ги.	Ivan has Russian books.
У моего́ отца́ есть дом.	My father has a house.

The Omission of Есть

When it is not the existence of a person or thing that is in question, but, rather, its location, type or amount, then the word **есть** is not used. When the thing possessed is not modified and the Russian uses **есть**, the English statement uses the indefinite article "a"; when **есть** is omitted, the definite article "the" is used in English.

1. Existence or presence:

У кого́ **есть** слова́рь?	Who has *a* dictionary? (The person asking the question wants to know if anyone has one.)
У Ива́на **есть** слова́рь.	Ivan has *a* dictionary.

2. Location or type:

У кого́ слова́рь?	Who has *the* dictionary? (The person asking the question knows that there is a dictionary present, but he doesn't know who has it.)
Слова́рь у Ива́на.	Ivan has *the* dictionary.
Како́й у него́ слова́рь? У него́ кра́сный слова́рь.	What kind of dictionary does he have? He has a *red* dictionary. (You know he has one; you merely want to know what color it is.)

It is not necessary to re-name the article in question:

У кого́ есть кни́га?	Who has a book?
У Ива́на есть.	Ivan does.
Где кни́га?	Where is the book?
У меня́.	I have (it.)

In the *past tense* **был, была́, бы́ло, бы́ли** are used, and **есть** is dropped. The correct form of the verb **быть** is determined by what is possessed, not who possesses it! The *future tense* is formed with **бу́дет (бу́дут)**:

Present	*Past*	*Future*
У меня́ есть ⎰ дом. кни́га. письмо́. очки́.	У меня́ ⎰ был дом. была́ кни́га. бы́ло письмо́. бы́ли очки́.	У меня́ ⎰ бу́дет дом. бу́дет кни́га. бу́дет письмо́. бу́дут очки́.

If there is no grammatical subject (no noun in the nominative case), then **бы́ло (бу́дет)** is used.

Present	*Past*
У меня́ нет ⎰ до́ма. кни́ги. письма́.	У меня́ ⎰ не́ было до́ма. не́ было кни́ги. не́ было письма́.

Future

У меня́ ⎰ не бу́дет до́ма.
 не бу́дет кни́ги.
 не бу́дет письма́.

ТАБЛИ́ЦЫ

Nouns

MASCULINE NOUNS

	—	-й	-ь
Nom.	студе́нт —	Серге́ й	учи́тел ь
Gen.	студе́нт а	Серге́ я	учи́тел я
Acc.	{ студе́нт а { стол —	{ Серге́ я { музе́ й	{ учи́тел я { автомоби́л ь
Prep.	студе́нт е	Серге́ е	учи́тел е

FEMININE NOUNS

	-а	-я	-ия	-ь
Nom.	комнат а	галере́ я	лаборато́ри я	тетра́д ь
Gen.	комнат ы	галере́ и.	лаборато́ри и	тетра́д и
Acc.	комнат у	галере́ ю	лаборато́ри ю	тетра́д ь
Prep.	комнат е	галере́ е	лаборато́ри и	тетра́д и

NEUTER NOUNS

	-о	-е	-ие	-ия
Nom.	окн о́	пол е	здани е	им я
Gen.	окн а́	пол я	здани я	им ени
Acc.	окн о́	пол е	здани е	им я
Prep.	окн е́	пол е	здани и	им ени

Adjectives and Pronouns

MASCULINE ADJECTIVES

	Regular	*Stressed Ending*	*Spelling Rules*
Nom.	нов ый	молод о́й	хоро́ш ий (1)
Gen.	нов ого	молод о́го	хоро́ш его (3)
Acc.	нов {ого / ый}	молод {о́го / о́й}	хоро́ш {его / ий} (3)
Prep.	нов ом	молод о́м	хоро́ш ем (3)

FEMININE ADJECTIVES

	Regular	*Stressed Ending*	*Spelling Rules*
Nom.	нов ая	молод а́я	хоро́ш ая
Gen.	нов ой	молод о́й	хоро́ш ей (3)
Acc.	нов ую	молод у́ю	хоро́ш ую
Prep.	нов ой	молод о́й	хоро́ш ей (3)

NEUTER ADJECTIVES

	Regular	*Stressed Ending*	*Spelling Rules*
Nom.	нов ое	молод о́е	хоро́ш ее (3)
Gen.	нов ого	молод о́го	хоро́ш его (3)
Acc.	нов ое	молод о́е	хоро́ш ее (3)
Prep.	нов ом	молод о́м	хоро́ш ем (3)

DEMONSTRATIVE ADJECTIVES/PRONOUNS

	Masculine	*Feminine*	*Neuter*
Nom.	э́тот	э́та	э́то
Gen.	э́того	э́той	э́того
Acc.	{ э́того э́тот	э́ту	э́то
Prep.	э́том	э́той	э́том

PERSONAL PRONOUNS

Nom.	я	ты	он	она́	оно́	мы	вы	они́
Gen.	меня́	тебя́	его́	её	его́	нас	вас	их
Acc.	меня́	тебя́	его́	её	его́	нас	вас	их
Prep.	(обо) мне	(о) тебе́	(о) нём	(о) ней	(о) нём	(о) нас	(о) вас	(о)них

POSSESSIVE ADJECTIVES/PRONOUNS

Nom.	мой	моя́	моё	твой	твоя́	твоё
Gen.	моего́	мое́й	моего́	твоего́	твое́й	твоего́
Acc.	{ моего́ мой	мою́	моё	{ твоего́ твой	твою́	твоё
Prep.	моём	мое́й	моём	твоём	твое́й	твоём
Nom.	наш	наша	наше	ваш	ваша	ваше
Gen.	нашего	нашей	нашего	вашего	вашей	вашего
Acc.	{ нашего наш	нашу	наше	{ вашего ваш	вашу	ваше
Prep.	нашем	нашей	нашем	вашем	вашей	вашем

СЛОВА́РЬ

администрати́вный	administrative
архитекту́ра	architecture
ба́шня	tower
блаже́нный	blessed
век	century
ви́ден	visible, to be seen
видна́, -дно, -дны	
воро́та (*neuter pl. only*)	gates
воспреща́ется	is forbidden
вход	entrance
высо́тный	tall
вы́ставка	exhibition
до́лго	long (time)
достиже́ние	achievement
достопримеча́тельность (ж.)	sight, point of interest
жило́й дом	apartment house
замеча́тельный	remarkable
звезда́ (*pl.* звёзды)	star
иностра́нный	foreign
истори́ческий	historical
исто́рия	history; story
кабине́т	office, study
ка́мень (м.)	rock
ко́локол (*pl.* колокола́)	bell
колоко́льня	bell tower
кре́пость (ж.)	fortress
кру́глый	round
кру́глый год	all year round
культу́рный	cultural
мавзоле́й	mausoleum, tomb
ме́сяц	month
моги́ла	grave
мо́жно	one (you) may (can)
назва́ние	name (*of an inanim. object*)
называ́ется	is called (*inanim.*)
называ́ются	are called (*inanim.*)
наро́д	people (an ethnic group)
наро́дный	people's, national
населе́ние	population
нельзя́	(it) is not allowed; you may not
оруже́йный	weapons (*adj.*)
осма́тривать	to survey, examine, view
осма́тривать достопримеча́тельности	to take in the sights

остáнки (*pl. only*)	remains
óчередь (ж.)	line
палáта	mansion
пáмятник	monument
переводи́ть (II)	to translate
перевожу́, перевóдишь, перевóдят	
позади́ (когó? чегó?)	behind
посещáть (I)	to visit
прави́тельство	government
приблизи́тельно	approximately
простóй	simple
прямо	straight (ahead), direct(ly)
пушка	cannon
револю́ция	revolution
сéрдце	heart
снимáть (I)	to take pictures
совремéнный	contemporary, modern
собóр	cathedral
собóрный	cathedral (*adj.*)
стари́нный	ancient
стенá (*pl.* стéны)	wall
столи́ца	capital
стрóго	strictly
тéло (*pl.* телá)	body
у (когó? чегó?)	next to, by, at, at the home (*or* office) of; "to have"
фотографи́ческий аппарáт	camera
хозя́йство	economy
храм	temple
царь (м.) (*pl.* цари́)	czar
церкóвный	church (*adj.*)
цéрковь (ж.) (*pl.* цéркви)	church

Шестнáдцатый урóк

РАЗГОВÓР: **Пойдём на балéт!**

(У фонтáна около
Худóжественного теáтра)

Ларúса: — Дима! Здравствуй!
  ' Простú меня́! Ты давнó
  ждёшь?

Дмитрий: — Нет, не очень.
  Всегó[1] две минýты.

Ларúса: — А что это за билéты
  у тебя́ здесь, в кармáне
  пиджакá?[2]

(At the fountain near the
Art Theater)

Larissa: Dima! Hello! Forgive me!
Have you been waiting long?

Dmitry: No, not very. Only two
minutes.

Larissa: What sort of tickets do
you have there in your jacket
pocket?

---

[1] **всегó**: только
[2] **Пиджáк** always takes the stress on the ending: пиджакé, пиджакá, etc.

Дми́трий: — Биле́ты на бале́т « Спя́щая краса́вица ».

Лари́са: — Вот э́то здо́рово! Отку́да[3] они́ у тебя́?

Дми́трий: — От знако́мого.[4] Он игра́ет в орке́стре Большо́го теа́тра.

Лари́са: — Ди́ма! Отку́да[3] ты знал, что « Спя́щая краса́вица » мой люби́мый бале́т? Кто бу́дет исполня́ть гла́вную па́ртию?

Дми́трий: — Знамени́тая балери́на Ма́я Плисе́цкая.

Лари́са: — Ах, Плисе́цкая прекра́сно танцу́ет!

Дми́трий: — Зна́ешь что, Ла́ра? Пойдём сейча́с обе́дать в гости́ницу « Москва́ ». Там хоро́ший рестора́н.

Лари́са: — Хорошо́. А по́сле обе́да пойдём сра́зу в Большо́й теа́тр!

Дми́трий: — Ла́дно. От гости́ницы до теа́тра мо́жно идти́ пешко́м. Он нахо́дится совсе́м бли́зко, на пло́щади Свердло́ва.

(В за́ле Большо́го теа́тра: в орке́стре настра́ивают инструме́нты)

Лари́са: — Како́й чу́дный теа́тр!

Дми́трий: — Да, Большо́й теа́тр лу́чший[5] теа́тр о́перы и бале́та в СССР.

Dmitry: Tickets to the ballet *Sleeping Beauty.*

Larissa: Marvelous! Where did you get them?

Dmitry: From an acquaintance. He plays in the orchestra of the Bolshoi Theater.

Larissa: Dima! How did you know that *Sleeping Beauty* is my favorite ballet? Who is going to perform the leading role?

Dmitry: The famous ballerina Maya Plisetskaya.

Larissa: Oh, Plisetskaya dances wonderfully!

Dmitry: Know what, Lara? Let's go now to Hotel Moscow to have dinner. There's a good restaurant there.

Larissa: Fine. And after dinner, let's go immediately to the Bolshoi Theater!

Dmitry: Agreed. From the hotel to the theater one can go on foot. It's located quite nearby, on Sverdlov Square.

(In the hall of the Bolshoi Theater: the orchestra is tuning up)

Larissa: What a marvelous theater!

Dmitry: Yes, the Bolshoi Theater is the best theater of opera and ballet in the U.S.S.R.

---

[3] **отку́да**: from where, how, from what source

[4] **Знако́мый** as an adjective means "familiar"; as a noun it means "acquaintance."

[5] **лу́чший**: самый хоро́ший

Лари́са: — У нас, ка́жется, хоро́шие места́.

Дми́трий: — Да, отсю́да всё ви́дно и слы́шно.

Лари́са: — На како́м инструме́нте игра́ет твой знако́мый?

Дми́трий: — На скри́пке. Он о́чень тала́нтливый молодо́й музыка́нт. Вот он: пе́рвый скрипа́ч нале́во от дирижёра. Ви́дишь?

Лари́са: — Да, ви́жу. Отчего́[6] он...

Дми́трий: — Ти́ше, ти́ше! Э́то после́дний звоно́к![7] Вот дирижёр!

Лари́са: — Ах, я так люблю́ э́ту увертю́ру!

Larissa: We seem to have good seats.

Dmitry: Yes, from here you can see and hear everything!

Larissa: What instrument does your friend play?

Dmitry: The violin. He's a very talented young musician. There he is: the first violinist to the left of the conductor. Do you see?

Larissa: Yes, I see. Why is he...

Dmitry: Sh! That's the last bell. There's the conductor!

Larissa: Oh, I like this overture so much!

(*После спекта́кля*)

Лари́са: — Плисе́цкая чу́дно танцу́ет! Все бы́ли про́сто в восто́рге от неё и во вре́мя антра́кта говори́ли то́лько о ней!

Дми́трий: — Ещё бы! И декора́ции и постано́вка — всё прекра́сно! Зри́тели так аплоди́ровали!

Лари́са: — А тепе́рь пойдём в рестора́н. Я о́чень голодна́!

Дми́трий: — И я то́же голоде́н! А по́сле э́того пойдём обра́тно в гости́ницу. Там на

(*After the performance*)

Larissa: Plisetskaya dances marvelously! Everyone was simply delighted with her and during the intermission talked only of her!

Dmitry: I should say so! And the scenery and entire staging were wonderful! The audience really applauded!

Larissa: And now let's go to a restaurant. I'm very hungry!

Dmitry: I'm hungry, too! And after that let's go back to the hotel. There on the terrace there's al-

---

[6] **отчего́**: почему́
[7] **Звоно́к** has a "fleeting" **о** (*pl.* **звонки́**).

Москвичи большие любители театра.

террáсе всегдá танцýют. Ты любишь танцевáть?	ways dancing. Do you like to dance?
Ларúса: — Люблю. Но я танцýю плохо. Никто не будет аплодúровать.	*Larissa:* Yes, I do. But I dance poorly. No one will applaud!

ТЕКСТ ДЛЯ ЧТЕНИЯ: Теáтры Москвы́

Москвичи́ больши́е люби́тели теáтра, и теáтры Москвы́ вообще́ óчень хорóшие. Самые извéстные драмати́ческие теáтры столи́цы — это Москóвский худóжественный теáтр, Малый теáтр и теáтр и́мени Вахтáнгова. Там стáвят не тóлько пьéсы Чéхова, Пушкина, Гóголя, но тáкже и пьéсы Шекспи́ра, Шиллера, Вольтéра.

В Большóм теáтре стáвят тóлько óперы и балéты. Этот знамени́тый теáтр нахóдится на плóщади Свердлóва, недалекó от Кремля́. В этом теáтре почти́ каждый вéчер идёт и́ли óпера, и́ли балéт. На той сцéне, где раньше танцева́ла Гали́на Ула́нова, тепе́рь танцу́ют Мая Плисе́цкая и други́е изве́стные сове́тские балери́ны и танцо́ры. Там, где до револю́ции главную па́ртию в опере « Бори́с Годуно́в » исполня́л знамени́тый русский бас Фёдор Шаля́пин, тепе́рь пою́т сове́тские арти́сты: Петро́в, Лемешев, Вишне́вская.

Самые изве́стные русские бале́ты — это бале́ты знамени́того композ́итора девятна́дцатого века Петра́ Ильича́ Чайко́вского: « Лебеди́ное озеро », « Спящая краса́вица » и « Щелку́нчик ». « Роме́о и Джулье́тту » и « Золушку » Проко́фьева тоже очень часто ставят не только в Сове́тском Сою́зе, но также и за грани́цей.

Самые изве́стные русские оперы: « Бори́с Годуно́в » Мусоргского, « Евге́ний Оне́гин » и « Пиковая дама » Чайко́вского, « Садко́ » Римского-Корсакова, « Князь Игорь » Бородина́ и « Жизнь за царя́ » Глинки (тепе́рь эта опера называ́ется « Ива́н Суса́нин »).

Около входа в каждый моско́вский теа́тр почти́ всегда́ стои́т больша́я толпа́.

— У вас нет лишнего биле́та?[8] — спрашивают люди у входа, потому́ что биле́ты почти́ всегда́ распро́даны.

Вопро́сы

1. Как называ́ются самые изве́стные теа́тры Москвы́?
2. Где в Москве́ нахо́дится Большо́й теа́тр?
3. Где танцева́ла Гали́на Ула́нова?
4. Кто был Фёдор Шаля́пин?
5. В како́м веке жил Чайко́вский?
6. Как называ́ются самые изве́стные бале́ты Чайко́вского?

ВЫРАЖЕ́НИЯ

1. Вот это здорово!	Marvelous! (Swell!)
2. исполня́ть (главную) партию	to perform a (leading) role
3. Пойдём(те) обе́дать!	Let's go eat (have dinner)!
4. Ладно.	Agreed. O.K.
5. от (кого? чего?) до (кого? чего?)	from...to...

---

[8] **У вас нет лишнего биле́та?** When Russians ask this question, they fully expect to pay for the ticket, should you have one to spare.

6. бли́зко от (кого́? чего́?)	close to…
7. В орке́стре настра́ивают инструме́нты.	The orchestra is tuning up.
8. Отсю́да всё ви́дно и слы́шно.	From here you (one) can see and hear everything.
9. игра́ть на инструме́нте	to play an instrument
10. быть в восто́рге от (кого́? чего́?)	to be delighted with…
11. во вре́мя (чего́?)	during…
12. Ещё бы!	I should say so! I'll say!
13. Я (ты, он) го́лоден.	I (you, he) am (are, is) hungry.
Я (ты, она́) голодна́.	I (you, she) am (are, is) hungry.
Оно́ го́лодно.	It is hungry.
Мы (вы, они́) го́лодны.	We (you, they) are hungry.
14. по́сле э́того	after that
15. недалеко́ от (кого́? чего́?)	not far from…
16. У вас нет ли́шнего биле́та?	You don't have a spare ticket, do you?
17. Биле́ты распро́даны.	Tickets are sold out.

ПРИМЕЧА́НИЯ

1. Моско́вские теа́тры

a. Моско́вский худо́жественный теа́тр
b. Ма́лый теа́тр
c. теа́тр и́мени Вахта́нгова
d. Большо́й теа́тр
e. Моско́вская консервато́рия

2. Русские балери́ны и танцо́ры

a. Анна Павлова
b. Гали́на Ула́нова
c. Мая Плисе́цкая
d. Алла Сизова
e. Юрий Соловьёв
f. Рудо́льф Нуре́ев

3. Русские певцы́ и певи́цы

a. Фёдор Шаля́пин (бас)

b. Сергéй Лемешев (тенор)

c. Ивáн Петрóв (бас)

d. Галúна Вишнéвская (сопрáно)

e. Ларúса Авдéева (контрáльто)

4. **Русские композúторы**

a. Михаúл Ивáнович Глинка (1804–57)

b. Алексáндр Порфúрьевич Бородúн (1833–87)

c. Модéст Петрóвич Мусоргский (1839–81)

d. Пётр Ильúч Чайкóвский (1840–93)

e. Николáй Андрéевич Римский-Кóрсаков (1844–1908)

f. Сергéй Сергéевич Прокóфьев (1891–1953)

g. Дмитрий Дмитриевич Шостакóвич (1906–   )

h. Алексáндр Николáевич Скрябин (1872–1915)

5. **Балéты**

a. « Лебедúное озеро »   (*Swan Lake*) ⎫
b. « Спящая красáвица »   (*Sleeping Beauty* ⎬ Чайкóвского
c. « Щелкýнчик »   (*The Nutcracker*) ⎭
d. « Золушка »   (*Cinderella*) ⎫ Прокóфьева
e. « Ромéо и Джульéтта » (*Romeo and Juliet*)⎭

6. **Оперы**

a. « Борúс Годунóв »   (*Boris Godunov*)   Мусоргского
b. « Жизнь за царя́ »   (*A Life for the Czar* or   Глинки
(« Ивáн Сусáнин »)   *Ivan Susanin*)
c. « Князь Игорь »   (*Prince Igor*)   Бородинá
d. « Садкó »   (*Sadko*)   Римского-Кóрсакова
e. « Евгéний Онéгин » (*Eugene Onegin*) ⎫ Чайкóвского
f. « Пиковая дама »   (*The Queen of Spades*)⎭

ДОПОЛНÚТЕЛЬНЫЙ МАТЕРИÁЛ

Музыкáльные инструмéнты

The following names of musical instruments are given for your general information and are not included in the vocabulary of this lesson. "To play an instrument" is in Russian **игрáть на...** with the instrument in the prepositional case: **На какóм инструмéнте вы игрáете?**

Я игрáю на...

piano	пианѝно	пианѝно
grand piano	роя́ль (м.)	роя́ле[9]
violin	скрипка	скрипке
viola	альт	альтé
cello	виолончéль (ж.)	виолончéли
string bass	стрýнный бас	стрýнном басе
harp	арфа	арфе
organ	оргáн	оргáне
french horn	валтóрна	валтóрне
trumpet	трубá	трубé
trombone	тромбóн	тромбóне
tuba	басóвая трубá	басóвой трубé
clarinet	кларнéт	кларнéте
flute	флейта	флейте
bassoon	фагóт	фагóте
drum	барабáн	барабáне

УПРАЖНÉНИЯ

A. Слéдуйте данным примéрам:

> *Примéр:* What a marvelous theater! **Какóй чýдный теáтр!**

1. What a marvelous library!
2. What a big lake!
3. What a beautiful university!
4. What tall buildings!
5. What interesting churches!

> *Примéр:* He is very hungry! **Он óчень гóлоден!**

1. Are you (**вы**) very hungry?
2. My sister says she is very hungry.
3. These children say they are very hungry.
4. It seems to me that she is very hungry!
5. We're very hungry. Let's go eat!

---

[9] "To play the piano" is usually expressed **игрáть на роя́ле**.

Пример: After that let's go back   **После этого пойдёмте**
                to the hotel!   **обра́тно в гости́ницу!**

1. After that let's go back to the theater!
2. After that let's go back to the conservatory!
3. After that let's go back to the ballet!
4. After that let's go back to the post office!
5. After that let's go back to class!
6. After that let's go back home.

Пример: Everyone was delighted   **Все бы́ли в восто́рге от**
                with Plisetskaya!   **Плисе́цкой!**

1. Everyone was delighted with Shalyapin!
2. Everyone was delighted with that ballet!
3. Everyone was delighted with that opera!
4. Everyone was delighted with the concert!
5. Everyone was delighted with that young Soviet violinist!

Пример: See you Monday!   **До понеде́льника!**

1. See you Tuesday!
2. See you Wednesday!
3. See you Thursday (*stress the last syllable*)!
4. See you Friday!
5. See you Saturday!
6. See you Sunday!
7. See you at the concert!
8. See you at the exam!
9. Good-by![10]

Пример: It seems we have good   **У нас, ка́жется,**
                seats!   **хоро́шие места́!**

1. It seems they have good seats!
2. It seems you (**вы**) have good seats!
3. It seems I have a good seat!
4. It seems you (**ты**) have a good seat!
5. It seems he has a good seat!
6. It seems she has a good seat!

---

[10] And "See you tomorrow!" is **До за́втра!**

B. Translate the word in parentheses; then replace the indicated words with the words which follow. Be sure to make the necessary change in case:

1. (After) **балéта** пойдёмте **в ресторáн!**
   a. _____ обéд _____ библиотéка!
   b. _____ лекция _____ дом!
   c. _____ собрáние _____ музéй!
   d. _____ спектáкль _____ парк!
   e. _____ экзáмен _____ церковь!

2. Мы живём (near) **почты.**
   a. _____ библиотéка.
   b. _____ школа.
   c. _____ церковь.
   d. _____ озеро.
   e. _____ море.

3. Почемý он идёт тудá (without) **сына?**
   a. _____ профéссор Панин?
   b. _____ учитель?
   c. _____ Сергéй Ивáнович?
   d. _____ женá?
   e. _____ дочь?
   f. _____ Ольга?

4. У **меня** есть книга (for) **Варвáры Павловны.**
   a. _____ он _____ Татьяна Михáйловна.
   b. _____ мы _____ Мария Николáевна.
   c. _____ онá _____ этот адвокáт.
   d. _____ они _____ эта девушка.
   e. _____ вы _____ этот америкáнец.

5. Это письмó (from) **моегó отцá.**
   a. _____ мой брат.
   b. _____ моя сестрá.
   c. _____ моя мать.

6. **Он**, навéрно, будет здесь (until) **утрá.**
   a. Онá _____ вечер.
   b. Они _____ понедéльник.
   c. Вы _____ вторник.

d. Ты _____ четве́рг.

e. Мы _____ среда́.

f. Я   _____ воскресе́нье.

7. Авто́бус идёт (past) **нового вокза́ла**.

a. _____ Ма́лый теа́тр.

b. _____ Моско́вская консервато́рия.

c. _____ но́вый жило́й дом.

d. _____ храм Васи́лия Блаже́нного.

8. **Она́** жила́ (close to) **нашей шко́лы**.

a. Он   _____ наш го́род.

b. Мы _____ ваш дом.

c. Они́ _____ Кра́сная пло́щадь.

d. Я   _____ Каспи́йское мо́ре.

9. Отсю́да (to) **Арха́нгельского собо́ра** дово́льно далеко́.

a. _____ Госуда́рственный универса́льный магази́н.

b. _____ Кра́сная пло́щадь.

c. _____ Мавзоле́й Ленина.

d. _____ ваш автомоби́ль.

e. _____ ва́ша гости́ница.

10. (Around) **теа́тра** стои́т больша́я толпа́.

a. _____ собо́р.

b. _____ мой автомоби́ль.

c. _____ э́тот америка́нский тури́ст.

11. (During) **антра́кта** они́ говори́ли то́лько о **ней**.

a. _____ спекта́кль _____ я.

b. _____ война́ _____ мир.

c. _____ уро́к _____ профе́ссор.

12. Э́то — **Парк** (named for) **Го́рького**.

a. _____ университе́т _____ Ломоно́сов.

b. _____ стадио́н _____ Ленин.

c. _____ заво́д _____ Сталин.

d. _____ теа́тр _____ Станисла́вский.

13. Вчера́ все бы́ли на уро́ке (except) **меня́**.

a. _____ ты.

b. _____ он.

c. _____ она́.
d. _____ мы.
e. _____ вы.
f. _____ они́.

14. Наша гости́ница стои́т (opposite) **теа́тра**.
a. _____ больша́я библиоте́ка.
b. _____ ма́ленький па́мятник.
c. _____ ста́рое общежи́тие.

C. Construct the sentence "From the... I go to..." using the words in parentheses as in the example:

Приме́р: (галере́я — шко́ла) **Из галере́и я иду́ в шко́лу.**

1. (шко́ла — теа́тр)
2. (теа́тр — библиоте́ка)
3. (библиоте́ка — музе́й)
4. (музе́й — це́рковь)
5. (це́рковь — дом)

Приме́р: (конце́рт — по́чта) **С конце́рта мы идём на по́чту.**

1. (по́чта — пло́щадь)
2. (пло́щадь — ле́кция)
3. (ле́кция — собра́ние)
4. (собра́ние — рабо́та)
5. (рабо́та — бале́т)
6. (бале́т — спорти́вная встреча)
7. (спорти́вная встреча — дом)

D. Construct the sentences "We were at ...'s (home)" and "From ...'s place we are going home" as in the example:

Приме́р: (Никола́й Петро́вич) **Мы бы́ли у Никола́я Петро́вича. От Никола́я Петро́вича мы идём домо́й.**

1. (врач)
2. (Бори́с Фёдорович)
3. (Ната́ша Жуко́вская)

E. Complete the sentence by putting the phrases which follow in the correct case:

Мы рабо́таем на фа́брике недалеко́ от... (э́тот большо́й парк).
(э́та но́вая шко́ла).
(э́то краси́вое о́зеро).

F. Complete each sentence by translating the words in parentheses:

1. Я всегда́ рабо́таю (from morning till evening).
2. К сожале́нию, у на́шего до́ма (no garage).
3. Он бу́дет рабо́тать здесь то́лько (until Monday).
4. Наш авто́бус идёт (past the lake).
5. Она́ жила́ (near the river).
6. Позавчера́ мы бы́ли (at the doctor's).
7. Колхо́зник шёл домо́й (from work).
8. У меня́ бы́ло письмо́ (for sister).
9. (After the lesson) они́ рабо́тали до́ма.
10. Мы до́лго жи́ли (far from town).
11. ГУМ нахо́дится (to the left of St. Basil's Cathedral).
12. Наш гара́ж нахо́дится (to the right of the house).
13. Мы не мо́жем жить (without Russian grammar)!
14. Учи́тель стои́т (at the window).
15. (Along the street) стоя́т автомоби́ли.
16. Почему́ э́ти лю́ди стоя́т (around that big car)?
17. Э́то бы́ло (during the war).
18. Никто́ не говори́л (during the performance).
19. Все бы́ли в восто́рге (with the ballet).
20. Все хотя́т рабо́тать (except this young man).
21. (Behind us) Истори́ческий музе́й, а (before us) храм Васи́лия Бла-
    же́нного.

G. Give the correct form of the Russian pronouns:

1. Он идёт ми́мо (me).
2. Она́ сиди́т о́коло (us).
3. Он не мо́жет жить без (you—*familiar singular*).
4. У него́ есть кни́га для (you—*formal*).
5. Она́ сиде́ла недалеко́ от (him).
6. Вы там бу́дете сиде́ть напра́во от (her).
7. Он идёт от (them) домо́й.

H. Translate into Russian. Remember that the Russians have more than one word for the English word "from":

1. Ivan has a letter from Boris from Leningrad.
2. Tamara has a letter from Anna from Pinsk.
3. Aleksei has a letter from the teacher from the Soviet Union.
4. The student has a letter from Aunt Tanya from Moscow.
5. I have a long letter from my mother from the Caucasus.

I. Change to the negative. Do this exercise orally and watch the stressed syllables.

1. У меня́ был биле́т.
2. У отца́ был автомоби́ль.
3. У Тама́ры была́ газе́та.
4. У него́ было письмо́.
5. В этой ко́мнате есть стол.
6. На столе́ — слова́рь.
7. Там есть гара́ж.
8. У меня́ есть но́вый пиджа́к.
9. Сего́дня — дождь.
10. Здесь есть врач.
11. Я люблю́ испа́нский язы́к.
12. В Москве́ мы ви́дели Кремль.
13. У ученика́ есть каранда́ш.
14. У Ива́на есть оте́ц.
15. Мы слы́шали звоно́к.

J. Fill in the adjective endings. Watch the case!

1. После́дн_____ дом на этой у́лице — наш.
2. Мы не ви́дели после́дн_____ до́ма на этой у́лице.
3. Он живёт в после́дн_____ до́ме на этой у́лице.
4. Я о́чень люблю́ после́дн_____ дом на этой у́лице.
5. Это — после́дн_____ поэ́ма этого поэ́та.
6. Назва́ние после́дн_____ поэ́мы этого поэ́та « Ро́дина ».
7. Наш профе́ссор сего́дня чита́л ле́кцию о после́дн_____ поэ́ме этого поэ́та.
8. Они́ сейча́с чита́ют после́дн_____ поэ́му этого поэ́та.
9. После́дн_____ зда́ние на этой у́лице — на́ша фа́брика.

10. Около послѐдн_____ здания на этой улице стои́т большо́й памятник.

11. Кино́ в послѐдн_____ зда́нии на этой улице.

12. Иди́те в послѐдн_____ зда́ние на этой улице!

K. Give the **я, ты** and **они́** forms of the verbs in the present and future tenses; the **он, она́** and **они́** forms in the past. Indicate the stressed syllables.

1. _____ гро́мко аплоди́ровать.

2. _____ танцева́ть на терра́се.

3. _____ ждать около вхо́да в теа́тр.

4. _____ обе́дать в хоро́шем рестора́не.

5. _____ осма́тривать достопримеча́тельности столи́цы.

L. Give the past and future:

Сего́дня утром	**Вчера́ после обе́да**	**За́втра вечером**
1. Сего́дня утром я дома.	_____	_____
2. Сего́дня утром он на уро́ке.	_____	_____
3. Сего́дня утром она́ на лекции.	_____	_____
4. Сего́дня утром они́ в Кремле́.	_____	_____

M. Give the past and future:

1. Мне ну́жен каранда́ш.

2. Тебе́ нужна́ по́мощь?

3. Ему́ ну́жно ра́дио.

4. Ей нужны́ де́ньги.

5. Нам на́до рабо́тать!

6. У меня́ есть автомоби́ль.

7. У меня́ хоро́шая кварти́ра.

8. У меня́ здесь нет дру́га.

9. У него́ нет учи́тельницы.

10. У неё нет биле́та.

N. Complete each sentence with the correct Russian word for "a long time" (**давно́** or **до́лго**). Translate each sentence:

1. Я здесь _____ жду Ива́на.

2. Я её _____ ждал(а́).

3. Я зна́ю, что мне на́до бу́дет там _____ ждать, но э́то всё равно́.
4. Вы _____ живёте в Калифо́рнии?
5. Вы _____ жи́ли в Евро́пе?
6. Вы бу́дете _____ жить в Нью-Йо́рке?
7. Он рабо́тает здесь о́чень _____.
8. Он та́кже _____ рабо́тал на ю́ге.
9. Он, наве́рно, бу́дет _____ рабо́тать на се́вере.

Вопро́сы

1. Како́й уро́к мы у́чим сего́дня?
2. Како́й сего́дня день неде́ли?
3. Како́е сего́дня число́ (*including the month*)?
4. Кака́я сего́дня пого́да?
5. Како́й день неде́ли был вчера́? А позавчера́?
6. Како́е число́ бы́ло вчера́?
7. Како́й день неде́ли бу́дет за́втра? А послеза́втра?
8. Како́е число́ бу́дет за́втра?
9. В ва́шем го́роде есть консервато́рия?
10. Вы живёте далеко́ от столи́цы ва́шей страны́?
11. Вы живёте бли́зко от океа́на?
12. Вы живёте о́коло мо́ря и́ли о́зера?
13. Куда́ вы идёте сего́дня по́сле уро́ка ру́сского языка́?
14. Что вы бу́дете там де́лать?
15. Вы предпочита́ете переводи́ть с ру́сского на англи́йский и́ли с англи́йского на ру́сский?
16. Что вы бо́льше лю́бите: бале́т и́ли о́перу?
17. Како́й ваш люби́мый бале́т?
18. Вы игра́ете на музыка́льном инструме́нте?
19. На како́м инструме́нте вы игра́ете?
20. Ско́лько вре́мени вы игра́ете на э́том инструме́нте?
21. Вы игра́ете в орке́стре и́ли в джаз-ба́нде?
22. Вы лю́бите му́зыку Проко́фьева?
23. Вы лю́бите танцева́ть?
24. Вы хорошо́ танцу́ете?

Перево́д с англи́йского на ру́сский

1. In the Soviet Union, almost everyone likes ballet, opera, and music in general.

2. The Ballet of the Bolshoi Theater is undoubtedly the best ballet in the world.
3. The great Russian ballerina Anna Pavlova did not dance in the Bolshoi Theater but in the Mariinsky (**Мариинский**) Theater (**танцевáла не в..., а в...**) in Petersburg (**Петербýрг**).
4. Petersburg is now called Leningrad.
5. After the revolution, Anna Pavlova lived in England.
6. She often performed the leading role in *Swan Lake* by Tchaikovsky.
7. Today in *The Nutcracker* Maya Plisetskaya will perform the leading role.
8. I saw her in *Sleeping Beauty* last night at the Bolshoi Theater.
9. She danced marvelously, as always.
10. After the performance we were hungry.
11. My friends (acquaintances) play in the orchestra of the Bolshoi Theater.
12. They think that the "Caucasus" is a good restaurant.
13. I usually have dinner in a little restaurant near the Park of Culture and Rest, but they didn't want to eat there.
14. During dinner we talked about music.
15. My friends were in the U.S.A. during the war.

ГРАММА́ТИКА

The Genitive Case (**Когó? Чегó?**) *with Prepositions*

Objects of the following prepositions are always in the *genitive case*:

без	without
вместо	instead of
во врéмя	during
вокрýг	around
для	for
до	until, as far as, up to, up until, before
мимо	past, by
около	near
после	after
у	at, next to, at the home (*or* office) of; used also in the Russian expression for " to have "
кроме	besides, except
против	against
напрóтив	opposite

вдоль	along
позади́	to the rear of, behind
впереди́	ahead of, before

Note the following sentences:

Я не могу́ жить **без Ни́ны**.

Вот письмо́ **для Бори́са**.

Э́то интере́сный текст **для чте́ния**.

Мы бу́дем рабо́тать там **до четверга́**.

Авто́бус идёт **ми́мо теа́тра**.

Мы живём **о́коло шко́лы**.

Пойдёмте в кино́ **по́сле обе́да**!

Учи́тель стои́т **у окна́**.

Мы бы́ли вчера́ **у Ива́на**.

Все бы́ли там **кро́ме Бори́са**.

Они́ все **про́тив Серге́я**.

Наш дом стои́т **напро́тив теа́тра**.

Вдоль у́лицы стоя́т автомоби́ли.

Позади́ нас Истори́ческий музе́й.

Впереди́ нас Кремль.

The *genitive case* is also used after the following prepositions:

1. **из** *from* (also, *out of*) is used with places that require the preposition **в** (*in, to*):

   Он идёт **в шко́лу**.

   Он сейча́с **в шко́ле**.

   Из шко́лы он идёт домо́й.

2. **с** *from* (also, *off of*) is used with places that require the preposition **на** (*to, on, at*):

   Он идёт **на стадио́н**.

   Он сейча́с **на стадио́не**.

   С стадио́на он идёт домо́й.

3. **от** *from* is used when the object of the preposition is a person (see also the next section):

   Он был **у Ива́на**.

   От Ива́на он идёт домо́й.

   У меня́ есть письмо́ **от Ива́на** из Москвы́!

4. In the following expressions, **от** is used with *both persons and things*:

от...до...	from...to... (the distance between two points)
отсюда до...	from here to...
далеко́ от	far from
недалеко́ от	not far from
нале́во от	to the left of
напра́во от	to the right of
в восто́рге от	delighted with

To translate "from...into..." is expressed in Russian with the prepositions **с... на...**:

Я перевожу́ **с** русск**ого на** англи́йск**ий**.

Это — перево́д **с** англи́йск**ого на** русск**ий**.

"From morning till evening" is, in Russian, **с утра́ до ве́чера**.

The Future and Past Tenses of the Expressions for To Need *and* To Have

In the Russian expressions for "to need" and "to have," that which is needed (or had) is the subject. Therefore, that word determines the form of **быть** to be used in the past and future tenses. **Был** (etc.) and **бу́дет** (etc.) *replace* **есть**:

Present	*Past*
Мне ну́жен **каранда́ш**.	Мне ну́жен **был** каранда́ш.
Мне нужна́ **кни́га**.	Мне нужна́ **была́** кни́га.
Мне нужны́ **очки́**.	Мне нужны́ **бы́ли** очки́.
У меня́ есть **дом**.	У меня́ **был** дом.
У меня́ есть **ка́рта**.	У меня́ **была́** ка́рта.
У меня́ есть **де́ньги**.	У меня́ **бы́ли** де́ньги.

Future

Мне ну́жен **бу́дет** каранда́ш.

Мне нужна́ **бу́дет** кни́га.

Мне нужны́ **бу́дут** очки́.

У меня́ **бу́дет** дом.

У меня́ **бу́дет** ка́рта.

У меня́ **бу́дут** де́ньги.

When the word that would normally be the subject of the « **у меня**... » construction is in the genetive case, **было** and **будет** are used. Note that **нет** (**не́ было, не будет**) *replaces* **есть**:

Present	*Past*
У меня́ нет дома.	У меня́ не́ было дома.
У меня́ нет ручки.	У меня́ не́ было ручки.
Здесь нет словаря́.	Здесь не́ было словаря́.

Future

У меня́ не будет дома.

У меня́ не будет ручки.

Здесь не будет словаря́.

Verbs That End in **-овать** *or* **-евать**

To form the *present tense* of verbs that end in **-овать**, drop that ending completely, then add **-у-** and normal Class I verb endings. Verbs that end in **-евать** are conjugated in essentially the same way, but they add **-ю-** instead of **-у-**. A classic exception to this rule is the verb **танцева́ть** which must add **-у-** (Spelling Rule 2). Verbs of this type are always regular in the past (and, of course, the future):

	аплоди́р	**овать**		**танц**	**ева́ть**	*Past*
я	аплоди́р	ую	я	танц	у́ю	танцева́л
ты	аплоди́р	уешь	ты	танц	у́ешь	танцева́ла
он	аплоди́р	ует	он	танц	у́ет	(танцева́ло)
мы	аплоди́р	уем	мы	танц	у́ем	танцева́ли
вы	аплоди́р	уете	вы	танц	у́ете	*Future*
они́	аплоди́р	уют	они́	танц	у́ют	я буду (etc.)
						танцева́ть

Do not confuse these verbs with those that end in **-авать**:

	да	**ва́ть**
я	да	ю́
ты	да	ёшь
он	да	ёт
мы	да	ём
вы	да	ёте
они́	да	ю́т

"Soft" Adjectives

A relatively small group of adjectives, commonly called "soft" adjectives, takes endings which are basically the same as those of any other adjective, but the first vowel of each ending is replaced as follows:

		Masculine	*Feminine*	*Neuter*
а → я	*Nom.*	послѣдн **ий**	послѣдн **яя**	послѣдн **ее**
ы → и	*Gen.*	послѣдн **его**	послѣдн **ей**	послѣдн **его**
о → е	*Acc.*	⎧послѣдн **его** ⎨послѣдн **ий**	послѣдн **юю**	послѣдн **ее**
у → ю	*Prep.*	послѣдн **ем**	послѣдн **ей**	послѣдн **ем**

Two "soft" adjectives are used in this lesson; they are **послѣдний** and **лишний**. In vocabularies, "soft" adjectives will be listed thus:

послѣдний, -яя, -ее, -ие
лишний, -яя, -ее, -ие

Долго, давно́

Both **долго** and **давно́** can mean "a long time." The difference is that **долго** is used to denote a long period of time which has (had, or will have) a beginning and an end, while **давно́** is used when the action began in the past and continues in the present (in which case the present perfect is used in English). **Давно́** also means "a long time ago."

Он **долго** рабо́тал на заво́де.	He worked at the factory a long time.
Он **долго** бу́дет рабо́тать на заво́де.	He will work at the factory a long time.
Он **давно́** рабо́тает на заво́де.	He has worked at the factory a long time (and still works there).
Он рабо́тал там **давно́**.	He worked there a long time ago.

СЛОВА́РЬ

антра́кт	intermission
аплоди́ровать (I)	to applaud
аплоди́рую, -уешь, -уют	

балери́на	ballerina
без (кого? чего?)	without
биле́т	ticket
бы́вшее, -ая, -ое, -ие	former
вдоль (кого? чего?)	along
во вре́мя (кого? чего?)	during
вокру́г (кого? чего?)	around
восто́рг	delight
в восто́рге от (кого? чего?)	delighted with
впереди́ (кого? чего?)	ahead of, before
го́лоден, голодна́, го́лодно, го́лодны	hungry (*short adj.*11)
декора́ция	decoration
декора́ции	scenery
дприжёр	director
для (кого? чего?)	(intended) for
до (кого? чего?)	until, as far as, up to, up until, before
драмати́ческий	dramatic
за́ла	hall
за грани́цей	abroad
звоно́к (*pl.* звонки́)	bell
здо́рово	marvelous (swell!)
знако́мый, -ая, -ое, -ые	familiar (*adj.*); acquaintance, friend (*noun*)
зри́тель (м.)	spectators, audience
из (кого? чего?)	from, out of
и́мени (кого? чего?)	named for
инструме́нт	instrument
исполня́ть (I)	to perform
исполня́ть па́ртию	to perform a role, part
карма́н	pocket
кро́ме (кого? чего?)	except, besides
ла́дно	agreed
ли́шний, -яя, -ее, -ие	spare, extra, superfluous
люби́тель (м.)	lover, amateur
ме́сто (*pl.* места́)	place, seat
ми́мо (кого? чего?)	past, by
музыка́нт	musician
настра́ивать (I)	to tune
настра́ивать инструме́нты	to tune instruments
обе́д	dinner
обе́дать (I)	to eat dinner
обра́тно	back (*adv.*)
о́коло (кого? чего?)	near
орке́стр	orchestra
от (кого? чего?)	from

11 Refer to lesson 11.

откýда	from where
пиджáк (*pl.* пиджакú)	jacket
позадú (когó? чегó?)	to the rear of, behind
пóсле (когó? чегó?)	after
послéдний, -яя, -ее, -ие	last, latest
постанóвка	staging
прекрáсно	wonderful (*adv.*)
прекрáсный	wonderful (*adj.*)
прóтив (когó? чегó?)	against, opposite
скрипáч (*pl.* скрипачú)	violinist
скрúпка	violin
спектáкль (м.)	performance, spectacle
срáзу	immediately
стáвить (II)	to place, put on, present, stage
ставлю, ставишь, ставят	
сцéна	stage
талáнтливый	talented
танцевáть (I)	to dance
танцýю, -ýешь, -ýют	
танцóр	dancer (male)
террáса	terrace
толпá	crowd
у (когó? чегó?)	at, next to, at the home (*or* office) of, "have"
фонтáн	fountain
худóжественный	art (*adj.*)
чýдно	marvelous(ly)
чýдный	marvelous (*adj.*)

Семна́дцатый уро́к

РАЗГОВО́Р: **В универма́ге**

Покупа́тель: — Мне нужна́ мехова́я ша́пка. Ско́лько сто́ит вот э́та, чёрная?

Продавщи́ца: — Она́ дово́льно дорога́я: 21 рубль.

Покупа́тель: — Ой! Э́то сли́шком до́рого!

Продавщи́ца: — Как вам нра́вится кори́чневая ша́пка нале́во от чёрной? Она́ дешёвая: сто́ит то́лько 12 рубле́й.

Customer: I need a fur cap. How much is that black one there?

Saleslady: It's rather expensive: 21 rubles.

Customer: Oh! That's too expensive!

Saleslady: How do you like the brown cap to the left of the black one? It's cheap; it costs only 12 rubles.

303

Покупа́тель: — Это действи́тельно дёшево! Покажи́те мне кори́чневую, пожа́луйста.

Продавщи́ца: — Она́ вам очень к лицу́!

Покупа́тель: — Да, и она́ мне нра́вится, но жене́ не нра́вится кори́чневый цвет.

Продавщи́ца: — Это, коне́чно, не моё де́ло, но ведь не ва́ша жена́ бу́дет носи́ть эту ша́пку, а *вы*.

Покупа́тель: — Прости́те, я покупа́ю эту ша́пку не для себя́. Это бу́дет пода́рок на́шему мла́дшему сы́ну Бори́су. За́втра бу́дет его́ день рожде́ния.

Продавщи́ца: — Не хоти́те ли вы сказа́ть: его́ имени́ны?

Покупа́тель: — Нет, не имени́ны, а день рожде́ния. Его́ имени́ны в ма́е.

Продавщи́ца: — Ну поздравля́ю! Ско́лько лет бу́дет ва́шему сы́ну?

Покупа́тель: — Бори́су бу́дет 17 лет. Кро́ме Бори́са, у нас есть ещё сын и дочь.

Продавщи́ца: — А ско́лько им лет?

Покупа́тель: — Ста́ршему сы́ну Андре́ю 21 год, а до́чери Та́не то́лько 4 го́да.

Продавщи́ца: — А ско́лько лет ва́шей жене́?

Покупа́тель: — Извини́те, но это её секре́т!

Customer: That really is cheap! Show me the brown one, please.

Saleslady: It looks very nice on you!

Customer: Yes, and I like it, but my wife doesn't like brown.

Saleslady: Of course, it's none of my business, but after all your wife isn't the one who is going to wear this cap; *you* are.

Customer: Pardon me, I'm not buying this cap for myself. It's going to be a present for our younger son, Boris. Tomorrow will be his birthday.

Saleslady: Don't you mean to say his "name day"?

Customer: No, not his name day, his birthday. His name day is in May.

Saleslady: Well, congratulations! How old will your son be?

Customer: Boris will be 17. In addition to Boris, we have another son and a daughter.

Saleslady: And how old are they?

Customer: Our older son Andrei is 21, and our daughter, Tanya, is only four.

Saleslady: And how old is your wife?

Customer: Excuse me, but that is her secret!

В ГУМе продают почти всё.

ТЕКСТЫ ДЛЯ ЧТЕНИЯ

Универма́г

Госуда́рственный универса́льный магази́н (ГУМ) нахо́дится в центре Москвы́, на Кра́сной пло́щади. Бы́вшее (дореволюцио́нное) назва́ние ГУМа — « Ве́рхние торго́вые ряды́ ».[1] Этот огро́мный магази́н постро́или[2] до коммунисти́ческой револю́ции на том же ме́сте, где ра́ньше был стари́нный моско́вский ры́нок.

« ГУМ » — это назва́ние да́нного магази́на, а вообще́ тако́й магази́н называ́ется « универма́г ». В СССР есть та́кже ла́вки. « Ла́вка » — это о́чень ма́ленький магази́н (по-англи́йски *shop*). В универма́ге продаю́т ра́зные ве́щи, напри́мер: ме́бель, бельё, ку́хонную посу́ду, о́бувь, оде́жду, спортто́вары, а та́кже и канцеля́рские това́ры, т. е.:[3] тетра́ди, ру́чки, карандаши́, бума́гу, рези́нки, черни́ла,[4] — там продаю́т, одни́м сло́вом, почти́ всё.

---

[1] **Ве́рхние торго́вые ряды́**: Superior Shopping Center

[2] **постро́или**: was built

[3] **т.е. (то́ есть)**: i.e. (that is to say)

[4] **Черни́ла** is always plural.

Анна Васи́льевна покупа́ет бра́ту пода́рок ко дню рожде́ния

За́втра бу́дет день рожде́ния бра́та А́нны Васи́льевны. Поэ́тому она́ сего́дня идёт в универма́г, подхо́дит к молодо́му продавцу́ и говори́т ему́:

— Това́рищ продаве́ц, бу́дьте добры́, покажи́те мне си́нюю руба́шку.

Продаве́ц отвеча́ет, что отде́л гото́вого пла́тья нахо́дится не на пе́рвом, а на второ́м этаже́,[5] и что в э́том зда́нии ли́фта, к сожале́нию, нет : на́до поднима́ться и спуска́ться по ле́стнице. А́нна Васи́льевна поднима́ется на второ́й эта́ж. В отде́ле гото́вого пла́тья она́ спра́шивает де́вушку:

— Ско́лько сто́ит э́та си́няя руба́шка? Мне ну́жен пода́рок для бра́та.

— Како́й его́ разме́р? — спра́шивает де́вушка.

— Е́сли не ошиба́юсь, пятидеся́тый. Он дово́льно большо́й.

Продавщи́ца говори́т, что руба́шка э́того разме́ра сто́ит 12 рубле́й 50 копе́ек. А́нне Васи́льевне ка́жется, что э́то сли́шком до́рого, но она́ говори́т:

— Э́то, коне́чно, недо́рого, но моему́ бра́ту не о́чень нра́вится си́ний цвет. Нет ли у вас руба́шки се́рого цве́та?

— Се́рого, к сожале́нию, у нас нет. А скажи́те, пожа́луйста, ско́лько лет ва́шему бра́ту?

— Ему́ 19 лет.

— Наступа́ет зима́. Ва́шему бра́ту, наве́рно, ну́жно бу́дет хоро́шее пальто́ и́ли, мо́жет быть, плащ. У нас, ме́жду про́чим, о́чень хоро́шие плащи́.

— По-мо́ему, у него́ уже́ есть плащ. Подожди́те! Покажи́те, пожа́луйста, га́лстуки. Вот э́ти: лило́вый, жёлтый и кра́сный! Таки́е га́лстуки ему́ о́чень к лицу́. Я почти́ ка́ждый год дарю́ и бра́ту, и му́жу, и отцу́ га́лстуки, а они́ их почему́-то не но́сят. Ско́лько сто́ят э́ти га́лстуки?

— Они́ сто́ят 2 рубля́ 20 копе́ек шту́ка, но у нас есть и за 5 рубле́й...

— Ничего́, пока́ э́то бу́дет всё, спаси́бо. До свида́ния.

По́сле э́того А́нна Васи́льевна спуска́ется на пе́рвый эта́ж и идёт в

---

[5] **Эта́ж** is always used with preposition **на** (not **в**).

друго́й магази́н, где она́ покупа́ет ю́бку, шля́пу, су́мку, пла́тье, ту́фли, перча́тки и хоро́ший лёгкий чемода́н для себя́, и тогда́ идёт отту́да домо́й.

Вопро́сы

1. Как называ́ются « Ве́рхние торго́вые ряды́ » тепе́рь ?
2. Что ра́ньше бы́ло на том ме́сте, где тепе́рь стои́т ГУМ ?
3. Как бу́дет *department store* по-ру́сски ?
4. Что тако́е « ла́вка » ?
5. Что продаю́т в универма́ге ?
6. В како́м отде́ле продаю́т оде́жду ?
7. Почему́ А́нна Васи́льевна покупа́ет бра́ту пода́рок ?
8. Что да́рит А́нна Васи́льевна бра́ту, му́жу и отцу́ ка́ждый год ?
9. Что покупа́ет А́нна Васи́льевна для себя́ ?
10. Куда́ она́ идёт по́сле э́того ?

ВЫРАЖЕ́НИЯ

1. Ско́лько ⎰сто́ит э́тот (э́та, э́то)… ⎱сто́ят э́ти…	How much ⎰does this…⎱ ⎰do these…⎱ cost?	
2. Э́то не моё де́ло.	It's none of my business.	
3. Не хоти́те ли вы сказа́ть…?	Don't you mean to say…?	
4. Поздравля́ю!	Congratulations!	
5. на том же ме́сте	on the very same place (spot)	
6. одни́м сло́вом	in a word	
7. пода́рок ко дню рожде́ния	a birthday present	
8. Бу́дьте добры́, ⎰покажи́те… ⎱скажи́те…	Be so kind as to ⎰show me… ⎱tell me…	
9. Како́й его́ разме́р ?	What is his size?	
10. Нет ли у вас (genitive) ?	You don't happen to have…, do you?	
11. Наступа́ет зима́.	Winter is approaching.	
12. По-мо́ему,…	I think that (in my opinion)	
По-тво́ему,…	You think that (in your opinion)	
По-на́шему,…	We think that (in our opinion)	
По-ва́шему,…	You think that (in your opinion)	
13. Э́та ша́пка вам о́чень к лицу́!	This cap looks very good on you!	

14. Éсли не ошибáюсь,...   If I'm not mistaken,...
15. поднимáться⎫   to go upstairs
    спускáться ⎭ по лéстнице   to go downstairs
16. У нас есть и за 5 рублéй.   We also have some for 5 rubles.
17. Покá это бýдет всё.   That will be all for now.
18. 2 рубля́ 20 копéек штýка   2 rubles 20 kopecks apiece

ПРИМЕЧÁНИЯ

1. **Именúны**: Russians celebrate, in addition to their birthday, their
   "name day." This is the day upon which the saint after whom one is
   named was born, performed a miracle, died, etc. Name days may be
   looked up on Russian Orthodox calendars or in a special booklet on the
   subject.
2. **Размéры**: Measurements in the Soviet Union are always given in metric
   units. Sizes are expressed with ordinal numbers: **Какóй ваш размéр?**
   Пятидеся́тый.
3. **Дéвушка, товáрищ продавéц**: Young saleswomen are addressed
   Дéвушка! while salesmen and older saleswomen are addressed **товáрищ**
   продавéц!
4. **Вéрхние торгóвые ряды́**: The Superior Shopping Center was constructed in 1888. The building was designed by A. Pomerantsev to
   accommodate approximately 1000 individual shops under one roof.

ДОПОЛНÚТЕЛЬНЫЙ МАТЕРИÁЛ

Цветá (Colors)

In Russian, all colors are adjectives; therefore, they must agree with the
nouns which they modify in gender, number and case. When a color stands
alone (i.e., does not describe a specific person or object), it is used to modify
the Russian word for color:

бéлый цвет	white	крáсный цвет	red
чёрный цвет	black	рóзовый цвет	pink
корúчневый цвет	brown	сúний цвет	dark blue
сéрый цвет	grey	оглубóй цвет	light blue
жёлтый цвет	yellow	лилóвый цвет	purple, violet
зелёный цвет	green		

Note the agreement of the color-adjectives with the nouns they modify:

бе́лый пиджа́к	a white jacket	бе́лое пальто́	a white overcoat
бе́лая руба́шка	a white shirt	бе́лые носки́	white socks

It is also possible to indicate the color of a thing by placing the color-adjective after the item in question. This construction requires that the color modify **цвет** in the *genitive case* (singular); in this instance there is no agreement with the preceding noun:

бе́лый пиджа́к: пиджа́к **бе́лого цве́та**	(a jacket of the white color)
бе́лая руба́шка: руба́шка **бе́лого цве́та**	(a shirt of the white color)
бе́лое пальто́: пальто́ **бе́лого цве́та**	(a coat of the white color)
бе́лые носки́: носки́ **бе́лого цве́та**	(socks of the white color)

In *inquiring* as to the color of a thing, only the genitive construction may be used:

Како́го цве́та ваш костю́м?   Чёрного. (*или* Он чёрный.)

Оде́жда (Clothing)

пла́тье	dress	костю́м	suit	плащ	raincoat
блу́зка	blouse	руба́шка	shirt	зонт	umbrella
ю́бка	skirt	брю́ки	trousers	шарф	scarf
шля́па	hat	носки́	socks	свитер	sweater
су́мка	purse	пиджа́к	jacket	ша́пка	cap
перча́тки	gloves	пальто́	overcoat	ту́фли	shoes

УПРАЖНЕ́НИЯ

A. Сле́дуйте да́нным приме́рам:

Приме́р: This hat looks very nice on you.

Эта шля́па вам о́чень к лицу́.

1. This dress looks very nice on her.
2. This shirt looks very nice on him.
3. This jacket looks very nice on you (**ты**).

4. This necktie looks very nice on Ivan.
5. This suit looks very nice on Peter Ivanovich.

Пример: Winter is approaching.   **Наступа́ет зима́.**

1. Spring is approaching.
2. Summer is approaching.
3. Autumn is approaching.
4. Hot weather is approaching.
5. Cold weather is approaching.
6. Cool weather is approaching.
7. Warm weather is approaching.

Пример: I'm bored.   **Мне ску́чно.**

1. He's hot.
2. They're cold.
3. I'm interested.
4. It's unpleasant for her.
5. I can see and hear everything from here.

Пример: If I am not mistaken,   **Е́сли я не ошиба́юсь,**
his last name is Petrov.   **его́ фами́лия Петро́в.**

1. If I am not mistaken, today is Father's birthday.
2. If I am not mistaken, the ready-made clothing department is on the second floor.
3. If I am not mistaken, he doesn't like green (*color*).
4. If I am not mistaken, he lives near a big lake.
5. If I am not mistaken, they are going home from work.
6. If I am not mistaken, Hotel Moscow is located not far from the Kremlin.

B. Answer each question as indicated. Your answers must be complete sentences:

Пример: Кому́ вы даёте журна́л? (Ива́н)   **Я даю́ журна́л Ива́ну.**

1. Кому́ вы даёте журна́л?
a. (Бори́с Петро́вич)
b. (учи́тель)
c. (Никола́й Влади́мирович)

2. Кому́ вы пи́шете э́то письмо́?
a. (Елизаве́та Ка́рловна)
b. (дя́дя)

c. (бабушка)

3. Комý он мешáет?
a. (мать)
b. (дочь)
c. (Марúя)
d. (Юлия Николáевна)

4. Комý продавéц покáзывает рубáшку?
a. (америкáнец)
b. (немец)
c. (инострáнец)
d. (отéц)

5. Комý вы это говорúли?
a. (ученúк)
b. (врач)
c. (продавéц)
d. (Пётр Ильúч)

6. Комý вы помогáете?
a. (профéссор Иванóв)
b. (покупáтель)
c. (сестрá)
d. (Таня)
e. (Софúя Борúсовна)

7. Комý вы совéтуете изучáть немéцкий язы́к?[6]
a. (этот студéнт)
b. (этот молодóй студент)
c. (эта студéнтка)
d. (эта молодáя студéнтка)

C. Answer with complete sentences as in the example:

Примéр: Комý он отвечáет на   **Он ей отвечáет на**
       вопрóс? (онá)   **вопрóс.**

1. (я)
2. (онú)
3. (он)

---

[6] In your answer, the person to whom the advice is given should be placed directly after the verb **совéтовать.**

4. (ты)
5. (вы)
6. (мы)

D. Replace the bold-faced words as indicated:

1. Скажи́те **ва́шему отцу́**, что **Ива́на Серге́евича** здесь нет.
   a. _____ наш учи́тель _____ Фёдор Никола́евич _____ .
   b. _____ ваш друг _____ Серге́й Анто́нович _____ .
   c. _____ мой брат _____ Алекса́ндр Па́влович _____ .
   d. _____ его́ оте́ц _____ Па́вел Петро́вич _____ .
   e. _____ её адвока́т _____ Степа́н Васи́льевич _____ .

2. Покажи́те **э́ту кни́гу мое́й сестре́**.
   a. _____ э́тот слова́рь _____ ва́ша учи́тельница.
   b. _____ э́ти носки́ _____ моя́ мать.
   c. _____ э́та шапка _____ на́ша ба́бушка.
   d. _____ э́то пальто́ _____ её тётя.

E. Answer as in the example.

Приме́р: К кому́ вы идёте сего́дня   **Сего́дня ве́чером мы**
вечером? (Никола́й)   **идём к Никола́ю.**

К кому́ вы идёте сего́дня ве́чером?
a. (Васи́лий Васи́льевич)
b. (де́душка)
c. (Анастаси́я Дми́триевна)
d. (това́рищ Жуко́вский)

F. Answer each question as indicated:

1. Кому́ ну́жен каранда́ш?
a. (господи́н Болко́нский)
b. (госпожа́ Болко́нская)

2. Кому́ нужна́ была́ э́та кни́га?
a. (э́тот молодо́й челове́к)
b. (э́та молода́я де́вушка)

3. Кому́ ну́жно бу́дет пальто́?
a. (моя́ мла́дшая сестра́)
b. (ваш друг)

4. Кому́ нужны́ бу́дут де́ньги?
a. (я)
b. (ты)
c. (он)
d. (она́)
e. (мы)
f. (вы)
g. (они́)

G. Answer each question affirmatively. In your answer, substitute a pronoun for the noun:

1. **Бори́су и Ю́лии** нельзя́ игра́ть в те́ннис сего́дня?
2. **Та́не** на́до бы́ло рабо́тать вчера́?
3. **Андре́ю** ну́жно бу́дет рабо́тать за́втра?

H. Rewrite each sentence as indicated in the example, changing the indirect object to the object of the preposition **для**, and adding the Russian word for "this" ("these") before the article being bought:

Приме́р: Я покупа́ю себе́   **Я покупа́ю э́ту руба́шку**
рубá́шку.   **для себя́.**

1. Я покупа́ю себе́ сви́тер.
2. Ты покупа́ешь себе́ плащ и зонт.
3. Он покупа́ет себе́ пиджа́к.
4. Она́ покупа́ет себе́ су́мку.
5. Мы покупа́ем себе́ оде́жду.
6. Вы покупа́ете себе́ пальто́.
7. Они́ покупа́ют себе́ брю́ки.

I. Write and say the following prices, using the correct form of ruble(s) and kopeck(s): **рубль, рубля́, рубле́й; копе́йка, копе́йки, копе́ек:**

1. 1 р.	6. 5 к.	11. 21 р. 68 к.
2. 3 р.	7. 2 р. 21 к.	12. 34 р. 70 к.
3. 5 р.	8. 4 р. 33 к.	13. 48 р. 81 к.
4. 1 к.	9. 7 р. 44 к.	14. 59 р. 92 к.
5. 2 к.	10. 9 р. 56 к.	15. 61 р. 94 к.

J. Complete each sentence by translating the color into Russian. Watch the gender and number!

1. Вот краси́вый (grey) костю́м!
2. Вот краси́вая (white) руба́шка!
3. Вот краси́вое (black) пальто́!
4. Вот краси́вые (red) носки́!
5. Вам нра́вится э́тот (light blue) свитер?
6. Ива́ну не нра́вится э́тот (pink) зонт.
7. Мне о́чень нра́вится э́то (purple) пла́тье!
8. Как тебе́ нра́вятся э́ти (brown) ту́фли? Они́ мне не нра́вятся.
9. Мое́й жене́ о́чень нра́вятся (yellow) перча́тки!
10. Моему́ му́жу не нра́вятся (dark blue) брю́ки.
11. Как вам нра́вится э́та (green) ю́бка? Она́ мне о́чень нра́вится!

K. Follow the example. Do not answer the questions; merely change the construction involving the color:

Приме́р: Нет ли у вас ша́пки чёрного цве́та? → **Нет ли у вас чёрной ша́пки?**

1. Нет ли у вас руба́шки голубо́го цве́та?
2. Нет ли у вас пла́тья бе́лого цве́та?
3. Нет ли у вас костю́ма си́него цве́та?
4. Нет ли у вас пиджака́ жёлтого цве́та?
5. Нет ли у вас су́мки зелёного цве́та?
6. Нет ли у вас пальто́ кори́чневого цве́та?

L. Change the construction for "to wear" and the adverb **сего́дня** as indicated in the example:

Приме́р: На нём сего́дня бе́лая руба́шка. (always) → **Он всегда́ но́сит бе́лую руба́шку.**

1. На мне сего́дня жёлтый свитер. (often)
2. На ней сего́дня лило́вая блу́зка. (seldom)
3. На них сего́дня ро́зовые носки́. (sometimes)
4. На вас сего́дня чёрное пальто́. (every day)
5. На тебе́ сего́дня кори́чневая шля́па. (never)

M. Answer the questions "What is the date today?", "When will ...'s birthday be?", and "How old is he (she)?" as in the example. In this exercise the birthday is always the following month. Don't forget that when answering the question **Когда́?** Russians give the date in the *genitive*:

Приме́р: Како́е сего́дня число́?
(12 февра́ль)
Когда́ будет день рожде́ния
Виктора? (12 март)
Ско́лько ему́ будет лет? (10)

Сего́дня 12-ое февраля́.

**Его́ день рожде́ния будет
12-го марта.**

Ему́ будет 10 лет.

1. Како́е сего́дня число́? (21 апре́ль)
2. Когда́ будет день рожде́ния Никола́я? (21 май)
3. Ско́лько ему́ будет лет? (21)

4. Како́е сего́дня число́? (24 ию́нь)
5. Когда́ будет день рожде́ния Мари́и? (24 ию́ль)
6. Ско́лько ей будет лет? (24)

7. Како́е сего́дня число́? (25 август)
8. Когда́ будет день рожде́ния вашего отца́? (25 сентя́брь)
9. Ско́лько ему́ будет лет? (55)

N. Conjugate as indicated:

1. **нра́виться**   to appeal to

Present

a. Я ему́...
b. Ты ему́...
c. Он ему́...
d. Она́ ему́...
e. Мы ему́...
f. Вы ему́...
g. Они́ ему́...

Past

h. Он мне...
i. Она́ ему́...
j. Оно́ им...
k. Они́ ей...

2. **ошибáться (в)**   to be mistaken (about)

Present

a. Мóжет быть, я в э́том...
b. Мóжет быть, ты в э́том...
c. Мóжет быть, он в э́том...
d. Мóжет быть, мы в э́том...
e. Мóжет быть, вы в э́том...
f. Мóжет быть, они́ в э́том...

Past

g. Он всегдá...
h. Онá всегдá...
i. Онó всегдá...
j. Они́ всегдá...

O. Change from **люби́ть** ("to love") to **нра́виться** ("to be pleasing to") as in the example:

Приме́р: Я люблю́ э́ту де́вушку.   **Э́та де́вушка мне нра́вится.**

1. Ты лю́бишь э́ту де́вушку?
2. Он лю́бит э́ту де́вушку.
3. Мы лю́бим э́того мáльчика.
4. Вы лю́бите э́того мáльчика?
5. Они́ лю́бят э́того мáльчика.

Приме́р: По-мóему, Ивáн тебя́   **По-мóему, ты нра́вишься**
люби́т.   **Ивáну.**

1. По-мóему, Ивáн меня́ лю́бит.
2. По-мóему, Ивáн тебя́ лю́бит.
3. По-мóему, Ивáн её лю́бит.
4. По-мóему, Ивáн нас лю́бит.
5. По-мóему, Ивáн вас лю́бит.
6. По-мóему, Ивáн их лю́бит.

P. Use the indicated phrase to complete the sentences which follow.

1. (э́тот молодóй человéк)
a. _____ знает моегó отцá.
b. Я не знáю фами́лии _____.
c. Серёжа помогáет _____.

d. Вы видите _____ вон там, в автомоби́ле?

e. Я ча́сто ду́маю об _____ .

2. (эта молода́я де́вушка)

a. _____ живёт недалеко́ от по́чта.

b. Де́ти не хотя́т игра́ть без _____ .

c. Покажи́те _____ , где её мать.

d. Вы зна́ете _____ ?

e. Почему́ на́ша учи́тельница говори́т об _____ ?

3. (краси́вое о́зеро)

a. По-мо́ему, это о́чень _____ !

b. Я не ви́жу _____ . Где оно́?

c. Мы подхо́дим к _____ .

d. Там мы ви́дели _____ .

e. Тури́сты говоря́т о _____ на ю́ге Сове́тского Сою́за.

Вопро́сы

1. Како́й уро́к мы сего́дня учим?
2. Како́й сего́дня день неде́ли?
3. Како́е сего́дня число́?
4. У вас есть мехова́я ша́пка?
5. У вас есть ту́фли?
6. Како́го они́ цве́та?
7. Како́й ваш разме́р? (1/2 = с полови́ной)
8. У вас есть руба́шка (или блу́зка)?
9. Она́ како́го цве́та?
10. Вы иногда́ но́сите шля́пу?
11. У вас есть автомоби́ль?
12. Он како́го цве́та?
13. Ско́лько вам лет?
14. Когда́ ваш день рожде́ния?
15. Когда́ ва́ши имени́ны?
16. Когда́ день рожде́ния ва́шего му́жа (ва́шего отца́, бра́та или сы́на; ва́шей жены́, ма́тери, сестры́ или до́чери)?
17. Что вы обы́чно да́рите ему́ (ей) ко дню рожде́ния?
18. Когда́ день рожде́ния пе́рвого президе́нта США?
19. В ва́шем го́роде есть универма́г?
20. Как он называ́ется?

21. Вы часто там покупа́ете ве́щи?
22. В э́том универма́ге це́ны дороги́е или дешёвые?
23. Как вам нра́вится э́тот универма́г?

Устный перево́д

Переведи́те англи́йский текст на ру́сский язы́к; чита́йте ру́сский текст по-ру́сски:

1. Please be so kind as to tell me on which floor the ready-made clothing department is located.
   — Он на четвёртом этаже́.
2. And where is the elevator?
   — Ли́фта, к сожале́нию, нет.
3. Please be so kind as to show me a brown suit.
   — Како́й ваш разме́р?
4. Fifty-five.
   — К сожале́нию, у нас нет ва́шего разме́ра.
5. How much does this red car cost?
   — 999 рубле́й.
6. That's inexpensive!
   — Э́тот автомоби́ль вам нра́вится?
7. Yes, very much! But my wife doesn't like red.
   — Я хорошо́ понима́ю ва́ше положе́ние!
8. You don't happen to have a black raincoat, do you?
   — Да, есть! Вот! Шестидеся́тый разме́р. Он вам о́чень к лицу́!
9. Yes, but I don't like yellow.
   — Как вам нра́вится э́тот кори́чневый плащ?
10. Very much. But it's undoubtedly too expensive.
    — Нет, э́тот плащ совсе́м недо́рого сто́ит: то́лько 21 рубль 50 копе́ек.
11. What do (they) sell in this department?
    — Здесь продаю́т канцеля́рские това́ры.
12. And where do they sell furniture?
    — Вон там напра́во, о́коло вхо́да.
13. We are now approaching Red Square. On the right is the Kremlin wall

and Lenin's tomb; on the left is GUM, the largest department store in the Soviet Union.

— А что это за це́рковь в це́нтре пло́щади?

14. That is St. Basil's Cathedral.

— Вы зна́ете, когда́ э́ту це́рковь постро́или?

In the sixteenth century.

15. To whom are you writing? Your mother?

— Нет, я пишу́ отцу́. Мой оте́ц живёт в Ки́еве.

16. What is his profession?

— Он профе́ссор англи́йского языка́ в институ́те.

17. Which language do you advise me to study?

— Е́сли я не ошиба́юсь, вы хоти́те рабо́тать в Ме́ксике?

18. Yes, I do.

— Тогда́ вам на́до изуча́ть испа́нский язы́к.

19. Professor Ivanov is wearing a dark blue suit today.

— Не мо́жет быть! Профе́ссор Ивано́в всегда́ но́сит кори́чневый костю́м!

20. I think it's a birthday present from his wife.

21. I see you have a new car!

— Да, э́то пода́рок ко дню рожде́ния от му́жа.

22. Well! Congratulations! It seems you have a very nice husband!

— Да, я его́ о́чень люблю́!

ГРАММА́ТИКА

Но́вые глаго́лы

Продава́ть ("to sell"): As has already been noted, verbs that end in the suffix **-авать** drop the last four letters (**-вать**), and take *stressed* class I endings:

да	ва́ть		прода	ва́ть
я да	ю́	я прода	ю́
ты да	ёшь	ты прода	ёшь
он да	ёт	он прода	ёт
мы да	ём	мы прода	ём
вы да	ёте	вы прода	ёте
они́ да	ю́т	они́ прода	ю́т

Советовать ("to advise"), like all verbs with the suffix **-овать**, drops that entire suffix, adds **-у-** and takes regular class I endings (see lesson 16):

	аплоди́р	овать		совет	овать
я	аплоди́р	ую	я	сове́т	ую
ты	аплоди́р	уешь	ты	сове́т	уешь
он	аплоди́р	ует	он	сове́т	ует
мы	аплоди́р	уем	мы	сове́т	уем
вы	аплоди́р	уете	вы	сове́т	уете
они́	аплоди́р	уют	они́	сове́т	уют

Подходи́ть (**к**) ("to approach, walk up to, walk toward"), is a slightly irregular class II verb. It is normally used in conjunction with the preposition **к** (to a person; toward a place or thing; Refer to page 330):

	подход	и́ть (к)	
я	подхож	у́	
ты	подхо́д	ишь	
он	подхо́д	ит	
мы	подхо́д	им	к (кому́? чему́?)
вы	подхо́д	ите	
они́	подхо́д	ят	

Носи́ть ("to wear, carry, bear"), a class II verb, is also slightly irregular:

	нос	и́ть
я	нош	у́
ты	но́с	ишь
он	но́с	ит
мы	но́с	им
вы	но́с	ите
они́	но́с	ят

Instead of saying "he (she, etc.) wears...," Russians often say simply "on him (her, etc.) is a...). In Russian this is expressed with the preposition **на** and the person in the prepositional case.

The **на** (**ком**) construction *must be used* when the words **сего́дня, сейча́с** or **тепе́рь** are involved; in other words, when one is describing what is being worn at a given moment rather than in general. **Носи́ть** is used to describe only general or habitual actions and thus is normally used with adverbs such as **обы́чно, всегда́, ре́дко, иногда́, никогда́, не ка́ждый день**, etc.

Он всегда́ но́сит кори́чневый костю́м.	Сего́дня на нём кори́чневый костю́м.
Анна обы́чно но́сит жёлтую шля́пу.	На Анне сего́дня жёлтая шля́па.
Бори́с ре́дко но́сит шля́пу.	На Бори́се сего́дня чёрная шля́па.

Reflexive Verbs

A number of Russian verb infinitives end in the suffix **-ся**. This is a contracted form of the reflexive pronoun **себя́** ("self"). Some of these verbs are, or may be, reflexive in English, too; many of them, however, are not. Reflexive verbs are conjugated normally (classes I and II), but they always have the ending **-ся** or **-сь**. **-ся** is used when the verb form ends in a consonant (**ь** is considered to be a consonant); **-сь** is used when the verb form ends in a vowel. The reflexive verbs which are part of your active vocabulary at this point are:

называ́ться	to be called, named (*inanimate only*)
находи́ться	to be located
нра́виться	to please, be pleasing to (like)
ошиба́ться	to make a mistake, be mistaken
поднима́ться	to ascend, rise, go up
спуска́ться	to descend, go down

Note the conjugation of **ошиба́ться**:

Настоя́щее вре́мя[7]	*Проше́дшее вре́мя*[8]
я ошиба́ **юсь**	я (ты, он) ошиба́л**ся**
ты ошиба́ ешь**ся**	я (ты, она́) ошиба́ла**сь**
он ошиба́ ет**ся**	оно́ ошиба́ло**сь**
мы ошиба́ ем**ся**	мы (вы, они́) ошиба́ли**сь**
вы ошиба́ ете**сь**	
они́ ошиба́ ют**ся**	

---

[7] **настоя́щее вре́мя**: present tense
[8] **проше́дшее вре́мя**: past tense

Будущее время[9]

$$\left.\begin{array}{ll} \text{я} & \text{буду} \\ \text{ты} & \text{будешь} \\ \text{он} & \text{будет} \\ \text{мы} & \text{будем} \\ \text{вы} & \text{будете} \\ \text{они́} & \text{будут} \end{array}\right\} \text{ошиба́ться}$$

Нравиться and **находи́ться** are irregular. (The usage of **нравиться** is explained elsewhere in this lesson.)

	нрав	иться		наход	и́ться
я	нрав	люсь	я	нахож	у́сь
ты	нрав	ишься	ты	нахо́д	ишься
он	нрав	ится	он	нахо́д	ится
мы	нрав	имся	мы	нахо́д	имся
вы	нрав	итесь	вы	нахо́д	итесь
они́	нрав	ятся	они́	нахо́д	ятся

Называ́ться occurs only in the third person (singular and plural) since it is used with inanimate subjects only:

Как называ́ется этот го́род?

Как называ́ются эти города́?

Agreement in Gender of the Numbers 1 and 2 with the Noun Modified

The number 1 in Russian has masculine, feminine, and neuter forms, and must thus agree in gender with the noun modified:

$$1 \left\{\begin{array}{l} \text{оди́н каранда́ш} \\ \text{одна́ ру́чка} \\ \text{одно́ перо́} \end{array}\right.$$

The number 2 has one form for the masculine and neuter, and one for the feminine:

$$2 \left\{\begin{array}{l} \text{два карандаша́} \\ \text{две ру́чки} \\ \text{два пера́} \end{array}\right.$$

---

[9] **будущее время**: future tense

The other numbers do not have separate forms for use with nouns of different gender.

After the number 1, the nominative singular of the noun is used; after 2, 3, and 4, the *genitive singular* is used!

Рубль — рубля́ — рубле́й; Копе́йка — копе́йки — копе́ек

We have already noted that the Russian word for "year" assumes different forms after certain numbers. This is also true of the words "ruble" and "kopeck" (the Russian equivalents of the dollar and the cent). The form used after 2, 3, 4, and any number which ends in those numbers (except 12, 13, 14) is the genitive singular. The form used after 5 through 20 and any number which ends in 5, 6, 7, 8, 9, or 0 is the genitive plural. For your purposes now, you need only know the correct forms of "years," "rubles," and "kopecks":

1	год	рубль	(однá)	копéйка
2 3 4	года	рубля́	(две) (три) (четы́ре)	копéйки
5 ↓ 20	лет	рубле́й		копéек
21	год	рубль	(двáдцать однá)	копéйка
22 23 24	года	рубля́	(двáдцать две)	копéйки
25 ↓ 30	лет	рубле́й		копéек

Dates in the Genitive Case

In answering the question **Какóе числó?**, the day is given in the nominative case:

      Какóе сегóдня числó?   Сегóдня вторóе января́.

However, in answer to the question **Когда?**, the day is given in the genitive:

Когда́ вы бы́ли там? Мы
бы́ли там втор**о́го** января́.

When were you there? We were
there (*on*) *the second* of January.

Когда́ ваш день рожде́ния?
Мой день рожде́ния
треть**его** ма́я.

When is your birthday? My birthday is (*on*) *the third* of May.

The Dative Case: **Кому́? Чему́?**

A. Formation of nouns

1. Masculine:

	Nouns ending in a consonant add **-у**	**-й** *becomes* **-ю**	**-ь** *becomes* **-ю**
Nom.	студе́нт —	Серге́ **й**	учи́тел **ь**
Dat.	студе́нт **у**	Серге́ **ю**	учи́тел **ю**

2. Feminine:

	-а *becomes* **-е**	**-я** *becomes* **-е**	**-(и)я** *becomes* **-(и)и**	**-ь** *becomes* **-и**
Nom.	ко́мнат **а**	галере́ **я**	лаборато́ри **я**	тетра́д **ь**
Dat.	ко́мнат **е**	галере́ **е**	лаборато́ри **и**	тетра́д **и**

3. Neuter:

	-о *becomes* **-у**	**-е** *becomes* **-ю**	**-(и)е** *becomes* **-(и)ю**	**-я** *becomes* **-ени**
Nom.	окн **о́**	по́л **е**	зда́ни **е**	и́м **я**
Dat.	окн **у́**	по́л **ю**	зда́ни **ю**	и́м **ени**

4. "Mother" and "daughter":

Nom.	мать	дочь
Dat.	матери	дочери

B. Formation of personal pronouns (you are already quite familiar with the dative pronouns):

Nom.	я	ты	он	она́	оно́	мы	вы	они́
Dat.	мне	тебе́	ему́[10]	ей[10]	ему́[10]	нам	вам	им[10]

C. Formation of adjectives

Adjectives that modify *masculine* or *neuter* nouns have the ending **-ому** or **-ему** (Spelling Rule 3):

Masc.	*Nom.* *Dat.*	хоро́ш ий хоро́ш ему	нов ый нов ому
Neuter	*Nom.* *Dat.*	хоро́ш ее хоро́ш ему	нов ое нов ому

Adjectives that modify *feminine* nouns have the ending **-ой** or **-ей** (Spelling Rule 3):

Nom.	хоро́ш ая	нов ая
Dat.	хоро́ш ей	нов ой

---

[10] When **ему́**, **ей**, or **им** are governed by a preposition, **н-** is prefixed to them:

$$\text{Я иду́ к } \begin{cases} \text{нему́.} \\ \text{ней.} \\ \text{ним.} \end{cases}$$

The demonstrative adjectives/pronouns have the endings **-ому** or **-ой**:

Nom.	этот	эта	это	тот	та	то
Dat.	этому	этой	этому	тому́	той	тому́

The possessive adjectives/pronouns have the endings **-ему** or **-ей**:

Nom.	мой	моя́	моё	твой	твоя́	твоё
Dat.	моему́	моей	моему́	твоему́	твоей	твоему́
Nom.	наш	наша	наше	ваш	ваша	ваше
Dat.	нашему	нашей	нашему	вашему	вашей	вашему

D. Usage of the dative without prepositions

The indirect object, the person to whom something is given, written, sent, said, etc. (the receiver of the direct object), in Russian is always in the dative case:

Я даю́ { **брату** журна́л. / журна́л **брату**.   I give { *my brother* the magazine. / the magazine to my *brother*.

Я пока́зываю { **Андре́ю** кни́гу. / кни́гу **Андре́ю**.   I show { *Andrei* the book. / the book to *Andrei*.

Я пишу́ { **сестре́** письмо́. / письмо́ **сестре́**.   I write { my *sister* a letter. / a letter to my *sister*.

Я посыла́ю { **отцу́** пода́рок. / пода́рок **отцу́**.   I send { my *father* a present. / a present to my *father*.

Я ча́сто говори́л { **Бори́су** э́то. / э́то **Бори́су**.   I often { told *Boris* that. / said that to *Boris*.

Note that in English the *indirect object always precedes the direct object!* If the direct object comes first, then the indirect object must become the object of the preposition "to." In Russian it is customary for the indirect object to precede the direct object, too, but this is not necessary, because the word's function is indicated by *case, not position*. When the normal order is disrupted, however, this indicates that the *last word* (or phrase) of the sentence is being *stressed*.

Certain verbs require that their object be in the dative, rather than the accusative case:

отвеча́ть	to answer
помога́ть	to help
меша́ть	to bother, disturb
сове́товать	to advise, give advice

Note the following sentences:

Студе́нт отвеча́ет **профе́ссору**.	The student answers the *professor*.
Студе́нт отвеча́ет **профе́ссору на вопро́с**.	The student answers the *professor's question*.
Я помога́ю **бабушке**.	I am helping my *grandmother*.
Он меша́ет **учи́телю**.	He is disturbing the *teacher*.
Он сове́тует **мальчику** больше рабо́тать.	He advises the *boy* to work more.

The objects of these verbs are *always* in the dative case, even if the verb is negated: **Он меша́ет Бори́су**; **Он не меша́ет Бори́су**.

Expressions involving age usually use the dative case. (You have already learned this type of construction, but using only the dative pronouns.)

Ско́лько **вам** лет?	**Мне** 21 год.
Ско́лько **Ива́ну** лет?	**Ива́ну** 14 лет.
Ско́лько **Мари́и** лет?	**Мари́и** 23 года.
Ско́лько **Бори́су Петро́вичу** лет?	**Ему́** 57 лет.
Ско́лько **Тама́ре Фёдоровне** лет?	**Ей** только 32 года.

Impersonal constructions: Until now we have used impersonal constructions only with pronouns. Now note their use with nouns:

1. надо, нужно

Кому́ надо (нужно) рабо́тать?	**Мне** надо рабо́тать.
	Ива́ну надо рабо́тать.
	Татья́не нужно рабо́тать.

2. всё равно́

Это **мне** всё равно́.
Это **Андре́ю** всё равно́.
Это **Саше** всё равно́.

3. жаль

Мне очень жаль, что Воло́дя не мо́жет быть тут сего́дня.
Учи́телю очень жаль, что ученики́ не зна́ют уро́ка.
Профе́ссору Иволгину жаль, что вас не́ было на ле́кции.

4. кажется

Мне ка́жется, что он вас зна́ет.
Серге́ю Павловичу ка́жется, что англи́йский язы́к тру́дный.
Мари́и Ива́новне ка́жется, что вы хоро́ший челове́к.

5. нельзя́

Мне нельзя́ жить далеко́ от го́рода.
Отцу́ сего́дня нельзя́ рабо́тать. Он бо́лен.
Маше сего́дня нельзя́ игра́ть!

Some new expressions of this type are

$$
\text{Ива́ну} \begin{cases} \text{ску́чно.} \\ \text{интере́сно.} \\ \text{жа́рко.} \\ \text{тепло́.} \\ \text{прохла́дно.} \\ \text{хо́лодно.} \end{cases}
$$

The past and future tenses of these expressions are formed, of course, with **бы́ло** and **бу́дет**, for there is no subject:

Мне там **бы́ло** ску́чно.
Тан**е** там **бу́дет** хо́лодно.

The Russian expression **ну́жен, нужна́, ну́жно, нужны́** ("to need") requires that the person or thing that needs something be in the dative case, while that which is needed is in the nominative case:

Кому́ это ну́жно?	Who needs this?
Это ну́жно Ива́ну.	Ivan needs it.
Кому́ ну́жен э́тот слова́рь?	Who needs this dictionary?
Он ну́жен мне.	I need it.
Кому́ нужна́ э́та кни́га?	Who needs this book?
Она́ нужна́ профе́ссору.	The professor needs it.
Кому́ нужны́ э́ти часы́?	Who needs this clock?
Они́ нужны́ ма́тери.	Mother needs it.

The verb **нра́виться** ("to appeal to, be pleasing to") involves the dative case (see page 322). Corresponding English sentences usually use the verb "to like." Note, however, that the person who "likes" is in the dative, while the thing or person that "is liked" is the subject, and thus in the nominative. The verb **люби́ть** describes a more personal, stronger reaction than **нра́виться**. Compare the following constructions of these two verbs:

люби́ть	нра́виться	
Они́ лю́бят меня́.	Я им нравлю́сь.	They like me.
Он лю́бит тебя́.	Ты ему́ нра́вишься.	He likes you.
Она́ лю́бит его́.	Он ей нра́вится.	She likes him.
Ты лю́бишь нас?	Мы тебе́ нра́вимся?	Do you like us?
Я люблю́ вас.	Вы мне нра́витесь.	I like you.
Вы лю́бите их?	Они́ вам нра́вятся?	Do you like them?

"To like to do (something)" is normally rendered with **люби́ть** (not **нра́виться**):

Я **люблю́ чита́ть**.	I like to read.
Вы **лю́бите игра́ть** в ша́хматы?	Do you like to play chess?

"To like very much" is **о́чень люби́ть** (**о́чень нра́виться**) (not **о́чень мно́го**):

Ива́ну **о́чень нра́вится** э́та кни́га.	Ivan likes this book very much.
Бори́с **о́чень лю́бит** А́нну.	Boris loves Anna very much.
Я **о́чень люблю́** игра́ть в футбо́л.	I like to play soccer very much.
Как вам нра́вится Москва́?	How do you like Moscow?
О́чень!	Very much!

Нра́виться is also used to express an impression of a specific item at a given time, while **люби́ть** implies a liking in general:

Я вообще́ люблю́ его́ рома́ны, но э́тот рома́н мне не о́чень нра́вится.

Russian word order is not as rigid as that of English; however, ending a sentence in a *subject* (*nominative case*) *pronoun* is avoided:

Вопро́с: Как вам нравится   How do you like Russian?
русский язы́к?

Русский язы́к
мне
очень нравится.

Мне
русский язы́к   } I like Russian very much.
очень нравится.

Мне
очень нравится
русский язы́к.

Он
мне
очень нравится.   } I like it very much.
Он
очень нравится
мне.

but not:

Мне
нравится **он**.

E. Usage of the dative with prepositions

The objects of the prepositions **к** and **по** are in the *dative case.* The preposition **к** means "to" when the object is a person; thus it also has the meaning "to (someone's) house." Used with places or things (inanimate nouns), **к** normally has the meaning "toward," but sometimes it is best translated "to." The Russian verb for "to approach" is **подходи́ть к**, in which case the **к** is not translated. The preposition **по** has a variety of meanings, most of which are idiomatic and best learned in context:

Пойдёмте к Ива́ну!   Let's go to Ivan's (house)!
Иди́те к доске́!   Go to the board!
Мы подхо́дим к теа́тру.   We are approaching the theater.
к сожале́нию   unfortunately ("to regret")

Before **мне** and **дню** (dative of **день**), **к** becomes **ко**:

Она́ подхо́дит ко мне.[11]	She approaches me.
Это его́ пода́рок ко дню рожде́ния.	This is his birthday present.

По can mean "around, along, on, upon, by":

Он шёл домо́й по э́той улице.	He was walking home on (along) this street.
экза́мен по 17-му (семна́дцатому) уро́ку	a test on the 17th lesson
курс по ру́сскому языку́	a Russian language course
по пути́ в кино́	on (along) the way to the movies
по мне́нию профе́ссора	in the opinion of the professor
по профе́ссии	by profession

The expressions **по-мо́ему, по-тво́ему, по-на́шему,** and **по-ва́шему** are frequently used instead of **я ду́маю, что…; ты ду́маешь, что…; мы ду́маем, что,…;** and **вы ду́маете, что…**, respectively. **Он, она́,** and **они́** do not have a comparable short construction; instead the Russian uses **по его́ (её, их) мне́нию** ("in his [her, their] opinion"), which is much less frequently used than **он ду́мает,** etc.

Я ду́маю, что он там.	По-мо́ему, он там.
Ты ду́маешь, что он был здесь вчера́?	По-тво́ему, он был здесь вчера́?
Он ду́мает, что снима́ть нельзя́.	По его́ мне́нию, снима́ть нельзя́.
Она́ ду́мает, что э́то бу́дет хорошо́.	По её мне́нию, э́то бу́дет хорошо́.
Мы ду́маем, что э́то пра́вда.	По-на́шему, э́то пра́вда.
Вы ду́маете, что э́то пло́хо?	По-ва́шему, э́то пло́хо?
Они́ ду́мают, что сего́дня хо́лодно.	По их мне́нию, сего́дня хо́лодно.

---

[11] **Ко мне** произно́сится [kamɲé].

ТАБЛИЦЫ

Nouns

MASCULINE NOUNS

	—	-й	-ь
Nom.	студе́нт —	Серге́ й	учи́тел ь
Gen.	студе́нт а	Серге́ я	учи́тел я
Dat.	студе́нт у	Серге́ ю	учи́тел ю
Acc.	⎰студе́нт а ⎱ стол —	⎰Серге́ я ⎱ музе́ й	⎰ учи́тел я ⎱автомоби́л ь
Prep.	студе́нт е	Серге́ е	учи́тел е

FEMININE NOUNS

	-а	-я	-(и)я	-ь
Nom.	комнат а	галере́ я	лаборато́ри я	тетра́д ь
Gen.	комнат ы	галере́ и	лаборато́ри и	тетра́д и
Dat.	комнат е	галере́ е	лаборато́ри и	тетра́д и
Acc.	комнат у	галере́ ю	лаборато́ри ю	тетра́д ь
Prep.	комнат е	галере́ е	лаборато́ри и	тетра́д и

NEUTER NOUNS

	-о	-е	-(и)е	-я
Nom.	окн о́	пол е	здани е	им я
Gen.	окн а́	пол я	здани я	им ени
Dat.	окн у́	пол ю	здани ю	им ени
Acc.	окн о́	пол е	здани е	им я
Prep.	окн е́	пол е	здани и	им ени

Adjectives and Pronouns

MASCULINE ADJECTIVES

	Regular	*Stressed Ending*	*Spelling Rules*
Nom.	нов ый	молод о́й	хоро́ш ий (1)
Gen.	нов ого	молод о́го	хоро́ш его (3)
Dat.	нов ому	молод о́му	хоро́ш ему (3)
Acc.	нов { ого / ый	молод { о́го / о́й	хоро́ш { его (3) / ий (1)
Prep.	нов ом	молод о́м	хоро́ш ем (3)

FEMININE ADJECTIVES

Nom.	нов ая	молод а́я	хоро́ш ая
Gen.	нов ой	молод о́й	хоро́ш ей (3)
Dat.	нов ой	молод о́й	хоро́ш ей (3)
Acc.	нов ую	молод у́ю	хоро́ш ую
Prep.	нов ой	молод о́й	хоро́ш ей (3)

NEUTER ADJECTIVES

Nom.	нов ое	молод óе	хорóш ее (3)
Gen.	нов ого	молод óго	хорóш его (3)
Dat.	нов ому	молод óму	хорóш ему (3)
Acc.	нов ое	молод óе	хорóш ее (3)
Prep.	нов ом	молод óм	хорóш ем (3)

DEMONSTRATIVE ADJECTIVES/PRONOUNS

	Masculine	*Feminine*	*Neuter*
Nom.	этот	эта	это
Gen.	этого	этой	этого
Dat.	этому	этой	этому
Acc.	{этого / этот}	эту	это
Prep.	этом	этой	этом

PERSONAL PRONOUNS

Nom.	я	ты	он	онá	онó	мы	вы	онѝ
Gen.	меня́	тебя́	егó	её	егó	нас	вас	их
Dat.	мне	тебé	емý	ей	емý	нам	вам	им
Acc.	меня́	тебя́	егó	её	егó	нас	вас	их
Prep.	(обо) мнé	(о) тебé	(о) нём	(о) ней	(о) нём	(о) нас	(о) вас	(о) них

POSSESSIVE ADJECTIVES/PRONOUNS

Nom.	мой	моя́	моё	твой	твоя́	твоё
Gen.	моего́	мое́й	моего́	твоего́	твое́й	твоего́
Dat.	моему́	мое́й	моему́	твоему́	твое́й	твоему́
Acc.	моего́ / мой	мою́	моё	твоего́ / твой	твою́	твоё
Prep.	моём	мое́й	моём	твоём	твое́й	твоём
Nom.	наш	наша	наше	ваш	ваша	ваше
Gen.	нашего	нашей	нашего	вашего	вашей	вашего
Dat.	нашему	нашей	нашему	вашему	вашей	вашему
Acc.	нашего / наш	нашу	наше	вашего / ваш	вашу	ваше
Prep.	нашем	нашей	нашем	вашем	вашей	вашем

Fleeting **o, e, ё**:

городо́к	ве́тер
звоно́к	дворе́ц
носо́к	день
пода́рок	ка́мень
ребёнок	молоде́ц
рыно́к	Па́вел
це́рковь	

Nouns That Always Shift the Stress to the Ending

гара́ж	москви́ч	слова́рь	учени́к	февра́ль
дождь	Кремль	стол	царь	сентя́брь
Ильи́ч	мост	плащ	эта́ж	октя́брь
каранда́ш	Пётр	порт	язы́к	ноя́брь
ключ	пиджа́к	скрипа́ч	янва́рь	декабрь

СЛОВА́РЬ

бельё	linen
блузка	blouse
брюки (*pl. only*)	pants, trousers
бы́вший	former
вам	(to) you (*dative case*)
ведь	after all; why,...
галстук	necktie
гото́вый	prepared, ready
гото́вое платье	ready-made clothing
да́нный	given, the one in question
дари́ть (II)	to give (a present)
дарю́, да́ришь, да́рят	
де́ло (*pl.* дела́)	matter, business, affair
день рожде́ния	birthday
дёшево	cheap(ly) (*adv. or short neuter adj.*)
дешёвый	cheap
до́рого	expensive(ly) (*adv. or short neuter adj.*)
дорого́й	expensive
дореволюцио́нный	pre-revolutionary
ей	(to) her (*dative case*)
ему́	(to) him (*dative case*)
зонт (*pl.* зонты́)	umbrella
им	(to) them (*dative case*)
имени́ны	saint's day, name day
к (кому́? чему́?)	to, toward
канцеля́рские това́ры	stationery supplies
коммунисти́ческий	communist (*adj.*)
копе́йка	kopeck
костю́м	suit (of clothes)
кухонная посу́да	dinnerware
ла́вка	shop
лёгкий	easy, light
ле́стница	stairs
лифт	elevator
лицо́ (*pl.* ли́ца)	face
Это вам к лицу́.	That looks nice on you.
мебель (ж.)	furniture
мехово́й	fur (*adj.*)
меша́ть (I)	to bother, disturb
мла́дший	younger (*adj.*)
мне	(to) me (*dative case*)
мне́ние	opinion

нам	(to) us (*dative case*)
наступа́ть (I)	to begin, approach, be on the way
Наступа́ет зима́ и т. д.	Winter is approaching (beginning).
носи́ть (II)	to carry, bear; to wear
но**шу́**, но́сишь, но́сят	
носо́к (*pl.* носки́)	sock, stocking
нра́виться (II)	to appeal to, be pleasing to (like)
нра́влюсь, нра́вишься, нра́вятся	
о́бувь (ж.)	footware, shoes
оде́жда	clothes
одни́м сло́вом	in short, in a word, in other words
отде́л	department
отту́да	from there
ошиба́ться (I)	to be mistaken
пальто́	overcoat
перча́тка (*pl.* перча́тки)	glove
пла́тье	dress
плащ (*pl.* плащи́)	raincoat
по (кому́? чему́?)	along, on, upon, by, around, according to
по-ва́шему	you think that
пода́рок (*pl.* пода́рки)	present (*noun*)
поднима́ться (I)	to ascend, go up
поднима́ться по ле́стнице	to climb the stairs
подходи́ть к (кому́? чему́?) (II)	to walk up to, approach
подхожу́, подхо́дишь, подхо́дят	
поздравля́ть (I)	to congratulate
пока́	so long; for the time being; while
Покажи́(те)!	Show (me)!
покупа́тель (м.)	customer
покупа́тельница	lady customer
покупа́ть (I)	to buy
по-мо́ему	I think that
помога́ть (I) (кому́? чему́?)	to help
по-на́шему	we think that
посыла́ть (I)	to send
по-тво́ему	you think that
почему́-то	for some reason
продава́ть (I)	to sell
продаю́, продаёшь, продаю́т	
продаве́ц (*pl.* продавцы́)	salesman
продавщи́ца	saleslady
разме́р	size
рожде́ние	birth
день рожде́ния	birthday
руба́шка	shirt
рубль (м.) (*pl.* рубли́)	ruble

рынок (*pl.* рынки)	market (place)
свитер	sweater
себя́	self (myself, yourself, himself, etc.)
сове́товать (I)	to advise, give advice
сове́тую, сове́туешь, сове́тую	
спортгова́ры	sporting goods
спуска́ться (I)	to descend, come down
спуска́ться по лестнице	to come (go) down the stairs
ста́рший	older
сто́ить (II)	to cost
су́мка	purse
тако́й	such a, so
тебе́	you (*dative case*)
ту́фля (ж.)	shoe
универма́г	department store
цвет (*pl.* цвета́)	color
цена́ (*pl.* це́ны)	price
чемода́н	suitcase
черни́ла (*pl. only*)	ink
ша́пка	cap
шарф	scarf
шля́па	hat
штук	piece
шту́ка	apiece, each
эта́ж (*pl.* этажи́)	floor (of building)
ю́бка	skirt

Восемна́дцатый уро́к

РАЗГОВО́Р: У врача́

Пациéнтка: — Здравствуйте. Доктор принимáет?	*Patient:* Hello. Is the doctor in?
Сестрá:[1] — Да. Доктор Вереща́гин принима́ет на второ́м этажé в кабинéте но́мер 15.	*Nurse:* Yes. Doctor Vereshchagin is receiving patients on the second floor in office number 15.
Пациéнтка: — Благодарю́ вас.	*Patient:* Thank you.
Сестрá: — Нé за что.	*Nurse:* You're welcome.
Пациéнтка: — До́брое у́тро, до́ктор.	*Patient:* Good morning, doctor.

---

[1] **сестрá**: медсестрá

Доктор: — Здравствуйте. На что вы жалуетесь?

Пациентка: — Я себя плохо чувствую. У меня болит живот и кружится голова.

Доктор: — Садитесь, пожалуйста. Откройте рот и скажите « А-а-а ».

Пациентка: — А-а-а.

Доктор: — А горло у вас не болит?

Пациентка: — Да, мне больно глотать, и у меня болит всё тело.

Доктор: — Вы были сегодня на службе?

Пациентка: — Я не служу; я студентка института.

Доктор: — Что вы изучаете?

Пациентка: — Английский язык.

Доктор: — Да? Я тоже интересуюсь английским языком. Кем вы хотите стать?

Пациентка: — Я хочу стать или учительницей, или экскурсоводом.

Доктор: — Обе[2] профессии хорошие. Когда я был мальчиком, я тоже хотел стать учителем, но родители были против этого. Скажите, у вас в институте хорошие профессора?

Пациентка: — Да. В общем я довольна, и мне особенно нравится профессор истории. Он очень умный и

Doctor: Hello. What's your complaint?

Patient: I feel badly. My stomach hurts and I feel dizzy.

Doctor: Sit down, please. Open your mouth and say "A-a-a."

Patient: A-a-a.

Doctor: Don't you have a sore throat?

Patient: Yes, it hurts me to swallow. My whole body aches.

Doctor: Were you at work today?

Patient: I don't work; I'm a student at the institute.

Doctor: What do you study?

Patient: English.

Doctor: Oh? I'm interested in English, too. What do you want to be (become)?

Patient: I want to become either a teacher or a tour guide.

Doctor: Both professions are good. When I was a boy, I wanted to become a teacher, too, but my parents were against it. Tell me, do you have good professors at the institute?

Patient: Yes, on the whole I'm satisfied, and I especially like the history professor. He is very intelligent and is almost always

---

[2] **Обе** is the feminine form; **оба** is used with masculine and neuter nouns.

почти́ всегда́ в хоро́шем на-
строе́нии. Он ча́сто улы-
ба́ется и смеётся, ре́дко хму-
рится...

До́ктор: — Мы немно́го откло-
ни́лись от те́мы. Ка́жется, у
вас грипп.

Пацие́нтка: — Я наде́юсь, что
э́то не серьёзно?

До́ктор: — Ду́маю, что нет.

Пацие́нтка: — Сла́ва Бо́гу! В
суббо́ту через неде́лю я е́ду
на кани́кулы на Кавка́з.

До́ктор: — Для вас э́то бу́дет
са́мое хоро́шее лека́рство.
Вам ну́жен о́тдых. Как вы
е́дете туда́? На автомоби́ле?

Пацие́нтка: — Нет, я не уме́ю
пра́вить, и, к тому́ же, у
меня́ нет автомоби́ля. Я е́ду
по́ездом.

До́ктор: — Вот вам лека́рство.
Принима́йте его́ два ра́за в
день.

Пацие́нтка: — Благодарю́ вас,
до́ктор. До свида́ния.

До́ктор: — Всего́ до́брого.[3] И
счастли́вого пути́!

in a good mood. He often smiles
and laughs, seldom frowns....

Doctor: We've gotten off the subject. Apparently you have influenza.

Patient: I hope that isn't serious.

Doctor: I don't think so.

Patient: Thank goodness! A week
from Saturday I am going on
vacation to the Caucasus.

Doctor: That will be the best medicine for you. You need a rest.
How are you going there? By
car?

Patient: No, I can't drive and,
besides, I don't have a car. I'm
going by train.

Doctor: Here's some medicine for
you. Take it twice a day.

Patient: Thank you, doctor. Good-
by.

Doctor: All the best. And have a
good trip!

Т Е К С Т   Д Л Я   Ч Т Е Н И Я : Будущая учи́тельница

Людми́ла Алекса́ндровна Андре́ева у́чится в Ленингра́дском
педагоги́ческом институ́те.[4] Гла́вный предме́т Людми́лы Алекса́н-
дровны — англи́йский язы́к, но она́ занима́ется не то́лько англи́йским

---

[3] **всего́ до́брого:** всего́ хоро́шего
[4] **педагоги́ческий институ́т:** teachers' college

Советский экскурсовод показывает американским фермерам
достопримечательности Москвы.

языко́м, а та́кже и педаго́гикой, литерату́рой, филосо́фией, исто́-
рией и спортом.

Людми́ла Алекса́ндровна хочет стать учи́тельницей и преподава́ть
иностра́нные языки́ в десятиле́тке.[5] Её брат Анато́лий тоже был
учи́телем англи́йского языка́, но тепе́рь он слу́жит перево́дчиком в
ООН[6] в Нью-Йо́рке. Эта слу́жба ему́ о́чень нра́вится, и он ча́сто
пи́шет сестре́ о свое́й жи́зни за грани́цей. Людми́ла Алекса́ндровна
наде́ется, что она́ тоже бу́дет име́ть возмо́жность служи́ть на
госуда́рственной слу́жбе, т. е., в ООН, в Сове́тском ко́нсульстве
или, мо́жет быть, да́же в посо́льстве в Вашингто́не.

---

[5] **десятиле́тка**: ten-year school
[6] **ООН**: Организа́ция Объединённых На́ций (The United Nations)

Профе́ссор Шеффильд счита́ет Людми́лу Алекса́ндровну свое́й лу́чшей студе́нткой. Она́ очень интересу́ется англи́йским языко́м и уже́ свобо́дно и почти́ без акце́нта говори́т по-англи́йски, хотя́ ещё никогда́ не была́ ни в Англии, ни в Аме́рике.

Летом Людми́ла Алекса́ндровна рабо́тает экскурсово́дом. Зараба́тывает она́ немно́го, но она́ на это не жа́луется, потому́ что счита́ет эту рабо́ту поле́зной, так как[7] она́ даёт ей возмо́жность пра́ктики в англи́йском языке́. Ленингра́д часто посеща́ют америка́нские и англи́йские тури́сты. Они́ обы́чно не владе́ют ру́сским языко́м, так что[8] Людми́ла Алекса́ндровна с утра́ до ве́чера говори́т то́лько по-англи́йски.

Когда́ Людми́ла Алекса́ндровна была́ ещё де́вочкой,[9] её семья́ жила́ в Ки́еве, столи́це Украи́нской ССР;[10] поэ́тому она́ соверше́нно свобо́дно говори́т и по-ру́сски, и по-украи́нски и счита́ет украи́нский свои́м вторы́м родны́м языко́м. Между про́чим, украи́нский и ру́сский — о́ба восто́чнославя́нские[11] языки́; поэ́тому они́ очень похо́жи друг на дру́га, но нельзя́ счита́ть украи́нский про́сто диале́ктом ру́сского языка́. На Украи́не[12] де́ти в шко́ле уча́тся ру́сскому, как иностра́нному языку́. Украи́нский наро́д очень лю́бит свой язы́к и горди́тся свое́й родно́й литерату́рой.

Людми́ла Алекса́ндровна неда́вно была́ серьёзно больна́. У неё была́ высо́кая температу́ра, кружи́лась голова́, ей было бо́льно глота́ть и дыша́ть. У неё был грипп, и ей на́до было две неде́ли лежа́ть в больни́це. Тепе́рь она́ поправля́ется, но ещё принима́ет лека́рства.[13] До́ктор говори́т, что через неде́лю она́ бу́дет совсе́м здоро́ва. В суббо́ту она́ едет на Чёрное мо́ре, где бу́дет отдыха́ть в санато́рии и лежа́ть на пля́же. Из Ленингра́да Людми́ла Алекса́ндровна лети́т на самолёте до Ки́ева, а отту́да едет авто́бусом в Со́чи. Это замеча́тельный го́род-куро́рт[14] на Чёрном мо́ре.

---

[7] **так как**: потому́ что
[8] **так что**: поэ́тому
[9] **де́вочка**: little girl
[10] **Украи́нская ССР** (Украи́нская Сове́тская Социалисти́ческая респу́блика): The Ukrainian S.S.R.
[11] **восто́чнославя́нский язы́к**: East-Slavic language
[12] **Украи́на**: The Ukraine; **на Украи́не**: in the Ukraine
[13] **лека́рство** (*pl.* **лека́рства**): The use of the plural indicates that she takes more than one kind of medicine.
[14] **го́род-куро́рт**: resort city

Вопро́сы

1. Где Людми́ла Алекса́ндровна учится?
2. Чем она́ там занима́ется?
3. Како́й её гла́вный предме́т?
4. Каки́е языки́ она́ знает?
5. Кем она́ хо́чет быть?
6. Где она́ хо́чет преподава́ть?
7. Где слу́жит её брат Анато́лий?
8. Кем он там слу́жит?
9. Как Людми́ла Алекса́ндровна говори́т по-англи́йски?
10. Кем она́ рабо́тает ле́том?
11. Почему́ Людми́ла Алекса́ндровна не жа́луется на то, что она́ не о́чень хорошо́ зараба́тывает?
12. Где она́ жила́, когда́ она́ была́ ещё де́вочкой?
13. Почему́ ру́сский и украи́нский языки́ так похо́жи друг на дру́га?
14. Како́й го́род столи́ца Украи́нской ССР?
15. Почему́ Людми́ле Алекса́ндровне на́до бы́ло лежа́ть в больни́це?
16. Кака́я боле́знь у неё была́?
17. Куда́ она́ е́дет че́рез неде́лю?
18. Как она́ е́дет туда́?
19. Что она́ бу́дет там де́лать?

ПРИМЕЧА́НИЯ

1. **Десятиле́тка**: a ten-year school in which the pupils are prepared for entry into a university.
2. **Семиле́тка**: a seven-year school that prepares pupils for the trade schools and non-academic work.
3. **Педагоги́ческий институ́т**: the equivalent of teachers' college in the United States.

ВЫРАЖЕ́НИЯ

1. До́ктор принима́ет?   Is the doctor in?
2. Благодарю́ вас.   Thank you.

3. жа́ловаться на (кого́? что?)
    to complain about
   На что вы жа́луетесь?
    What's your complaint?
   Не жа́луйтесь!
    Don't complain!
   Я не могу́ жа́ловаться.
    I can't complain.
   Он жа́луется на **то, что** плохо зараба́тывает.
    He complains about *the fact that* he has a poor salary.

4. Как вы себя́ чу́вствуете?
    How do you feel?
   Я чу́вствую себя́ о́чень пло́хо.
    I feel very bad.

5. У меня́ боли́т голова́ и живо́т.
    I have a headache and stomach-ache.

   У меня́ боли́т всё те́ло.
    I hurt all over.

6. Мне бо́льно глота́ть.
    It hurts me to swallow.

7. (не) дово́лен / (не) дово́льна / (не) дово́льно / (не) дово́льны (кем? чем?)
    (dis)satisfied (with)

8. Кем вы хоти́те стать (быть)?
    What do you want to become (be)?

9. в о́бщем
    on the whole

10. отклони́ться от те́мы
    to stray from the subject

11. че́рез неде́лю (ме́сяц, год)
    in a week (month, year)
   в суббо́ту че́рез неде́лю
    a week from Saturday

12. е́хать на кани́кулы
    to go on a vacation

13. е́хать автомоби́лем
    to go by car

14. каки́м о́бразом
    how, in what manner

15. таки́м о́бразом
    (in) this (that) way

16. Счастли́вого пути́!
    Have a nice trip!

17. име́ть возмо́жность
    to have an opportunity (chance)

18. служи́ть на госуда́рственной слу́жбе
    to work for the government

19. ни…, ни…
    neither… nor…

20. так, что
    therefore

21. похо́ж / похо́жа / похо́же / похо́жи на (кого́? что?)
    to look like, resemble, be similar to

22. похо́жи друг на дру́га
    similar to one another

23. нельзя́ сказа́ть
    it can't be said, one can't say

ДОПОЛНЍТЕЛЬНЫЙ МАТЕРИА́Л

Части человеческого тела

голова́	head
шея	neck
рука́ (*pl.* ру́ки)	arm, hand
живо́т	stomach
спина́	back
нога́ (*pl.* но́ги)	leg, foot
волосы	hair
глаз (*pl.* глаза́)	eye
нос	nose
рот (*pl.* рты)	mouth
ухо (*pl.* уши)	ear
зуб	tooth
горло	throat
палец (*pl.* пальцы)	finger, toe

Боли и боле́зни

1. Как вы себя́ чувствуете?

a. Я чувствую себя́... хорошо́.
не очень хорошо́.
лучше.
хуже (worse).
плохо.

b. У меня́ боли́т... голова́.
глаз.
ухо.
зуб.
горло.
живо́т.
спина́.
рука́.
нога́.
всё тело.

c. У меня́ боли́т... зу́бы.
               глаза́.
               у́ши.
               ру́ки.
               но́ги.
               па́льцы.

d. У меня́ голова́ кру́жится.

e. Мне бо́льно... глота́ть.
               дыша́ть (to breathe).

f. У меня́... на́сморк (head cold).
           просту́да[15] (cold).
           ка́шель (cough).
           грипп (flu).
           высо́кая температу́ра (high temperature).

g. Я ещё принима́ю лека́рства.

Спо́собы передвиже́ния

The verb **е́хать** means "to go by vehicle," "drive," "travel." The vehicle employed may be the object of the preposition **на** (**чём?**) or in the instrumental case without a preposition:

е́хать

я еду
ты едешь
он едет
мы едем
вы едете
они́ едут

Как вы едете туда́?

1. (автомоби́ль):

Я еду туда́ $\begin{cases} \text{на автомоби́ле.} \\ \text{автомоби́лем.} \end{cases}$ (by car)

---

[15] **у меня́ просту́да** или **я просту́жен** (**a**)

2. (мотоциклётка):

$$\text{Я еду туда́ } \begin{cases} \text{на мотоциклётке.} \\ \text{мотоциклёткой.} \end{cases} \text{(by motorcycle)}$$

3. (велосипе́д):

$$\text{Я еду туда́ } \begin{cases} \text{на велосипе́де.} \\ \text{велосипе́дом.} \end{cases} \text{(by bicycle)}$$

4. (авто́бус):

$$\text{Я еду туда́ } \begin{cases} \text{на авто́бусе.} \\ \text{авто́бусом.} \end{cases} \text{(by bus)}$$

5. (трамва́й):

$$\text{Я еду туда́ } \begin{cases} \text{на трамва́е.} \\ \text{трамва́ем.} \end{cases} \text{(by streetcar)}$$

6. (поезд):

$$\text{Я еду туда́ } \begin{cases} \text{на поезде.} \\ \text{поездом.} \end{cases} \text{(by train)}$$

7. (парохо́д):

$$\text{Я еду туда́ } \begin{cases} \text{на парохо́де.} \\ \text{парохо́дом.} \end{cases} \text{(by ship)}$$

8. (грузови́к):

$$\text{Я еду туда́ } \begin{cases} \text{на грузовике́.} \\ \text{грузовико́м.} \end{cases} \text{(by truck)}$$

Since the words **такси́** and **метро́** cannot be declined, the way to say "by taxi" and "by subway" is **на** $\begin{cases} \textbf{такси́.} \\ \textbf{метро́.} \end{cases}$

"To fly" in Russian is **лете́ть**, which is conjugated as follows:

$$\begin{aligned} &\text{я} && \text{лечу́} \\ &\text{ты} && \text{лети́шь} \\ &\text{он} && \text{лети́т} \\ &\text{мы} && \text{лети́м} \\ &\text{вы} && \text{лети́те} \\ &\text{они́} && \text{летя́т} \end{aligned}$$

The word for "airplane" is **самолёт**:

$$\text{Я лечу́ в Ки́ев}\begin{cases}\text{на самолёте.}\\\text{самолётом.}\end{cases}\text{(by plane)}$$

The verbs **идти́, е́хать, лете́ть** have the basic meaning of actually being on the way to a specific place:

Я иду́ в го́род.	I'm going (on the way) to town.
Я е́ду в шко́лу.	I'm going (on the way) to school.
Я лечу́ в Москву́.	I'm flying (on the way) to Moscow.

However, they may be used to indicate the future tense if a word, phrase, or the context indicates that the future tense, not the present is implied. Compare this with the English "I am going to town now" and "I am going to town tomorrow."

За́втра я иду́ в го́род.	Tomorrow I'm going to town.
В понеде́льник я е́ду в шко́лу.	On Monday I'm going to school.
В ию́не я лечу́ в Москву́.	In June I'm flying to Moscow.

Note also the following expressions:

Пойдём!	Let's go (*fam. sing.*)!	(on foot)
Пойдёмте!	Let's go (*form., pl.*)!	

Пое́дем!	Let's go (*fam. sing.*)!	(by vehicle)
Пое́демте!	Let's go (*form., pl.*)!	

УПРАЖНЕ́НИЯ

A. Сле́дуйте да́нным приме́рам:

Приме́р: How do you feel today? Fine.

Как вы себя́ чу́вствуете сего́дня? Хорошо́.

1. How does he feel today? Better.
2. How do they feel today? Worse.
3. How do you (**ты**) feel today? Not bad.
4. How does she feel today? Not very well.

Пример: I have a headache. **У меня болит голова.**

1. He has a stomach-ache.
2. She has a tooth-ache.
3. They have a back-ache.

Пример: He's very satisfied with them. **Он ими очень доволен.**

1. She's very satisfied with him.
2. They're very satisfied with you (**ты**).
3. I'm very satisfied with you (**вы**).
4. The teacher is very dissatisfied with me.

Пример: He complains about me. **Он жалуется на меня.**

1. They complain about us.
2. She complains about him.
3. Why do you (**ты**) complain about Sergei Petrovich?
4. Why do you (**вы**) complain about Sofia Andreevna?
5. I complain about the hot weather.

Пример: He complains about the fact that he is bored. **Он жалуется на то, что ему скучно.**

1. She complains about the fact that she is cold.
2. The students complain about the fact that there will be a test tomorrow.
3. The tourists complain about the fact that in this town there is no good museum.

Пример: He looks like my father. **Он похож на моего отца.**

1. She looks like my mother.
2. You (**вы**) look like your sister.
3. Ivan looks like Chekhov.
4. My son looks like me.

B. Complete each sentence by putting the words which follow in the correct case:

1. Он очень дово́лен... (до́ктор)
                (учи́тель)
                (Серге́й Миха́йлович)
                (слова́рь)
                (перо́)
                (упражне́ние)
                (зна́мя)

2. Она́ недово́льна... (кни́га)
                (учи́тельница)
                (галере́я)
                (фотогра́фия)
                (семья́)
                (жизнь)

C. Answer each question as indicated in the example:

Приме́р: Кем вы хоти́те стать?   **Я хочу́ стать инжене́ром.**
      (инжене́р)

Кем он хо́чет стать?
a. (дирижёр)
b. (учи́тель)
c. (перево́дчик)

Приме́р: Кем он бу́дет там рабо́тать?   **Там он бу́дет рабо́тать**
      (перево́дчик)   **перево́дчиком.**

1. Кем он бу́дет там рабо́тать? (журнали́ст)
2. Кем вы бу́дете там рабо́тать? (экскурсово́д)
3. Кем она́ бу́дет там рабо́тать? (библиоте́карша)

D. Change each sentence as indicated in the example:

Приме́р: Ива́н у́мный   **Ива́н счита́ется у́мным челове́ком.**
      челове́к.   **Они́ счита́ют Ива́на у́мным челове́ком.**

1. Никола́й о́чень хоро́ший инжене́р.
2. Па́вел Шу́йский о́чень тала́нтливый молодо́й писа́тель.

Пример: Лариса умная девушка.

Лариса считается умной девушкой.
Они считают Ларису умной девушкой.

1. Александра Борисовна хорошая мать.
2. Мария Петрова талантливая молодая балерина.

E. Give the correct form of the pronouns in parentheses:

1. Они почему-то недовольны (я).
2. Профессор доволен (они).
3. Он очень интересуется (она).
4. Она не интересуется (он).
5. Я горжусь (ты).
6. Мы гордимся (вы).

F. Answer each question with a complete sentence as indicated:

1. Чем вы занимаетесь? (German)
2. Чем вы интересуетесь? (history of Russian)
3. Каким языком вы хорошо владеете? (English)
4. Каким учебником вы пользуетесь? (a new textbook)
5. Чем вы пишете? (pencil)
6. Чем вы правите? (car)
7. Чем колхозник пашет? (plow)

G. Complete each sentence by giving the correct form of the verb and translating the words in parentheses:

Пример: Я (ехать) (город) (car).   **Я еду в город** {**на автомобиле.** / **автомобилем.**}

1. Я (ехать) (Киев) (bus).
2. Ты (ехать) (Красная площадь) (street car).
3. Он (ехать) (Москва) (car).
4. Мы (ехать) (выставка) (motorcycle).
5. Вы (ехать) (деревня) (truck).
6. Они (ехать) (парк) (bicycle).
7. Иван (ехать) (Европа) (steamer).
8. Мои родители (ехать) (столица) (train).
9. Let's go there by taxi!
10. Let's go there on foot!

H. Give the correct form of the verb "to fly" and any acceptable form of "airplane":

1. Мы
2. Вы
3. Они
4. Я } (лете́ть) в Ленингра́д (самолёт).
5. Ты
6. Он

I. Complete each sentence by giving the correct form of **учи́ть, изуча́ть, учи́ться, занима́ться** or **преподава́ть**:

1. Моя́ сестра́ (goes to, studies at) в Моско́вском университе́те.
2. Я обы́чно (study) до́ма, а не в библиоте́ке.
3. Мой ста́рший брат (is studying) неме́цкому языку́.
4. Вася сего́дня сиди́т в своём кабине́те и (studies) уро́ки.
5. Моя́ мла́дшая дочь лю́бит (to study, go to school).
6. Наши друзья́ (occupy themselves with) спо́ртом.
7. Мой оте́ц (is studying) интере́сную пробле́му на рабо́те.
8. Учи́тель (teaches) нас францу́зскому языку́.
9. Влади́мир Андре́евич (teaches) нам геогра́фию.
10. Я хочу́ (to teach) в десятиле́тке.

J. Give the correct form of **свой**:

1. Он по́льзуется (his own) словарём.
2. Они́ принима́ют (their own) лека́рства.
3. Она́ идёт к (her own) отцу́.
4. Я говорю́ о (my) профе́ссоре.
5. Мы рабо́таем в (our) кабине́те.
6. Ты лю́бишь (your) родну́ю литерату́ру?
7. Вы продаёте (your) ста́рый автомоби́ль?

K. Переведи́те слова́ в ско́бках:[16]

1. (How) вы е́дете туда́? (By train.)
2. (Tomorrow evening) мы е́дем (on vacation) на (south).
3. (Yesterday morning) я ви́дел его́ (at the doctor's).

---

[16] **ско́бки** (*pl.*): parentheses

4. (Early in the morning) я (feel) хуже.
5. (Late in the evening) он (feels) лучше.
6. (In the spring and summer) я всегда (in a good mood), а (in the fall and winter) нет.
7. Вы умеете (drive) автомобилем? Нет, но я хорошо (drive) мотоциклеткой.
8. Почему он всегда (frown)? Потому что он всегда (in a bad mood)!
9. Эти студенты очень симпатичные! Они часто (smile and laugh).
10. Эти пациенты начинают (complain). Это значит, что они (are recovering).
11. Этот колхозник хорошо (drives) грузовиком.
12. Кем (became) ваша дочь? Она (became) секретаршей.
13. Вы (interested in) химией? Да, конечно! (After all) химия (is my major)!

L. Переведите на русский:

1. Sergei Vereshchagin has a new truck.
2. Andrei Petrovich has an opportunity to go to school at Moscow University.
3. My sister has an exam today.
4. My brothers didn't have an opportunity to go to school.
5. I have money.
6. One must have money.
7. You won't have a test tomorrow.
8. They don't have a right to talk like that!
9. It's nice (*don't translate* "It's") to have a car.

M. Use the indicated phrase to complete each of the following sentences:

1. (этот профессор)
a. Почему вы не нравитесь _____?
b. Мой брат очень похож на _____.
c. Студенты часто говорят об _____.
d. Вчера вечером мы были у _____.
e. Вы знаете, в каком городе _____ живёт?
f. Студенты в общем очень довольны _____.

2. (эта студентка)
a. Я плохо знаю _____.
b. На _____ сегодня красивая новая блузка.

c. Профе́ссор отвеча́ет ———— на вопро́с.
d. ———— похо́жа на мою́ сестру́.
e. Марк Иволгин интересу́ется ————, но он ей не нра́вится.
f. Вокру́г ———— всегда́ больша́я толпа́.

Вопро́сы

1. Како́й сего́дня день неде́ли?
2. Како́й день был вчера́?
3. Како́е сего́дня число́?
4. Како́е число́ бу́дет за́втра?
5. Как вы себя́ чу́вствуете?
6. К кому́ вы идёте, когда́ вы больны́?
7. Как зову́т ва́шего врача́?
8. Когда́ он принима́ет: у́тром? по́сле обе́да? ве́чером? но́чью?
9. Вы им дово́льны?
10. Что у вас боли́т, когда́ вы просту́жены?
11. Что у вас боли́т, когда́ вам тру́дно глота́ть?
12. Лю́бите ли вы лежа́ть в больни́це и принима́ть лека́рства?
13. Зна́ете ли вы, что зна́чит «ипохо́ндрик»?
14. Когда́ вы спи́те: днём, ве́чером и́ли но́чью?
15. Вы дово́льны свое́й жи́знью?
16. Где вы у́читесь?
17. Что вы там изуча́ете?
18. Како́й ваш гла́вный предме́т?
19. Каки́е предме́ты вам бо́льше всего́ (most of all) нра́вятся?
20. Кем вы хоти́те стать?
21. Где вы хоти́те рабо́тать (служи́ть)?
22. Кем вы хоте́ли быть, когда́ вы бы́ли ма́льчиком (де́вочкой)?
23. Кем рабо́тает (слу́жит) ваш оте́ц (ва́ша мать)?
24. Вы сего́дня в хоро́шем и́ли в плохо́м настрое́нии?
25. Вы уме́ете пра́вить автомоби́лем? мотоцикле́ткой? грузовико́м?
26. У вас есть грузови́к?
27. Когда́ у вас бу́дут кани́кулы?
28. Что вы тогда́ бу́дете де́лать?
29. Вы лю́бите лежа́ть на пля́же?
30. Мо́жно ли е́хать отсю́да до Москвы́ по́ездом?
31. Как мо́жно туда́ е́хать?
32. Вы бы́ли в ООН в Нью-Йо́рке?

33. В каком американском городе находится Советское посольство?
34. Говорите ли вы по-русски свободно и без акцента?
35. Владеете ли вы украинским языком?
36. Каким учебником вы пользуетесь на уроке русского языка?
37. Чем пишут на доске? А на бумаге?
38. Чем колхозники пашут поля?
39. Где вы работаете?
40. Кем вы работаете?
41. Вы хорошо зарабатываете?
42. Вы довольны этой работой?

Перевод

Complete each sentence by translating the dependent clauses into Russian:

1. Я очень надеюсь,... (that you aren't very ill.)
                     (that you are recovering.)
                     (that you are satisfied with your room.)
                     (that the doctor is in today.)
                     (that it doesn't hurt you to breathe and swallow.)
                     (that you will not have to stay in the hospital.)
                     (that you will study Russian.)

2. Они жалуются на то,... (that the beach here is too small and ugly.)
                     (that one may not lie on the beach.)
                     (that near the beach is [stands] a large factory.)
                     (that the prices in this department store are too high.)
                     (that the teacher never smiles.)
                     (that in Moscow they will not have a chance to play chess.)

3. Будьте добры, скажите... (where the hospital is located.)
                     (which streetcar goes to the stadium.)
                     (in which office the doctor is receiving [patients].)
                     (on which street the American Embassy is located.)
                     (where you are flying.)

ГРАММА́ТИКА

Reflexive Verbs

All the following verbs are regular unless indicated otherwise:

Class I:

занима́ться (кем? чем?)	to study, occupy oneself (with)
счита́ться (кем? чем?)	to be considered to be
поправля́ться	to recover
улыба́ться	to smile
смея́ться	to laugh
смею́сь, смеёшься, смею́тся	
наде́яться	to hope
наде́юсь, наде́ешься, наде́ются	
жа́ловаться (на кого́? на что?)	to complain (about)
жа́луюсь, жа́луешься, жа́луются	
интересова́ться (кем? чем?)	to be interested (in)
интересу́юсь, интересу́ешься, интересу́ются	

Class II:

хму́риться	to frown
кружи́ться	to spin around, whirl
сади́ться	to sit down, take a seat
сажу́сь, сади́шься, садя́тся	
учи́ться (чему́?)	to study, go to school
учу́сь, у́чишься, у́чатся	
горди́ться (кем? чем?)	to be proud (of)
горжу́сь, горди́шься, гордя́тся	

Учи́ть, Преподава́ть, Учи́ться, Изуча́ть, Занима́ться

Учи́ть means "to learn," "to study," and also "to teach." It requires a *direct object*. If the object is a thing that can be learned, studied or memorized, it is in the *accusative case*:

Он учит уро́к.	He's *studying* the lesson.
Они́ у́чат диало́г.	They're *learning* the dialogue.

When used with the meaning "to teach" the person or persons being taught are in the *accusative*, while what is taught is in the *dative case* (or infinitive):

Э́тот учи́тель учит **нас русскому языку́.**	This teacher is teaching *us Russian.*
А́нна Бори́совна учит **их** говори́ть по-ру́сски.	Anna Borisovna teaches *them* to speak Russian.

Преподава́ть has only one meaning: "to teach" or "give instruction (in)." With this verb, the person or persons taught are in the *dative*, what is taught is in the *accusative*. **Преподавать** however, *does not require* a direct or indirect object:

Где он преподаёт?	Where does he teach?
Он преподаёт в Чика́го.	He teaches in Chicago.
Что он там преподаёт?	What does he teach there?
Он там преподаёт ру́сский язы́к.	He teaches Russian there.
Кому́ он преподаёт ру́сский язы́к?	Whom does he teach Russian?
Он нам преподаёт ру́сский язы́к.	He teaches us Russian.

Учи́ться means "to study," "to learn," and is also used in a general sense with the meaning "to go to school." If this verb has an object it is always in the *dative case*; however, an object is not required. It is used in connection with "skill" courses such as foreign languages and mathematics, rather than reading courses like history, philosophy, etc.

Я не люблю́ учи́ться!	I don't like to study (go to school).
Где вы у́читесь?	Where do you go to school?
Я учу́сь в институ́те в Ленингра́де.	I'm studying at (going to) an institute in Leningrad.
Я учу́сь писа́ть по-ру́сски.	Im learning to write Russian.
Чему́ он у́чится?	What is he studying?
Он у́чится ру́сскому языку́.	He's studying the Russian language.

Изуча́ть means "to study" or "to make a detailed examination of" a specific subject, question, phenomenon, problem, etc. This verb *must have* a *direct object* in the *accusative case*:

Что Бо́ря изуча́ет в университе́те?	What does Boris study at the university?
Он изуча́ет геогра́фию.	He is studying geography.
Что вы изуча́ете?	What are you studying (examining)?
Я изуча́ю интере́сную пробле́му.	I'm studying an interesting problem.

Занима́ться means "to study," "to do homework," and also "to occupy oneself (with)." If this verb has a direct object, it is always in the *instrumental case*:

Вы идёте в кино́ сего́дня ве́чером?	Are you going to the movies this evening?
Нет, мне на́до занима́ться.	No, I have to study.
Чем вы занима́етесь?	What are you studying?
Я занима́юсь англи́йским языко́м.	I'm studying English.

Име́ть

The verb **име́ть** ("to have") is used only

1. When what is possessed ("had") is an abstract noun:

Я ре́дко име́ю возмо́жность говори́ть по-ру́сски.	I seldom have the opportunity (chance, possibility) to speak Russian.
Вы не име́ете пра́ва так говори́ть!	You don't have the right to talk like that!

2. When in Russian the possessor (the person or thing that "has") is not expressed:

На́до име́ть де́ньги.	One has to have money.
Там мо́жно име́ть автомоби́ль.	There one can have a car.

Under all other circumstances use the construction **у (кого́? чего́?) (есть)**...

У меня́ есть кни́га.	I have a book.
У кого́ нет шля́пы?	Who doesn't have a hat?
У Ива́на чёрный автомоби́ль.	Ivan has a black car.

Свой *and Other Possessive Adjectives/Pronouns*

When a possessive adjective/pronoun refers back to the subject, it is frequently omitted in Russian. This is especially true when the noun involved (modified) is a relative, an article of clothing, or a part of the body:

Я жду отца́.	I'm waiting for (my) father.
Ты ждёшь отца́?	Are you waiting for (your) father?
Мы ждём бра́та.	We are waiting for (our) brother.
Вы ждёте сестру́?	Are you waiting for (your) sister?
Они́ ви́дят мать.	They see (their) mother.
У меня́ боли́т голова́.	(My) head hurts.
Я не зна́ю, где шля́па.	I don't know where (my) hat is.

It is also possible to use the possessive adjectives we have already discussed:

Я жду моего́ отца́.	I'm waiting for my father.
Ты ждёшь твоего́ отца́?	Are you waiting for your father?
Мы ждём на́шего отца́.	We are waiting for our father.
Я не зна́ю, где моя́ шля́па.	I don't know where my hat is.

If, however, the subject is **он, она́, оно́** or **они́,** the possessives **его́**, **её,** **их** refer to someone other than the subject.

Он ждёт его́ отца́.	He is waiting for his (someone else's) father.
Она́ ждёт её отца́.	She is waiting for her (someone else's) father.
Они́ ждут их отца́.	They are waiting for their father (the fathers of some other people).

The possessive adjective/pronoun **свой** *always relates back to the subject.* It *may* be used with any subject; it *must* be used (instead of **его́, её, их**) if the subject is **он, она́, оно́,** or **они́**; it is similar to the English "my own," "your own." "his own," etc. **Свой** has the same declensional forms as **мой** and **твой**.

Я чита́ю ⎧ свой уче́бник.	I read my (own) ⎧ textbook.
⎨ свою́ кни́гу.	⎨ book.
⎩ своё письмо́.	⎩ letter.
Ты чита́ешь свою́ кни́гу.	You read your (own) book.
Он чита́ет свою́ кни́гу.	He reads his (own) book.

Она́ чита́ет свою́ кни́гу.	She reads her (own) book.
Мы чита́ем свою́ кни́гу.	We read our (own) book.
Вы чита́ете свою́ кни́гу.	You read your (own) book.
Они́ чита́ют свою́ кни́гу.	They read their (own) book.

The Instrumental Case (Кем? Чем?)

A. Formation of nouns

1. Masculine:

	Nouns ending in a consonant add -ом	-й *becomes* -ем	-ь *becomes* -ем	*When the ending is stressed,* -ь *becomes* -ём
Nom.	студе́нт –	Серге́ й	учи́тел ь	слова́р ь
Inst.	студе́нт ом	Серге́ ем	учи́тел ем	словар ём

2. Feminine:

	-а *becomes* -ой	-я *becomes* -ей	-ь *becomes* -ью	*When the ending is stressed,* -я *becomes* -ёй
Nom.	ко́мнат а	галере́ я	жизн ь	семь я́
Inst.	ко́мнат ой	галере́ ей	жизн ью	семь ёй

3. Neuter:

	-о *becomes* -ом	-е *becomes* -ем	-я *becomes* -енем
Nom.	окн о́	пол е	им я
Inst.	окн о́м	пол ем	им енем

4. "Mother" and "daughter":

Nom.	мать	дочь
Inst.	матерью	дочерью

Remember Spelling Rule 3: after **ж, ч, ш, щ, ц** *unstressed* **o** becomes **e**.

муж ем	американц ем	товáрищ ем	Натáш ей

B. Formation of pronouns

Nom.	я	ты	он	онá	онó	мы	вы	они́
Inst.	мной	тобóй	им	ей	им	нами	вами	ими

C. Formation of adjectives

Adjectives that modify *masculine* or *neuter* nouns have the ending **-ым** or **-им** (Spelling Rule 1, Spelling Rule 3, or "soft" adjective):

1. Masculine:

	Normal	*Spelling Rule 1*	*"Soft" Adjective*
Nom.	стар ый	хорóш ий	син ий
Inst.	стар ым	хорóш им	син им

2. Neuter:

	Normal	*Spelling Rule 3*	*"Soft" Adjective*
Nom.	стар ое	хорóш ее	син ее
Inst.	стар ым	хорóш им	син им

Adjectives that modify *feminine* nouns have the ending **-ой** or **-ей** (Spelling Rule 1 or "soft" adjective):

	Normal	*Spelling Rule 3*	*"Soft" Adjective*
Nom.	стар ая	хоро́ш ая	син яя
Inst.	стар ой	хоро́ш ей	син ей

D. Formation of demonstrative adjectives/pronouns

Nom.	этот	эта	это	тот	та	то
Inst.	этим	этой	этим	тем	той	тем

E. Formation of possessive adjectives/pronouns

Nom.	мо й	мо я́	мо ё	тво й	тво я́	тво ё
Inst.	мо и́м	мо е́й	мо и́м	тво и́м	тво е́й	тво и́м

Nom.	наш –	наш а	наш е	ваш –	ваш а	ваш е
Inst.	наш им	наш ей	наш им·	ваш им	ваш ей	ваш им

F. Usage of the instrumental case

The instrument which is used to perform an action must be in the instrumental case. This eliminates the need for a preposition, such as the English "with" or "by":

писа́ть ⎰ карандашо́м / ручко́й / ме́лом ⎱   to write *with* ⎰ a pencil / a pen / chalk ⎱

паха́ть плу́гом   to cultivate *with* a plow

е́хать автомоби́лем   to go (drive) *by* car

лете́ть самолётом   to go (fly) *by* plane

Certain verbs require that their object be in the instrumental case. This holds true even when the verb is negated:

1. **занима́ться**   to study, occupy oneself with

> Я занима́юсь ру́сск**им** язык**о́м**.

2. **интересова́ться**   to be interested in

> Я интересу́юсь ру́сск**им** язык**о́м**.

3. **по́льзоваться**   to use, make use of

> Я по́льзуюсь ста́р**ым** словар**ём**.

4. **горди́ться**   to be proud of

> Я горжу́сь сы́н**ом**.

5. **владе́ть**   to master, have a command of

> Я владе́ю ру́сск**им** язык**о́м**.

6. **пра́вить**   to drive, operate (a motor vehicle)

> Я хорошо́ пра́влю автомоби́л**ем**.

The verbs **стать**, **быть**, **рабо́тать** (**служи́ть**), and **счита́ть(ся)** deserve special attention:

1. **Стать** ("to become, get to be") is an irregular class I verb. It is a perfective verb and thus has a *future* meaning when conjugated (like **подожда́ть** and **посмотре́ть**). What a person will become is in the *instrumental case*. In Russian one asks "Whom (rather than 'what') do you wish to become?"

Бу́дущее вре́мя

я ста́ну	I shall become
ты ста́нешь	you will become
он ста́нет	he will become
мы ста́нем	we shall become
вы ста́нете	you will become
они́ ста́нут	they will become

Проше́дшее вре́мя

я (ты, он)	стал	I (you, he) became
я (ты, она́)	ста́ла	I (you, she) became
оно́	ста́ло	it became
мы (вы, они́)	ста́ли	we (you, they) became

Note the following sentences:

Кем вы хоти́те стать?	What do you wish to become?
Я хочу́ стать врачо́м.	I want to become a doctor.
Она́ ста́ла учи́тельниц**ей**.	She became a teacher.
Когда́ я ста́ну адвока́т**ом**,	When I get to be a lawyer, (then)
то я бу́ду служи́ть в	I'm going to work in the capital.
столи́це.	

2. **Быть** (to be). A profession, state or condition used after the *future tense* or the *infinitive* of the verb **быть** is always in the instrumental case:

Он бу́дет хоро́ш**им** врачо́м.	He will be a good doctor.
Я хоте́л быть инжене́р**ом**.	I wanted to be an engineer.
Он не хо́чет быть плохи́м мальчик**ом**!	He doesn't want to be a bad boy!
Э́та рабо́та бу́дет для вас о́чень поле́зн**ой**.	This work will be very useful for you.

After the *past tense* of this verb, the instrumental is used *only if the profession, state or condition was temporary*:

Он был учи́тел**ем**, но он тепе́рь меха́ник.	He was a teacher, but now he's a mechanic.
Она́ была́ тогда́ ещё де́вочк**ой**.	At that time she was still a little girl.
Он был мои́**м** хоро́ш**им** друг**ом**, но я его́ бо́льше не люблю́!	He was my good friend, but I no longer like him!

If, however, the condition, state or profession was *permanent*, the *nominative* is used. This type of statement implies that the person involved is now dead:

Пу́шкин был вели́кий поэ́т.	Pushkin was a great poet.
Достое́вский был вели́кий писа́тель.	Dostoevsky was a great writer.
Мой оте́ц был адвока́т.	My father was a lawyer (until he died).
Он был мой друг.	He was my friend (right up until the day he died).

In the following examples, the word that follows **быть** is, in practice, the *subject of the sentence* and thus *must be in the nominative*:

Это был мой учитель.	That was my teacher.
Это была моя сестра.	That was my sister.
Это был наш дом.	That was our house.
Это будет ваша комната.	This will be your room.

3. **Работать — служить** ("to work, serve"). When these verbs are followed by a profession, that profession is in the *instrumental case*. Note the translation: "to work as...":

Кем вы там работаете?	What is your job there?
Я работаю механик**ом**.	I work as a mechanic.
Она служит переводчиц**ей**.	She works as an interpreter.
Я не хочу служить экскурсовод**ом**!	I don't want to work as a tour guide!

4. **Считаться** ("to be considered to be"). What a person is considered to be is expressed in the *instrumental case*.

Он считается хорошим писател**ем**.	He is considered (to be) a good writer.
Она считалась плох**ой** мат**ерью**.	She was considered (to be) a poor mother.

The non-reflexive form **считать** means "to consider"; if there is a direct object it is in the *accusative case*: what that person (or thing) is considered to be is still in the instrumental.

Мы считаем Борис**а** Фёдорович**а** хорош**им** педагог**ом**.	We consider Boris Fyodorovich a good teacher.
Они считают **вас** хорошим врач**ом**.	They consider you a good doctor.

The Russian equivalents of the expressions "satisfied (with)," "dissatisfied (with)," "disappointed (with)," involve short adjective constructions with the instrumental case:

(не) доволен		
довольна	(кем? чем?)	(dis)satisfied (with)
довольно		
довольны		

Note the following sentences:

Я (ты, он) дово́лен э́тим
уро́ком.

I (you, he) am (are, is) satisfied
with this lesson.

Я (ты, она́) недово́льна
э́той кни́гой.

I (you, she) am (are, is) dissatisfied
with this book.

Мы (вы, они́) недово́льны
тем, что на́до рабо́тать.

We (you, they) are dissatisfied
(with the fact) that it is necessary to work.

Idiomatic Expressions Occurring in the Instrumental Case

Certain idiomatic expressions occur in the *instrumental case*:

ме́жду про́чим	by the way
одни́м сло́вом	in other words, in a word
каки́м о́бразом	in what manner, by what means, how
таки́м о́бразом	in this way, in this manner, like this
(ра́но) у́тром	(early) in the morning
сего́дня у́тром	this morning
вчера́ у́тром	yesterday morning
за́втра у́тром	tomorrow morning
днём[17]	in the daytime, during the day
(по́здно) ве́чером	(late) in the evening
сего́дня ве́чером	this evening
вчера́ ве́чером	yesterday evening
за́втра ве́чером	tomorrow evening
(по́здно) но́чью	(late) at night, in the night
весно́й	in the spring(time)
ле́том	in the summer(time)
о́сенью	in the fall (autumn)
зимо́й	in the winter(time)

ТАБЛИ́ЦЫ

Complete declension tables of nouns, adjectives (singular only), and
pronouns will be found in lesson 19.

---

[17] "In the afternoon" по-ру́сски бу́дет **по́сле обе́да**.

СЛОВА́РЬ

благодари́ть (II)	to thank
боле́знь (ж.)	illness, sickness
боле́ть (II)	to hurt
У меня́ боли́т...	My... hurts.
боль (ж.)	pain
больно	painful
больни́ца	hospital
вами	you (*inst.*)
велосипе́д	bicycle
владе́ть (I) (кем? чем?)	to master, have a command of
в о́бщем	on the whole
возмо́жность (ж.)	possibility, chance, opportunity
волос (*pl.* волосы)	hair (The singular волос is used to refer to a single hair only.)
глаз (*pl.* глаза́)	eye
глота́ть (I)	to swallow
голова́ (*pl.* го́ловы)	head
горди́ться (II) (кем? чем?)	to be proud
горжу́сь, горди́шься, гордя́тся	
горло	throat
грипп	influenza
грузови́к (*pl.* грузовики́)	truck
диале́кт	dialect
дово́лен, -льна, -о, -ы (кем? чем?)	satisfied (with)
дыша́ть (II)	to breathe
дышу́, ды́шишь, ды́шат	
ей	her (*inst.*)
ехать (I)	to go (by vehicle), drive, travel
еду, едешь, едут	
жаловаться (I) (на кого? на что?)	to complain (about)
живо́т	stomach, abdomen
занима́ться (кем? чем?)	to study, occupy oneself with
зараба́тывать (I)	to earn
зуб	tooth
им	him (*inst.*)
име́ть (I)	to have (*used with abstract nouns and in sentences without a possessor expressed*)
ими	them (*inst.*)
интересова́ться (I) (кем? чем?)	to be interested (in)
кабине́т	office
каки́м образом	in what manner, by what means, how
кани́кулы (*pl. only*)	vacation(s)

ка́шель (м.)	cough
кем	whom (*inst.*)
консульство	consulate
кружи́ться (I)	to spin around, whirl
кружу́сь, кру́жится, кру́жатся	
куро́рт	resort
лека́рство	medicine
литерату́ра	literature
медсестра́	nurse
мной	me (*inst.*)
мотоцикле́тка	motorcycle
наде́яться (I)	to hope
наде́юсь, наде́ешься, наде́ются	
на́сморк	head cold
настрое́ние	mood
на́ми	us (*inst.*)
недово́лен, -льна, -о, -ы (кем? чем?)	dissatisfied
нога́ (*pl.* но́ги)	leg, foot
нос	nose
о́ба (*fem.* о́бе)	both
отклони́ться (II)	to stray
па́лец (*pl.* па́льцы)	finger, toe
парохо́д	steamship
паха́ть (I)	to cultivate, plow
пашу́, па́шешь, па́шут	
пляж (на)	beach
плуг	plow
по́езд	train
поле́зный (*short forms:* поле́зен, -зна, -о, -ы)	useful
получа́ть (I)	to receive, get
по́льзоваться (I) (кем? чем?)	to use, make use of
поправля́ться (I)	to recover
посо́льство	embassy
похо́ж (-а, -е, -и) (на кого́? на что?)	similar to, look(s) like
пра́вить (II) (чем?)	to drive, operate
пра́влю, пра́вишь, пра́вят	
преподава́ть (I) (кому́? что?)	to teach
преподаю́, преподаёшь, преподаю́т	
предме́т	subject
гла́вный предме́т	major (subject)
принима́ть (I)	to take, accept
принима́ть лека́рства	to take medicine
До́ктор принима́ет.	The doctor is in.
просту́да	a cold, chill
родно́й	native (*adj.*)

рот (*pl.* рты)	mouth
рука́ (*pl.* ру́ки)	arm, hand
самолёт	airplane
санато́рий	sanatorium, health resort
свобо́дно	freely, fluently
свой, своя́, своё, свой	my, your, his, her, its, our, your, their
се́верный	northern
слу́жба	job, service, work (office *or* military)
служи́ть (II) (кем?)	to serve, work (in an office *or* the armed
служу́, -ишь, -ат	forces)
смея́ться (I)	to laugh
смею́сь, смеёшься, смею́тся	
спать (II)	to sleep
сплю, спишь, спят	
спина́ (*pl.* спи́ны)	back, spine
спо́соб	means
спо́соб передвиже́ния	means of transportation
стать (I) (кем?)	to become, get; to be
ста́ну, ста́нешь, ста́нут;	
стал, ста́ла, ста́ло, ста́ли	
счита́ть (I) (кого́? что? — кем? чем?)	to consider (to be)
счита́ться (I) (кем? чем?)	to be considered (to be)
так что	so that, therefore
таки́м о́бразом	in that (this) way, like this
такси́	taxi
те́ма	theme, subject
температу́ра	temperature
трамва́й	streetcar
улыба́ться (I)	to smile
у́хо (*pl.* у́ши)	ear
учи́ться (II) (чему́?)	to learn, study
филосо́фия	philosophy
хму́риться (II)	to frown
ху́же	worse
челове́ческий	human, civilized
чем	what (*inst.*)
чу́вствовать себя́	to feel (*concerning one's health*)
ше́я	neck
экскурсово́д	tour guide

Девятна́дцатый уро́к

РАЗГОВО́Р: **В рестора́не « Самова́р »**

Дмитрий: — Здесь все места́
уже́ за́няты.

Ларйса: — Вот доса́да. Мне так
хо́чется есть![1]

Дмитрий: — Я то́же го́лоден,
но ничего́ не поде́лаешь: зал
по́лон.

Dmitry: All the seats here are already occupied.

Larissa: What a shame! I'm so hungry!

Dmitry: I'm hungry, too, but there's nothing to be done. The room is full.

---

[1] **Мне хо́чется есть**: Я го́лоден (голодна́).

Обед был очень вкусный!

Лари́са: — Ди́ма, подожди́! Вот там свобо́дные места́, за тем сто́ликом, кото́рый стои́т у окна́! Ви́дишь?

Дми́трий: — Да, нам повезло́! Пойдём туда́! Това́рищ официа́нт, здесь не за́нято?

Официа́нт: — Нет, свобо́дно. Сади́тесь, пожа́луйста. Вот меню́. Что вы бу́дете зака́зывать?

Дми́трий: — Что мы возьмём на заку́ску?

Лари́са: — Я о́чень люблю́ икру́!

Дми́трий: — И я то́же! Да́йте, пожа́луйста, икры́, сала́та, хле́ба с ма́слом... и две рю́мки во́дки.

Larissa: Dima, wait! There are some vacant seats at that little table at the window. Do you see?

Dmitry: Yes. We're in luck! Let's go over there! Waiter, this place isn't taken, is it?

Waiter: No, it's not. Sit down, please. Here's the menu. What are you going to order?

Dmitry: What sort of hors d'oeuvre shall we have?

Larissa: I like caviar very much!

Dmitry: So do I! Please give us some caviar, some salad, some bread and butter... and two glasses of vodka.

Официа́нт: — Хорошо́. У нас, ме́жду про́чим, о́чень вку́сный борщ.

Лари́са: — Да? Тогда́ на пе́рвое я возьму́ таре́лку борща́ со смета́ной, на второ́е — бифште́кс с карто́фелем, а на тре́тье — моро́женое.

Дми́трий: — А я возьму́ щи и... у вас есть пирожки́ с капу́стой?

Официа́нт: — Нет, то́лько с мя́сом.

Дми́трий: — Ну ничего́. Да́йте с мя́сом. На второ́е — котле́ты с карто́фелем, а на сла́дкое я то́же возьму́ моро́женое и стака́н[2] ча́ю.

Официа́нт: — С лимо́ном?

Дми́трий: — Нет, без лимо́на, но с са́харом.

Официа́нт: — А что вы бу́дете пить?

Лари́са: — Ко́фе[3] с молоко́м.

Официа́нт: — Ещё что́-нибудь?

Дми́трий: — Нет, спаси́бо. Бо́льше ничего́ не ну́жно.

Официа́нт: — Вот ва́ша заку́ска. Прия́тного аппети́та.

Waiter: Fine. Our borshch, by the way, is very tasty.

Larissa: Oh? Then for the first course I'll take a dish of borshch with sour cream; for the second course, beefsteak with potato; and for dessert, ice cream.

Dmitry: And I'll take *shchi* and... do you have *piroshki* with cabbage?

Waiter: No, only with meat.

Dmitry: Well, that's all right. Give me some with meat. For the main course—cutlets with potato, and for dessert I'll also have ice cream and a glass of tea.

Waiter: With lemon?

Dmitry: No, without lemon, but with sugar.

Waiter: And what would you like to drink?

Larissa: A cup of coffee with milk.

Waiter: Anything else?

Dmitry: No, thanks. Nothing else is necessary.

Waiter: Here's your *zakuska*. I hope you enjoy your meal.

(*По́сле обе́да*)

Дми́трий: — Ско́лько с нас?

Официа́нт: — Вот счёт. С вас шесть рубле́й 44 копе́йки.

(*After dinner*)

Dmitry: How much do we owe?

Waiter: Here's your check. You owe six rubles, 44 kopecks.

---

[2] Ру́сские мужчи́ны предпочита́ют пить чай из стака́на.
[3] **Ко́фе** is an indeclinable masculine noun.

Дмитрий: — Пожалуйста. Возьмите деньги.[4] До свидания.	*Dmitry:* Here you are. "Take the money." Good-by.
Официант: — Всего доброго.	*Waiter:* All the best.

ТЕКСТ ДЛЯ ЧТЕНИЯ: Рабочий день Михаила Некрасова

Инженер Михаил Некрасов работает на московском автомобильном заводе, а Ольга, его жена, служит машинисткой в ЗАГСе.[5] Они живут за городом в доме, который недавно построили в новом районе. Это красивое место. Между улицей и их домом растут цветы. Некрасовы очень довольны и районом, и своей квартирой. Их квартира находится на четвёртом этаже, откуда открывается вид на новое здание клуба, которое стоит рядом. Перед клубом большой сад, в котором весь день играют дети, а за клубом — лес.

Пора вставать!

Семь часов утра. Пора вставать. Михаил открывает глаза, встаёт и делает утреннюю зарядку.[6] Затем[7] он чистит зубы, умывается холодной водой, бреется и одевается.

Завтрак

Ольга всегда встаёт раньше, чем муж, и начинает готовить завтрак. В семь двадцать она говорит:

— Миша! Во сколько тебе надо быть на работе сегодня?

— В восемь, как и всегда. А почему ты спрашиваешь?

— Пора завтракать! Всё давно готово!

Михаил садится за стол и закрывает глаза.

— Что с тобой, Миша? — спрашивает Ольга. — Почему ты не ешь?

— Ничего, ничего, — отвечает Михаил. — Передай, пожалуйста, солонку.

— Да что ты! Солонка стоит перед тобой! Разве ты не видишь?

---

[4] **Возьмите деньги:** *Literally,* "Take the money." This expression is obviously out of place in the English translation, but it is commonly used by Russians when paying.

[5] **ЗАГС (Отдел записи актов гражданского состояния)**: Registry Office

[6] **утренняя зарядка**: morning exercises

[7] **затем**: потом

Ты, ка́жется, не вы́спался?

— Да, э́то пра́вда, — отвеча́ет Михаи́л.

По́сле за́втрака Михаи́л встаёт из-за стола́, проща́ется с жено́й и ухо́дит.[8]

Обе́д

Михаи́л е́дет на рабо́ту авто́бусом. Его́ рабо́чий день начина́ется в во́семь, и он приезжа́ет[9] на рабо́ту как раз во́время.[10] В двена́дцать часо́в он обе́дает вме́сте со свои́м това́рищем Бори́сом. Михаи́л ест борщ со смета́ной, сала́т, ры́бу, хлеб с ма́слом, а на сла́дкое — моро́женое. Так как Бори́с на дие́те, он ест то́лько бутербро́д с колбасо́й. Рабо́чий день конча́ется в четы́ре часа́, и сра́зу по́сле рабо́ты Михаи́л е́дет домо́й.

Ужин

Некра́совы у́жинают в семь три́дцать. Перед у́жином Михаи́л отдыха́ет, а по́сле у́жина он помога́ет жене́ по хозя́йству. Иногда́ он да́же мо́ет посу́ду, но он не лю́бит э́того де́лать. Зате́м Ольга и Михаи́л просма́тривают газе́ты и журна́лы, смо́трят переда́чу по телеви́зору и́ли про́сто сидя́т и разгова́ривают. В оди́ннадцать часо́в Михаи́л говори́т:

— Ну, Оля, поздно́вато.[11] Пора́ ложи́ться спать.

Так конча́ется рабо́чий день Михаи́ла Некра́сова.

Вопро́сы

1. Кем рабо́тает Михаи́л Некра́сов?
2. Кем слу́жит его́ жена́?
3. Что зна́чит ЗАГС?
4. Где живу́т Некра́совы?
5. Что растёт ме́жду у́лицей и до́мом, в кото́ром нахо́дится их кварти́ра?
6. А где лес?

---

[8] **уезжа́ть**: to depart, leave (by vehicle); **уходи́ть**: to depart, leave (on foot)

[9] **приезжа́ть**: to arrive, come (by vehicle); **приходи́ть**: to arrive, come (on foot)

[10] **во́-время**: on time; **во вре́мя**: during

[11] **Поздно́вато**: It's a bit late

7. Где нахо́дится сад, в кото́ром игра́ют дети этого райо́на?
8. Во сколько встаёт Михаи́л?
9. Во сколько начина́ется его́ рабо́чий день?
10. Кто встаёт раньше: Михаи́л или Ольга?
11. Чем Михаи́л умыва́ется?
12. Почему́ Ольга спрашивает мужа: « Что с тобо́й? »
13. На чём Михаи́л едет на рабо́ту?
14. В кото́ром часу́ он приезжа́ет на заво́д?
15. В кото́ром часу́ он едет домо́й?
16. В кото́ром часу́ он обе́дает?
17. Что он сего́дня ест на обе́д?
18. Почему́ его́ това́рищ ест так мало?
19. Во сколько ужинают Некра́совы?
20. Кто моет посу́ду?
21. Что они́ делают после этого?
22. Во сколько они́ ложа́тся спать?

ВЫРАЖЕ́НИЯ

1. Вот доса́да!	What a shame!
2. Мне (так) хочется есть (пить)!	I'm (so) hungry (thirsty)!
3. Мне (тебе́ и т. д.) повезло́!	I'm (you're, etc.) in luck!
4. Что вы будете заказывать?	What are you going to order?
5. Я возьму́...	I'll take the...
6. на заку́ску (первое, второе, третье или сладкое, завтрак, обе́д, ужин)	for *zakuska*[12] (first course, second course, third course or dessert, breakfast, dinner, supper)
7. Ещё что́-нибудь?	Anything else?
8. Прия́тного аппети́та.	I hope you enjoy your meal.
9. Сколько с меня́ (тебя́ и т. д.)?	How much do I (you, etc.) owe?
10. С меня́ (с тебя́ и т. д.)...	I (you, etc.) owe...
11. Возьми́те деньги.	Here's the money.
12. Вид открыва́ется на (что?)	There's a view of...
13. Пора́ встава́ть (завтракать, обе́дать, ужинать, ложи́ться спать).	It's time to get up (have breakfast, dinner, supper, go to bed).
14. делать утреннюю заря́дку	to do morning exercises

---

[12] *zakuska*: a snack

15. Во ско́лько ?	At what time?
В кото́ром часу́ ?	
16. Что с тобо́й (со мной, с ним, с ней и т. д.) ?	What's the matter with you (me, him, her, etc.)?
17. Переда́й(те)...!	Pass the...!
18. Да что ты (вы)!	Why, what do you mean!
19. Вы вы́спались ?	Did you get enough sleep?
Да, вы́спался (вы́спалась).	Yes, I did.
20. сади́ться за стол	to sit down at the table
21. встава́ть из-за стола́	to get up from the table
22. как раз во́время	right on time
23. помога́ть по хозя́йству	to help with the housework
24. смотре́ть переда́чу по теле-ви́зору	to watch a T.V. broadcast
25. Поздновато.	It's a bit late.
26. Так конча́ется...	That's the way... ends.

ПРИМЕЧА́НИЯ

1. **Заку́ска** is the Russian word for a small snack (usually just before a meal). **Заку́ски** are hors d'oeuvres (antipasto) which are usually served with vodka.

2. **Смета́на** ("sour cream") is used very extensively in Russian dishes.

3. **Пирожки́** is a Russian specialty. It is a small, oblong pie with stuffing of meat, egg, mushroom, cabbage, cottage cheese, etc. *Piroshki* may be baked or deep-fried. The singular is **пирожо́к**.

4. **Сла́дкое** is the Russian word for "dessert." The adjective **сла́дкий** means "sweet."

5. **Самова́р**: A samovar is a large, sometimes quite ornamental, metal container which Russians use for boiling water for tea. Old samovars have an internal chamber for hot coals; modern versions are heated by electricity. On top of the samovar sits a small tea pot with very strong tea, which is diluted with boiling water when poured. Thus the strength of the tea may be different for each cup poured. The city of Tula is famous as a center for the manufacture of samovars, which get their name from the words **сам** ("self") and **вари́ть** ("to boil"). The Russian expression « **Ехать в Тулу со свои́м самова́ром** » ("to go to Tula with one's own samovar") is the equivalent of the English "to carry coals to Newcastle."

6. **Чай, завтрак, обéд, ужин**: There is a certain amount of overlapping in the usage of these words. In general, **завтрак** is breakfast, **обéд** is the noon meal and **ужин** is the evening meal. Many Russians, however, refer to "breakfast" as **чай**, "to have breakfast" as **пить чай**; "lunch" as **завтрак** or **второй завтрак**, and "to have lunch" as **завтракать**. **Ужин** is always a late evening meal. Just before going to bed (**перед сном**) many Russians like to have tea with jam.

> **чай** or **завтрак** morning meal
> **завтрак** (lunch) or **обéд** (dinner) noon meal
> **обéд** (dinner) late afternoon meal
> **ужин** (supper) late evening meal

7. **Завтракать, обéдать** and **ужинать** are intransitive verbs (they never have a direct object).
8. **Есть** and **кушать** may have direct objects. Note these useful commands:

> **Ешь(те)! Кушай(те)!**   Have something to eat!

ДОПОЛНЍТЕЛЬНЫЙ МАТЕРИÁЛ

Часы́: час — часá — часóв; минýта — минýты — минýт

There are two ways of asking the time in Russian:

> Котóрый (сейчáс) час?
> Скóлько (сейчáс) врéмени?

The simplest way to give the time is to state the hour and minutes in that order ("one o'clock" is, however, **час**):

| 8:30 | восемь тридцать |
| 2:44 | два сорок четы́ре |

To be more correct in giving the time, one should include the Russian words for "hour(s)" and "minute(s)." The three forms of these words follow exactly the same pattern as **год, рубль, копéйка**. In writing, the abbreviations **ч.** and **мин.** are used:

1:00	час
2:00	два
3:00	три } часá
4:00	четы́ре
5:00	пять
12:00	двенáдцать } часóв

2:21	два часá двáдцать однá минýта (2 ч. 21 мин.)
2:22	два часá двáдцать дв**е** минýты (2 ч. 22 мин.)
2:23	два часá двáдцать три минýты (2 ч. 23 мин.)
2:24	два часá двáдцать четы́ре минýты (2 ч. 24 мин.)
2:25	два часá двáдцать пять минýт (2 ч. 25 мин.)
2:30	два часá тридцать минýт (2 ч. 30 мин.)

A.M. is **утрá**; P.M. is **вечера**:

восемь часóв утрá 8:00 A.M.
восемь часóв вечера 8:00 P.M.

The 24-hour clock system is used extensively in the U.S.S.R.:

8 часóв вечера 20 ч.

When asking at what time something occurs, the Russian questions are

Во скóлько? (The question most commonly used in the
U.S.S.R.)
В котóром часý? (The question most commonly used by
Russians abroad.)

The answer to such a question contains the preposition **в**:

Во скóлько нáдо быть на рабóте? **В** восемь часóв.
В котóром часý он приезжáет? **В** семь сóрок пять.

In English the preposition "at" may be omitted; however, in Russian the
use of the preposition **в** is obligatory when answering questions involving
"(at) what time?" ("When?"):

(At) what time will he be here? **Во** скóлько он здесь бýдет?
(At) eight twenty. **В** восемь двáдцать.

When are you leaving? Когдá вы уезжáете?
(At) five fifty. **В** пять пятьдесят.

Меню́

Пéрвое (закýски и суп)	First course (hors d'oeuvres and soup)
грибы́	mushrooms
икрá	caviar
осетри́на	sturgeon

ветчина́	ham
колбаса́	sausage
борщ	*borshch*
щи	*shchi*
бульо́н	broth
сала́т	salad

Второ́е

Main Course

ры́ба	fish
ку́рица	chicken
пельме́ни	*pelmeni* (Russian ravioli)
пирожки́ (с мясом, с рыбой, с капу́стой и т. д.)	*piroshki* (with meat, fish, cabbage, etc.)
беф-стро́ганов	beef Stroganov
шашлы́к	shishkabob
котле́та	cutlet
бифште́кс	beefsteak

Овощи

Vegetables

карто́фель (или карто́шка)	potato
морко́вь (ж.)	carrot
капу́ста	cabbage
карто́фельное пюре́	mashed potato
горо́х	peas

Третье (сладкое)

Third Course (dessert)

моро́женое	ice cream
компо́т	compote

Разные

Various Items

соль	salt
перец	pepper
горчи́ца	mustard
сахар	sugar
смета́на	sour cream
хлеб	bread
масло	butter
бутербро́д (с мясом, колбасо́й и т. д.)	sandwich (with meat, sausage, etc.)

сосúски	hot dogs
яйца	eggs
яúчница	fried egg
каша	*kasha* (a dish made of various grains)

Напúтки

Drinks

водá	water
водка	vodka
молокó	milk
чай	tea
кофе	coffee
пиво	beer
винó	wine
фруктóвый сок	fruit juice

Посýда

Kitchenware

кастрюля	pot, saucepan
сковорóдка	frying pan
тарéлка	dish, plate
стакáн	glass
чашка	cup
блюдце	saucer
рюмка	stemmed glass
чайник	tea pot
сахарница	sugar bowl
солóнка	salt cellar
нож (*pl.* ножú)	knife
вилка	fork
ложка	spoon

УПРАЖНÉНИЯ

A. Следуйте данным примéрам:

Примéр: We're in luck!   **Нам повезлó!**

1. He's in luck!
2. I'm in luck!
3. She's in luck!

4. They're in luck!
5. You're (**вы**) in luck!

> *Пример:* What shall we have for   **Что возьмём на закуску?**
> zakuska?

1. What shall we have for the first course?
2. What shall we have for the second course?
3. What shall we have for the third course?
4. What shall we have for dessert?

> *Пример:* I'll take borshch.   **Я возьму борщ.**

1. I'll take *shchi*.
2. I'll take broth.
3. I'll take beefsteak.
4. I'll take *piroshki* with meat.
5. I'll take fish.
6. I'll take a glass of vodka.
7. I'll take a glass of tea with sugar.

> *Пример:* Here's the garden in which   **Вот сад, в котором**
> our children are playing.   **играют наши дети.**

1. Here's the department in which they sell fur caps.
2. Here's the city in which we formerly lived.
3. Here's the university at which I study.
4. Here's the cathedral in which one may take pictures.

> *Пример:* Did you see the library   **Вы видели библиотеку, в**
> in which my wife works?   **которой работает моя жена?**

1. Did you see the apartment in which Dostoevsky lived?
2. Did you see the school in which they study?
3. Did you see the conservatory in which Richter (**Рихтер**) played?
4. Did you see the hospital in which these nurses work?

> *Пример:* What's the matter with you?   **Что с тобой?**

1. What's the matter with me?
2. What's the matter with him?
3. What's the matter with her?
4. What's the matter with you (**вы**)?
5. What's the matter with them?

B. Answer each question with a complete sentence as indicated:

1. С кем вы говори́ли?
a. (медсестра́)
b. (до́ктор)
c. (учи́тель)
d. (Андре́й Фёдорович)
e. (това́рищ)
f. (перево́дчица)

2. С кем он разгова́ривает?
a. (твой брат)
b. (ваш оте́ц)
c. (моя́ жена́)
d. (на́ша мать)

3. С чем вы хоти́те бутербро́д?
a. (колбаса́)
b. (сыр)

4. С чем вы бо́льше лю́бите пирожки́?
a. (капу́ста)
b. (сыр)
c. (мя́со)

5. С чем вы пьёте чай?
a. (лимо́н)
b. (са́хар)
c. (молоко́)

C. Complete each sentence by translating the prepositions in parentheses and giving the correct form of the words that follow:

1. На конце́рте она́ сиде́ла (alongside of)... (мы)
(вы)
(они́)
(я)

2. Я е́ду в кино́ (together with)... (Гео́ргий)
(Ми́ша)
(э́тот молодо́й челове́к)

3. Наш дом стои́т (between)... (музе́й и библиоте́ка)
(озеро и лес)

4. Я сижу́ (between)... (учи́тель и студе́нт)
(профе́ссор и его́ жена́)

5. Карти́на виси́т (above, over)... (этот дива́н)
(эта дверь)

6. Наш авто́бус стои́т (in front of)... (гости́ница)
(Большо́й теа́тр)
(Истори́ческий музе́й)

7. Мы об э́том говори́ли (just before)... (уро́к)
(ле́кция)

D. Give the correct form of the words in parentheses:

1. Я сажу́сь за (стол).
2. Я сижу́ за (стол).
3. Они́ сего́дня едут за́ (город).
4. Они́ живу́т за́ (город).
5. Ле́том мы уезжа́ем за (грани́ца).
6. Мы до́лго жи́ли за (грани́ца).

E. Complete each sentence as indicated. Use the *partitive genitive* ("some...")
where possible:

1. Да́йте, пожа́луйста,... (икра́)
(горчи́ца)
(вода́)
(рыба)

2. Возьми́те... (борщ)
(чёрный хлеб)
(моро́женое)
(компо́т)
(суп)
(сыр)
(шокола́д)
(сахар)

3. Прошу́ стака́н... (кре́пкий чай)
   (холо́дное молоко́)
   (фрукто́вый сок)

4. Я хочу́ таре́лку... (борщ со смета́ной)
   (бульо́н)
   (суп)
   (щи)

5. Переда́йте, пожа́луйста,... (salt shaker)
   (sugar bowl)
   (mustard)
   (pepper)
   (salad)
   (sour cream)
   (bread and butter)

F. Complete each sentence by translating the words in parentheses.

1. Я ем суп (with a spoon).
2. Мы пи́шем на доске́ (with chalk).
3. Идёмте[13] (with me).
4. Я иду́ на уро́к (with the teacher).
5. Он не лю́бит писа́ть (with a pencil).
6. Что вам бо́льше нра́вится: карто́фель (with butter or with sour cream)?
7. Борщ на́до есть (with a spoon).
8. Мы еди́м бутербро́д (with sausage).
9. Не говори́те (with her).
10. Мы до́лго разгова́ривали (with them).
11. Наш дом стои́т (right next to your father's house).

G. In place of **по́сле** ("after") use **пе́ред** ("just before") and make the necessary change in case.

1. Я был(а́) там по́сле обе́да.
2. Я был(а́) там по́сле за́втрака.
3. По́сле дождя́ бы́ло тепло́.
4. По́сле уро́ка они́ стоя́т в коридо́ре и разгова́ривают.

---

[13] **Идёмте с...:** "Come with..."

5. После ужина мы всегда смотрим передачи по телевизору.

6. После спектакля они были в ресторане.

H. Reverse the order of subject and the object of the preposition **с**:

1. Они разговаривают с профессором. **(Профéссор...)**

2. Мы говорили с учителем.

3. Я иду на концерт с Таней.

4. Он живёт рядом с Николаем Фёдоровичем.

5. Она разговаривает с матерью.

6. Почему ты не разговариваешь с отцом?

7. Вы будете сидеть рядом с сестрой.

I. Complete each sentence by giving the correct form of *who, which, that.*

1. Вот человек,
—
—
—
—
—
—
—
—

   ——— учится в педагогическом институте.

   у ——— я жил в Москве.

   ——— вы писали.

   ——— вы хотели видеть.

   ——— не доволен своей работой.

   с ——— вы хотите говорить.

   о ——— мы вчера говорили.

   ——— живёт около нас.

2. Вот переводчица,

   брат ——— интересуется вами.

   ——— помогает профессор Иванов.

   ——— все любят.

   с ——— мы вчера вечером разговаривали.

   о ——— я говорил.

3. Озеро,

   ——— вы видите на карте, очень глубокое.

   название ——— я не помню, находится на юге страны.

   к ——— подходят туристы, самое глубокое озеро в этом районе.

   за ——— стоит наш дом, очень красивое.

   о ——— мы говорили на уроке, считается самым красивым озером в СССР.

4. Люди, ——— предпочитают жить на севере, не могут не любить холодной погоды.

5. Цветы, ——— растут между улицей и нашим домом, очень красивые.

J. Rewrite each sentence using the **хо́чется** construction as in the example:

> *Приме́р*: Они́ голодны́. **Им хо́чется есть.**

1. Я го́лоден (голодна́).
2. Ты го́лоден (голодна́)?
3. Мы голодны́.
4. Вы голодны́?
5. Я так хочу́ говори́ть с ва́ми по-англи́йски!
6. Он не хо́чет рабо́тать.
7. Они́ хотя́т пить.

K. Complete each sentence with the correct form of the Russian expression for "each other" (**друг дру́га**).

1. Вы понима́ете (each other)?
2. Мы всегда́ помога́ем (each other).
3. Они́ ре́дко говоря́т (about each other).
4. Мы до́лго разгова́ривали (with each other).

L. Translate the words in parentheses:

1. Кавка́з нахо́дится (between the Black Sea and the Caspian Sea).
2. Сту́лья стоя́т (alongside of the T.V.).
3. Цветы́ стоя́т (under the window).
4. Наш гара́ж нахо́дится (behind the house).
5. (Just before dinner) мы смо́трим интере́сную переда́чу по телеви́зору.
6. Мы е́дем на рабо́ту (together with Ivan and Anna).
7. (Above the table) виси́т карти́на.
8. Я сажу́сь (at the table).
9. Я сижу́ (at the table).
10. Они́ живу́т (abroad).
11. Они́ уезжа́ют (abroad).
12. Де́вочка сиди́т (under the table).
13. (In front of the church) расту́т цветы́.

M. Answer each question as indicated:

1. Кото́рый тепе́рь час?
   a. (2:15 а.м.)

  b. (3:20 A.M.)
  c. (4:30 P.M.)
  d. (5:45 P.M.)

2. В котором часу́ вам надо быть в шко́ле?
  a. (8:15 A.M.)
  b. (9:50 A.M.)
  c. (10:10 A.M.)
  d. (11:30 P.M.)

3. Во ско́лько начина́ется конце́рт?
  a. (7 P.M.)
  b. (8:45 P.M.)
  c. (9:15 P.M.)
  d. (1 P.M.)

Вопро́сы

1. С чем вы пьёте ко́фе?
2. С чем вы пьёте чай?
3. Чем вы пи́шете на доске́?
4. Чем вы пи́шете на бума́ге?
5. Како́го цве́та ваш каранда́ш (ва́ша авторучка)?
6. Кто сиди́т ря́дом с ва́ми на уро́ке ру́сского языка́?
7. Как зову́т челове́ка, кото́рый сиди́т за ва́ми?
8. Кто сиди́т пе́ред ва́ми?
9. Кто стои́т пе́ред ва́ми?
10. Как называ́ется ва́ша шко́ла?
11. Где вы живёте: в го́роде, за́ го́родом или в дере́вне?
12. Как называ́ется го́род, в кото́ром (или о́коло кото́рого) вы живёте?
13. Как называ́ется страна́, в кото́рой вы живёте?
14. Как фами́лия профе́ссора, кото́рый у́чит вас ру́сскому языку́?
15. В кото́ром часу́ вы обы́чно встаёте?
16. Вы де́лаете у́треннюю заря́дку?
17. Вы ка́ждое у́тро умыва́етесь и чи́стите зу́бы (и бре́етесь)?
18. В кото́ром часу́ вы за́втракаете?
19. Кто гото́вит вам за́втрак?
20. Во ско́лько вы приезжа́ете (прихо́дите) в шко́лу?

21. Где вы обы́чно обéдаете?
22. Во сколько вы обéдаете?
23. Что вы обы́чно еди́те на обéд?
24. В котóром часý вы уезжáете (ухóдите) домóй?
25. В котóром часý вы ужинаете?
26. Что вы делаете после ужина?
27. Вы любите мыть посýду?
28. Вы любите помогáть по хозя́йству?
29. У вас есть телеви́зор?
30. Каки́е передáчи вам больше всегó[14] нрáвятся?
31. Во сколько вы ложи́тесь спать?
32. Есть ли в вашем городе русский ресторáн?
33. Что вы обы́чно закáзываете, когдá вы обéдаете в русском ресторáне?
34. Вы любите икрý? А борщ?
35. Какóе ваше люби́мое русское блю́до?[15]
36. Вы пьёте водку?
37. Как сказáть по-рýсски... a. *this city?*
                                             b. *in this city?*
                                             c. *through this city?*
                                             d. *about this city?*
                                             e. *without this city?*
                                             f. *toward this city?*
                                             g. *above this city?*
                                             h. *beyond this city?*
                                             i. *to this city?*
                                             j. *near this city?*
                                             k. *between this city and Moscow?*

38. Во сколько начинáется урóк русского языкá?
39. Во сколько этот урóк кончáется?
40. В котóром часý начинáется рабóчий день у вашего отцá (мужа или вашей жены́)?
41. В котóром часý ваш отéц (ваш муж, ваша мать или женá) уезжáет (ухóдит) на рабóту?
42. Во сколько он (онá) приезжáет (прихóдит) домóй с рабóты?

---

[14] **больше всегó**: most of all
[15] **блю́до**: dish (cuisine)

Устный перевод

1

1. What do you want, Vanya, tea or coffee?
   — Дай, пожа́луйста, ча́шку ча́ю, то́лько кре́пкого. Я не вы́спался.
2. And I want coffee with milk and sugar. Please pass the sugar bowl.
   — Пожа́луйста.
   Don't we have ham?
3. What kind of (**с чем**) sandwich do you want, (with) sausage or cheese?
   — Лу́чше с сы́ром.
4. Wait a minute. I'll take a look. No, we only have sausage.
   Too bad. Then give me simply some bread and butter.

2

1. Is the borshch tasty?
   — О́чень вку́сный. Я вообще́ люблю́ борщ. А как щи?
2. It's also tasty. Please pass the salt cellar.
   — Почему́ ты не ешь ры́бы? Ты говори́л, что тебе́ о́чень хо́телось есть.
3. Yes, but the fish isn't tasty.
   — Где мы бу́дем сего́дня у́жинать?
4. In a new restaurant, not far from Red Square.

3

1. Excuse me, please, this place isn't taken, is it?
   — Нет, свобо́дно. Что вы бу́дете зака́зывать?
2. What do you recommend (**рекоменду́ете**) for *zakuska*?
   — Икра́ у нас о́чень хоро́шая!
3. Fine. I'll take some caviar, some salad, and bread and butter. And for the first course—borshch with sour cream.
   — А на второ́е?
4. For the second course, shishkabob.
   — А что вы хоти́те на тре́тье? моро́женое?
5. No, thank you. Nothing else will be necessary. I'm on a diet.
   — Вот заку́ска, пожа́луйста. Прия́тного аппети́та.
6. How much do I owe?
   — Вот счёт. С вас 3 рубля́ 50 копе́ек.

ГРАММА́ТИКА

Some New Verbs[16]

Взять ("to take") is a *perfective verb*, that is, it has a future meaning when conjugated. Note the irregularity:

Future Tense	*Past Tense*	*Commands*
я возьму́	он взял	Возьми́!
ты возьмёшь	она́ взяла́	Возьми́те!
он возьмёт	оно́ взяло	
мы возьмём	они́ взяли	
вы возьмёте		
они́ возьму́т		

Встава́ть ("to get up") is conjugated like any other verb with the ending **-авать**.

Present Tense

я встаю́
ты встаёшь
он встаёт
мы встаём
вы встаёте
они́ встаю́т

Встава́ть из-за стола́ means "to get up from the table."

Бри́ться ("to shave") is irregular:

Present Tense

я бре́юсь
ты бре́ешься
он бре́ется
мы бре́емся
вы бре́етесь
они́ бре́ются

Есть, in addition to meaning "there is (are)" also serves as the verb "to eat."

---

[16] Unless otherwise noted, the past tense is regular.

Present Tense	Past Tense	Commands
я ем	он ел	Ешь!
ты ешь	она́ ела	Ешьте!
он ест	оно ело	
мы еди́м	они́ ели	
вы еди́те		
они́ едя́т		

Мыть ("to wash") takes an object: **Мать моет посу́ду (ребёнка).**

Present Tense
я мою
ты моешь
он моет
мы моем
вы моете
они́ моют

Расти́ ("to grow") is conjugated like **идти́** (and any other verb that ends in **-ти**).

Present Tense	Past Tense
я расту́	он рос
ты растёшь	она́ росла́
он растёт	оно́ росло́
мы растём	они́ росли́
вы растёте	
они́ расту́т	

Сади́ться means "to sit down" (take a seat), not "to sit" or "to be sitting" (**сиде́ть**). Since **сади́ться** is considered to be a verb of motion, it answers the question **куда́?**, and its prepositions take the *accusative case.*

Present Tense	Commands
я сажу́сь	Сади́сь!
ты сади́шься	Сади́тесь!
он сади́тся	
мы сади́мся	
вы сади́тесь	
они́ садя́тся	

Compare:

$$\text{Куда́ вы сади́тесь?} \qquad \text{Я сажу́сь} \begin{cases} \text{на стул.} \\ \text{за стол.} \end{cases}$$

$$\text{Где вы сиди́те?} \qquad \text{Я сижу́} \begin{cases} \text{на сту́ле.} \\ \text{за столо́м.} \end{cases}$$

Ложи́ться means "to lie down, (*place* oneself in a horizontal position)," not "to lie" or "to *be* in a horizontal position" (**лежа́ть**). The comments on **сади́ться** apply also to **ложи́ться**.

Present Tense	*Commands*
я ложу́сь	Ложи́сь!
ты ложи́шься	Ложи́тесь!
он ложи́тся	
мы ложи́мся	
вы ложи́тесь	
они́ ложа́тся	

Compare:

$$\text{Куда́ вы ложи́тесь?} \qquad \text{Я ложу́сь} \begin{cases} \text{на дива́н.} \\ \text{под дерево (tree).} \end{cases}$$

$$\text{Где вы лежи́те?} \qquad \text{Я лежу́} \begin{cases} \text{на дива́не.} \\ \text{под деревом.} \end{cases}$$

The Relative Pronoun **Кото́рый** (Who, Which, That, Whose)

The relative pronoun **кото́рый** is actually an adjective which has the same function as the English relative pronouns "who," "which," "that." It always occurs in a relative (dependent) clause and *agrees in gender and number with its antecedent (the noun to which it refers); its case is determined by its use within the relative clause.* If **кото́рый** is the object of a preposition, the preposition must stand before it. Dependent clauses in Russian are always separated from the rest of the sentence by commas.

Вот студе́нт,	кото́**рый** живёт в Нью-Йо́рке. (*nominative*)
	кото́**рого** не́ было на уро́ке. (*genitive*)
	к кото́**рому** мы идём сего́дня. (*dative*)
	кото́**рого** ваша сестра́ знает. (*accusative*)
	кото́**рым** ваш оте́ц недово́лен. (*instrumental*)
	о кото́**ром** мы говори́ли. (*prepositional*)

Вот студéнтка,
- котóр**ая** рабóтает в Ки́еве. *(nominative)*
- для котóр**ой** я покупáю эту блузку. *(genitive)*
- котóр**ой** Ивáн преподаёт ру́сский язы́к. *(dative)*
- котóр**ую** вы ви́дели вчерá. *(accusative)*
- с котóр**ой** Бори́с был в кинó. *(instrumental)*
- о котóр**ой** профéссор говори́л. *(prepositional)*

Здание,
- котóр**ое** стои́т напрáво от церкви, óчень старое. *(nominative)*
- около котóр**ого** нахóдится больни́ца, óчень старое. *(genitive)*
- к котóр**ому** мы подхóдим, óчень старое. *(dative)*
- котóр**ое** вы там ви́дите, óчень старое. *(accusative)*
- котóр**ым** вы интересу́етесь, óчень старое. *(instrumental)*
- в котóр**ом** я рабóтаю, óчень старое. *(prepositional)*

Дети, котóр**ые** мáло читáют, плóхо у́чатся.

If **котóрый** is in the genitive case governed by a noun, it *follows* the noun.

Вот инженéр, **брат котóрого** ещё у́чится в университéте. — There's the engineer, *whose brother* still studies at the university.

Вот перевóдчица, **сын котóрой** живёт в Москвé. — There's the interpreter, *whose son* lives in Moscow.

Мы ви́дели озеро, **назвáние котóрого** вы у́же знаете. — We saw a lake, the *name of which* you already know.

Котóрый is also used at times in place of **какóй** and is always used in the expressions:

Котóрый сейчáс час? — What time is it now?
В котóром часу́? — At what time?

The Partitive Genitive

The "partitive genitive" is used when in English we specify "some (of)" a substance that is divisible.

Дáйте, пожáлуйста, хлеб**á**. — Please give me some bread.
воды́. — some water.
молокá. — some milk.

It is also used when the measure of the substance is indicated.

чашка чаю	a cup of tea
стакан воды́	a glass of water
таре́лка борща́	a dish of borshch

Some masculine nouns have the partitive genitive ending **-y** or **-ю**.

чай	чаю
сахар	сахару
суп	супу
сыр	сыру
шокола́д	шокола́ду

Начина́ться *and* Конча́ться: *Passive Constructions*

Начина́ть ("to begin, start") and **конча́ть** ("to finish, conclude") are transitive verbs and must be used with a direct object or verb infinitive:

$$\text{Они́ начина́ют} \begin{Bmatrix} \text{рабо́ту} \\ \text{рабо́тать} \end{Bmatrix} \text{в восемь часо́в.}$$
$$\text{They begin} \begin{Bmatrix} \text{work} \\ \text{working} \end{Bmatrix} \text{at 8 o'clock.}$$

$$\text{Они́ конча́ют} \begin{Bmatrix} \text{рабо́ту} \\ \text{рабо́тать} \end{Bmatrix} \text{в четы́ре часа́.}$$
$$\text{They finish} \begin{Bmatrix} \text{work} \\ \text{working} \end{Bmatrix} \text{at 4 o'clock.}$$

In Russian, however, it is not possible to say "Work begins (finishes) at 8 (4) o'clock," as this would indicate that the *work* actually begins (finishes) *doing* something. Instead the Russian says "Work begins (finishes) *itself* at 8 (4)," which is the equivalent of the passive in English: "Work is begun (is concluded) at 8 (4)". **Начина́ться** and **конча́ться** may *not* be used with a direct object or verb infinitive.

> Рабо́та начина́ется в восемь.
> Рабо́та конча́ется в четы́ре.

Most active sentences can be made passive in Russian merely by making the direct object of the active sentence the subject of the passive sentence and adding **-ся** to the verb. The subject of the active sentence is frequently an understood **они**:

Здесь **рабо́ту** начина́ют в во́семь.	Here they begin work at 8.
Здесь **рабо́та** начина́е**тся** в во́семь.	Here work is begun at 8.
Эту кни́гу о́чень тру́дно чита́ть.	It is very difficult to read this book.
Эта кни́га о́чень тру́дно чита́е**тся**.	This book is very difficult to read.
Это легко́ де́лать.	It is easy to do this.
Это легко́ де́лае**тся**.	This is easy to do.

The Instrumental Case with the Prepositions
С, Между, Над, Перед, За, *and* Под

1. **С** ("with"): In lesson 18 we saw that in statements involving the use of an instrument or tool to perform an action, the Russians simply use the instrumental case, while in English we use a prepositional phrase.

Я пишу́ карандашо́**м**.	I am writing *with the* pencil.
Мы еди́м суп ло́жк**ой**.	We eat soup *with a* spoon.

Thus the Russian question involved is **чем?** ("With what?").

There is, however, a word in Russian for "with." It is **с**. The preposition **с** is used in all situations other than those described above and in lesson 18 when in English one uses the preposition "with." When **с** means "with," it is followed by an object in the *instrumental case*. Remember that when it means "from," it is followed by the genitive **Я иду́ с рабо́ты домо́й**.

Я говорю́ **с** брат**ом**.	I'm talking *with* my brother.
Он идёт туда́ **с** Анн**ой**.	He is going there *with* Anna.
Мы пьём чай **с** лимо́н**ом**.	We drink tea *with* lemon.

Thus the Russian question involved is **С чем? С кем?** ("With what? With whom?").

The expressions **вместе с** ("together with") and **рядом с** ("right next to," "alongside of") are always followed by the instrumental.

Он рабóтает **вместе с нáми**.	He works together with us.
Он живёт **рядом с нѝми**.	He lives right next to (alongside of) them.

When **с** is followed by a word beginning with **с**, **з**, or **ш** plus another consonant, it becomes **со**: **со студéнтом**. This also occurs with **мной**: **со мной**.

2. **Между** ("between"), **над** ("above," "over"), and **перед** ("in front of," "just before") always take the *instrumental case*.

Он сидѝт **между Ивáном и Тамáрой**.	He sits between Ivan and Tamara.
Нáша квартѝра нахóдится **над гаражóм**.	Our apartment is located above a garage.
Перед дóмом стоѝт автомобѝль.	There is a car in front of the house.
Перед обéдом мы говорѝли о погóде.	Just before dinner we talked about the weather.

3. **За** ("behind," "beyond") and **под** ("under," "below") are used with *two* cases: The *accusative case* is used when these prepositions denote *motion directed behind or under*; the *instrumental* is used when they denote *location*.

Кудá он идёт?	Where is he going?
Он идёт **за гарáж**.	He is going behind the garage.
Где он стоѝт?	Where is he standing?
Он стоѝт **за гаражóм**.	He is standing behind the garage.
Кудá бежѝт мáльчик?	Where is the boy running?
Он бежѝт **под стол**.	He is running under the table.
Где лежѝт мáльчик?	Where is the boy lying?
Он лежѝт **под столóм**.	He is lying under the table.

Some idiomatic expressions with **за** are

садиться за стол	to sit down (take a seat) at the table
сидеть за столом	to sit at the table
ехать за границу	to go abroad
жить за границей	to live abroad
ехать за́ город	to go to the suburbs
жить за́ городом	to live in the suburbs

When followed by **мной,** the prepositions **с**, **над**, **перед** and **под** become **со**, **надо**, **передо** and **подо** and are pronounced, of course, as part of **мной**:

со мной
надо мной
передо мной
подо мной

ТАБЛИЦЫ

Nouns

FORMATION OF MASCULINE NOUNS

	—	-й	-ь	-(и)й
Nom.	студéнт —	Сергé й	учи́тел ь	санатóри й
Gen.	студéнт а	Сергé я	учи́тел я	санатóри я
Dat.	студéнт у	Сергé ю	учи́тел ю	санатóри ю
Acc.	студéнт а стол —	Сергé я музéй й	учи́тел я автомоби́л ь	санатóри й
Inst.	студéнт ом	Сергé ем	учи́тел ем	санатóри ем
Prep.	студéнт е	Сергé е	учи́тел е	санатóри и

FORMATION OF FEMININE NOUNS

	-а	-я	-(и)я	-ь	мать
Nom.	комнат а	галерé я	лаборатóри я	тетрáд ь	мат ь
Gen.	комнат ы	галерé и	лаборатóри и	тетрáд и	мат ери
Dat.	комнат е	галерé е	лаборатóри и	тетрáд и	мат ери
Acc.	комнат у	галерé ю	лаборатóри ю	тетрáд ь	мат ь
Inst.	комнат ой	галерé ей[17]	лаборатóри ей	тетрáд ью[18]	мат ерью
Prep.	комнат е	галерé е	лаборатóри и	тетрáд и	мат ери

FORMATION OF NEUTER NOUNS

	-о	-е	-(и)е	-я
Nom.	окн ó	пол е	здани е	им я
Gen.	окн á	пол я	здани я	им ени
Dat.	окн ý	пол ю	здани ю	им ени
Acc.	окн ó	пол е	здани е	им я
Inst.	окн óм	пол ем	здани ем	им енем
Prep.	окн é	пол е	здани и	им ени

[17] When stressed, the instrumental case endings **-ем** and **-ей** become **-ём** and **-ёй**: **словарём, семьёй**.

[18] Note that the instrumental is the only oblique case form of **церковь** which has the fleeting **о**: церковь, церкви, церкви, церковь, церковью, церкви.

Adjectives and Pronouns

FORMATION OF MASCULINE ADJECTIVES

	Regular	*Stressed Ending*	*Spelling Rules*
Nom.	нов ый	молод о́й	хоро́ш ий (1)
Gen.	нов ого	молод о́го	хоро́ш его (3)
Dat.	нов ому	молод о́му	хоро́ш ему (3)
Acc.	{ нов ого нов ый	{ молод о́го молод о́й	{ хоро́ш его (3) хоро́ш ий (1)
Inst.	нов ым	молод ы́м	хоро́ш им (1)
Prep.	нов ом	молод о́м	хоро́ш ем (3)

FORMATION OF FEMININE ADJECTIVES

Nom.	нов ая	молод а́я	хоро́ш ая
Gen.	нов ой	молод о́й	хоро́ш ей (3)
Dat.	нов ой	молод о́й	хоро́ш ей (3)
Acc.	нов ую	молод у́ю	хоро́ш ую
Inst.	нов ой	молод о́й	хоро́ш ей (3)
Prep.	нов ой	молод о́й	хоро́ш ей (3)

FORMATION OF NEUTER ADJECTIVES

	Regular	*Stressed Ending*	*Spelling Rules*
Nom.	нов ое	молод о́е	хоро́ш ее (3)
Gen.	нов ого	молод о́го	хоро́ш его (3)
Dat.	нов ому	молод о́му	хоро́ш ему (3)
Acc.	нов ое	молод о́е	хоро́ш ее (3)
Inst.	нов ым	молод ы́м	хоро́ш им (1)
Prep.	нов ом	молод о́м	хоро́ш ем (3)

FORMATION OF DEMONSTRATIVE
ADJECTIVES/PRONOUNS

	Masc.	*Fem.*	*Neuter*
Nom.	этот	эта	это
Gen.	этого	этой	этого
Dat.	этому	этой	этому
Acc.	{ этого { этот	эту	это
Inst.	этим	этой	этим
Prep.	этом	этой	этом

FORMATION OF PERSONAL PRONOUNS

Nom.	я	ты	он	она́	оно́	мы	вы	они́
Gen.	меня́	тебя́	его́	её	его́	нас	вас	их
Dat.	мне	тебе́	ему́	ей	ему́	нам	вам	им
Acc.	меня́	тебя́	его́	её	его́	нас	вас	их
Inst.	мно́й	тобо́й	им	ей	им	нами	вами	ими
Prep.	(обо) мне́	(о) тебе́	(о) нём	(о) ней	(о) нём	(о) нас	(о) вас	(о) них

FORMATION OF INTERROGATIVE PRONOUNS

Nom.	кто	что
Gen.	кого́	чего́
Dat.	кому́	чему́
Acc.	кого́	что
Inst.	кем	чем
Prep.	(о) ком	(о) чём

FORMATION OF POSSESSIVE ADJECTIVES/PRONOUNS

Nom.	мой	моя́	моё	твой	твоя́	твоё
Gen.	моего́	мое́й	моего́	твоего́	твое́й	твоего́
Dat.	моему́	мое́й	моему́	твоему́	твое́й	твоему́
Acc.	⎰моего́ ⎱мой	мою́	моё	⎰твоего́ ⎱твой	твою́	твоё
Inst.	мои́м	мое́й	мои́м	твои́м	твое́й	твои́м
Prep.	моём	мое́й	моём	твоём	твое́й	твоём
Nom.	наш	наша	наше	ваш	ваша	ваше
Gen.	нашего	нашей	нашего	вашего	вашей	вашего
Dat.	нашему	нашей	нашему	вашему	вашей	вашему
Acc.	⎰нашего ⎱наш	нашу	наше	⎰вашего ⎱ваш	вашу	ваше
Inst.	нашим	нашей	нашим	вашим	вашей	вашим
Prep.	нашем	нашей	нашем	вашем	вашей	вашем

Весь, вся, всё, все

Nom.	весь	вся	всё
Gen.	всего́	всей	всего́
Dat.	всему́	всей	всему́
Acc.	⎰всего́ ⎱весь	всю	всё
Inst.	всем	всей	всем
Prep.	(обо) всём	(обо) всей	(обо) всём

Себя́

Nom.	none
Gen.	себя́
Dat.	себе́
Acc.	себя́
Inst.	собо́й
Prep.	себе́

СЛОВА́РЬ

(Items of food are included only if they appear, in the **Разгово́р** or **Текст для чтения**; see also **Дополни́тельный материа́л: Меню́**.

аппети́т	appetite
бифште́кс	beef steak
борщ (борща́, -у́, -о́м, -е́)	borshch
бри́ться (I)	to shave (oneself)
бре́юсь, бре́ешься, бре́ются	
бутербро́д	sandwich
взять (I)	to take (*future when conjugated*)
возьму́, возьмёшь, возьму́т	
вид	view
висе́ть (II)	to hang
вишу́, виси́шь, вися́т	
вку́сный	tasty
во́время	on time, punctually
вода́ (*pl.* во́ды)	water
во́дка	vodka
во ско́лько?	(at) what time?
встава́ть (I)	to get up, arise
встаю́, встаёшь, встаю́т	
второ́е	second (main) course
вы́спаться	to get enough sleep
(Normally, only the past tense is used: вы́спался, вы́спалась, вы́спались)	
горя́чий, -ая, -ее, -ие	hot, heated (*not used in reference to the weather*)

гото́вить (II)	to prepare, cook
гото́влю, гото́вишь, гото́вят	
дие́та	diet
доса́да	shame
есть (I–II)	to eat
ем, ешь, ест; еди́м, еди́те, едя́т	
за (кем? чем?, кого? что?)	behind
за́втрак	breakfast
за́втракать (I)	to have (eat) breakfast
за́ город	to the suburbs
за́ городом	in the suburbs
за грани́цей	abroad (*location*)
за грани́цу	abroad (*direction*)
зака́зывать (I)	to order
закрыва́ть (I)	to close
заку́ска	*zakuska* (a Russian snack), antipasto;
из-за (кого? чего?)	out from behind, up from (the table);
	because of
икра́	caviar
как раз	exactly
капу́ста	cabbage
карто́фель (м.)	potato
колбаса́	sausage
конча́ться (I) (*passive*)	to come to an end, finish
котле́та	cutlet
кото́рый, -ая, -ое, -ые	who
ко́фе (м.)	coffee
кре́пкий	strong
лес (*pl.* леса́)	forest
лимо́н	lemon
ложи́ться (II)	to lie down
ложи́ться спать	to go to bed
ма́сло	butter
ме́жду	between
меню́	menu
моро́женое	ice cream
мыть (I)	to wash (dishes, clothes, a child, etc.)
мо́ю, мо́ешь, мо́ют	
мя́со	meat
над (кем? чем?)	above, over
начина́ться (I) (*passive*)	to begin, start
одева́ться (I)	to dress (oneself), get dressed
открыва́ть(ся) (I)	to open (itself)
Переда́й(те)...!	Pass the...!
переда́ча	broadcast (radio or television)
пе́рвое	first course

пирожóк (*pl.* пирожки́)	*pirozhok*
пить (I)	to drink
пью, пьёшь, пьют	
под (кем? чем?, кого? что?)	under, below
полон, полна́, полно́, полны́	full
приезжа́ть (I)	to arrive (by vehicle), come
приходи́ть (II)	to arrive (on foot), come
прихожу́, прихо́дишь, прихо́дят	
просма́тривать (I)	to look through
проща́ться (с кем? с чем?) (I)	to take leave (of)
райо́н	region
расти́ (I)	to grow
расту́, растёшь, расту́т	
(*past:* рос, росла́, росло́, росли́)	
ры́ба	fish
рю́мка	stemmed glass (for vodka, etc.)
ря́дом (с кем? чем?)	right next (to), alongside (of)
с(o)	with
сад (*pl.* сады́)	garden
сади́ться (II)	to sit down, take a seat
сажу́сь, сади́шься, садя́тся	
сала́т	salad
самова́р	samovar
са́хар	sugar
свобо́дный	free, unoccupied
сла́дкое	dessert
смета́на	sour cream
соло́нка	salt cellar
соль (ж.)	salt
сра́зу	immediately
стака́н	glass (for water, etc.)
сто́лик	little table
счёт	bill, check (in a restaurant)
так как	because, since
таре́лка	dish, plate
тре́тье	third course, dessert
уезжа́ть (I)	to depart (by vehicle), go away
у́жин	supper
у́жинать (I)	to eat (have) supper, dine
умыва́ться (I)	to wash (oneself)
уходи́ть (II)	to depart (on foot), go away
ухожу́, ухо́дишь, ухо́дят	
хлеб	bread
цвето́к (*pl.* цветы́)	flower
час, часа́, часо́в	hour, o'clock
ча́шка	cup

чи́стить (II)	to clean
чи́щу, чи́стишь, чи́стят	
что́-нибудь	anything
щи (*pl. only*)	shchi

Двадца́тый уро́к

РАЗГОВО́Р: **Боя́ться нечего!**

Фома́: — Вы давно́ живёте в э́той кварти́ре?

Ива́н: — С конца́ февраля́. Ра́ньше мы жи́ли в до́ме на Мохово́й у́лице.

Фома́: — Как я вам зави́дую! А я всё ещё живу́ в камо́рке, как геро́й расска́за Достое́вского.

Ве́ра: — По-мо́ему, Фома́ Кири́ллыч, вам нужна́ жена́!

Foma: Have you lived in this apartment long?

Ivan: Since the end of February. We used to live in a house on Mokhovaya Street.

Foma: How I envy you! And I still live in a closet, like the hero of a story by Dostoevsky.

Vera: I think you need a wife, Foma Kirillich.

Фомá: — Я с вами соглáсен, Вера Никѝтична, но, признáться, я чертóвски бою́сь так называ́емого « прекрáсного пóла »!

Ivan: I agree with you, Vera Nikitichna, but I must admit I am dreadfully afraid of the so-called "fair sex!"

Вера: — Ну чтó вы! Боя́ться нечего! Вы прóсто слѝшком застéнчивый.

Vera: Oh, come now! Why? There's nothing to be afraid of! You're simply too bashful.

Ивáн: — Или же óчень хитрый — решáйте сáми! А тепéрь пойдёмте лýчше в гостѝную![1]

Ivan: Or very clever—judge for yourself! And now let's go into the living room.

Фомá: — Хорошó. О, какáя хорóшая обстанóвка!

Foma: Fine. Oh, what nice furnishings!

Вера: — Ну чтó вы! Вот это большóе крéсло, ковёр на полý и книжный шкаф в углý — совсéм стáрые![2]

Vera: Oh, come now! This large armchair, the rug on the floor and the bookcase in the corner are quite old!

Фомá: — А что это за фотогрáфия, котóрая висѝт над дивáном?

Foma: And what is that photograph hanging above the sofa?

Ивáн: — Это дом нáшего сына Игоря, óколо Севастóполя.

Ivan: That's our son Igor's home near Sevastopol.

Вера: — Игорь преподаёт в тéхникуме в Севастóполе. В прóшлом годý мы были у негó. В Крымý так красѝво!

Vera: Igor teaches in a technical school in Sevastopol. Last year we were at his home. It's so beautiful in the Crimea!

Фомá: — А вы знáете, что я родѝлся в Крымý?

Foma: Did you know that I was born in the Crimea?

Вера: — Нет, не знáла. В какóм гóроде?

Vera: No, I didn't. In which city?

Фомá: — В Я́лте. Наш дом стоя́л прямо на берегý Чёрного мóря.

Foma: In Yalta. Our house stood right on the shore of the Black Sea.

Ивáн: — Да чтó вы говорѝте! Я тóже родѝлся в Я́лте. Нáша

Ivan: Really! I was born in Yalta, too! Our family lived not far

---

[1] Do not confuse **гостѝная** ("living room") and **гостѝница** ("hotel").

[2] When paid a compliment, Russians normally disagree and try to point out why the compliment is without justification.

Дом Чехова в Гурзуфе, около Ялты.

семья жила недалеко от дома-музея Чехова. Скажите, в каком году вы родились?

Фома: — В 1935-м году.[3]

Иван: — А я родился 8-го мая 1928-го года.[4] Странно, что мы не знали друг друга. Ведь Ялта город небольшой.

Голос с кухни: — Мама! Обед готов!

Вера: — Минуточку, Тама! Фома Кириллыч, я надеюсь, что вы будете у нас обедать.

Фома: — С удовольствием! Правду сказать, я очень голоден.

from the "house-museum" of Chekhov. Tell me, in what year were you born?

Foma: In 1935.

Ivan: And I was born May 8, 1928. It's strange that we didn't know one another. After all, Yalta isn't a large city.

A voice from the kitchen: Mama! Dinner's ready!

Vera: Just a minute, Tama! Foma Kirillich, I hope that you will have dinner with us.

Foma: With pleasure! To tell the truth, I'm very hungry.

---

[3] в тысяча девятьсот тридцать пятом году
[4] восьмого мая тысяча девятьсот двадцать восьмого года

Ива́н: — Тогда́ сади́тесь за   *Ivan:* Then sit down at the table.
стол. Ми́лости про́сим!   Please be our guest!

Т Е К С Т   Д Л Я   Ч Т Е Н И Я : **Биогра́фия Анто́на Па́вловича Че́хова**

Анто́н Па́влович Че́хов роди́лся 17-го января́ 1860-го года[5] в Таганро́ге. Э́тот провинциа́льный городо́к нахо́дится на се́веро-восто́чном берегу́ Азо́вского мо́ря, недалеко́ от Росто́ва-на-Дону́.

Де́тство Анто́на Па́вловича бы́ло нелёгким. Де́душка его́ был бы́вшим крепостны́м, а оте́ц, Па́вел Его́рович — купцо́м. Па́вел Его́рович был суро́вым, деспоти́чным челове́ком. В Таганро́ге у него́ была́ ла́вка, в кото́рой вся семья́ должна́ была́ день и ночь рабо́тать. Анто́н Па́влович поздне́е говори́л, что у него́ факти́чески не́ было де́тства.

Че́хов учи́лся снача́ла в гимна́зии в Таганро́ге, а пото́м на меди-ци́нском факульте́те Моско́вского университе́та. В университе́те он изуча́л есте́ственные нау́ки[6] и в то же вре́мя писа́л расска́зы для юмористи́ческого журна́ла. По́сле оконча́ния университе́та в 1884-м году́,[7] он служи́л врачо́м в больни́це недалеко́ от Москвы́. Хотя́ Анто́н Па́влович о́чень люби́л медици́ну, он в конце́ концо́в бро́сил э́то де́ло и стал[8] занима́ться то́лько литерату́рой.[9]

До о́сени 1896-го го́да[10] Че́хов писа́л и рабо́тал то в Москве́, то в свое́й уса́дьбе « Ме́лихово », но после́дние го́ды[11] жи́зни вели́кого писа́теля свя́заны с Кры́мом. Че́хов страда́л от туберкулёза,[12] и врачи́ реши́ли,[13] что кли́мат на се́вере для него́ сли́шком суро́в. Поэ́тому, с 1899-го до 1904-го го́да,[14] Анто́н Па́влович до́лжен был

---

[5] семна́дцатого января́ ты́сяча восемьсо́т шестидеся́того го́да

[6] **есте́ственная нау́ка:** natural science

[7] в ты́сяча восемьсо́т во́семьдесят четвёртом году́

[8] **стал:** *here*, began

[9] Throughout his life, however, Chekhov always offered medical assistance to those who needed it, notably during epidemics.

[10] ты́сяча восемьсо́т девяно́сто шесто́го го́да

[11] The plural **го́ды** is used when no number is involved.

[12] **страда́ть от туберкулёза:** to suffer from tuberculosis

[13] **реши́ли:** decided

[14] с ты́сяча восемьсо́т девяно́сто девя́того до ты́сяча девятьсо́т четвёртого го́да

Антон Павлович Чехов.

жить в Ялте, небольшо́м, но замеча́тельно краси́вом куро́ртном го́роде на ю́жном побере́жье Кры́мского полуо́строва.[15] Там Чехов скуча́л по своему́ люби́мому Моско́вскому Худо́жественному теа́тру, но арти́сты э́того теа́тра люби́ли Чехова и ча́сто быва́ли у него́ в Ялте. К нему́ приезжа́ли Станисла́вский, Толсто́й, Короле́нко, Го́рький, и нере́дко в его́ гости́ной знамени́тый ру́сский бас Фёдор Шаля́пин пел а́рии и наро́дные песни под аккомпаниме́нт Серге́я Рахма́нинова. Все хоте́ли, чтобы Анто́н Павлович не скуча́л в « ссы́лке ».[16]

Дом Чехова в Ялте тепе́рь музе́й. Осмо́тр его́ начина́ется с так называ́емой музе́йно-биографи́ческой комнаты. Рядом с этой ко́мнатой — кабине́т писа́теля. В кабине́те стои́т пи́сьменный стол, за кото́рым Чехов писа́л пьесы: « Три сестры́ », « Вишнёвый сад »,[17]

---

[15] **Кры́мский полуо́стров**: Crimean Peninsula
[16] **ссы́лка**: exile
[17] « Вишнёвый сад »: *The Cherry Orchard*

расска́зы « Да́ма с соба́чкой »[18] и « Неве́ста »[19] и по́весть « В овра́ге ».[20] Напра́во от пи́сьменного стола́ — дверь в спа́льню, отку́да открыва́ется вид в сад, в кото́ром писа́тель так люби́л рабо́тать. В э́том саду́ до сих пор расту́т замеча́тельные кусты́ и дере́вья, кото́рые он сам посади́л. О Че́хове Макси́м Го́рький поздне́е сказа́л: « Он люби́л украша́ть зе́млю,[21] он чу́вствовал поэ́зию труда́! »[22]

Вели́кий писа́тель у́мер 15-го ию́ня 1904-го го́да в Баденве́йлере, в Герма́нии. Че́рез неде́лю его́ похорони́ли[23] на Новоде́вичьем кла́дбище[24] в Москве́.

О Че́хове Лев Никола́евич Толсто́й одна́жды сказа́л: « Че́хов — худо́жник жи́зни. И досто́инство его́ тво́рчества[25] то, что оно́ поня́тно... не то́лько ка́ждому ру́сскому, но и вся́кому[26] челове́ку вообще́ ».

ВЫРАЖЕ́НИЯ

1. с $\begin{Bmatrix}\text{нача́ла}\\\text{конца́}\end{Bmatrix}$ (чего́?) — from (since) $\begin{Bmatrix}\text{the beginning}\\\text{the end}\end{Bmatrix}$ (of)

2. до $\begin{Bmatrix}\text{нача́ла}\\\text{конца́}\end{Bmatrix}$ (чего́?) — to $\begin{Bmatrix}\text{the beginning}\\\text{the end}\end{Bmatrix}$ (of)

3. я согла́сен (согла́сна) (с кем? с чем?) — I agree (with)

4. призна́ться — to admit, recognize

5. боя́ться (кого́? чего́?) — to be afraid (of)

6. так называ́емый, -ая, -ое, -ые — so-called

7. прекра́сный пол — the fair (gentle) sex

8. Ну что́ вы (ты)! — Oh, come now!

9. Боя́ться не́чего! — There's nothing to be afraid of!

10. Реша́йте са́ми! — Judge for yourself!

---

[18] « Да́ма с соба́чкой »: *The Lady with the Dog*
[19] « Неве́ста »: *The Bride*
[20] « В овра́ге »: *In the Ravine*
[21] **украша́ть зе́млю**: to make the land beautiful
[22] **труд**: labor
[23] **похорони́ть**: to bury
[24] **Новоде́вичье кла́дбище**: Novodevichy Cemetery
[25] **досто́инство его́ тво́рчества**: merit of his works
[26] **вся́кий**: ка́ждый

11. в прошлом году́	(in) last year
12. в како́м году́	(in) what (which) year
13. с удово́льствием	with pleasure
14. Ку́шай(те)!	Have something to eat!
15. Ми́лости про́сим!	Be our guest (*or* Come to see us).
16. до́лжен (должна́, должно́, должны́) (+ инфинити́в)	to have to, be obligated to
17. факти́чески	in fact
18. в то же вре́мя	at the same time
19. в конце́ концо́в	in the end, finally
20. скуча́ть (по кому́? по чему́?)	to long (for), to miss (someone, something)
21. под аккомпанеме́нт (кого́? чего́?)	accompanied (by)
22. до сих по́р	still today, up to the present time
23. Переда́й(те) приве́т (кому́?)...	Say "hello" (to)...

ПРИМЕЧА́НИЯ

1. Russians use the term **прекра́сный пол** in approximately the same context as that in which we use "the gentle (fair) sex." The word **пол** means both "floor" and "sex."

2. In most Soviet apartment houses the **ку́хня** ("kitchen") and **ва́нная** ("bathroom") serve several families. "Rest room" in Russian is **убо́рная**.

3. **Крым** ("The Crimea") is a region located in the South of the U.S.S.R. **Кры́мский полуо́стров** ("The Crimea Peninsula") is famous as a resort area and is referred to as the "Russian Riviera."

4. One sits "on" a normal chair or divan, but "in" an armchair:

Сади́тесь $\begin{cases} \text{на этот стул (дива́н)!} \\ \text{в это кре́сло!} \end{cases}$

Я сижу́ $\begin{cases} \text{на сту́ле (дива́не).} \\ \text{в кре́сле.} \end{cases}$

5. In Russia decorative rugs may be hung on the wall; thus it may be necessary at times to make the following distinction:

ковёр на полу́	rug on the floor
ковёр на стене́	rug on the wall

6. The Russian word **факульте́т** means "university department"; thus, **Я учу́сь на медици́нском факульте́те.** In conversation, the word **факульте́т** is frequently omitted: **Я учу́сь на медици́нском.**
7. A **камо́рка** is a tiny room often found under a staircase.

ДОПОЛНЙТЕЛЬНЫЙ МАТЕРИА́Л

Кварти́ра

ку́хня	kitchen
ва́нная	bathroom
спа́льня	bedroom
гости́ная	living room
столо́вая	dining room

Ме́бель

дива́н	sofa
кре́сло	armchair
радио́ла	radio-phonograph
телеви́зор	T.V.
пи́сьменный стол	writing table, desk
кни́жный шкаф	bookcase
платяно́й шкаф	wardrobe
ками́н	fireplace[27]
плита́	kitchen stove
холоди́льник	refrigerator
ра́ковина	sink
стена́	wall
пол	floor
потоло́к	ceiling
дверь (ж.)	door
крова́ть (ж.)	bed
ковёр	rug

---

[27] There are very few fireplaces in the U.S.S.R. Instead, there are **печки**—stoves for heating purposes.

УПРАЖНЕ́НИЯ

A. Следуйте данным примерам:

> *Пример:* We have lived here since
> the end of February.
>
> **Мы живём здесь с
> конца́ февраля́.**

1. We have lived here since the end of March.
2. We have lived here since the end of July.
3. We have lived here since the end of August.
4. We have lived here since the end of October.

> *Пример:* I agree with you.
>
> **Я с ва́ми согла́сен
> (согла́сна).**

1. I agree with them.
2. I agree with her.
3. I agree with him.
4. I agree with the professor.

> *Пример:* You have nothing to fear.
>
> **Тебе́ не́чего боя́ться.**

1. We have nothing to fear.
2. I have nothing to say (**сказа́ть**).
3. They have nothing to do.
4. Ivan has nothing to read.

> *Пример:* I myself don't know!
>
> **Я сам (сама́) не зна́ю!**

1. You (**вы**) yourself don't know!
2. They themselves don't know!
3. We ourselves don't know!
4. He himself doesn't know!
5. She herself doesn't know!

> *Пример:* Say "hello" to your wife.
>
> **Переда́йте приве́т
> жене́.**

1. Say "hello" to your father.
2. Say "hello" to your brother.
3. Say "hello" to your mother.
4. Say "hello" to your sister.

B. Переведи́те слова́ в ско́бках:

1. Ва́ши кни́ги стоя́т (in the bookcase).
2. (What time) вы хоти́те обе́дать?
3. Наш телеви́зор стои́т (in the corner).
4. Мы живём (on the shore) Ти́хого океа́на.
5. (What year) вы бы́ли в Сове́тском Сою́зе?
6. Что у ва́шего ребёнка (in [his] mouth)?
7. Что у вас (in [your] eye)?
8. Я люблю́ сиде́ть (on the floor).
9. Кни́га лежи́т на са́мом (edge) стола́.
10. Де́ти лю́бят игра́ть (in the snow).
11. Дере́вья, кусты́ и цветы́ расту́т (in the garden).
12. Наш дом стои́т пря́мо (in the forest).
13. Ива́н роди́лся в (in Rostov-on-the-Don).
14. Я́лта нахо́дится в (the Crimea).
15. Вы до́лго бы́ли (in captivity)?
16. Тури́сты стоя́т (on the bridge) и смо́трят на Кремль.
17. Мы слу́шали интере́сную ле́кцию (about the Crimea).
18. Э́ти де́ти всегда́ говоря́т (about snow).
19. Что говори́ли (about this forest)?
20. На́ши роди́тели разгова́ривают (about your garden.)

C. Прочита́йте сле́дующие предложе́ния[28] вслух:[29]

1. Ива́н Гро́зный жил в 16-м ве́ке.
2. Пётр Вели́кий стал царём в 1682-м году́, когда́ ему́ бы́ло ещё то́лько 10 лет.
3. Екатери́на Вели́кая была́ цари́цей с 1762-го до 1796-го го́да.
4. Лев Никола́евич Толсто́й роди́лся в 1828-м году́ и у́мер в 1910-м году́.
5. Фёдор Миха́йлович Достое́вский роди́лся 30-го октября́ 1821-го го́да и у́мер 28-го января́ 1881-го го́да.

D. Отве́тьте на вопро́сы:

1. Како́е сего́дня число́?

   a. (the 13th)

---

[28] **предложе́ние:** sentence
[29] **вслух:** aloud

  b. (January 20th)
  c. (May 8, 1936)
  d. (August 27, 1949)
  e. (September 19, 1952)
  f. (October 23, 1966)

2. Какóго числá вы уезжáете в СССР? (May 29th)
3. Какóго числá вы приезжáете в Москву́? (June 1st)
4. В какóм году́ роди́лся Алексáндр Сергéевич Пу́шкин? (1799)
5. А когдá он умер? (January 9, 1837)
6. Сколько лет было Пу́шкину, когдá он умер?
7. Когдá вы были у Вани? (last week)
8. Когдá вы их видели? (a month ago)
9. Когдá это было? (towards the end of November)
10. Когдá вы были в Нью-Йóрке? (last year)
11. Когдá вы будете на востóке? (next month)
12. Когдá вы рабóтали в этой контóре? (from the beginning of December, 1961, to the end of April, 1965)
13. Когдá вам надо быть опя́ть на рабóте? (on Monday at 8 а.м.)
14. Когдá ваша рабóта будет готóва? (towards the end of the week)
15. Когдá у вас начинáются заня́тия? (September 10th)

E. Переведи́те словá в скобках:

1. Я рабóтаю здесь (every day).
2. Мы были (the entire week) в Крыму́.
3. Я (all night) не спал(á).
4. Они́ ужинают в ресторáне (every Friday).
5. Мы (the entire year) жили в Ростóве-на-Дону́.

F. Change from **надо** or **нужно** to **должен** (**должнá, должнó, должны́**):

1. Мне надо рабóтать сегóдня.
2. Вам надо больше гуля́ть.
3. Ему́ надо больше говори́ть с вами по-ру́сски.
4. Им нужно завтракать в восемь часóв утрá.
5. Ей нужно вставáть в семь тридцать.
6. Тебé нужно ложи́ться спать в десять часóв вечера.

G. Change the boldfaced nouns and their modifiers to the plural; also change
the verb form when necessary:

1. Где рабо́тает **ваш брат**?
2. **Ва́ша сестра́** ещё живёт в Крыму́?
3. **Мой муж** согла́сен с ва́ми. (На́ши...)
4. **Моя́ жена́** вам не зави́дует. (На́ши...)
5. Чего́ **э́тот челове́к** бои́тся?
6. **Э́тот англича́нин** роди́лся в Ло́ндоне.
7. В саду́ растёт **высо́кое де́рево**.
8. **Наш друг** служи́л в америка́нском посо́льстве в Москве́.
9. **Твой сын**, ка́жется, хорошо́ зараба́тывает?
10. **На́ша дочь** скуча́ла по ро́дине.
11. **Э́тот профе́ссор** о́чень засте́нчивый.
12. Я возьму́ вот **э́то перо́**.
13. **Э́тот ребёнок** не вы́спался.
14. **Э́тот учени́к** встаёт ра́но, а ложи́тся по́здно.
15. Вот **мой носо́к**!
16. **Э́тот до́ктор** тепе́рь слу́жит в а́рмии.
17. На колоко́льне виси́т **большо́й ко́локол**.
18. **Како́й цвет** (color) вам бо́льше всего́ нра́вится?
19. **Наш учи́тель** прихо́дит в шко́лу в во́семь часо́в.
20. **Дире́ктор** всегда́ приезжа́ет на маши́не.
21. **Э́тот крестья́нин** ухо́дит домо́й.
22. **Э́тот америка́нец** уезжа́ет домо́й в 4 часа́.
23. **Певе́ц** поёт **наро́дную пе́сню**.
24. Принима́йте **э́то лека́рство** два ра́за в день.
25. С самолёта мы ви́дим **го́род, по́ле, лес, луг, о́зеро, о́стров, ре́ку, го́ру, мо́ре**.
26. В гости́ной стоя́т: **стол, стул, кре́сло, кни́жный шкаф**.
27. Это **краси́вое и́мя**.
28. **Окно́** э́той ко́мнаты выхо́дит в сад.
29. В э́том го́роде есть: **теа́тр, музе́й, це́рковь, шко́ла, заво́д, мост, парк, больни́ца**.
30. Я возьму́ **э́тот пиджа́к**.
31. Это **невысо́кая цена́**.
32. Ско́лько сто́ит **э́тот слова́рь**?
33. **Э́тот по́езд** идёт пря́мо в столи́цу.

34. **Наш дом** нахо́дится на берегу́ Чёрного моря.
35. Да́йте, пожа́луйста, **пирожо́к** с мясом.

H. Ask questions to elicit the following responses as in the example. Use interrogative words which relate specifically to the boldfaced word or words in each response:

Приме́р: Я ду́маю **о до́чери.**   **О ком** вы ду́маете?

1. Они́ живу́т **далеко́.**
2. Ваш друг посыла́ет **ей** телегра́мму.
3. **Сестра́** пишет мне письмо́.
4. Вчера́ мы бы́ли **у профе́ссора Ивано́ва.**
5. Этот паке́т **от моего́ отца́.**
6. Учителя́ разгова́ривают **с ни́ми.**
7. Я жду **своего́ това́рища.**
8. Мы покупа́ем **но́вую ме́бель.**
9. Студе́нт пишет **карандашо́м.**
10. Я хочу́ пирожо́к **с капу́стой.**
11. Этот по́езд идёт **в Москву́.**
12. Мы хоте́ли там быть **в два часа́.**
13. Я иду́ **к врачу́.**
14. Это письмо́ **из Евро́пы.**
15. Это **ру́сско-англи́йский** слова́рь.
16. По профе́ссии он **инжене́р.**
17. Я **америка́нец.**
18. Сего́дня **четве́рг.**
19. Я был в Ленингра́де **четвёртого а́вгуста.**
20. Это **ва́ша** рю́мка.
21. Это дом **учи́теля.**
22. Это **моё** перо́.
23. Это **на́ши** де́ньги.
24. Экза́мен по э́тому уро́ку бу́дет **в пя́тницу.**
25. Мы ничего́ не слы́шали, **потому́ что** сиде́ли далеко́ от сце́ны.

I. Как сказа́ть по-англи́йски:

1. Уви́димся!
2. Споко́йной но́чи.
3. Как дела́?
4. Это всё равно́.
5. Вы жена́ты?
6. Вы за́мужем?

7. Вот папиро́сы.

8. Я бросил кури́ть.

9. Как иду́т ваши заня́тия?

10. Я делаю успе́хи.

11. Пойдёмте в кино́!

12. Я не прочь.

13. Вы шутите? Нет, не шучу́.

14. Разве вы не знаете?

15. Это дело вкуса.

16. Что нового?

17. Сади́тесь на трамва́й.

18. Отку́да вы?

19. Ведь мы таки́е старые друзья́!

20. Иди́те скоре́е!

21. Как время лети́т!

22. Идёмте со мной.

23. Боже!

24. Вот в чём дело!

25. Ладно.

26. Они́ были в восто́рге!

27. Ещё бы!

28. Поздравля́ю!

Письмо́ русскому прия́телю

Аптос, 12-е апре́ля 1966-го года

Дорого́й Анато́лий Григо́рьевич!

Прости́те меня́ за долгое молча́ние.[30] Вы, вероя́тно, уже́ слышали от моего́ отца́, что я тепе́рь в Калифо́рнии и учу́сь русскому языку́ в университе́те. Мой главный предме́т — русский язы́к, но я также слушаю лекции по матема́тике, исто́рии и литерату́ре, а в свобо́дное время занима́юсь спортом.

Русский язы́к преподаёт нам господи́н Суво́рин. Он роди́лся в 1924-м[31] году́ в Росто́ве-на-Дону́. Во время войны́ он служи́л в Сове́тской армии и два года был в неме́цком плену́. С 1952-го[32] года он живёт в США и три года тому́ наза́д стал америка́нским

---

[30] **долгое молча́ние:** long silence
[31] в тысяча девятьсо́т двадцать четвёртом
[32] с тысяча девятьсо́т пятьдеся́т второ́го

граждани́ном. Господи́н Суво́рин симпати́чный челове́к, и студе́нты счита́ют его́ хоро́шим педаго́гом.

Я живу́ здесь в кварти́ре в небольшо́м до́ме, кото́рый нахо́дится пря́мо на берегу́ Ти́хого океа́на,[33] и́ли, точне́е, Монтере́йского зали́ва. Моего́ това́рища по ко́мнате зову́т Михаи́л Нью́то́н.

В на́шей кварти́ре три ко́мнаты: гости́ная, спа́льня и небольша́я ку́хня; кро́ме того́, у нас есть ва́нная ко́мната. В гости́ной проста́я обстано́вка: дива́н, пе́ред ним — небольшо́й стол, ря́дом с дива́ном — кре́сло, а ме́жду кре́слом и окно́м — радио́ла. Про́тив дива́на стои́т телеви́зор. Ве́чером я люблю́ слу́шать пласти́нки, а Ми́ша бо́льше лю́бит смотре́ть телевизио́нные переда́чи. В гости́ной есть та́кже пиани́но, кни́жный шкаф и пи́сьменный стол. В углу́, нале́во от две́ри, стои́т дива́н-крова́ть,[34] на кото́ром я сплю. На полу́ в гости́ной у нас неплохо́й ковёр, а в спа́льне нет ковра́. В ку́хне есть га́зовая плита́, электри́ческий холоди́льник, шкафы́, стол, сту́лья и, коне́чно, ра́ковина.

Пе́ред до́мом — небольшо́й двор, а за до́мом — сад. В саду́ расту́т ра́зные цветы́, кусты́, дере́вья. Кли́мат здесь хоро́ший, мо́жно жа́ло-ваться то́лько на тума́ны, кото́рые быва́ют у́тром, осо́бенно в ию́не и ию́ле. Но по́сле обе́да обы́чно све́тит со́лнце, так что мо́жно загора́ть на пля́же и купа́ться в мо́ре.

У нас тепе́рь кани́кулы. На про́шлой неде́ле я был в Монтере́е и в Карме́ле. Э́ти города́ нахо́дятся на побере́жье Монтере́йского полуо́строва. О них ча́сто пи́шет Джон Сте́йнбек. В э́ту суббо́ту мы с прия́тельницей, у кото́рой есть автомоби́ль, е́дем в Сан-Франци́ско на сове́тский фильм « Балла́да о солда́те »,[35] а на бу́дущей неде́ле мы с Ми́шей е́дем на по́езде в Сакраме́нто, столи́цу Калифо́рнии.

Я бою́сь, что Вам бы́ло ску́чно чита́ть э́то дли́нное письмо́, но наде́юсь, что не о́чень. Ме́жду про́чим, как пожива́ет Ва́ша жена́? Переда́йте ей от меня́ приве́т.

Всего́ хоро́шего.

Ваш

Крейг Стинсон

---

[33] **Ти́хий океа́н:** Pacific Ocean   [34] **дива́н-крова́ть:** sofa bed
[35] « **Балла́да о солда́те** »: *The Ballad of a Soldier*

ГРАММÁТИКА

Числа

Какóе сегóдня числó?: In answering this question, the day is given as a neuter ordinal number, the month is in the genitive, and the year is expressed as an ordinal number in the genitive singular modifying **гóда**.

Day only: Сегóдня втор**óе** (2-е).

Вчерá было перв**ое** (1-е).

Зáвтра бýдет трет**ье** (3-е).

Day and month: Сегóдня втор**óе** апрéл**я** (2-е апрéля).

Day, month, and year: Сегóдня второе апрéля тысяча девятьсóт шестьдесят шестóго гóда (2-е апрéля 1966-го гóда).

Когдá? Какóго числá?: In answering the questions "When?" "On what date?" even the day is given in the genitive. This construction is used when stating that something happened, happens or will happen on a given date. In English we may (but don't have to) use the preposition "on":

Он был в Нью-Йóрке перв**óго** мáя.	He was in New York (on) the 1st of May.
Мы уезжáем дес**я́того** ию́ня.	We are leaving (on) the 10th of June.
Он роди́лся шест**óго** января́ тысяча девятьсóт тридцать трéтьего гóда (6-го января́ 1933-го гóда).	He was born (on) the 6th of January, 1933.

If the *year alone* is given, it is the object of the preposition **в** and in the *prepositional case*; if the *month and year* are given, the *month* is the object of the preposition **в** in the *prepositional case*, but the *year* is in the *genitive*; if the *day, month* and *year* are given, they are *all in the genitive*.

Онá родилáсь **в** тысяча девятьсóт пятьдесят четвёрт**ом** год**ý** (в 1954-м году).	She was born in 1954.
Онá родилáсь **в** мáе 1954-**го** гóда.	She was born in May (of) 1954.

Она родила́сь пя́т**ого** ма**я** 1954-**го** го**да**.	She was born (on) the 5th of May, 1954.

This chart may be useful for reference:

Когда́?	Число́	Ме́сяц	Год
Он роди́лся:			в 1961-м году́
Он роди́лся:		в январе́	1961-го года
Он роди́лся:	1-го	января́	1961-го года

Other answers to the question **когда́?** are

1. **Дни неде́ли**: **в** + *accusative*

в понеде́льник	on Monday
во вто́рник	on Tuesday
в сре́ду	on Wednesday
в четве́рг	on Thursday
в пя́тницу	on Friday
в суббо́ту	on Saturday
в воскресе́нье	on Sunday

2. **Неде́ля**: **на** + *prepositional*

на про́шлой неде́ле	last week
на э́той неде́ле	this week
на бу́дущей неде́ле	next week

3. **Ме́сяцы**: **в** + *prepositional*

в январе́	in January
в феврале́	in February
в ма́рте	in March
в апре́ле	in April
в ма́е	in May
в ию́не и т. д.	in June, etc.
в про́шлом ме́сяце	last month
в э́том ме́сяце	this month
в бу́дущем ме́сяце	next month

4. **Год: в** + *prepositional*

в прошлом году́	last year
в этом году́	this year
в бу́дущем году́	next year

5. **через** + *accusative*:[36]

через неде́лю	in a week, a week from now
через ме́сяц	in a month, a month from now
через год	in a year, a year from now

6. **нача́ло (коне́ц)** + *genitive*

в нача́ле (в конце́) ию́ля	(in) the beginning (end) of July
в нача́ле (в конце́) ма́я	(in) the beginning (end) of May
к концу́ сентября́	toward the end of September
к концу́ ме́сяца	toward the end of the month
к концу́ неде́ли	toward the end of the week

7. **с** + *genitive*, **до** + *genitive*

с октября́ до декабря́	from October to December
с 1955-**го** до 1957-**го** го́да	from 1955 to 1957
с понеде́льник**а** до четверга́	from Monday to Thursday
с конц**а́** а́вгуст**а** до нача́л**а** октября́	from the end of August to the beginning of October
с нача́л**а** декабря́ до конц**а́** января́	from the beginning of December to the end of January

8. **(тому́) наза́д**:

два го́да (тому́) наза́д	two years ago
две неде́ли (тому́) наза́д	two weeks ago
два дня (тому́) наза́д	two days ago

The duration of an action is expressed by the accusative case *without a preposition:*

Он рабо́тал весь ве́чер (день, ме́сяц, год).
всю ночь (неде́лю, зи́му, весну́, о́сень).
всё у́тро (ле́то).

---

[36] In the past tense the best translation is "later": **Через неде́лю они́ уже́ бы́ли в Крыму́** ("A week later they were already in the Crimea.").

"In the..." is expressed by the instrumental case *without a preposition*.

Мы были там утром (днём, вечером, ночью, зимо́й, весно́й, летом, осенью).

Роди́ться *and* Умере́ть

Роди́ться and **умере́ть** are *perfective verbs*. You need know only the past tense of **роди́ться**. When **умере́ть** is conjugated, it has, like all perfective verbs, a future meaning. The past tense forms of **роди́ться** may have the stress on the second or last syllable:

роди́ться:	умере́ть:	
Past Tense	*Future Tense*	*Past Tense*
он роди́лся́	я умру́	он умер
она́ роди́ла́сь	ты умрёшь	она́ умерла́
оно́ роди́ло́сь	они́ умру́т	оно́ умерло
они́ роди́ли́сь		они́ умерли

Должен (должна́ — должно́ — должны́)

There are several Russian equivalents of the English expression "to have to":

<blockquote>
Мне надо рабо́тать.
Мне нужно рабо́тать.
Я **должен (должна́)** рабо́тать.
</blockquote>

Мне надо... and **мне нужно...** convey essentially the same meaning; **должен**, however, is somewhat stronger and implies a genuine necessity or obligation. "Must" is a reasonable English equivalent. **Должен** is a short adjective and agrees with the subject in gender, case and number:

<blockquote>
Я (ты, он) должен }
Я (ты, она́) должна́ } рабо́тать.
Оно́ должно́ }
Мы (вы, они́) должны́ }
</blockquote>

The past tense of **должен** is formed with **был, была́, было, были** *after* **должен (должна́, должно́, должны́)**:

$$\left.\begin{array}{lll} \text{Я} & \text{(ты, он)} & \text{до́лжен был} \\ \text{Я} & \text{(ты, она́)} & \text{должна́ была́} \\ \text{Оно́} & & \text{должно́ бы́ло} \\ \text{Мы} & \text{(вы, они́)} & \text{должны́ бы́ли} \end{array}\right\} \text{рабо́тать.}$$

The future tense of **до́лжен** is formed with the appropriate form of **быть**, again *after* **до́лжен**:

$$\left.\begin{array}{lll} \text{Я} & \text{до́лжен (должна́)} & \text{бу́ду} \\ \text{Ты} & \text{до́лжен (должна́)} & \text{бу́дешь} \\ \text{Он} & \text{до́лжен} & \text{бу́дет} \\ \text{Она́} & \text{должна́} & \text{бу́дет} \\ \text{Оно́} & \text{должно́} & \text{бу́дет} \\ \text{Мы} & \text{должны́} & \text{бу́дем} \\ \text{Вы} & \text{должны́} & \text{бу́дете} \\ \text{Они́} & \text{должны́} & \text{бу́дут} \end{array}\right\} \text{рабо́тать.}$$

Remember that the past and future tenses of **мне на́до (ну́жно)** plus the infinitive of the verb are formed with **бы́ло** and **бу́дет** respectively, regardless of what the subject is in English:

Мне на́до (ну́жно) бы́ло рабо́тать.
Мне на́до (ну́жно) бу́дет рабо́тать.

Сам (сама́ — само́ — са́ми)

The pronoun **сам (сама́, само́, са́ми)** is used to emphasize a noun or personal pronoun:

Я сам (сама́) зна́ю э́то.	I myself know that.
Ты сам (сама́) зна́ешь э́то.	You yourself know that.
Он сам зна́ет э́то.	He himself knows that.
Мы са́ми е́дем в го́род.	We ourselves are going to town.
Они́ са́ми не понима́ют.	They themselves don't understand.

Do not confuse **сам** with **са́мый** ("most") or the reflexive pronoun **себя́** ("self"):

Э́то **са́мый** большо́й го́род на ю́ге страны́.	That is the largest city in the south of the country.
Я покупа́ю э́то для **себя́**.	I am buying this for myself.

Masculine Nouns That Have the Ending -ý *or* -ю́ *in the Prepositional Case*

A small group of masculine nouns in the prepositional case have the *stressed ending* -ý or -ю́ when they occur as the object of the prepositions в or на:

shore	берег	на берегу́
sight, view	вид	в виду́[37]
year	год	в како́м году́
Don (river)	Дон	на Дону́
edge	край	на краю́
Crimea	Крым	в Крыму́
forest	лес	в лесу́
bridge	мост	на мосту́
captivity	плен	в плену́
floor	пол	на полу́
port	порт	в порту́
mouth	рот	во рту́
garden	сад	в саду́
snow	снег	в (на) снегу́
corner	угол	в (на) углу́
hour	час	в кото́ром часу́
case, cupboard	шкаф	в (на) шкафу́

When these nouns occur as the object of the preposition **o** ("about"), they take the normal prepositional case ending **-e**:

Дети игра́ют в снегу́.
Дети говоря́т о сне́ге.

Review of the Nominative Plural of Nouns and Adjectives

A. Nouns

1. Masculine and feminine nouns
a. The "hard" plural ending is **-ы**:

студе́нт –   комнат а
студе́нт ы   комнат ы

---

[37] Note the expression **надо име́ть в виду́**: "one must keep in view (mind)."

b. The "soft" plural ending is **-и**:

музе́ й	портфе́л ь	дяд я	тетра́д ь	дере́вн я	лаборато́ри я
музе́ и	портфе́л и	дяд и	тетра́д и	дере́вн и	лаборато́ри и

c. Spelling Rule 1: after **г, к, х, ж, ч, ш, щ** instead of **ы** write **и**:

уро́к –	каранда́ш –	кни́г а
уро́к и	карандаш и́[38]	кни́г и

2. Neuter nouns

a. The "hard" plural ending is **-a**:

окн о́	де́л о	о́тчеств о
о́кн а	дел а́	о́тчеств а

b. The "soft" plural ending is **-я**:

мо́р е	по́л е	зда́ни е
мор я́	пол я́	зда́ни я

c. Nouns ending in **-мя** have the plural ending **-ена́** or **-ёна**:

им я	вре́м я	зна́м я
им ена́	врем ена́	знам ёна

3. Stress shift

a. Masculine nouns that have a stress shift to the ending in the plural and all oblique cases (**сад** is an exception):

врач	врачи́
гара́ж	гаражи́
гриб	грибы́ (mushrooms)
дождь	дожди́
зонт	зонты́
каранда́ш	карандаши́
ключ	ключи́
москви́ч	москвичи́
пиджа́к	пиджаки́
плащ	плащи́
рубль	рубли́
скрипа́ч	скрипачи́

---

[38] Remember: After **ж, ц** or **ш, и** is pronounced **ы**, and **е** is pronounced **э**; thus: **карандаши́**: [kərəndashí].

слова́рь	словари́
у́гол	углы́
учени́к	ученики́
царь	цари́
цвето́к	цветы́ (flowers)
эта́ж	этажи́
язы́к	языки́
сад	сады́ (*but* сада, саду, садом, саде)

b. Some feminine nouns have a stress shift to the first syllable in the accusative singular and nominative plural; others have the shift in the nominative plural only:

Nominative Singular	Accusative Singular	Nominative Plural
вода́	во́ду	во́ды
голова́	го́лову	го́ловы
гора́	го́ру	го́ры
доска́	до́ску	до́ски
нога́	но́гу	но́ги
река́	ре́ку	ре́ки
рука́	ру́ку	ру́ки
стена́	сте́ну	сте́ны
цена́	це́ну	це́ны
жена́	жену́	жёны
звезда́	звезду́	звёзды
сестра́	сестру́	сёстры
страна́	страну́	стра́ны
толпа́	толпу́	то́лпы

c. Neuter nouns: The vast majority of bi-syllabic neuter nouns have a stress shift to or from the ending in the plural:

окно́	о́кна
по́ле	поля́
и́мя	имена́

An exception to the above rule is the noun **кре́сло**:

кре́сло	кре́сла

4. Fleeting **o**, **e**, **ё**

a. All nouns that end in **-ец** drop the letter **-e**:

немец	немцы
американец	американцы

b. Others:

ветер	ветры
день	дни
камень	камни
палец	пальцы
городо́к	городки́
звоно́к	звонки́
носо́к	носки́
пирожо́к	пирожки́
пода́рок	пода́рки
рот	рты
рынок	рынки
угол	углы́
церковь	церкви

5. Masculine nouns that take stressed **-á** or **-я́** in the plural

адрес	адреса́
берег	берега́
вечер	вечера́
глаз	глаза́
год	года́ (*also,* годы)
голос	голоса́ (voices)
город	города́
дире́ктор	директора́
доктор	доктора́
дом	дома́
колокол	колокола́
лес	леса́
луг	луга́ (meadows)
номер	номера́
остров	острова́ (islands)
поезд	поезда́
профе́ссор	профессора́

сорт	сортá
цвет	цветá
край	края́ (edges)
учи́тель	учителя́

6. Masculine and neuter nouns with the plural ending **-ья**:

Masculine

брат	братья
стул	стулья
лист	листья (leaves; *but* листы́: sheets of paper)
друг	друзья́
муж	мужья́
сын	сыновья́

Neuter

дерево	дере́вья
перó	пе́рья
крылó	кры́лья (wings)

7. Masculine nouns ending in **-анин** or **-янин** have the plural ending **-ане, -яне**:

англичáнин	англичáне
крестья́нин	крестья́не (peasants)

8. A few neuter nouns have the plural ending **-и** instead of **-а** or **-я**:

колéно	колéни (knees)
плечó	плéчи (shoulders)
ухо	уши (ears)
яблоко	яблоки (apples)

9. "Mother" and "daughter":

мать	матери
дочь	дочери

10. Nouns with completely irregular plural forms:

господи́н	господá (Gentlemen *or* ladies and gentlemen)

ребёнок	де́ти[39]
челове́к	лю́ди[40]
сосе́д	сосе́ди (neighbors)

11. Nouns with no singular form:

де́ньги
воро́та
переговóры (negotiation)
очки́
роди́тели
часы́
черни́ла

12. Foreign nouns that end in **o**, **e**, or **и** have no plural form (their modifiers, however, may be in the plural):

бюро́
депо́
кино́
ко́фе
метро́
пальто́ (Э́то моё пальто́; э́то мой пальто́.)
ра́дио
такси́

B. Adjectives

"Hard" adjectives that modify plural nouns in the nominative case have the ending **-ые**. This ending becomes **-ие** after the letters **г**, **к**, **х**, **ж**, **ч**, **ш**, **щ** (Spelling Rule 1).

"Soft" adjectives also have the ending **-ие**:

хоро́ш**ие** но́в**ые** сини**е** ⎰ карандаши́
ру́чки
пе́рья

The plural of **э́тот, э́та,** and **э́то** is **э́ти**; the plural of **тот, та,** and **то** is **те**:

Э́ти де́ти на́ши, а **те** нет.   These are our children, but those aren't.

---

[39] The neuter singular noun **дитя́** ("child") is archaic.
[40] The masculine collective singular noun **люд** ("people") is archaic.

The plural ending of the possessive adjectives (which may be declined) is **-и**:

$$
\left.\begin{array}{l}
\text{мой} \\
\text{твой} \\
\text{его} \\
\text{её} \\
\text{его} \\
\text{наши} \\
\text{ваши} \\
\text{их}
\end{array}\right\} \text{ карандаши (ручки, перья)}
$$

The Accusative Plural of Inanimate Nouns

The accusative plural of *all inanimate* nouns (and their modifiers) is identical with the nominative plural:

Я покупа́ю эт**и** красн**ые** носк**и** для себя́.

СЛОВА́РЬ

бе́рег (*pl.* берега́; на берегу́)	bank, shore
боя́ться (II) (кого́? чего́?)	to be afraid (of), fear
бою́сь, бои́шься, боя́тся	
ва́нная (*decl. like adj.*)	bathroom
вероя́тно	probably
восто́чный	east, eastern
гимна́зия	pre-revolutionary secondary school
гости́ная	living room
да́ча (на)	summer house
де́рево (*pl.* дере́вья)	tree
деспоти́чный	despotic
де́тство	childhood
до́лжен (должна́, должно́, должны́)	must, has to
зави́довать (I) (кому́? чему́?)	to envy
загора́ть (I)	to sunbathe, get tan
зали́в	bay, gulf
за́падный	west, western
засте́нчивый	bashful
камо́рка	closet
кни́жный	book (*adj.*)
ковёр (*pl.* ковры́)	carpet, rug

коне́ц (*pl.* концы́)	end
в конце́ концо́в	in the end, finally
край (*pl.* края́; на краю́)	edge
крепостно́й (*decl. like adj.*)	serf
кре́сло (*pl.* кре́сла)	armchair
купа́ться (I)	to bathe
купе́ц (*pl.* купцы́)	merchant
куст (*pl.* кусты́)	bush, shrub
ку́хня	kitchen
ла́герь (м.)	camp
медици́на	medicine (*the profession*)
ми́лость (ж.)	favor, grace
Ми́лости про́сим.	Be our guest.
молча́ние	silence
мост (*pl.* мосты́; на мосту́)	bridge
называ́емый	called
так называ́емый	so-called
невероя́тно	unbelievable, unbelievably, improbable
не́чего	nothing
Не́чего боя́ться.	There's nothing to be afraid of.
ночева́ть (I)	to spend the night
обстано́вка	furnishings, furniture
одна́жды	once, on one occasion
оконча́ние	completion
осмо́тр	inspection, examination, visit
педаго́г	teacher, pedagogue
пе́сня	song
наро́дная пе́сня	folk song
писа́ние	writing (*noun*)
пи́сьменный стол	writing desk
пласти́нка	record
плен (в плену́)	captivity (a prisoner)
плита́	(kitchen) stove
побере́жье	sea coast
по́весть (ж.)	tale
поздне́е	later
пол	floor; sex
(на полу́)	on the floor
прекра́сный пол	fair sex
полуо́стров (*pl.* полуострова́)	peninsula
потоло́к (*pl.* потолки́)	ceiling
приве́т	greeting(s)
Приве́т му́жу!	Say "hello" to your husband!
признава́ться (I)	to admit, I must admit (*in Russian, use the infinitive*)
провинциа́льный	provincial

произведе́ние	work (literature, music, etc.)
про́шлый	previous, last
радио́ла	radio-phonograph
ра́ковина	sink
реша́ть (I)	to decide
роди́ться (II)	to be born
роди́лся, роди́ла́сь, роди́ло́сь; роди́ли́сь	
сам (сама́, само́, сами)	self (*used as an intensifier*)
свя́зан (-а, -о, -ы) (с кем? с чем?)	connected, associated (with)
скуча́ть (I) (по кому́? по чему́?)	to long (for), be bored, to miss someone, something)
согла́сен (согла́сна, согла́сно, согла́сны) (с кем? с чем?)	agree(d) (with)
спа́льня	bedroom
стра́нно	strange
суро́вый	severe
те́хникум	technical school
точне́е	more exactly
у́гол (*pl.* углы́; в, на углу́)	corner
удово́льствие	pleasure
с удово́льствием	with pleasure
умере́ть (I) (*pf.*)	to die
умру́, умрёшь, умру́т; у́мер, умерла́, у́мерло, у́мерли	
факти́чески	in fact, practically
факульте́т	faculty, department
фотопортре́т	photo-portrait
хи́трый	clever, sly
холоди́льник	refrigerator
худо́жник	artist
черто́вски	devilish(ly), dreadfully
шкаф (*pl.* шкафы́; в, на шкафу́)	case, cupboard
ю́жный	south, southern
юмористи́ческий	humorous, comic(al)

Двадцать первый урок

РАЗГОВО́Р: **Откры́тка от бы́вшего студе́нта**

Профе́ссор Суво́рин: — Ири́на Льво́вна! Посмотри́те! Я получи́л откры́тку от своего́ бы́вшего студе́нта Ми́ши Ньюто́на. Он тепе́рь в Ленингра́де!

Ири́на Льво́вна: — Краси́вая откры́тка: э́то — «Ме́дный вса́дник», знамени́тый па́мятник Петру́ Вели́кому. Ну а что пи́шет Ми́ша? Ему́ нра́вится Ленингра́д?

Professor Suvorin: Irina Lvovna! Look! I received a postcard from my former student Misha Newton. He's in Leningrad now!

Irina Lvovna: It's a pretty postcard. That's "The Bronze Horseman," the famous monument to Peter the Great. Well, and what does Misha write? Does he like Leningrad?

Профéссор Сувóрин: — Хотúте, я вам прочтý?

Ирúна Львóвна: — Да, пожáлуйста, прочтúте! Мне интерéсно, что он пишет.

Профéссор Сувóрин: — « Многоуважáемый Юрий Васúльевич! Когдá я начал у Вас изучáть русский язы́к, Вы мне сказáли, что через три-четы́ре года я, навéрное, поéду в Совéтский Сою́з,...

Ирúна Львóвна: — Молодéц! Он óчень хорошó пишет порýсски! А что дальше?

Профéссор Сувóрин: — « ...и Вы были правы. Я сейчáс в Ленингрáде. Послезáвтра наша группа едет дальше, в Москвý, а через недéлю мы летúм на самолёте в Кúев. Передáйте привéт Ирúне Львовне...

Ирúна Львóвна: — Значит, он и меня́ не забы́л!

Профéссор Сувóрин: — « ...и скажúте, что я ей скóро напишý. Всегó дóброго! Ваш Миша. »

Ирúна Львóвна: — Когдá вы бýдете писáть[1] Мише, передáйте емý от меня́ привéт.

Профéссор Сувóрин: — Хорошó. Я это сдéлаю.

Professor Suvorin: Do you want me to read it to you?

Irina Lvovna: Yes, please read it! I'm interested to know what he has to say.

Professor Suvorin: "Dear Yuri Vassilyevich! When I began to study Russian with you, you said that in three or four years I undoubtedly would go to the Soviet Union..."

Irina Lvovna: Good for him! He writes Russian very well! And what else does he say?

Professor Suvorin: "...and you were right. I'm now in Leningrad. Day after tomorrow our group is going on to Moscow, and in a week we are going by plane to Kiev. Say 'hello' to Irina Lvovna..."

Irina Lvovna: Well, then he didn't forget me!

Professor Suvorin: "and tell her that I will soon write to her. All the best! Yours, Misha."

Irina Lvovna: When you write to Misha, say "hello" to him for me.

Professor Suvorin: All right. I'll do that.

---

[1] The *imperfective future* is used here because the letter will not be finished until *after* Professor Suvorin has said "hello." The use of the perfective here would indicate that after he finished the letter to Misha, he would write an additional note conveying Irina Lvovna's greetings.

Ирúна Львовна: — И от мужа. Миша очень понрáвился Вадúму, когдá он был у нас.

Профéссор Сувóрин: — Ах! Я совсéм забы́л! Вам звонúл[2] муж и спрашивал, не хотúте ли вы пойтú на балéт сегóдня вечером?

Ирúна Львовна: — Верно? Слушайте, Юрий Васúльевич. Я сейчáс идý на лекцию. Если Вадúм опя́ть позвонúт, скажúте, что я емý позвоню́ срáзу же после лекции. Хорошó?

Профéссор Сувóрин: — Хорошó. Я емý скажý. Только не забýдьте!

Ирúна Львовна: — Не забýду. Покá!

Профéссор Сувóрин: — Всегó. Увúдимся!

Irina Lvovna: And from my husband. Vadim took quite a liking to Misha when he was at our place.

Professor Suvorin: Oh! I completely forgot! Your husband called and asked if you wanted to go to the ballet this evening?

Irina Lvovna: Really? Listen, Yuri Vassilyevich. Right now I'm going to class. If Vadim calls again, tell him that I'll call him right after class. All right?

Professor Suvorin: All right, I'll tell him. Only don't forget!

Irina Lvovna: I won't. So long!

Professor Suvorin: All the best. See you later!

ТЕКСТ ДЛЯ ЧТЕНИЯ: **Письмó из Ленингрáда**

Ленингрáд, 27-óе ию́ня 1966-го года.

Дорогáя Ирúна Львóвна!

Вот ужé трéтий день как наша группа в Ленингрáде, бывшей столúце царской Россúи.[3] Наше знакóмство с этим красúвым городом началóсь на Стрéлке Васúльевского острова. Оттýда видно всё:

---

[2] The *imperfective past* is used here because the call intended for Irina Lvovna did not have the intended result; the call was not completed to the person for whom it was intended.

[3] **царская Россúя**: Czarist Russia

мосты́ над Нево́й, колонна́ды[4] Зимнего дворца́, золота́я шапка Исаа́киевского собо́ра, Петропа́вловская крепость и Адмиралте́йство со свои́м золоты́м шпилем.[5] Мы стоя́ли на Стрелке и слушали нашего экскурсово́да, Людми́лу Алекса́ндровну, кото́рая расска́зывала нам об основа́нии Ленингра́да:

— Ленингра́д нахо́дится на шестидеся́той паралле́ли, значит, на той же паралле́ли, что и ваш город Сьюард, в Аля́ске. Поэ́тому, зимо́й у нас дни очень коро́ткие, а летом — очень длинные: летом солнце светит восемна́дцать–девятна́дцать часо́в в сутки.

— До нача́ла восемна́дцатого века здесь никако́го города не́ было, и только в 1703-м году́[6] Пётр Вели́кий начал здесь строить новую столи́цу Росси́йской импе́рии.[7] Тепе́рь город Ленингра́д, между прочим, занима́ет[8] сто оди́н остров. Почему́ Пётр постро́ил свой город именно здесь, на боло́те, в том месте, где река́ Нева́ впада́ет в[9] Финский зали́в, вам, вероя́тно, уже́ изве́стно: ему́ нужно было « проруби́ть окно́ в Евро́пу ».[10]

— Наш город два раза меня́л[11] своё назва́ние. При основа́нии он получи́л назва́ние Санкт-Петербу́рг, т. е. город свято́го Петра́. В 1914-м году́[12] Петербу́рг был переимено́ван[13] в Петрогра́д, а в 1924-м году́[14], после смерти В. И. Ленина, — в Ленингра́д.

— Петербу́рг был столи́цей Росси́и с 1712-го до 1918-го года.[15] После Вели́кой Октя́брьской револю́ции столи́цей опя́ть стала Москва́.

Всё это Людми́ла Алекса́ндровна рассказа́ла по-англи́йски. Она́ удиви́тельно хорошо́ владе́ет английским языко́м! Мы спроси́ли её, не быва́ла ли она́ в Англии или в США? На этот вопро́с Людми́ла

---

[4] **колонна́да**: colonnade
[5] **шпиль** (м.): spire
[6] в тысяча семьсо́т третьем году́
[7] **Росси́йская импе́рия**: the Russian Empire
[8] **занима́ет**: occupies
[9] **впада́ть в**: to flow into
[10] « **проруби́ть окно́ в Евро́пу** »: "to cut a window through to Europe"
[11] **меня́ть**: to change
[12] в тысяча девятьсо́т четы́рнадцатом году́
[13] **переимено́ван**: renamed
[14] в тысяча девятьсо́т двадцать четвёртом году́
[15] с тысяча семьсо́т двена́дцатого до тысяча девятьсо́т восемна́дцатого года

Алексáндровна отвéтила, что онá изучáла англи́йский язы́к в Ленин-
грáдском институ́те и что ещё никогдá не былá за грани́цей.

В пéрвый день нáшего пребывáния в Ленингрáде мы осмотрéли
моги́лу Петрá Вели́кого в Петропáвловском собóре, Казáнский собóр
(ны́не Музéй истóрии рели́гии и атеи́зма), знамени́тый пáмятник
Петрý Вели́кому « Мéдный всáдник », Физиологи́ческий институ́т
и́мени Пáвлова, Лéтний дворéц, а тáкже и Юсу́повский дворéц, в
котóром был уби́т Распу́тин. Тогдá мы поéхали на автóбусе в Петро-
дворéц, здáния и сады́ котóрого напоминáют Версáльский дворéц[16]
во Фрáнции. Пóсле у́жина я спроси́л Людми́лу Алексáндровну, не
хóчет ли онá пойти́ со мной в кинó, но онá сказáла, что, к сожалéнию,
не мóжет.

На вторóй день мы рáно у́тром пошли́ в Зи́мний дворéц, в котóром
26-го октября́ 1917-го гóда[17] большевики́ арестовáли Врéменное
прави́тельство.[18] В э́том здáнии нахóдится Госудáрственный Эрми-
тáж, сáмый большóй музéй западноевропéйского иску́сства[19] в СССР.
Об э́том замечáтельном музéе мóжно написáть цéлый ромáн, но
лу́чше я Вам расскажу́ о нём в сентябрé, когдá мы опя́ть уви́димся.

Пóсле у́жина мы гуля́ли по главнóй у́лице Ленингрáда — Нéв-
скому проспéкту, о котóром Гóголь написáл слéдующие словá: « Нет
ничегó лу́чше Нéвского проспéкта, по крáйней мéре в Петербу́рге ».[20]
Э́та у́лица начинáется от Адмиралтéйства, центрáльного пу́нкта
гóрода, и ведёт[21] до Алексáндро-Нéвского монастыря́, на клáдбище
котóрого мóжно уви́деть моги́лы Чайкóвского, Достоéвского, Ломо-
нóсова.

Сегóдня мы поéхали на метрó на Витéбский вокзáл, чтóбы оттýда
поéхать на пóезде в Пу́шкин (бы́вшее Цáрское селó). Там, когдá мы
гуля́ли в пáрке, мы осмотрéли Екатери́нинский дворéц и пáмятник
вели́кому ру́сскому поэ́ту девятнáдцатого вéка — Алексáндру Сергé-
евичу Пу́шкину, котóрый учи́лся здесь в лицéе.[22] Тогдá мы поéхали
обрáтно в гóрод, в гости́ницу.

Я сейчáс сижу́ в вестибю́ле гости́ницы « Астóрия » и пишу́ Вам э́то

---

[16] **Версáльский дворéц**: The Palace of Versailles
[17] двáдцать шестóго октября́ ты́сяча девятьсóт семнáдцатого гóда
[18] **Врéменное прави́тельство**: The Provisional Government
[19] **западноевропéйское иску́сство**: West-European art
[20] "There is nothing that surpasses the Nevsky Prospect, at least in Petersburg."
[21] **ведёт**: leads
[22] **лицéй**: lyceum

письмо́. За́втра у́тром мы бу́дем в Москве́, куда́ мы е́дем на знаме-
ни́том по́езде « Кра́сная стрела́ ».[23] Я Вам опя́ть напишу́, как то́лько
у меня́ бу́дет свобо́дное вре́мя.

Ита́к, э́то всё. Переда́йте приве́т Ю́рию Васи́льевичу и Ва́шему
му́жу.

Всего́ хоро́шего!

Ваш

Ми́ша

ВЫРАЖЕ́НИЯ

1. Хоти́те, я вам прочту́ ?	Do you want (me) to read (it) to you?
2. Я (ты, он) прав.	I am (you are, he is) ⎱
Я (ты, она́) права́.	I am (you are, she is) ⎰ right.
(Оно́ пра́во.)	(It is)
Мы (вы, они́) пра́вы.	We (you, they) are
3. Переда́й(те) приве́т (кому́ ? от кого́ ?)...	Say "hello" to... for...
4. Он хо́чет знать, не хоти́те ли вы пойти́ на бале́т ?	He wants to know if (whether) you want to go to the ballet.
5. Ве́рно ?	Really?
6. Не забу́дь(те)! Я не забу́ду.	Don't forget! I won't.
7. Вот уже́ тре́тий день как...	This is already the third day that...
8. на той же паралле́ли, что и...	on the same parallel as...
9. Никако́го го́рода не́ было.	There was no city whatsoever.
10. Э́то мне (тебе́, ему́ и т. д.) изве́стно.	That (this) is known to me (you, him, etc.)
11. Мы её спроси́ли, не быва́ла ли она́ в....	We asked her if (whether) she hadn't been in...
12. по кра́йней ме́ре	at least
13. что́бы пое́хать	in order to go
14. Ита́к, э́то всё.	Well, this is all (for now).
15. как то́лько	as soon as

---

[23] **Кра́сная стрела́**: The Red Arrow Express

С крыши Эрмитажа открывается прекрасный вид на Неву.

ПРИМЕЧА́НИЯ

1. **Адмиралте́йство**: The Admiralty was Russia's first shipyard on the Baltic Sea. It later came to house the Ministry of Naval Affairs.
2. **Госуда́рственный Эрмита́ж**: The Hermitage is one of the finest museums in the world. It is located in the **Зимний дворе́ц** on **Дворцо́вая площадь**. The magnificent collection of European painting and art (begun by Catherine the Great) is now housed in six different buildings which contain over fifteen miles of corridors.
3. **Зимний дворе́ц**: The Winter Palace (1754–1762) was designed and constructed by the architect **В. В. Растре́лли**, the son of an Italian sculptor.
4. **Исаа́киевский собо́р**: St. Isaac's Cathedral (1818–1858) was designed by **Монферра́н**. It is a huge cathedral (101.5 meters in height), and it

is said that it took 11,000 men an entire year just to drive the piling under the building's foundation.

5. **Каза́нский собо́р (Музе́й рели́гии и атеи́зма)**: The Kazan Cathedral (1801–1811) was designed by the Russian architect **Ворони́хин**. In 1929 the cathedral was desanctified and put under the jurisdiction of the Academy of Sciences. It now houses a museum of anti-religious propaganda, complete with a replica of a torture chamber of the Spanish Inquisition.

6. **Ле́тний дворе́ц**: The Summer Palace of Peter the Great is one of Leningrad's most beautiful buildings.

7. **Ме́дный вса́дник**: "The Bronze Horseman" is located on the **пло́щадь Декабри́стов**. One of Pushkin's most famous poems concerns this monument to Peter the Great.

8. **Нева́**: The Neva River flows through Leningrad and from there into the Gulf of Finland.

9. **Не́вский проспе́кт**: The Nevsky Prospect is the main street of Leningrad. Many references to this famous street can be found in Russian literature, notably in the works of Gogol and Dostoevsky.

10. **Петродворе́ц (бы́вший Петерго́ф)**: Petrodvorets (formerly called Peterhof) is located just outside Leningrad. It was built by Peter the Great in 1709 and has been remodeled many times since then. The palace and gardens are very similar to those of Versailles and Schönbrunn.

11. **Петропа́вловская кре́пость**: The Fortress of Peter and Paul is the oldest building in Leningrad, dating from 1703.

12. **Стре́лка Васи́льевского о́строва**: The Strelka of Vasilyevsky Island is a picturesque part of old Petersburg. From its bank one has a marvelous view of the city.

13. **Физиологи́ческий институ́т и́мени Па́влова**: The Pavlov Institute is named in honor of the famous physiologist Dr. Ivan Petrovich Pavlov. Dr. Pavlov's studies of conditioned reflexes began under the czars and continued under the Soviets. Although Pavlov was critical of the Soviet regime, his work was so highly valued that he was left carefully alone by the authorities.

14. **Вре́менное прави́тельство**: The Provisional Government was formed by the Duma on March 14, 1917, in defiance of an imperial decree ordering its dissolution. The principal leader of this government was Alexander Kerensky. On November 7, 1917, the Bolsheviks took over the government and Kerensky fled the country.

15. **Пушкин (бывшее Царское селó)**: Pushkin (formerly called Czarskoye Selo) is located south of Leningrad. It is the Russian Versailles.

16. **Распýтин**: Rasputin (1871–1916) is frequently referred to as the "Mad Monk." His real name was **Новы́х**, but, because of his dissolute habits, he was given the name Rasputin by his fellow peasants in Siberia (**распýтство**: debauchery). Due to his apparent ability to heal young Crown Prince Alexei, who was a hemophiliac, Rasputin came to exercise enormous power in the government of Nikolas II. By 1916 his influence was so dangerously excessive that three members of the nobility (Prince Yousupov, the Grand Duke Dmitry Pavlovich, and Vladimir Purishkevich) determined to assassinate the "Mad Monk" in a late attempt to save the monarchy. Rasputin was given poison; when this had no effect, he was shot twice, and his body shoved through a hole in the ice of the Neva.

ДОПОЛНЍТЕЛЬНЫЙ МАТЕРИÁЛ

Цари́ и цари́цы

1533–1584:	Ивáн IV (Грозный)
1584–1598:	Фёдор Ивáнович
1598[24]–1605:	Борúс Годунóв
1606–1610:	Васúлий Ивáнович Шýйский
1613–1645:	Михаúл Фёдорович Ромáнов
1645–1676:	Алексéй Михáйлович
1676–1682:	Фёдор Алексéевич
1682[25]–1725:	Пётр I (Велúкий)
1725–1727:	Екатерúна I
1727–1730:	Пётр II
1730–1740:	Анна
1740–1741:	Ивáн VI
1741–1761:	Елизавéта Петрóвна
1761–1762:	Пётр III
1762–1796:	Екатерúна II (Велúкая)
1796–1801:	Павел

---

[24] The period 1598–1613 is referred to as **Смýтное врéмя** (The Time of Troubles).

[25] From **Пётр I** on, the official title of Russia's rulers was **Императóр** (**Императрúца**).

1801–1825:	Алекса́ндр I
1825–1855:	Никола́й I
1855–1881:	Алекса́ндр II
1881–1894:	Алекса́ндр III
1894–1917:	Никола́й II

УПРАЖНЕ́НИЯ

A. Следуйте данным приме́рам:

Приме́р: I won't forget.   **Я не забу́ду.**

1. He won't forget.
2. We won't forget.
3. They won't forget.
4. You (**ты**) won't forget?
5. You (**вы**) won't forget?
6. Don't forget!

Приме́р: I forgot to tell her that.   **Я забы́л(а) ей это сказа́ть.**

1. He forgot to tell her that.
2. They forgot to tell him that.
3. She forgot to tell them that.
4. You (**вы**) forgot to tell them that.
5. Don't forget to tell them that!

Приме́р: He'll tell them where that is.   **Он им скажет, где это.**

1. I'll tell them where that is.
2. She'll tell them where that is.
3. We'll tell them where that is.
4. They'll tell them where that is.
5. Will you (**ты**) tell them where that is?
6. Will you (**вы**) tell them where that is?
7. Tell them where that is!

Приме́р: He will write that letter on Friday.   **Он напи́шет это письмо́ в пятницу.**

1. I will write that letter on Friday.
2. They will write that letter on Friday.

3. Are you (**ты**) going to write that letter on Friday?
4. Are you (**вы**) going to write that letter on Friday?
5. Write that letter on Friday!

> *Пример:* He is going to call her just **Он ей позвонит перед**
> before the performance. **спектаклем.**

1. I am going to call her just before the performance.
2. They are going to call her just before the performance.
3. Are you (**ты**) going to call her just before the performance?
4. Are you (**вы**) going to call her just before the performance?
5. Call her just before the performance.

> *Пример:* He'll read that story this **Он прочтёт этот рассказ**
> evening (and finish it). **сегодня вечером.**

1. I'll read that story this evening.
2. We'll read that story this evening.
3. They'll read that story this evening.
4. Are you (**вы**) going to read that story this evening?
5. Read that story this evening!

> *Пример:* He's going to do that trans- **Он сделает этот перевод**
> lation tomorrow morning. **завтра утром.**

1. I'm going to do that translation tomorrow morning.
2. We're going to do that translation tomorrow morning.
3. They're going to do that translation tomorrow morning.
4. Are you (**ты**) going to do that translation tomorrow morning?
5. Do that translation tomorrow morning!

> *Пример:* If I see him I'll tell him **Если я его увижу, то**
> about that. **я ему об этом скажу.**

1. If I see her I'll tell her about that.
2. If I see them I'll tell them about that.
3. If I see Ivan I'll tell him about that.

> *Пример:* I still don't know if (whether) **Я ещё не знаю,**
> I will go. **поеду ли я.**

1. He still doesn't know if he will go.
2. We still don't know if we will go.
3. They still don't know if they will go.

Приме́р: He will soon get their letter.   **Он ско́ро полу́чит их письмо́.**

1. I will soon get their letter.
2. We will soon get their letter.
3. They will soon get their letter.
4. You (**ты**) will soon get their letter.
5. You (**вы**) will soon get their letter.

Приме́р: He's going to start this job tomorrow.   **Он начнёт эту рабо́ту за́втра.**

1. I'm going to start this job tomorrow.
2. We're going to start this job tomorrow.
3. They're going to start this job tomorrow.
4. Are you (**вы**) going to start this job tomorrow?
5. Start this job tomorrow!

Приме́р: I'll ask him when I see him.   **Я спрошу́ его́, когда́ его́ уви́жу.**

1. He'll ask him when he sees him.
2. We'll ask him when we see him.
3. Will you (**ты**) ask him when you see him?
4. Will you (**вы**) ask him when you see him?
5. Ask him when you see him!

B. Give the imperfective or perfective past tense as required:

1. **чита́л** (чита́ла, чита́ли) или **прочёл** (прочла́, прочли́)

a. Моя́ мать ре́дко _____ журна́лы и газе́ты.

b. Вот ва́ше письмо́. Ка́жется, И́горь уже́ _____ его́.

c. Когда́ я был(а́) в Сан-Франци́ско, я ка́ждое у́тро _____ ру́сские газе́ты.

d. Студе́нты весь день сиде́ли в библиоте́ке и _____ э́тот рома́н. Одни́ его́ _____, а други́е нет.

e. Возьми́те э́ту кни́гу! Я её уже́ _____.

f. Михаи́л до́лго _____ письмо́ от до́чери.

2. **писа́л** (писа́ла, писа́ли) или **написа́л** (написа́ла, написа́ли)

a. На уро́ке ру́сского языка́ мы ча́сто _____ дикто́вку.

b. Мы уже́ _____ э́ти упражне́ния. Вот они́.

c. Фёдор Миха́йлович Достое́вский _____ рома́н « Преступле́ние и наказа́ние ».

d. Глинка _____ оперу « Жизнь за царя ».

e. Он мне _____ каждый день.

f. Ирина _____ нам только одно письмо.

g. В то время как отец разговаривал с соседом, мать сидела за письменным столом и _____ письма.

3. **строил** (строила, строили) или **построил** (построила, построили)

a. Наши соседи долго _____ дом.

b. Наш профессор недавно _____ новый гараж.

c. Мы всю зиму _____ наш дом.

d. Вы уже _____ гараж?

4. **отвечал** (отвечала, отвечали) или **ответил** (ответила, ответили)

a. Иван всегда _____ правильно.

b. В классе Анна никогда не _____ на мои вопросы.

c. Он _____ на ваш вопрос. Разве вы не слышали?

d. — Ты любишь меня? — спросил он.
— Люблю, — _____ она.

5. **получал** (получала, получали) или **получил** (получила, получили)

a. Я сегодня _____ открытку от брата.

b. Я редко _____ письма от сестры.

c. Я всегда _____ хорошие отметки.

d. Они _____ только одно письмо от неё.

6. **говорил** (говорила, говорили) или **сказал** (сказала, сказали)

a. Он сегодня позвонил мне и _____ ,.что болен.

b. Он _____ : — Я не пойду на футбол!

c. Она нередко _____ такие вещи.

d. Они _____ , что пойдут в кино, а пошли в театр.

e. Этого мы никогда не _____ .

7. **начинал** (начинала, начинали) или **начал** (начала, начали)

a. Мы каждый день _____ работать в семь часов.

b. Он обычно _____ читать поздно вечером.

c. Сегодня утром Анна Петровна _____ работу в восемь.

d. Мы уже _____ читать этот рассказ.

e. Когда он _____ изучать русский язык?

8. **спрашивал** (спрашивала, спрашивали) или **спросил** (спросила, спросили)

a. Иван меня вчера _____ , не хочу ли я пойти в кино?

b. Наш учи́тель ка́ждый день _____, почему́ я всегда́ опа́здываю.

c. Я его́ _____, пойдёт ли он со мной, и он сказа́л, что пойдёт.

d. Они́ _____ мать: — Нам мо́жно игра́ть в саду́?

e. Почему́ вы никогда́ ничего́ не _____?

9. **брал** (брала́, бра́ли) или **взял** (взяла́, взя́ли)

a. Мы ча́сто _____ слова́рь учи́теля.

b. Он иногда́ _____ у меня́ кни́ги.

c. Сего́дня у́тром они́ _____ все мои́ ве́щи.

C. Choose the correct future verb form:

1. **говори́ть/(поговори́ть)/сказа́ть**

a. Когда́ я бу́ду в СССР, я (бу́ду говори́ть/скажу́) то́лько по-ру́сски.

b. Е́сли я его́ уви́жу за́втра, то я ему́ об э́том (бу́ду говори́ть/скажу́).

c. Об э́том мы за́втра (поговори́м/ска́жем).

d. Я наде́юсь, что вы ему́ (бу́дете говори́ть/поговори́те/ска́жете), почему́ вам э́то не нра́вится.

e. Они́ вам (бу́дут говори́ть/ска́жут), бу́дет ли за́втра уро́к.

2. **осма́тривать/осмотре́ть**

a. Что вы бу́дете сего́дня (осма́тривать/осмотре́ть)?

b. Когда́ мы (бу́дем осма́тривать/осмо́трим) Мавзоле́й Ле́нина, мы пойдём в Кремль.

c. За́втра они́ весь день (бу́дут осма́тривать/осмо́трят) достоприме-ча́тельности Ленингра́да.

3. **отвеча́ть/отве́тить**

a. Мне ка́жется, что э́ти студе́нты никогда́ не (бу́дут отвеча́ть/отве́тят) пра́вильно!

b. Я сейча́с о́чень за́нят; лу́чше я (бу́ду отвеча́ть/отве́чу) на ваш вопро́с не сего́дня, а за́втра.

D. Answer each question as indicated in the example:

Приме́р: Когда́ вы прочтёте э́тот расска́з? (сего́дня ве́чером)   **Я прочту́ э́тот расска́з сего́дня ве́чером.**

1. Когда́ вы напи́шете э́тот экза́мен? (за́втра)

2. Когда́ вы нам ска́жете, в како́й день бу́дет экза́мен? (в сре́ду)

3. Когда́ вы сде́лаете э́тот перево́д? (за́втра у́тром)

4. Когда́ вы его́ спро́сите, пое́дет ли он с на́ми? (сейча́с)

5. Когдá вы позвонúте емý? (после обéда)
6. Когдá вы пострóите новый дом? (в будущем годý)
7. Когдá вы их увúдите? (на будущей недéле)
8. Когдá вы начнёте эту рабóту? (в будущем месяце)
9. Когдá вы нам расскáжете об Эрмитáже? (когдá я вас увúжу в ноябрé)
10. Вы попрóсите её сделать это? (да)
11. Какóго числá вы поéдете в Ленингрáд? (22-го августа)
12. Какóго числá вы полетúте в Гермáнию? (4-го декабря)
13. В какóм месяце вы приезжáете обрáтно в США? (в январé)
14. Вы думаете, что эта опера емý понрáвится? (я надéюсь)
15. Вы тут подождёте? (да)
16. Вы приблизúтельно знаете, когдá полýчите от негó письмó? (может быть через недéлю)
17. Вы не забýдете сказáть учúтелю, что я болен (больнá)? (нет)
18. Что вы возьмёте на закýску? (икрá)
19. Вы мне позвонúте, когдá прочтёте эту книгу? (да)

E. Give the correct form of the words in parentheses:

1. Он читáет (сегóдняшняя газéта).
2. Дайте, пожáлуйста, (вчерáшний номер этой газéты).
3. У нас нет (вчерáшний номер).
4. Мы скоро полýчим (завтрашний номер журнáла).
5. Я люблю (зимняя погóда).
6. Мы вчерá осмотрéли (Зимний дворéц).
7. Да? А мы были в (Летний дворéц).
8. (Эти прохлáдные осéнние дни) мне очень нравятся.
9. А я больше люблю (тёплая, весéнняя погóда).

F. Translate the words in parentheses:

1. Я ещё не знаю, (if I am going).
2. (If I see him there), то я емý скажý.
3. Мне нужно знать, (if she speaks English).
4. (If I have some free time), я вам напишý письмó.
5. Я не знаю, (if he reads a lot).
6. Игорь спросúл Машу, (if she wants to go to the opera).
7. Ты знаешь, (if she is working now)?
8. (If she works at ЗАГС), то онá немнóго зарабáтывает.

Устный перевод

1. — Вы получи́ли письмо́ от И́горя?
   Not yet, but I hope that tomorrow I'll receive at least a postcard.
2. — Где он тепе́рь? Ещё в Ленингра́де?
   No, he was in Leningrad only five days. Now he's in either Moscow or Kiev.
3. — Я забы́л(а) вам сказа́ть, что получи́л(а) откры́тку от него́ из Ленингра́да. Этот город ему́ о́чень понра́вился!
   What did he write you about Leningrad?
4. — Он пишет, что э́то о́чень краси́вый город и счита́ет, что Эрмита́ж — са́мый хоро́ший музе́й в ми́ре. Мину́тку, я вам прочту́.
   I'm afraid that I don't have time right now. I'm very busy. But I'll call you after supper, all right?
5. — Хорошо́. То́лько не забу́дьте!
   I won't forget. Good-by.
6. — Всего́ хоро́шего. Приве́т сы́ну.

ГРАММА́ТИКА

"Soft" Adjectives

Adjectives derived from the seasons, "yesterday," "today," and "tomorrow" are "soft":

зима́	зимний (-яя, -ее, -ие)	winter
весна́	весе́нний (-яя, -ее, -ие)	spring
лето	летний (-яя, -ее, -ие)	summer
осень	осе́нний (-яя, -ее, -ие)	fall
вчера́	вчера́шний (-яя, -ее, -ие)	yesterday's
сего́дня	сего́дняшний (-яя, -ее, -ие)	today's
завтра	завтрашний (-яя, -ее, -ие)	tomorrow's

If *and* Whether

You have already learned the Russian word for "if" (**если**). This word may be used only in conditional statements:

Если он там был, я его́ просто не видел.	*If* he was there I simply didn't see him.

Éсли он поéдет, то я не поéду!	*If* he's going, then I'm not going!

Whenever in the English statement the word "whether" can be substituted for the word "if," **éсли** may not be used in the equivalent Russian statement. Instead, the Russian merely puts the particle **ли** after the key word, which must also be the first word of the dependent clause (normally the *verb*). Statements of this type are referred to as "indirect questions":

Спросúте Ивáна, **мóжет ли** он пойтú с нами.	Ask Ivan *if* (*whether*) he can go with us.
Я не знаю, **шёл ли** там вчерá дождь.	I don't know *if* (*whether*) it rained there yesterday.
Ты не знаешь, **жилá ли** онá в этом городе?	Do you happen to know *if* (*whether*) she lived in this city?
Вы не знаете, **бýдут ли** онú сегóдня дома?	Do you happen to know *if* (*whether*) they will be home today?
Интересно знать, **мнóго ли** он рабóтает.	It would be interesting to know *if* (*whether*) he works a lot.
Спросú её, **бýдет ли** он завтра рабóтать.	Ask her *if* (*whether*) he is going to work tomorrow.

The Imperfective and Perfective Aspects of Russian Verbs

The vast majority of the verbs which you have learned thus far have had a present tense, past tense and future tense. A few, however, notably **сказáть, брóсить, посмотрéть, подождáть, взять, пойтú, родúться,** and **умерéть** lacked a present tense. It has been pointed out that when conjugated, these verbs are in the *future tense*, rather than the present:

Я посмотрю́.	I'll take a look.
Я там подождý.	I'll wait there a while.
Я возьмý это.	I'll take this.

and that they take the regular past tense endings **-л, -ла, -ло, -ли** (except for **умерéть**: **умер, -лá; -ло, -ли**):

Он посмотрéл на меня́.	He glanced at me.
Онá там подождáла.	She waited there a while.
Онú это взяли.	They took that.

These verbs are called *perfective verbs.*

Almost all verbs in the Russian language have two forms, that is, they occur in pairs. Generally speaking, the two verbs of each pair do not differ from each other in meaning, but, rather, only in what is referred to as *aspect*. All verbs in the language are of one of two aspects: *imperfective* or *perfective*.

Verbs of the *imperfective aspect* have three tenses (present, past and future) and are used to describe an action which is (was or will be) *in progress, continuous* and/or *repeated*. In the past and future tenses, imperfective verbs are used to stress the action itself, not the end result.

Verbs of the *perfective aspect* have only two tenses (future and past). In the future and past tenses, they describe the *completion* of an action, its *end result*, or an action which occurred or will occur *only once*.

"To Write"

Imperfective: **писа́ть**	*Perfective:* **написа́ть**
Present: Я **пишу́** письма. I write (am writing, do write, have been writing) letters.	*no present tense*
Past: Я **писа́л(а)** письма. I was writing (wrote /repeatedly/, did write /repeatedly/, have written /repeatedly/, had been writing) letters.	Я **написа́л(а)** письмо́. Вот оно́. I wrote (did write, have written, had written) a letter. Here it is (I finished it).
Future: Я **буду писа́ть** письма. I will be writing (will write /repeatedly/) letters.	Я **напишу́** письмо́. I will write (will have written) a letter (I will finish it).

Since perfective verbs are used to describe the completion of an action and/or the action's result rather than the action itself, they cannot be used with words or phrases which indicate the duration or repeated nature of the action. Thus the following words and phrases (and others like them) normally require the use of the *imperfective aspect* of verbs:

всегда́	долго	весь месяц
обы́чно	давно́ (a long time ago)	весь год

часто	всё утро	каждый день
иногда́	весь день	каждую неде́лю
ре́дко	весь вечер	каждый месяц
никогда́ (не)	всю ночь	каждый год

Given the *imperfective* form of a verb, there is no sure way to determine what the *perfective* form will be. It is therefore helpful to learn verbs in pairs. However, the following basic patterns may be observed.

1. The imperfective and perfective verbs may come from completely different roots. Only two commonly used verbs fall into this category:

Imperfective	*Perfective*
говори́ть[26]	сказа́ть:[26] скажу́, ска́жешь, ска́жут Скажи́(те)!
брать: беру́, берёшь, беру́т Бери́(те)!	взять: возьму́, возьмёшь, возьму́т Возьми́(те)!

2. The perfective verb may be formed by adding a prefix to the imperfective verb. This is the simplest type of perfective verb, as there is no difference in the conjugation of the two verbs; however, you must keep in mind that when conjugated, the perfective verb has a future meaning!

Imperfective	*Perfective*
писа́ть	**на**писа́ть
говори́ть	**по**говори́ть[26]
ехать	**по**е́хать
звони́ть	**по**звони́ть
идти́	**по**йти́ (пойду́, пойдёшь, пойду́т)
лете́ть	**по**лете́ть
нра́виться	**по**нра́виться
смотре́ть	**по**смотре́ть
стро́ить	**по**стро́ить
ждать	**по**дожда́ть

---

[26] **Говори́ть** can mean "to talk," "speak," "say," or "tell," depending upon the context. **Сказа́ть** can mean only "to say" or "to tell." **Говори́ть** has a second perfective form, **поговори́ть**, which means "to talk for a little while," "to have a chat."

читáть	**про**читáть[27]
делать	**с**делать
видеть	**у**вúдеть

3. The perfective verb may have a different suffix and/or a different stem vowel than the imperfective verb. It may also be of a different conjugation class:

Imperfective	*Perfective*
начинáть	начáть: начнý, начнёшь, начнýт Начнú(те)!
получáть	получúть: получý, полýчишь, полýчат Получú(те)!
отвечáть	отвéтить: отвéчу, отвéтишь, отвéтят Отвéть(те)!
спрашивать	спросúть: спрошý, спрóсишь, спрóсят Спросú(те)!
напоминáть	напóмнить: напóмню, напóмнишь, напóмнят Напóмни(те)!
осмáтривать	осмотрéть: осмотрю́, осмóтришь, осмóтрят Осмотрú(те)!
читáть	прочéсть: прочтý, прочтёшь, прочтýт Прочтú(те)!
расскáзывать	рассказáть: расскажý, расскáжешь, расскáжут Расскажú(те)!
забывáть	забы́ть: забýду, забýдешь, забýдут (Не) забýдь(те)!

A few perfective verbs have a slightly different meaning than their imperfective equivalents:

1. **Ждать** means "to wait"; **подождáть** means "to wait a little while."
2. **Смотрéть** means "to watch"; **посмотрéть** means "to take a look"; **посмотрéть на** means "to glance at."

---

[27] **Читáть** has an alternate perfective form which is very commonly used, especially in conversation: **прочéсть: прочтý, прочтёшь, прочтýт; Прочтú(те)!**

3. The *past tense* of **увидеть** means "to catch sight of," rather than "to see"; thus, **видел, -ла, -ло, -ли** is used even for a single occurrence with the meaning "saw."

Я видел(а) его вчера в городе.	I saw him in town yesterday.
Я увидел(а) его в толпе.	I caught sight of him in the crowd.

But:

Я его завтра **увижу**.	I will see him tomorrow.
Увидимся завтра.	We'll see one another tomorrow.
Мы часто будем **видеть** его.	We'll see him often.

4. **Поехать, пойти** and **полететь**: These perfective verbs of motion have the meaning "to set out," "to leave for," and thus describe only the moment of departure.

Он сегодня $\begin{Bmatrix}\textbf{пойдёт}\\\textbf{поедет}\end{Bmatrix}$ в школу в 8 часов.	He's going to go to (leave for) school at 8 o'clock today.
Куда он **пошёл**? в кино?	Where did he go? to the movies?
Где Анна? Она **пошла** в город.	Where is Anna? She has gone to town.
Они **пошли** в театр, а мы **поехали** на выставку.	They went to the theater but we went to the exhibition.
Иван сегодня **полетит** в Киев.	Ivan will fly to Kiev today.

As you have already noted, the present tense forms of **идти, ехать,** and **лететь** may be used with a future meaning when some word or the context makes this meaning clear.

Я завтра **иду** в город.	I'm going to town tomorrow.
Через неделю мы **едем** на Кавказ.	In a week we're going to the Caucasus.
В субботу они **летят** в Ленинград.	On Saturday they're flying to Leningrad.

With the auxiliary verbs **мочь** and **хотеть**, the perfective forms **пойти, поехать** and **полететь**, are almost invariably used.

Я хочу $\begin{Bmatrix}\text{пойти}\\\text{поехать}\\\text{полететь}\end{Bmatrix}$ туда.	I want to go there.

Я не могу́ $\begin{Bmatrix} \text{пойти́} \\ \text{пое́хать} \end{Bmatrix}$ в кино́.   I can't go to the movie.

Ты хо́чешь $\begin{Bmatrix} \text{пойти́} \\ \text{пое́хать} \end{Bmatrix}$ на бале́т?   Do you want to go to the ballet?

Future Statements with Éсли, Когда́ or Как то́лько

Future statements which involve **éсли, когда́** or **как то́лько** ("as soon as") in a subordinate clause require that the verbs in *each clause* be in the *future* tense! English (rather illogically) uses the present tense in the subordinate clause and the future in the independent clause. Carefully compare the following Russian and English complex sentences:

Éсли я его́ там **уви́жу**, я ему́ **скажу́**.

If I *see* him there I *will tell* him.

Éсли бу́дет плоха́я пого́да, то мы не **пое́дем**.

If the weather *is* bad we *won't* go.

Когда́ он **прочтёт** кни́гу, он мне **ска́жет**.

When he *reads (has read)* the book he *will tell* me.

Когда́ мы **пое́дем** на кани́кулы, он, наве́рно, то́же **пое́дет**.

When we *go* on vacation he undoubtedly *will go*, too.

Как то́лько я **напишу́** это письмо́, я вам **скажу́**.

As soon as I *read (have read)* this letter I *will tell* you.

Indirect Quotes

Indirect quotes in Russian are given in exactly the *same tense* as the one in which they were originally made:

Original statement: « Я **чита́ю** кни́гу ».   " *I'm reading* a book."

Reported later: А́нна сказа́ла, что она́ **чита́ет** кни́гу.   Anna said that she *was reading* a book.

Original statement: « Я уже́ **прочла́** э́ту кни́гу ».   " I *have* already *read* this book."

Reported later: А́нна сказа́ла, что она́ уже́ **прочла́** э́ту кни́гу.   Anna said that she *had* already *read* this book.

Original statement:	« Я **прочту́** эту кни́гу сего́дня ».	"I *will read* this book today."
Reported later:	А́нна сказа́ла, что она́ **прочтёт** э́ту кни́гу сего́дня.	Anna said that she *would read* this book today.

СЛОВА́РЬ [28]

арестова́ть (I) аресту́ю, аресту́ешь, аресту́ют	to arrest (*pf.* and *impf.*)
атеи́зм	atheism
боло́то	swamp
большеви́к (*мн.* большевики́)	Bolshevik
ве́рно	really, true
вы́ход	exit
гру́ппа	group
забы́ть (I) забу́ду, забу́дешь, забу́дут	*pf. of* забыва́ть
зи́мний, -яя, -ее, -ие	winter (*adj.*)
знако́мство	acquaintance(ship)
золото́й	gold(en)
и́менно	just, precisely, exactly
как то́лько	as soon as
Многоуважа́емый...	Dear... (*formal letter salutation*)
монасты́рь (м.)	monastery
написа́ть (I)	*pf. of* писа́ть
напомина́ть (I) (*pf.* напо́мнить)	to remind, recall, look like
напо́мнить (II)	*pf. of* напомина́ть
нача́ть (I) начну́, начнёшь, начну́т; на́чал, начала́, на́чало, на́чали	*pf. of* начина́ть
никако́й	none whatsoever
ны́не	now, at present
осмотре́ть (II) осмотрю́, осмо́тришь, осмо́трят	*pf. of* осма́тривать
основа́ние	founding, establishment
о́стров (*мн.* острова́)	island
отве́тить (II) отве́чу, отве́тишь, отве́тят	*pf. of* отвеча́ть
откры́тка	postcard
паралле́ль (ж.)	parallel (*noun*)

---

[28] **мн.** = **мно́жественное число́**: plural; *pf.* = perfective verb form

поговори́ть (II)	to have a little talk (*pf. of* говори́ть)
пое́хать (I)	*pf. of* е́хать
позвони́ть (II)	*pf. of* звони́ть
пойти́ (I)	*pf. of* идти́
пойду́, пойдёшь, пойду́т	
по крайней мере	at least
получи́ть (II)	*pf. of* получа́ть
получу́, полу́чишь, полу́чат	
понра́виться (II)	*pf. of* нравиться
постро́ить (II)	*pf. of* строить
прав (а́, о, ы)	right, in the right, correct
пребыва́ние	stay, sojourn
проче́сть (I)	*pf. of* чита́ть
прочту́, прочтёшь, прочту́т	
прочита́ть (I)	*pf. of* чита́ть
рассказа́ть (I)	*pf. of* расска́зывать
расскажу́, расска́жешь, расска́жут	
расска́зывать (I) (*pf.* рассказа́ть)	to relate, tell
рели́гия	religion
свято́й	saint
сделать (I)	*pf. of* делать
сказа́ть (I)	to say, tell (*pf. of* говори́ть)
скажу́, ска́жешь, ска́жут	
смерть (ж.)	death
спроси́ть (II)	*pf. of* спрашивать
спрошу́, спро́сишь, спро́сят	
стрела́	arrow
стрелка	pinnacle; small arrow; hand of clock
строить (II) (*pf.* постро́ить)	to build, construct
сутки	day (24 hours)
уби́т (а, о, ы)	killed
уви́деть (II)	*pf. of* видеть
физиологи́ческий	physiological
чтобы	in order to

Двадцать второй урок

РАЗГОВО́Р: **В кни́жном магази́не**

(*На у́лице в Москве́*)

(*On a street in Moscow*)

Ми́ша: — Това́рищ милицио-
не́р, есть ли здесь побли́-
зости хоро́ший кни́жный ма-
гази́н?

Misha: Officer, is there a good
bookstore in the vicinity?

Милиционе́р: — Ну, в Москве́
мно́го хоро́ших кни́жных
магази́нов, но вон тот, на
углу́, оди́н из лу́чших.

Policeman: Well, there are lots of
good bookstores in Moscow, but
that one there on the corner is
one of the best.

Ми́ша: — Благодарю́ вас.

Misha: Thank you.

Милиционе́р: — Не сто́ит.[1]

(В кни́жном магази́не)

Ми́ша: — Бу́дьте любе́зны,[2] скажи́те, где отде́л худо́жественной литерату́ры?

Де́вушка: — А како́й писа́тель вас интересу́ет?

Ми́ша: — Достое́вский и Турге́нев. Я хочу́ купи́ть рома́ны « Бра́тья Карама́зовы » и « Отцы́ и де́ти ».

Де́вушка: — « Бра́тьев Карама́зовых »[3] у нас нет.

Ми́ша: — Но э́тот рома́н быва́ет у вас?

Де́вушка: — Да, был неда́вно, но когда́ сно́ва[4] бу́дет — тру́дно сказа́ть. « Отцо́в и дете́й » вы найдёте наверху́,[5] в шкафу́ нале́во от ле́стницы.

Ми́ша: — Спаси́бо. Снача́ла я пойду́ наве́рх,[5] а пото́м про́сто похожу́, посмотрю́.

Де́вушка: — Хорошо́. Е́сли вы не найдёте того́, что и́щете, продаве́ц наверху́ вам помо́жет.

(Немно́го погодя́)

Де́вушка: — Вы всё нашли́?

Ми́ша: — Да, нашёл. У вас мно́го интере́сных книг.

Policeman: Don't mention it.

(In the bookstore)

Misha: Please (be so kind as to) tell me where the *belles lettres* section is?

Girl: And what authors are you interested in?

Misha: Dostoevsky and Turgenev. I want to buy the novels *The Brothers Karamazov* and *Fathers and Sons.*

Girl: We don't have *The Brothers Karamazov.*

Misha: But you do carry it, don't you?

Girl: Yes, we had it recently, but it's hard to say when it will be in again. You will find *Fathers and Sons* upstairs, in the case to the left of the stairway.

Misha: Thanks. First I'll go upstairs and then simply take a look around.

Girl: Fine. If you don't find what you're looking for, the salesman upstairs will help you.

(A bit later)

Girl: Did you locate everything?

Misha: Yes, I did. You have a lot of interesting books. It's too bad

---

[1] **Не сто́ит** (**благода́рности**): Не за что.
[2] **Бу́дьте любе́зны**: Бу́дьте добры́
[3] Last names are declined in the plural like adjectives.
[4] **сно́ва:** опя́ть
[5] **Наверху́** is used to indicate location; **наве́рх** is used as the goal of motion.

Жаль, что у меня нет больше денег.

Девушка: — Значит, вы купите « Анну Карéнину », « Бедных людéй », « Мёртвые души » и полное собрáние сочинéний Шолохова. Я рáда, что вы любите и совéтских писáтелей.

Миша: — Шолохова и Горького люблю, но в óбщем я предпочитáю русских писáтелей 19-го вéка. Скажите, пожáлуйста, сколько с меня?

Девушка: — С вас 18 рублéй 60 копéек. Вот чек. Заплатите в кáссу.

Миша: — И ещё один вопрóс: как мне отсюда попáсть в ГУМ? Я хочý купить балалáйку.

Девушка: — Вам лучше всегó взять такси, но éсли у вас мáло дéнег, то садитесь на автóбус нóмер 6. Он идёт прямо на Крáсную плóщадь.

Миша: — Спасибо. До свидáния.

Девушка: — Пожáлуйста. Всегó![6]

I don't have more money.

Girl: Well, then, you're going to buy *Anna Karenina*, *Poor People*, *Dead Souls*, and the complete works of Sholokhov. I'm glad that you also like Soviet authors.

Misha: I like Sholokhov and Gorky, but for the most part I prefer Russian authors of the 19th century. Tell me, please, how much do I owe?

Girl: You owe 18 rubles and 60 kopeks. Here's the bill. Pay at the cashier's.

Misha: And one more question. How do I get from here to GUM? I want to buy a balalaika.

Girl: It would be best for you to take a taxi, but if you don't have much money, take bus number six. It goes to Red Square.

Misha: Thanks. Good-by.

Girl: You're welcome. All the best!

ТЕКСТ ДЛЯ ЧТЕНИЯ: **Столица Союза Совéтских Социалистических Респýблик**

В бюрó обслýживания Интуриста Мише дали нéсколько брошюр. В однóй из них Миша прочитáл следующее:

---

[6] **Всегó!:** Всегó хорóшего (дóброго)!

Выставка достижений народного хозяйства.

В нача́ле 12-го ве́ка на высо́ком холме́, на берегу́ Москвы́-реки́, там, где сейча́с возвыша́ются[7] сте́ны и ба́шни Кремля́, Су́здальский[8] князь Ю́рий Долгору́кий[9] постро́ил деревя́нную кре́пость. До э́того вре́мени на холме́ бы́ло то́лько ма́ленькое селе́ние[10] скандина́вцев,[11] кото́рые называ́ли ре́ку под свои́м селе́нием « Москва́ » — на фи́нском языке́ э́то зна́чит « му́тная вода́ ».[12] Об основа́теле ру́сского го́рода Москвы́ о́чень ма́ло изве́стно, но мы зна́ем, что оте́ц Ю́рия Долгору́кого был знамени́тый князь Влади́мир Монома́х, а мать его́ была́ англи́йская княги́ня. Через 200 лет — в 1328-м году́,[13] го́род Ю́рия стал столи́цей госуда́рства и был столи́цей до нача́ла 18-го ве́ка.

Тепе́рь Москва́ — столи́ца Сою́за Сове́тских Социалисти́ческих Респу́блик, оди́н из са́мых ва́жных це́нтров нау́чной мы́сли[14]

[7] **возвыша́ться**: to rise
[8] **Су́здальский**: Suzdal
[9] **Ю́рий Долгору́кий**: Yuri Dolgoruky (" Longarm ")
[10] **селе́ние**: settlement
[11] **скандина́вец**: Scandinavian
[12] **му́тная вода́**: muddy water
[13] в ты́сяча три́ста два́дцать восьмо́м году́
[14] **нау́чная мысль**: scientific thought

страны́. Здесь нахóдятся Акадéмия наýк[15] СССР, Акадéмия сельскохозя́йственных наýк[16] СССР, 210 наýчно-исслéдователь-ских[17] институ́тов и 100 высших учéбных заведéний.[18] В этом городе 2.000 библиотéк; в самой большóй из них имéется[19] 19 миллиóнов книг.

В цéнтре Москвы́ располóжен Кремль. В Кремлé мóжно уви́-деть много интерéсных музéев, стари́нных церквéй, дворцóв, палáт. Но Кремль не тóлько музéй и пáмятник прóшлого, котóрый осмáтривают тури́сты. В Кремлé заседáет[20] Совéт Мини́стров[21] СССР, в Большóм Кремлёвском дворцé созы-вáются[22] сéссии Верхóвного Совéта СССР для решéния самых вáжных госудáрственных вопрóсов.

Москвá — оди́н из самых крýпных индустриáльных[23] городóв Совéтского Сою́за. Здесь много больши́х фáбрик и завóдов, котóрые даю́т странé самые разнообрáзные[24] маши́ны, прибóры[25] и предмéты широ́кого потреблéния.[26]

Éсли вы хоти́те уви́деть богáтства[27] Совéтского Сою́за, иди́те на Выставку достижéний нарóдного хозя́йства — ВДНХ. Там многочи́сленные[28] экспонáты[29] покáзывают успéхи совéтского нарóда в промы́шленности, в сéльском хозя́йстве, на транс-пóрте[30] и в строи́тельстве.[31] Эта выставка занимáет 216 гектá-ров[32] на сéвере Москвы́. Посети́тели обы́чно начинáют осмáтри-вать её с Глáвного павильóна.[33] Оттýда открывáется вид на

---

[15] **Акадéмия наýк**: Academy of Sciences
[16] **сельскохозя́йственные наýки**: agricultural sciences
[17] **наýчно-исслéдовательский**: scientific research
[18] **высшее учéбное заведéние**: institution of higher learning
[19] **имéется**: there are
[20] **заседáть**: to meet, sit
[21] **Совéт Мини́стров**: Council of Ministers
[22] **созывáться**: to be convened
[23] **индустриáльный**: industrial
[24] **разнообрáзный**: diverse
[25] **прибóр**: instrument
[26] **предмéты широ́кого потреблéния**: widely used articles
[27] **богáтство**: wealth
[28] **многочи́сленный**: numerous
[29] **зкспонáт**: exhibit
[30] **трáнспорт**: transportation
[31] **строи́тельство**: construction
[32] **гектáр**: hectare
[33] **павильóн**: pavilion

огро́мную площадь, посереди́не кото́рой нахо́дятся фонта́ны « Ка́менный цвето́к »[34] и « Дру́жба наро́дов ».[35] Вокру́г фонта́на « Дру́жба наро́дов » стоя́т статуи,[36] кото́рые символизи́руют[37] 15 сою́зных респу́блик. На Вы́ставке ка́ждая респу́блика име́ет свой павильо́н, в кото́ром мо́жно познако́миться с разви́тием эконо́мики[38] и национа́льной культу́рой да́нной респу́блики.

Е́сли вы уста́ли, на Вы́ставке мо́жно хорошо́ отдохну́ть. Ведь э́то прекра́сный го́род-са́д. Здесь 50 ты́сяч дере́вьев, мно́го-мно́го цвето́в. Среди́ цвето́в — фонта́ны, пруды́.[39] Там мо́жно и закуси́ть: на Вы́ставке есть и рестора́ны, и кафе́.[40]

В Москве́ вы уви́дите мно́го интере́сного и краси́вого. Но все достопримеча́тельности столи́цы невозмо́жно осмотре́ть за оди́н раз. Для того́, что́бы[41] хорошо́ познако́миться с на́шей столи́цей, на́до приезжа́ть сюда́ мно́го раз.

Вопро́сы

1. В како́м ве́ке постро́ил Ю́рий Долгору́кий свою́ кре́пость на берегу́ Москвы́-реки́?
2. Что зна́чила « Москва́ » на Фи́нском языке́?
3. В како́м году́ ста́ла Москва́ столи́цей?
4. Где в Москве́ мо́жно уви́деть бога́тства Сове́тской страны́?
5. Ско́лько земли́ занима́ет ВДНХ?
6. Как называ́ются фонта́ны, кото́рые нахо́дятся пе́ред гла́вным павильо́ном?
7. Почему́ вокру́г фонта́на « Дру́жба наро́дов » и́менно 15 статуй?

ВЫРАЖЕ́НИЯ

1. Есть ли здесь побли́зости...?   Is there a... nearby?
2. оди́н (одна́, одно́) из...   one of the...

---

[34] « Ка́менный цвето́к »: "The Stone Flower"
[35] « Дру́жба наро́дов »: "Friendship of the Peoples"
[36] статуя: statue
[37] символизи́ровать: to symbolize
[38] эконо́мика: economics
[39] пруд: pond
[40] кафе́: café
[41] Или про́сто « Что́бы... » (Для того́ may be omitted).

3. Не стоит (говорить об этом).	Don't mention it.
4. Будьте любезны, скажите...	Please tell me....
5. (Это) трудно сказать.	That's hard to say.
6. Я просто похожу, посмотрю.	I'll just take a look around.
7. то, что...	(that) which, what
8. Нашли (нашёл, нашла)? Да, нашёл (нашла).	Did you find (it)? Yes, I did.
9. Заплати(те) в кассу.	Pay at the cashier's.
10. Как мне попасть в (на) (что?)?	How do I get to...?
11. Вам лучше всего взять такси.	It would be best for you to take a cab.
12. Можно закусить.	One can have a bite to eat.
13. много (мало) интересного и красивого	much (little) that is interesting and beautiful
14. за один раз	one time, on one occasion
15. много раз	many times
16. (для того), чтобы...	in order to...

ПРИМЕЧАНИЯ

1. **« Отцы и дети »**: This novel by Ivan Turgenev is known in English translation as *Fathers and Sons*, rather than "children."
2. **« Братья Карамазовы »**: *The Brothers Karamazov* is one of Fyodor Dostoevsky's greatest works.
3. **« Бедные люди »**: *Poor People*, Dostoevsky's first novel, brought the young author immediate acclaim from the public and leading critics of the day.
4. **« Мёртвые души »**: *Dead Souls* is Nikolai Gogol's major novel. The first part was published in 1842; the second part exists only in fragmentary form, for the author burned the original manuscript.
5. **Михаил Александрович Шолохов** (1905–): Sholokhov is best known for his epic novel about the revolution **Тихий Дон** (*The Silent Don*). He received the Nobel Prize in 1965.
6. **Бюро обслуживания**: Every hotel that accommodates tourists has a Service Bureau. This office makes reservations and offers other useful services to tourists.

ДОПОЛНЍТЕЛЬНЫЙ МАТЕРИА́Л

Числа с роди́тельным падежо́м

	ruble	*kopek*
1	рубль	копе́йка
2 3 4	рубля́	копе́йки
5 ↓ 20	рубле́й	копе́ек

	minute	*hour*	*day*	*week*	*month*	*year*
1	мину́та	час	день	неде́ля	ме́сяц	год
2 3 4	мину́ты	часа́	дня	неде́ли	ме́сяца	го́да
5 ↓ 20	мину́т	часо́в	дней	неде́ль	ме́сяцев	лет[42]

В магази́не — Поле́зные выраже́ния

1. Бу́дьте добры́ (любе́зны), { скажи́те... покажи́те... помоги́те мне... }   Please { tell me... show me... help me... }

2. Вы не ска́жете мне,... ?   Can you tell me...?
3. Мо́жно спроси́ть вас,... ?   May I ask you...?
4. Где здесь продаётся (-ю́тся)...?   Where is (are)... sold here?
5. Мо́жно вам помо́чь ?   May I help you?
6. Помоги́те мне, пожа́луйста.   Help me, please.
7. Да́йте мне, пожа́луйста,...   Please give me...
8. Я хочу́ купи́ть...   I want to buy...
9. Я хочу́ купи́ть что́-нибудь для...   I want to buy something for...

---

[42] The genitive plural of **ле́то** is used after the numbers 5–20.

10. О, вот что я куплю!   Oh, here's what I'll buy!
11. Это не подойдёт.   That won't do (isn't suitable).
12. Заплатите в кассу.   Pay at the cashier's.
13. Я уже заплатил(а) за   I've already paid for...
    (что?)...
14. Магазин открыт (закрыт)?   Is the store open (closed)?
15. Магазин открывается (за-   The store opens (closes) at...
    крывается) в...

УПРАЖНЕНИЯ

A. Следуйте данным примерам:

> *Пример:* There are many good   **В Москве много**
> stores in Moscow.   **хороших магазинов.**

1. There are many good theaters in Moscow.
2. There are many beautiful parks in Moscow.
3. There are many new houses in Moscow.
4. There are many large plants in Moscow.

> *Пример:* That is one of the city's   **Это одна из лучших**
> best schools.   **школ города.**

1. That is one of the city's best hotels.
2. That is one of the city's best hospitals.
3. That is one of the city's best libraries.
4. That is one of the city's best newspapers.

> *Пример:* I want to buy a couple   **Я хочу купить**
> of books.   **несколько книг.**

1. I want to buy a couple of newspapers.
2. I want to buy a couple of magazines.
3. I want to buy a couple of dictionaries.
4. I want to buy a couple of things.

> *Пример:* If you don't find what   **Если вы не найдёте того,**
> you're looking for, the   **что ищете, продавец**
> salesman upstairs will   **наверху вам поможет.**
> help you.

1. If he doesn't _____ will help him.

2. If we don't _____ will help us.
3. If they don't _____ will help them.
4. If you (**ты**) don't _____ will help you.

Пример: Did you find everything?   **Вы всё нашли́? Да,**
Yes, I did.   **нашёл (нашла́).**

1. Did he find everything? Yes, he did.
2. Did she find everything? Yes, she did.
3. Did they find everything? Yes, they did.

Пример: Next year I'm going to   **В будущем году́ я куплю́**
buy myself a new car.   **себе́ новую маши́ну.**

1. Next year he is going to buy himself a new car.
2. Next year we are going to buy ourselves a new car.
3. Next year they are going to buy themselves a new car.
4. Next year are you (**ты**) going to buy yourself a new car?
5. Next year are you (**вы**) going to buy yourselves a new car?

Пример: He has already paid for   **Он уже́ заплати́л за**
the book.   **кни́гу.**

1. I have already paid for the hat.
2. We have already paid for the shirt.
3. They have already paid for the socks.

Пример: Is the store open?   **Магази́н откры́т?**
No, it's closed.   **Нет, закры́т.**

1. Is the library open? No, it's closed.
2. Is the church open? No, it's closed.
3. Is the door open? No, it's closed.
4. Are the gates open? No, they're closed.

B. Use the correct form of the imperfective or perfective verb to translate the word(s) in parentheses:

иска́ть:	ищу́, и́щешь, и́щут
поиска́ть:	поищу́, пои́щешь, пои́щут

1.

a. Что вы (are looking for)?
b. Я сейча́с (will look for) его́ в кла́ссе.

c. Они́ весь день вас (looked for).
d. Если вы не найдёте егó наверхý, (look for) внизý.

2.
плати́ть:	плачý, плати́шь, плáтят
заплати́ть:	заплачý, заплáтишь, заплáтят

a. Я никогдá не (pay) за биле́ты в теáтр. Мой друг там игрáет в орке́стре.
b. Ты ужé (paid) за э́ти кни́ги? Да, заплати́л.
c. Скóлько вы (paid) за э́ти галстуки? Три рубля́.
d. Если он мне сегóдня заплáтит, то я вам зáвтра (will pay).
e. Они́ всегдá (will pay) вóвремя.

3.
покупáть:	покупáю, покупáешь, покупáют
купи́ть:	куплю́, кýпишь, кýпят

a. Онá (buys) мнóго веще́й в э́том магази́не, хотя́ здесь всё дóрого!
b. Зáвтра — день рожде́ния брáта. Я дýмаю, что (will buy) емý э́ти перчáтки. Они́ емý, наве́рно, понрáвятся.
c. Мы сегóдня (bought) балалáйку. Мой брат игрáет, а я нет.
d. Где вы (bought) э́тот костю́м? В ГУМе.
e. Обы́чно я покупáю оде́жду в ГУМе, но э́тот пиджáк и брю́ки я (bought) в универмáге на Моховóй.

4.
помогáть:	помогáю, помогáешь, помогáют
помóчь:	помогý, помóжешь, помóгут; помóг, помоглá, помоглó, помогли́

a. (Help) мне!
b. Не (help) емý! Емý совсе́м не нужнá пóмощь.
c. Вы нашли́ кни́гу, котóрую искáли? Нет? Минýтку, я вам (will help) найти́ её.
d. Когдá мне нужнá былá пóмощь, товáрищ по комнáте с удовóльствием мне (helped).
e. В вáшем перевóде сегóдня óчень мáло оши́бок. Кто вам (helped) егó сде́лать? Признáться, на э́тот раз мне (did help) Тáня, но обы́чно я де́лаю их оди́н (однá).

5.
покáзывать:	покáзываю, покáзываешь, покáзывают
показáть:	покажý, покáжешь, покáжут

a. Продаве́ц (shows) покупáтелю не́сколько краси́вых галстуков.

b. У вас есть сумка коричневого цвета? Да, есть. Я вам сейчас её (will show).

c. Не (show) Ивану этих писем! Он не знает, что я вам пишу.

d. Девушка (showed) мне полное собрание сочинений Гоголя, которое я сразу же и купил.

6.

открывать:	открываю, открываешь, открывают
открыть:	открою, откроешь, откроют

a. Ученики (open) книги и начинают читать.

b. Кто (is opening) дверь? Никто. Она открывается сама.

c. Подождите! Я вам (will open) дверь.

d. (Open) ваши тетради!

7.

закрывать:	закрываю, закрываешь, закрывают
закрыть:	закрою, закроешь, закроют

a. Вы закрыли дверь? Да, (I did).

b. Они обычно (close) библиотеку в девять часов, но в эту субботу они (will close) в пять.

c. Не (close) ворот! Вот идёт ещё один грузовик!

d. А теперь будет диктовка. (Close) учебники.

8.

находить:	нахожу, находишь, находят
найти:	найду, найдёшь, найдут; нашёл, нашла, нашло, нашли

a. Наши дети всегда (find) свои подарки до Рождества.[43]

b. Если он сегодня будет на Выставке, я его там (will find)

c. Где вы (found) ключи? Я их (found) в гараже на полу.

d. Где ваш словарь? Не знаю. Я не могу (find) его.

e. Ты (will find) его в моём кабинете на столе.

f. Интересно, как она (found) себе такого хорошего мужа!

9.

давать:	даю, даёшь, дают
дать:	дам, дашь, даст, дадим, дадите, дадут; дал, дала, дало, дали

a. Раньше я каждую неделю (gave) жене 20 рублей, но на этой неделе я (gave) ей только 15.

b. В пятницу я (will give) вам деньги.

---

[43] **Рождество**: Christmas

c. Ты (will give) мне эту книгу завтра?

d. В будущем месяце мы (will give) вам много денег.

e. Жена сделала бутерброд, но (gave) его не мне, а соседу.

10.

продавать:	продаю, продаёшь, продают
продать:	продам, продашь, продаст, продадим, продадите, продадут

a. Вы уже (selling) билеты на балет?

b. Сегодня я (have sold) только 42 билета, но завтра наверно, (will sell) больше.

c. Когда они работали в ГУМе, они (sold) разные вещи.

d. Сестра сегодня (sold) свою старую машину.

11.

передавать:	передаю, передаёшь, передают
передать:	передам, передашь, передаст, передадим, передадите, передадут

a. (Say "hello") вашему мужу! Хорошо, передам.

b. (Tell) вашей дочери, что я ей скоро напишу. (I will).

c. Я сегодня получил(а) письмо от родителей. Да? Когда вы им писали последний раз, вы (said "hello") от меня? Да, (I did).

C. Complete each sentence by giving the genitive plural of the word(s) that follow:

1. Это дома... (профессор)
   (доктор)
   (студент)
   (механик)

2. Вы знаете адреса... (этот врач?)
   (этот москвич?)
   (этот покупатель?)
   (этот писатель?)
   (этот учитель?)

3. В этом городе недостаточно... (библиотека)
   (больница)
   (контора)
   (школа)

4. Я не знаю имён... (эта девушка)
                (эта учени́ца)
                (эта перево́дчица)
                (эта преподава́тельница)

5. В Москве́ и Ленингра́де множество... (широ́кая площадь)
                                    (больша́я галере́я)
                                    (интере́сная вещь)

6. Я не помню назва́ний... (это здание)
                      (это общежи́тие)
                      (эта лаборато́рия)
                      (эта консервато́рия)

7. В нашем доме много... (окно́)
                (дверь)
                (комната)
                (стул)
                (стол)
                (лампа)

8. Сколько у вас... (брат?)
                (сестра́?)
                (ребёнок?)
                (сын?)
                (дочь?)
                (дядя?)
                (тётя?)
                (бабушка?)
                (дедушка?)

9. Здесь нет (дерево.)
10. На дереве нет (лист.)
11. На столе́ нет (перо́.)
12. В комнате нет (стул.)

D. Answer each question as indicated in the example:

Приме́р: Есть ли здесь побли́зости   **Здесь много книжных**
          книжный магази́н? (много)   **магази́нов.**

1. Есть ли здесь побли́зости русский рестора́н? (много)

2. Есть ли здесь поблизости хорошая гостиница? (несколько)
3. Есть ли здесь поблизости хороший кинотеатр? (мало)
4. Есть ли здесь поблизости новая школа? (множество)

Пример: Сколько у вас ручек? (4)   **У меня четыре ручки.**

1. Сколько у вас костюмов? (только 1)
2. Сколько у вас меховых шапок? (6)
3. Сколько у вас пиджаков? (3)
4. Сколько у вас рублей? (24)
5. Сколько у вас копеек? (61)
6. Сколько у вас денег? (очень мало)

E. Construct questions as in the example:

Пример: Вот дома.   **Сколько там домов?**

 1. Вот поезда.
 2. Вот иностранцы.
 3. Вот мавзолеи.
 4. Вот плащи.
 5. Вот портфели.
 6. Вот моря.
 7. Вот станции.
 8. Вот здания.
 9. Вот знамёна.
10. Вот острова.

F. Answer each question negatively:

Пример: У вас есть американские   **Нет, у меня нет амери-**
папиросы?   **канских папирос.**

1. У них есть русские книги?
2. Есть ли в этой стране советские консульства?
3. Есть ли в этой деревне хорошие врачи?
4. Есть ли на юге страны большие озёра?
5. Есть ли в этом море большие острова?
6. Когда вы пишете по-русски, вы делаете ошибки?
7. У вас есть последние американские пластинки?
8. Вы получаете письма от него?

G. Answer each question with the Russian word for "several":

Приме́р: Вы купи́ли руба́шки? **Да, я купи́л(а) несколько руба́шек.**

1. Вы купи́ли ча́шки?
2. Он купи́л ножи́, ви́лки и ло́жки?
3. Она́ купи́ла ю́бки и блу́зки?
4. Они́ купи́ли кре́сла?
5. Она́ купи́ла су́мки?

H. Change the boldfaced words to the plural:

Приме́р: Они́ знают **вашего отца́.** **Они́ знают ваших отцо́в.**

1. Я там видел **вашего брата.**
2. Я помню **твоего́ сына.**
3. Мы завтра, вероя́тно, уви́дим **вашего друга** на лекции.
4. Крестья́не не люби́ли **своего́ кня́зя.**
5. **Эта же́нщина** смотрит на **своего́ мужа.**
6. Вы зна́ете **моего́ сосе́да?**
7. Мать лю́бит **свою́ дочь.**
8. Я не люблю́ **этого челове́ка.**
9. Он и́щет **своего́ ребёнка.**

I. Give the correct form of the words in parentheses:

1. Ско́лько (челове́к) бы́ло на собра́нии сего́дня? Сего́дня бы́ло то́лько шесть (челове́к).
2. Я о́чень люблю́ (эти молоды́е лю́ди).
3. Вы бы́ли в Эрмита́же мно́го (раз), а я был(а́) там то́лько два (раз).
4. На площади бы́ло бо́льше (солда́т), чем шта́тских.[44]
5. Фильм «Два (солда́т)» мне о́чень понра́вился.

J. The following riddle is presented only for the sake of variety. You need not memorize the vocabulary, but watch for genitive plural endings:

Давны́м-давно́[45] в одно́й из восто́чных стран был знамени́тый ора́кул,[46] у кото́рого бы́ло три бога: бог Правды, бог Лжи[47] и бог

---

[44] **шта́тский:** civilian
[45] **давны́м-давно́:** long ago
[46] **ора́кул:** oracle
[47] **ложь:** lie

Дипломáтии.[48] Эти боги стоя́ли за алтарём,[49] а перед ними преклоня́ли коле́ни[50] лю́ди, кото́рые иска́ли сове́та. Боги всегда́ охо́тно[51] отвеча́ли на вопро́сы, но так как они́ бы́ли о́чень похо́жи друг на дру́га, никто́ не знал, како́й бог говори́т: бог Пра́вды, кото́рый всегда́ говори́т пра́вду, бог Лжи, кото́рый всегда́ говори́т непра́вду, и́ли бог Дипломáтии, кото́рый мо́жет ли́бо[52] солга́ть,[53] ли́бо сказа́ть пра́вду.

Но однáжды нашёлся[54] челове́к, кото́рый реши́л опозна́ть[55] ка́ждого из бого́в.

Этот челове́к до́лго стоя́л перед алтарём, а пото́м спроси́л бо́га, кото́рый стоя́л слева:[56] « Кто стои́т ря́дом с тобо́й? »

— Бог Пра́вды, — был отве́т.

Тогда́ он спроси́л бо́га, кото́рый стоя́л в це́нтре: « Кто ты? »

— Бог Дипломáтии, — был отве́т.

Последний вопро́с « простáк »[57] зада́л бо́гу,[58] кото́рый стоя́л справа:[59] « Кто стои́т ря́дом с тобо́й? »

— Бог Лжи, — был отве́т.

— Тепе́рь всё поня́тно, — сказа́л « простáк ».

Что же он по́нял[60] из отве́тов орáкулов?

K. Supply the genitive singular or plural as required:

1. мно́го... (водá)

          (во́дка)

          (хлеб)

          (мáсло)

          (вре́мя)

---

[48] **дипломáтия:** diplomacy
[49] **алтáрь** (м.): altar
[50] **преклоня́ть коле́ни:** to kneel
[51] **охо́тно:** gladly, eagerly
[52] **ли́бо:** и́ли
[53] **солга́ть:** to lie
[54] **нашёлся:** was found
[55] **реши́л опозна́ть:** decided to identify
[56] **слева:** нале́во
[57] **простáк:** simpleton
[58] **зада́ть вопро́с:** to ask a question
[59] **справа:** напрáво
[60] **поня́ть:** *pf. of* **понима́ть**

2. немно́го... (молоко́)
           (смета́на)
           (сала́т)
           (борщ)

3. ма́ло... (щи)
       (пирожки́)
       (лю́ди)
       (де́ньги)
       (черни́ла)

4. ме́ньше... (кре́сла)
         (чи́сла)
         (о́кна)
         (пла́тья)
         (очки́)
         (часы́)
         (солда́ты)
         (неде́ли)
         (откры́тки)

5. большинство́... (стра́ны)
              (студе́нты и студе́нтки)
              (респу́блики)
              (наро́ды)
              (посо́льства)

6. мно́жество... (па́рки)
            (вы́ставки)
            (па́мятники)
            (дере́вья и цветы́)

Вопро́сы

1. Ско́лько студе́нтов и студе́нток учится русскому языку́ в вашей шко́ле?
2. Ско́лько профессоро́в и преподава́телей в вашей шко́ле?
3. Ско́лько из них говори́т по-ру́сски?
4. Ско́лько иностра́нных языко́в вы зна́ете?
5. В вашем кла́ссе русского языка́ есть немцы и англича́не?
6. Ско́лько челове́к сейча́с в кла́ссе?

7. Сколько окон имеет комната, в которой вы сейчас сидите?
8. Сколько здесь в комнате столов, стульев, ламп?
9. У вас есть соседи? Вы знаете фамилии соседей?
10. Сколько месяцев вы учитесь русскому языку?
11. В каком месяце вы начали учиться русскому языку?
12. Теперь вы делаете меньше ошибок, чем раньше?
13. Сколько минут в часе?
14. Сколько дней в неделе?
15. Сколько недель в году?
16. Сколько месяцев в году?
17. Сколько чашек кофе (чаю, молока или воды) вы пьёте в день?
18. Сколько у вас сыновей и дочерей, братьев и сестёр?
19. У вас здесь много друзей?
20. Сколько раз вы уже были в Нью-Йорке?
21. Сколько дней тому назад была суббота?
22. В каком городе живёт больше людей: в Ленинграде или Москве?
23. Сколько у вас автомобилей?
24. Сколько вы заплатили за ваш автомобиль (ваши автомобили)?
25. Сколько в нём мест?
26. Как давно вы купили этот автомобиль (эти автомобили)?
27. Как сказать по-русски:
    a. Don't forget!
    b. I won't forget.
    c. I'll see him tomorrow morning.
    d. Close your books.
    e. Help me, please!
    f. That won't do.

Устный перевод

1

1. — Ты хочешь пойти со мной в универмаг?
    All right. What do you need to buy?
2. — Мне надо купить подарок для родителей и несколько вещей для себя.
    What are you going to buy for your parents?
3. — Я ещё не знаю. А что ты мне посоветуешь им купить?
    Buy them a clock. In your living room there is no clock.

4. — Хорошо́. Интере́сно, ско́лько сто́ят таки́е часы́?

    I don't know. Ask the salesgirl; she'll tell you.

5. — Наде́юсь, что у меня́ бу́дет доста́точно де́нег!

    Oh, come now, Seryozha! Everyone knows that you have a lot of money! Let's go! I'll help you find a nice present for your parents.

6. — Ла́дно. Нам лу́чше всего́ взять такси́. Универма́г закрыва́ется в пять часо́в.

    And what time is it now?

7. — Уже́ четы́ре часа́. Пойдём скоре́й!

2

1. — Вы не ска́жете мне, где здесь продаю́тся кни́ги?

    Upstairs, on the second floor.

2. — Спаси́бо. Я пойду́ наве́рх. А где ле́стница?

    Over there, near the cashier.

3

1. — Я ищу́ пода́рок жене́.

    Do you want to buy an interesting book?

2. — Э́то неплохо́й сове́т.

    What authors interest her?

3. — Она́ о́чень лю́бит америка́нских писа́телей.

    Just a minute. I'll show you something really nice (**замеча́тельную вещь**): the complete works of John Steinbeck (**Джо́на Сте́йнбека**).

4. — Э́то, наве́рно, сли́шком до́рого. Я возьму́ то́лько « Гро́здья гне́ва ».[61]

    Unfortunately, that novel is not sold separately.

5. — Хорошо́. Я куплю́ по́лный компле́кт...[62] Ско́лько с меня́?

    You owe 18 rubles, 72 kopeks. Please pay the cashier.

6. — Спаси́бо. До свида́ния.

    All the best.

Письменный перево́д

1. Is there a Service Bureau in this hotel?

    Yes, I'll show you where it's located. Come with me.

---

[61] « **Гро́здья гне́ва** » : *The Grapes of Wrath*
[62] **по́лный компле́кт**: complete set

2. How can I get to the Exhibition of the Accomplishments of the People's Economy?

It would be best for you to take a cab.

3. Do you want to go to Red Square now?

No, first I want to rest, and then we'll go there.

4. The capital of the Union of Soviet Socialist Republics is one of the most important industrial centers of the country.

5. Is this store open?

No, it's closed. Today it will open at 10 o'clock.

6. In this city there are many beautiful lakes and parks.

7. This year I am going to buy a new car and build a new house.

Where are you going to build your house?

Right next to my parents' house.

8. What kind of car are you going to buy?

That's hard to say.

ГРАММА́ТИКА

New Imperfective/Perfective Verb Pairs

to search (look for)	иска́ть (I):	ищу́, и́щешь, и́щут
	поиска́ть:	поищу́, пои́щешь, пои́щут; Поищи́(те)!
to pay	плати́ть (II):	плачу́, пла́тишь, пла́тят
	заплати́ть:	заплачу́, запла́тишь, запла́тят; Заплати́(те)!
to buy	покупа́ть (I):	покупа́ю, покупа́ешь, покупа́ют
	купи́ть:	куплю́, ку́пишь, ку́пят; Купи́(те)!
to help	помога́ть (I):	помога́ю, помога́ешь, помога́ют
	помо́чь:	помогу́, помо́жешь, помо́гут; Помоги́(те)!
to rest	отдыха́ть (I):	отдыха́ю, отдыха́ешь, отдыха́ют
	отдохну́ть:	отдохну́, отдохнёшь, отдохну́т; Отдохни́(те)!

to show	показывать (I):	показываю, показываешь, показывают
	показать:	покажу, покажешь, покажут; Покажи(те)!
to open	открывать (I):	открываю, открываешь, открывают
	открыть:	открою, откроешь, откроют; Открой(те)!
to close	закрывать (I):	закрываю, закрываешь, закрывают
	закрыть:	закрою, закроешь, закроют; Закрой(те)!
to get (to)	попадать (I):	попадаю, попадаешь, попадают
	попасть:	попаду, попадёшь, попадут; Попади(те)!
to find, locate	находить (II):	нахожу, находишь, находят
	найти:	найду, найдёшь, найдут; нашёл, нашла, нашло, нашли; Найди(те)!

Prefixed Forms of **Давать** *and* **Дать**

These forms have the same basic perfective form as **давать**. **Дать** is completely irregular.

	Imperfective	*Perfective*	
(to give)	**давать:**	**дать:**	
	даю	дам	дал
	даёшь	дашь	дала
	даёт	даст	дало
	даём	дадим	дали
	даёте	дадите	
	дают	дадут	
	Давай(те)!	Дай(те)!	

(to sell)	продава́ть:	прода́ть:	
	продаю́	прода́м	про́дал
	продаёшь	прода́шь	продала́
	продаёт	прода́ст	про́дало
	продаём	продади́м	про́дали
	продаёте	продади́те	
	продаю́т	продаду́т	
	Продава́й(те)!	Прода́й(те)!	

(to pass; to convey a message, tell)	передава́ть:	переда́ть:[63]	
	передаю́	переда́м	пе́редал
	передаёшь	переда́шь	передала́
	передаёт	переда́ст	пе́редало
	передаём	передади́м	пе́редали
	передаёте	передади́те	
	передаю́т	передаду́т	
	Передава́й(те)!	Переда́й(те)![64]	

Imperfective and Perfective Commands

Negative commands are usually made with the imperfective form of the verb:[65]

> Не говори́те этого!
> Не покупа́йте этого словаря́!
> Не закрыва́йте двери!

Positive commands are usually made with the perfective form of the verb:

> Скажи́те мне!
> Купи́те этот слова́рь!
> Закро́йте дверь!

Commands of a general nature, however, must be in the imperfective. A perfective command indicates that the command is to be carried out only once and completed:

> Всегда́ говори́те правду!   Always tell the truth!

---

[63] **переда́ть приве́т:** to say "hello" to
[64] Переда́й(те) приве́т Ива́ну! Переда́м (I will).
[65] But **Не забудь(те)!** is very common.

Читáйте бóльше по-рýсски.	Read more in Russian!
Пожáлуйста, пишúте по- англúйски!	Please write in English!

Additional Information about Imperfective/Perfective Verb Usage

The *imperfective past* is normally used if the action *does not achieve the desired result*:

Он вам звонúл, но вас нé бы́ло.	He called you, but you weren't here.
Он спрáшивал её, но онá не слы́шала; поэ́тому онá не отвечáла.	He asked her, but she didn't hear; therefore, she didn't answer.

When there is a choice, the auxiliary verbs **мочь** and the constructions **мне надо (нужно)**, **я должен (должнá)**, **мне хóчется** are most frequently used with the perfective form of verb:

Я хочý купúть емý подáрок.
Ты мóжешь пойтú?
Я дóлжен помóчь емý.
Мне так хóчется поговорúть с вáми!

The Genitive Plural

A. Noun endings

1. **-ов**: Nouns ending in a hard consonant (except **ж** and **ш**) have the genitive plural ending **-ов**:

час –	стол –	студéнт –	отéц –
час óв	стол óв	студéнт ов	отц óв

2. **-ев**:

a. Nouns ending in **-ц** and not having the stress on the ending, have the genitive plural ending **-ев**:

нéмец –	американец –
нéмц ев	американц ев

b. Nouns that end in **-й** drop that letter and add **-ев**:

музé й	санатóри й
музé ев	санатóри ев

3. **-ей**:

a. Nouns ending in **ж, ч, ш,** or **щ** have the genitive plural ending **-ей**:

нож –	врач –	каранда́ш –	това́рищ –
нож ей	врач ей	карандаш ей	това́рищ ей

b. Nouns ending in **-ь** drop that letter and add **-ей** (this ending is frequently stressed if the nominative singular does not have more than two syllables):

автомоби́л ь	двер ь
автомоби́л ей	двер ей

c. Nouns that end in stressed **-ья́** drop that ending and add stressed **-е́й**:

сем ья́
сем е́й

d. **Море** and **поле** drop the letter **-е** and add stressed **-е́й**:

мор е	пол е
мор е́й	пол е́й

4. **-й**: Nouns that end in **-ия** or **-ие** drop the last letter and add **-й**:

фотогра́фи я	ле́кци я	зда́ни е	общежи́ти е
фотогра́фи й	ле́кци й	зда́ни й	общежи́ти й

5. **-ён**: Nouns that end in **-мя** drop the last letter and add **-ён**:

им я	врем я
им ён	врем ён

6. **-**:

a. Nouns that end in **-а, -о** or **-е** (except **море** and **поле**) preceded by a consonant, drop that letter:

ко́мнат а	кни́г а	о́тчеств о	жили́щ е
ко́мнат –	кни́г –	о́тчеств –	жили́щ –

b. Nouns that end in **-анин** or **-янин** drop **-ин**:

англича́н ин	крестья́н ин
англича́н –	крестья́н –

7. **-ь** or **-ей**: Most nouns that end in **-я** preceded by a consonant (other than **м**), drop that letter and add **-ь**; however, a few nouns of this type,

notably **тётя** and **дядя** have the genitive plural ending **-ей**:

недéл я	тёт я	дяд я
недéл ь	тёт ей	дяд ей

8. Stress: The vast majority of nouns that have a stress shift in the nominative plural maintain that stress position throughout the plural declension:

Nominative Singular	Nominative Plural	Genitive Plural
дóктор	докторá	докторóв
профéссор	профессорá	профессорóв
дождь	дожди́	дождéй
учи́тель	учителя́	учителéй
мóре	моря́	морéй
óзеро	озёра	озёр
женá	жёны	жён

The following nouns have a stress shift to the ending **-éй** in the genitive plural and thereafter, but not in the nominative plural:

Nominative Singular	Nominative Plural	Genitive Plural
вещь	вéщи	вещéй
гость	гóсти	гостéй
дверь	двéри	дверéй
ночь	нóчи	ночéй
плóщадь	плóщади	площадéй
цéрковь	цéркви	церквéй

9. Fleeting **o**, **e**, **ё**: Fleeting **o**, **e**, **ё** drop in all cases, singular and plural:

Nominative Singular	Genitive Plural
отéц	отцóв
нéмец	нéмцев
носóк	носкóв
пирожóк	пирожкóв
день	дней
цéрковь	церквéй

When **-a**, **-o**, or **-e** are dropped from the end of a noun to form the genitive plural, and the stem ends in two consonants, a fleeting **o**, **e** (or **ё**) occurs between those two consonants; this is especially true of nouns with **к** as the final consonant:

блузка	блуз**ок**	окно́	ок**он**
вилка	вил**ок**		
выставка	выстав**ок**	де́вушка	де́вуш**ек**
десятиле́тка	десятиле́т**ок**	де́душка	де́душ**ек**
доска́	дос**о́к**	пу́шка	пу́ш**ек**
ла́вка	лав**ок**	руба́шка	руба́ш**ек**
остано́вка	остано́в**ок**	ча́шка	ча́ш**ек**
оши́бка	оши́б**ок**	ру́чка	ру́ч**ек**
пласти́нка	пласти́н**ок**	ло́жка	ло́ж**ек**
площа́дка	площа́д**ок**		
студе́нтка	студе́нт**ок**	сестра́	сест**ёр**
су́мка	су́м**ок**	кре́сло	кре́с**ел**
таре́лка	таре́л**ок**	число́	чис**ел**
ша́пка	ша́п**ок**		
ю́бка	ю́б**ок**		

When **-a**, **-o**, or **-e** are dropped from the end of a noun and the final consonant is preceded by **-й** or **-ь** those letters become **-е-**:

балала́йка	балала́**ек**
копе́йка	копе́**ек**
де́ньги	де́н**ег**
письмо́	пи́с**ем**
спа́льня	спа́л**ен**

Most of the irregularities of the nominative plural also occur in the plural of all cases:

Nominative Singular	Nominative Plural	Genitive Plural
брат	бра́тья	бра́тьев
де́рево	дере́вья	дере́вьев
лист	ли́стья	ли́стьев
перо́	пе́рья	пе́рьев
пла́тье	пла́тья	пла́тьев
стул	сту́лья	сту́льев
друг	друзья́	друзе́й[66]
князь	князья́	князе́й[66]
муж	мужья́	муже́й[66]
сын	сыновья́	сынове́й[66]

---

[66] Note the absence of **-ь-**.

палец	пальцы	пальцев
ухо	уши	ушéй
сосéд	сосéди	сосéдей
дочь	дочери	дочерéй
мать	матери	матерéй
ребёнок	дети	детéй
человéк	люди	людéй
господи́н	господá	госпóд

The following nouns have no singular form:

Nominative Plural	*Genitive Plural*
брюки	брюк
ворóта	ворóт
деньги	денег
кани́кулы	кани́кул
очки́	очкóв
роди́тели	роди́телей
сутки	суток
часы́	часóв
черни́ла	черни́л
щи	щей

The genitive plural of a few masculine nouns is the same as the nominative singular:

1	солдáт	раз	глаз	человéк
2 3 4	солдáта	рáза	глáза	человéка
5 ↓ 20	солдáт	раз	глаз	человéк[67]

B. Adjective endings

The genitive plural endings for all adjectives are **-ых** or **-их**:

Там много краси́в**ых**
- городóв.
- рек.
- озёр.
- вещéй.

---

[67] After numerals and the words **сколько** and **несколько, человéк** (not **людéй**) is used.

$$
\text{Мы видели несколько хоро́ш\textbf{их}} \begin{cases} \text{заво́дов.} \\ \text{фабрик.} \\ \text{зданий.} \end{cases}
$$

$$
\text{Ско́лько у вас син\textbf{их}} \begin{cases} \text{костю́мов?} \\ \text{ю́бок?} \\ \text{платьев?} \end{cases}
$$

Почему́ вы не купи́ли эт**их** (тех) книг?

$$
\text{Он не лю́бит} \begin{cases} \text{мо\textbf{и́х}} \\ \text{тво\textbf{и́х}} \\ \text{его́} \\ \text{её} \\ \text{(его́)} \\ \text{наш\textbf{их}} \\ \text{ваш\textbf{их}} \\ \text{их} \end{cases} \text{друзе́й.}
$$

Uses of the Genitive Case

The following usages of the genitive case are already familiar to you:

Это автомоби́ль наш**их** роди́тел**ей**.	(ownership)
Вы зна́ете назва́ния эт**их** город**о́в**?	("of...")
Я не по́мню их имён.	(direct object of negated verb)
В э́том го́роде нет ни теа́тр**ов**, ни библиоте́к, ни музе́ев.	(absence or lack)
Сего́дня 2-е январ**я́** 1964-**го** год**а**.	
Мы уезжа́ем 2-**го** январ**я́** 1964-**го** год**а**.	(dates)

These prepositions require the genitive case:

без	without
вдоль	along
вме́сто	instead (of), in place of
во вре́мя	during
вокру́г	around
впереди́	ahead (of)
для	for
до	until, before, as far as, up to

из	from, out of
из-за	from behind; because of
из-под	from (under)
кроме	besides; except
мимо	past, by
около	near
от	from
позади́	to the rear (of)
посереди́не	in the middle (of)
после	after
против	against, opposite
с	from
среди́	among
у	at, next to, at the home (or office) of; "to have"

Note the partitive genitive ("some"):

$$\textbf{Дайте}\begin{cases}\text{моро́жен}\textbf{ого.}\\\text{ча́ю.}\end{cases}$$

Certain verbs require that their objects be in the genitive, rather than the accusative, case:

боя́ться	(to be afraid of):	Я бою́сь **этого.**
проси́ть	(to ask for):	Я прошу́ **помощи.**
жела́ть	(to wish):	Жела́ю вам **всего́ хоро́шего.**
требовать	(to demand, require):	Учи́тель требует **внима́ния.**[68]

Ждать and **иска́ть** take objects in either the genitive or the accusative case, depending on the nature of the object. Generally speaking, the object of the verb **ждать** is in the *genitive case* if it is an *inanimate noun*,

$$\text{Чего́ вы ждёте?}\quad\text{Я жду}\begin{cases}\text{авто́буса.}\\\text{трамва́я.}\end{cases}$$

in the *accusative case* if it is an *animate noun*,

$$\text{Кого́ вы ждёте?}\quad\text{Я жду}\begin{cases}\text{му́жа.}\\\text{жену́.}\end{cases}$$

---

[68] **внима́ние:** attention

while the object of the verb **искáть** is in the *genitive* if it is an *abstract noun,*

Чегó вы ищете в жизни? Я ищý счáстья.[69]

in the *accusative* if it is a *non-abstract noun.*

Что вы ищете? Я ищу {кнúгу. / карандáш.

Когó вы ищете? Я ищý {сына. / дочь.

The following adverbs of quantity require that the following noun be in the genitive singular or plural:

скóлько	how much (many)
стóлько	so much
нéсколько	some, several
мнóго	much, many
немнóго	a little, not much
мáло	little, not enough
бóльше	more
мéньше	less
достáточно	enough
недостáточно	not enough
большинствó	the majority
мнóжество	numerous, a multitude (of)

1. When the noun represents something that cannot be (or normally is not) counted, the genitive *singular* is used:

Скóлько **хлéба** вам нужнo?

В этом óзере тепéрь óчень мáло **воды́.**

У нас бýдет достáточно **врéмени.**

2. When the noun involved is something that *can* be counted, the genitive *plural* is used:

Скóлько у вас **карандашéй?**

У меня́ здесь нéсколько **друзéй.**

У негó мáло **дéнег.**

---

[69] **счáстье:** happiness

3. A noun after **большинство** will always be in the genitive plural; since **большинство** is the subject, the third person singular of the verb should be used:

> Большинство **детей** любит играть.
>
> Большинство мойх **студентов** хорошо учится.

4. After the numerals 2, 3, 4, or any compound number which ends in one of those numbers *except* 12, 13, and 14, the genitive singular is used; after 5 through 20 and any number which ends in 0, 5, 6, 7, 8, or 9, the genitive plural is used:

1	год	рубль	копейка	стол	студентка
2 3 4	года	рубля	копейки	стола	студентки
5 ↓ 20	лет	рублей	копеек	столов	студенток

The Accusative Plural

The accusative plural of inanimate nouns (and their modifiers) is the same as the nominative plural:

> Это интересные книги.
>
> Я читаю эти интересные книги.

The accusative plural of *all* animate nouns is the same as the genitive plural:

> Вы видите этих { мальчиков? девушек? животных?[70]

СЛОВАРЬ

балалайка (*gen. pl.* балалаек)	balalaika
бедный	poor

---

[70] **животное:** animal

бога́тый	rich
большинство́	majority
брошю́ра	brochure
вещь (ж.) (*gen. pl.* веще́й)	thing
вниз	downstairs, below (*going*)
внизу́	downstairs, below (*location*)
внима́ние	attention
госуда́рство	state, realm, empire
дать (I)	*pf. of* дава́ть
дам, дашь, даст, дади́м, дади́те, даду́т; дал, дала́, дало, дали	
деревя́нный	wooden
достиже́ние	achievement
душа́ (*мн.* ду́ши)	soul
жела́ть (I) (чего́?)	to wish
жили́ще	dwelling
закрыва́ть (I) (*pf.* закры́ть)	to close
закры́т (-а, -о, -ы)	closed
закры́ть (I)	*pf. of* закрыва́ть
закро́ю, закро́ешь, закро́ют	
заплати́ть (II)	*pf. of* плати́ть
из-под (кого́? чего́?)	from under
Интури́ст (Иностра́нный тури́ст)	Intourist (Soviet Travel Agency)
иска́ть (I) (кого́? что? чего́?) (*pf.* поиска́ть)	to search (look) for
ищу́, и́щешь, и́щут	
ка́сса	cashier's desk
княги́ня	princess
князь (м.) (*мн.* князья́)	prince
кру́пный	large
купи́ть (II)	*pf. of* покупа́ть
куплю́, ку́пишь, ку́пят	
любе́зен, любе́зна, любе́зно; любе́зны	kind, amiable
мёртвый	dead
милиционе́р	police officer
мно́жество	numerous, multitudinous
наве́рх	upstairs, above (*going*)
наверху́	upstairs, above (*location*)
найти́ (I)	*pf. of* находи́ть
найду́, найдёшь, найду́т; нашёл, нашла́, нашло́, нашли́	
напи́сано (-а, -о, -ы)	written
находи́ть (II) (*pf.* найти́)	to find, locate
нахожу́, нахо́дишь, нахо́дят	
не́сколько	several, a few, some

обслу́живание	service
Бюро́ обслу́живания	Service Bureau
отдохну́ть (I)	*pf. of* отдыха́ть
отдохну́, отдохнёшь, отдохну́т	
откры́т (-а, -о, -ы)	open(ed)
откры́ть (I)	*pf. of* открыва́ть
откро́ю, откро́ешь, откро́ют	
передава́ть (I) (*pf.* переда́ть)	to pass; to convey a message; to tell
передаю́, передаёшь, передаю́т	
переда́ть (I)	*pf. of* передава́ть
переда́м, переда́шь, переда́ст,	
передади́м, передади́те, передаду́т	
плати́ть (II) (*pf.* заплати́ть)	to pay
плачу́, пла́тишь, пла́тят	
побли́зости	in the vicinity, nearby
поиска́ть (I)	*pf. of* иска́ть
показа́ть (I)	*pf. of* пока́зывать
покажу́, пока́жешь, пока́жут	
по́лный	full, complete
помо́чь (I)	*pf. of* помога́ть
помогу́, помо́жешь, помо́гут; помо́г,	
помогла́, помогло́, помогли́	
попада́ть (I) (*pf.* попа́сть)	to get (to)
попа́сть (I)	*pf. of* попада́ть
попаду́, попадёшь, попаду́т	
потре́бовать (I)	*pf. of* тре́бовать
походи́ть (II)	to walk a bit (*pf. of* ходи́ть)
похожу́, похо́дишь, похо́дят	
прода́ть (I)	*pf. of* продава́ть
прода́м, прода́шь, прода́ст, прода-	
ди́м, продади́те, продаду́т; про́дал,	
продала́, про́дало, про́дали	
промы́шленность (ж.)	industry
про́шлое	the past
пруд (*мн.* пруды́)	pond
разви́тие	development, growth
реше́ние	decision
селе́ние	settlement
се́льское хозя́йство	agriculture
сно́ва	again
собра́ние	meeting
сочине́ние	composition, literary work
среди́ (кого́? чего́?)	among
сто́лько	so much, so many

требовать (I) (кого? чего?) (*pf.* потре-   to demand
    бовать)
  требую, требуешь, требуют
холм (*мн.* холмы́)   hill
чек   check, bill
штатский   civilian

Двадцать третий урок

РАЗГОВОР: **Встреча на палубе волжского парохода**

Дмитрий: — Разрешите предста́виться: Дмитрий Мака́ров, а это моя́ жена́ Лари́са.

Миша: — Очень прия́тно с ва́ми познако́миться. Меня́ зову́т Михаи́л Ньюто́н.

Лари́са: — Очень ра́да. Мы ви́дели ва́шу гру́ппу в столо́вой и реши́ли, что вы, долж-

Dmitry: Allow me to introduce myself; I'm Dmitry Makarov and this is my wife Larissa.

Misha: I'm very pleased to meet you. My name is Michael Newton.

Larissa: How do you do? We saw your group in the dining room and decided that you must нó быть,[1] америкáнцы. Тóлько не обижáйтесь, пожáлуйста, если это не так!

Мишa: — На что ж тут обижáться? Однáко, вы угадáли. Я из Калифóрнии.

be Americans. Please don't be offended if this isn't the case!

Misha: What's there to be offended about? At any rate, you've guessed correctly. I'm from California.

Лариса: — Да? Вы, случáйно, не из Голливýда?

Мишa: — Нет, я живý в мáленьком городкé приблизи́тельно девянóсто миль к югу от Сан-Францúско.

Larissa: Oh? You don't happen to be from Hollywood, do you?

Misha: No, I live in a little town about ninety miles south of San Francisco.

Дмитрий: — Оди́н из нáших знакóмых в прóшлом годý éздил в Амéрику. Он до сих пор не мóжет хладнокрóвно говори́ть о замечáтельных горáх, лесáх и полях вáшего штáта.

Dmitry: One of our friends took a trip to America last year. To this very day he can't talk calmly about the marvelous mountains, forests and fields of your state.

Лариса: — И, к томý же, о краси́вых девушках. Он ещё холостóй.[2]

Дмитрий: — Мéжду прóчим, скóлько врéмени вы путешéствуете по нáшей странé?

Larissa: And, in addition, about the beautiful girls. He's still single.

Dmitry: By the way, how long have you been traveling in our country?

Мишa: — Полторы́ недéли.

Лариса: — А в каки́х городáх вы ужé бы́ли?

Misha: A week and a half.

Larissa: What cities have you been in?

Мишa: — В Ленингрáде и Москвé. Из Москвы́ мы хотéли полетéть прямо в Кúев, но передýмали и реши́ли снача́ла посмотрéть Вóлгу.

Misha: In Leningrad and Moscow. From Moscow we were going to fly directly to Kiev, but changed our plans—we decided to take a look at the Volga.

Дмитрий: — И хорошó сдéлали. Ведь путешéствие по Вóлге — прекрáсный óтдых.

Dmitry: That was a smart thing to do. You know, a trip on the Volga is a wonderful way to rest.

---

[1] **должнó быть:** навéрно
[2] **холостóй:** single; **холостя́к:** bachelor

Лари́са: — Вы е́дете до Астрахани?

Ми́ша: — Да. Отту́да мы едем
авто́бусом на Кавка́з.

Дми́трий: — Хорошо́! Я уве́-
рен, что Кавка́з вам о́чень
понра́вится. Я почти́ каждый год е́зжу туда́ в от-
пуск.

Ми́ша: — А почему́ вы е́здите
туда́ без жены́?

Лари́са: — Ви́дите ли, мы же-
на́ты то́лько две с полови́ной
неде́ли.

Ми́ша: — Пра́вда? В тако́м
слу́чае, дава́йте пойдём в
буфе́т и вы́пьем за ва́ше
сча́стье!

Дми́трий: — Дава́йте! На мои́х
часа́х уже́ полови́на шесто́го.
Остаётся то́лько полчаса́ до
обе́да!

Larissa: Are you going as far as
Astrakhan?

Misha: Yes. From there we are
going by bus to the Caucasus.

Dmitry: Good! I'm certain that you
will like the Caucasus very
much. I go there on vacation
almost every year.

Misha: But why do you go there
without your wife?

Larissa: Well, you see, we've been
married only two and a half
weeks.

Misha: Really? In that case, let's
go to the bar and drink to your
happiness!

Dmitry: Let's! According to my
watch it's already half past five.
There's only half an hour left
till dinner!

ТЕКСТ ДЛЯ ЧТЕНИЯ: **Волга**

Волга — вели́кая ру́сская река́, кото́рая неразры́вно свя́зана с
исто́рией ру́сского наро́да — са́мая больша́я река́ не то́лько европе́й-
ской ча́сти СССР, но и всей Евро́пы. Исто́ком Во́лги слу́жит маленький руче́й к се́веру от Москвы́, о́коло о́зера Селиге́р. Отту́да Во́лга
течёт снача́ла в восто́чном, а пото́м в ю́жном направле́нии. Она́
прохо́дит путь приблизи́тельно в[3] 2.290 миль[4] и о́коло го́рода
Астрахани впада́ет в Каспи́йское мо́ре.

Са́мые больши́е прито́ки Во́лги — Ока́ и Ка́ма. Ока́ впада́ет в
Во́лгу там, где стои́т го́род Го́рький, а Ка́ма — к ю́гу от го́рода
Каза́ни. Е́сли вы посмо́трите на ка́рту СССР, вы уви́дите, что Во́лга

---

[3] **прохо́дит путь приблизи́тельно в**: covers a distance of approximately

[4] две ты́сячи две́сти девяно́сто миль

Новы волжские пароходы очень красивые, удобные.

и систе́ма кана́лов соединя́ют Бе́лое, Балти́йское, Чёрное и Азо́вское
моря́. Кана́лом и́мени Москвы́ Во́лга соединя́ется с Москво́й-реко́й;
Во́лго-Донско́й кана́л и́мени Ле́нина соединя́ет Во́лгу с Азо́вским
мо́рем, а из Азо́вского мо́ря че́рез Чёрное мо́ре открыва́ется путь в
любу́ю то́чку земно́го ша́ра.[5]

Ещё с ка́менного ве́ка[6] челове́к живёт на берега́х Во́лги. В са́мые
дре́вние времена́ там жи́ли ски́фы,[7] ста́ршие бра́тья славя́н.[8] В
четвёртом ве́ке появи́лись гу́нны,[9] в шесто́м ве́ке — болга́ры,[10] а
в трина́дцатом — тата́ры.[11] Недалеко́ от у́стья Во́лги, Бату́ (внук
Чингиз-ха́на[12]) постро́ил столи́цу Золото́й орды́[13] — Сара́й-Бату́.[14]
Пото́мки тата́р ещё живу́т на Во́лге о́коло го́рода Каза́ни.

Са́мые кру́пные во́лжские города́: Кали́нин (бы́вшая Тверь),
Ры́бинск, Яросла́вль, Го́рький (бы́вший Ни́жний-Но́вгород), Каза́нь,

---

[5] **...открыва́ется путь в любу́ю то́чку земно́го ша́ра:** ...access is gained to
all points on the globe

[6] **ка́менный век:** Stone Age

[7] **ски́фы:** Scythians

[8] **славяни́н:** Slav (*gen. pl.* **славя́н**)

[9] **гу́нны:** Huns

[10] **болга́ры** (*nom. sing.* **болга́рин**; *gen. pl.* **болга́р**): Bulgars

[11] **тата́ры** (*nom. sing.* **тата́рин**; *gen. pl.* **тата́р**): Tartar

[12] **Чингиз-ха́н:** Genghis Khan

[13] **Золота́я орда́:** The Golden Horde

[14] **Сара́й-Бату́:** Sarai-Batu (In Mongolian **сара́й** meant "castle"; in Russian it
means "barn.")

Улья́новск (бы́вший Симби́рск), Ку́йбышев (Сама́ра), Волгогра́д (Цари́цын) и Астрахань. Город Цари́цын два ра́за меня́л своё назва́ние: по́сле револю́ции он получи́л назва́ние Сталингра́д, а по́сле сме́рти Ста́лина был переимено́ван в Волгогра́д. Интере́сно, ме́жду про́чим, что в бы́вшем Симби́рске роди́лись и Алекса́ндр Ке́ренский, глава́ Вре́менного прави́тельства, и Влади́мир Ильи́ч Улья́нов, изве́стный всему́ ми́ру как Ле́нин.

Широ́кая река́ Во́лга слу́жит замеча́тельным путём сообще́ния.[15] Зимо́й она́ покрыва́ется льдом[16] и сне́гом, но весно́й, ле́том и о́сенью по Во́лге хо́дят парохо́ды, теплохо́ды, ба́ржи. Вниз по тече́нию, т. е. с се́вера на юг идёт лес,[17] а вверх по тече́нию перево́зят[18] нефть, соль и ра́зные сельскохозя́йственные проду́кты.

Ста́рые парово́е суда́[19] на Во́лге о́чень похо́жи на парохо́ды, кото́рые опи́сываются в кни́гах Ма́рка Тве́на: « Жизнь на Миссиси́пи », « Том Со́йер » и « Гекельбе́рри Финн ». Но́вые во́лжские парохо́ды о́чень краси́вые, удо́бные. На па́лубах одни́ пассажи́ры отдыха́ют, разгова́ривают, смо́трят, как над водо́й лета́ют ча́йки, а други́е ве́село пою́т и танцу́ют, заку́сывают и пьют. Около Ку́йбышева они́ уви́дят огро́мную плоти́ну — там одна́ из са́мых кру́пных гидроэлектроста́нций ми́ра. Она́ даёт сто́лько же эне́ргии, ско́лько и америка́нская гидроэлектроста́нция Гренд Ку́ли на реке́ Колу́мбии.

Кро́ме Во́лги, из больши́х рек европе́йской ча́сти СССР мо́жно назва́ть Дон, кото́рый течёт че́рез го́род Росто́в и впада́ет в Азо́вское мо́ре, и Днепр, кото́рый впада́ет в Чёрное мо́ре к восто́ку от Оде́ссы.

Все ре́ки в азиа́тской ча́сти страны́, за исключе́нием Аму́ра, теку́т на се́вер: Обь, Енисе́й и Лена́ впада́ют в Се́верный Ледови́тый океа́н,[20] а Аму́р — в Охо́тское мо́ре.[21] Так как э́ти ре́ки бо́льшую часть[22] го́да покры́ты льдом,[23] они́ ма́ло приго́дны[24] для судохо́дства. Ле́том э́ти

---

[15] **путь сообще́ния**: means of transportation
[16] **льдом**: *instr.* of **лёд** (ice)
[17] **лес**: *here*, logs, timber
[18] **перево́зят**: they transport
[19] **парово́е судно** (*pl.* **парово́е суда́**): steamship
[20] **Се́верный Ледови́тый океа́н**: Arctic Ocean
[21] **Охо́тское мо́ре**: Sea of Okhotsk
[22] **бо́льшую часть**: for the greater part
[23] **покры́ты льдом**: covered with ice
[24] **ма́ло приго́дны**: little suited

райóны страдáют от си́льных наводнéний, потому́ что лёд в истóках сиби́рских рек тает горáздо раньше, чем в устьях.

Вопрóсы

1. Как называется самая большáя рекá Еврóпы?
2. В какóе мóре впадáет рекá Вóлга?
3. Как называется канáл, котóрый соединя́ет Вóлгу с Азóвским мóрем?
4. С каки́х времён живёт человéк на берегáх Вóлги?
5. В какóм веке появи́лись татáры на Вóлге?
6. Каки́е ещё рéки нахóдятся в европéйской части СССР?
7. В какóм направлéнии текýт рéки в азиáтской части страны́?
8. Почему́ бывáют таки́е си́льные наводнéния в Сиби́ри?
9. Как называется гидроэлектростáнция на рекé Колýмбии в США?

ВЫРАЖÉНИЯ

1. Разреши́те предстáвиться.	Allow me to introduce myself.
2. должнó быть	undoubtedly
3. На чтó ж тут обижáться?	What's there to be offended about?
4. Вы угадáли.	You've guessed correctly.
5. Вы случáйно не...?	You don't happen to..., do you?
6. И хорошó сдéлали.	That was a smart thing to do.
7. ви́дите ли	you see
8. в такóм случае	in that event, case
9. Давáйте пойдём (выпьем, посмóтрим)!	Let's go (have a drink, take a look)!
10. Давáй(те)!	Let's!
11. на мои́х часáх	according to my watch
12. Остаётся полчасá до (чегó?)...	There's only half an hour left till...
13. вниз по течéнию	downstream
14. вверх по течéнию	upstream
15. за исключéнием (когó? чегó?)...	with the exception (of)...
16. страдáть от (чегó?)...	to suffer from...

ПРИМЕЧА́НИЯ

Реки Сове́тского Сою́за

Назва́ние	*Длина́*	*Впада́ет в*
Обь	3.459 миль	Ка́рское мо́ре Се́верного Ледови́того океа́на
Енисе́й	2.800 миль	Ка́рское мо́ре Се́верного Ледови́того океа́на
Ирты́ш	2.758 миль	Обь
Аму́р	2.704 ми́ли	Тата́рский проли́в Охо́тского мо́ря
Ле́на	2.652 ми́ли	мо́ре Ла́птевых Се́верного Ледови́того океа́на
Во́лга	2.291 ми́ля	Каспи́йское мо́ре
Ура́л	1:574 ми́ли	Каспи́йское мо́ре
Аму́-Дарья́	1.500 миль	Ара́льское мо́ре
Днепр	1.419 миль	Чёрное мо́ре
Дон	1.223 ми́ли	Азо́вское мо́ре

ДОПОЛНИ́ТЕЛЬНЫЙ МАТЕРИА́Л

Вре́мя

You have already learned that time may be expressed using cardinal numbers, and that the 24-hour clock is used in time-tables, theater schedules, official announcements and the like:

Кото́рый тепе́рь час?	What time is it now?
Тепе́рь час.	It's now one o'clock.
Тепе́рь 4 часа́ 21 мину́та.	It's now 4:21.
Тепе́рь 17 часо́в 33 мину́ты.	It's now 5:33 p.m.
В кото́ром часу́ (*или* во ско́лько) начина́ется сего́дня конце́рт?	What time does the concert start today?
В 20 (часо́в) 30 (мину́т).	At 8:30 p.m.

In the spoken language, time is more often expressed using ordinal numbers.

The period of time between five and six is referred to as the "sixth hour," between six and seven as the "seventh hour," etc.

Котóрый тепéрь час?	What time is it now?
Ужé седьмóй час.	It's already after six o'clock.
Начáло седьмóго.	It's a bit after six.
Десять минýт седьмóго.	It's ten after six.
Четверть седьмóго.	It's quarter after six.
Половúна седьмóго.	It's six thirty.
Три четверти седьмóго.	It's six forty-five.

Time involving the second half of the hour is usually expressed "without (minutes in genitive)" plus the hour expressed as a cardinal number:

Без пятú восемь.	Five minutes to eight.
Без десятú восемь.	Ten minutes to eight.
Без четверти восемь.	A quarter to eight.

В котóром часý (*или* во скóлько) вы уезжáете зáвтра?	What time are you leaving tomorrow?
В семь.	At seven.
В четверть восьмóго.	At quarter past seven.
В половúне восьмóго.	At seven-thirty.
But:	
Без двадцатú пятú восемь.	At twenty-five to eight.
Без четверти восемь.	At quarter to eight.
Без десятú восемь.	At ten to eight.
Без четырёх восемь.	At four minutes to eight.

A. M. is **нóчи** or **утрá**; P. M. is **дня** or **вéчера**:

Он ложúтся спать в 2 часá нóчи.
Мы уезжáем в 7 часóв утрá.
Онá ухóдит домóй в 4 часá дня.
Онú приезжáют в 9 часóв вéчера.

Other expressions involving time are

Котóрый час на вáших (часáх)?	What time is it according to your watch?
На мойх (часáх) ужé половúна пятого.	According to my watch it's already 4:30.

Ваши часы́ иду́т пра́вильно?	Does your watch keep correct time?
Мину́та в мину́ту.	To the minute.
Мои́ часы́ **спеша́т на** три (четы́ре) мину́ты.	My watch is three (four) minutes fast.
Мои́ часы́ **отстаю́т на** пять (шесть) мину́т.	My watch is five (six) minutes slow.
Мои́ часы́ **стоя́т**.	My watch has stopped.
Я забы́л их **завести́**.	I forgot to wind it.

Что тако́е челове́к?

Челове́к — э́то дробь,[25] в кото́рой числи́тель[26] — э́то то, что он есть на са́мом де́ле, а знамена́тель[27] — то, что он о себе́ ду́мает. Чем бо́льше знамена́тель, тем[28] ме́ньше дробь, и е́сли знамена́тель ра́вен бесконе́чности,[29] то что́бы ни́ бы́ло[30] в числи́теле, дробь всегда́ бу́дет равна́ нулю́.

УПРАЖНЕ́НИЯ

A. Сле́дуйте да́нным приме́рам:

Приме́р: I'm afraid that he has taken offense. **Бою́сь, что он оби́делся.**

1. I'm afraid that Tamara has taken offense.
2. I'm afraid that the passenger has taken offense.
3. I'm afraid that the Petrovs have taken offense.

Приме́р: He gets offended at trifles. **Он обижа́ется на пустяки́.**

1. They get offended at trifles.
2. ' You (**ты**) get offended at trifles.
3. You (**вы**) get offended at trifles.

---

[25] **дробь** (ж.): fraction
[26] **числи́тель** (м.): numerator
[27] **знамена́тель** (м.): denominator
[28] **чем..., тем...**: the... the...
[29] **ра́вен бесконе́чности**: equal to infinity
[30] **что́бы ни́ бы́ло**: regardless of what there might be

Примéр: One of our acquaintances traveled to America last year.

Оди́н из наших знакóмых в прошлом году́ ездил в Амéрику.

1. One of our professors traveled to the Soviet Union last year.
2. One of our neighbors went to Europe last year.
3. One of our friends went to the Caucasus last year.

Примéр: One of our teachers flew to New York last week.

Однá из наших учи́тельниц на прошлой недéли летáла в Нью-Йóрк.

1. One of our nurses flew to the Crimea last week.
2. One of our girl students flew to Leningrad last week.
3. One of our salesladies flew to Moscow last week.

Примéр: From Moscow we were going to fly directly to Kiev, but we changed our minds.

Из Москвы́ мы хотéли полетéть прямо в Киев, но передýмали.

1. From Leningrad we were going to fly directly to Moscow, but we changed our minds.
2. From Kiev we were going to fly directly to Astrakhan, but we changed our minds.
3. From Astrakhan we were going to fly directly to the Caucasus, but we changed our minds.

Примéр: Let's drink to your happiness!

Давáйте выпьем за ваше счастье!

1. Let's take a look!
2. Let's have a little talk!
3. Let's call Larissa on the phone!
4. Let's write Ivan Fyodorovich a letter!
5. Let's have dinner!

Примéр: There's only half an hour left till dinner.

Остаётся только полчасá до обéда.

1. There's only half an hour left till the concert.
2. There's only half an hour left till breakfast.
3. There's only half an hour left till class.

Пример: Has he already decided what he is going to buy his wife?

Он уже́ реши́л, что купит жене́?

1. Has he already decided what he is going to tell his wife?
2. Has she already decided what she is going to buy her husband?
3. Have they already decided where they are going on vacation?

B. Give the correct form of the perfective or imperfective verb:

1.
реша́ть: | реша́ю, реша́ешь, реша́ют
реши́ть: | решу́, реши́шь, реша́т

a. Вы ещё (are working on a solution to) э́тот вопро́с?
Нет, я уже́ (have solved) его́.
b. Студе́нты, наве́рно, до́лго (will work on a solution to) э́тот вопро́с.
Нет! Я зна́ю, что они́ (will solve) его́ сего́дня.
c. Мы всю неде́лю (worked on a solution to) э́ти вопро́сы. Вы их (solved)?
Нет, мы не могли́ их (solve).
d. Вы уже́ (decided), где постро́ить ваш но́вый дом?
Да, (we have). Мы (have decided) постро́ить его́ недалеко́ от но́вой шко́лы.
e. Варва́ра Петро́вна уже́ (has decided), что она́ купит му́жу?
Да, она́ (decided) купи́ть ему́ часы́.
f. Когда́ вы (decide), что вы ку́пите, скажи́те мне, и я пойду́ с ва́ми в магази́н.
g. Я не могу́ (decide), куда́ е́хать в о́тпуск. Когда́ я (have decided), то вам напишу́.

2.
заку́сывать: | заку́сываю, заку́сываешь, заку́сывают
закуси́ть: | закушу́, заку́сишь, заку́сят

a. Мы всегда́ (have a snack) пе́ред у́жином.
b. Дава́йте (have a snack) и пойдёмте в кино́!
c. Мы (had a snack), поговори́ли и пошли́ на бале́т.
d. Ты хо́чешь сейча́с (have a snack)? Нет, мы мо́жем (have a snack) по́сле конце́рта.

3.

пить:	пью, пьёшь, пьют
выпить:	выпью, выпьешь, выпьют

a. Давайте (drink) за ваше счастье!
b. Мы долго сидели за столом: (drank), курили, разговаривали.
c. Мы (drank) только по две рюмки водки и пошли домой.
d. В СССР вы (will drink) не воду, а вино, водку и пиво.
e. Я (will drink) ещё одну чашку чаю и пойду на работу.

4.

обижаться:	обижаюсь, обижаешься, обижаются
обидеться:	обижусь, обидишься, обидятся

a. Надеюсь, что вы на это не (will not take offence).
b. Он легко (takes offence).
c. Она на это (took offence)? Нет, (she didn't).
d. Они всегда на всё (take offense).
e. Мы не (will not take offense), если вы не поедете с нами.
f. Я боюсь, что он на это (took offense).

C. Change from the prepositional singular to the plural:

Пример: Мы были в этом музее. **Мы были в этих музеях.**

1. Мы были в этом общежитии.
2. Мы были в этом здании.
3. Мы были в этой галерее.
4. Мы были в этом санатории.
5. Мы были в этой лаборатории.

Пример: Они жили в этом городе? **Они жили в этих городах?**

1. Они жили в этом доме?
2. Они жили в этом лесу?
3. Они жили на этом берегу?
4. Они жили в этом месте?

Пример: Что она сказала о **Что она сказала о**
студенте? **студентах?**

1. Что она сказала о туристе?
2. Что она сказала об англичанине?

3. Что она́ сказа́ла об америка́нце?
4. Что она́ сказа́ла о студе́нтке?

D. Follow the example:

Приме́р: Студе́нты не забу́дут
о профессора́х.

**Профессора́ не забу́дут
о студе́нтах.**

1. Мужья́ не забу́дут о жёнах.
2. Бра́тья не забу́дут о сёстрах.
3. Де́ти не забу́дут о роди́телях.

E. Answer each question as indicated by the words in parentheses:

1. О ком вы говори́ли? (мои́ друзья́)   **Я говори́л о мои́х друзья́х.**
a. О ком вы говори́ли? (мои́ това́рищи)
b. О ком вы говори́ли? (мои́ сосе́ди)
c. О ком вы говори́ли? (на́ши до́чери)
d. О ком вы говори́ли? (э́ти лю́ди)

2. О чём они́ говоря́т? (ва́жные ве́щи)   **Они́ говоря́т о ва́жных
веща́х.**
a. О чём они́ говоря́т? (европе́йские стра́ны)
b. О чём они́ говоря́т? (свои́ но́вые часы́)
c. О чём они́ говоря́т? (Спа́сские воро́та)
d. О чём они́ говоря́т? (свои́ ста́рые очки́)
e. О чём они́ говоря́т? (свои́ но́вые брю́ки)
f. О чём они́ говоря́т? (де́ньги)
g. О чём они́ говоря́т? (кани́кулы)

F. Complete the second sentence by giving the correct form of the multi-directional verb:

1. **идти́ — ходи́ть**
a. Я иду́ в шко́лу. Я ка́ждый день _____ в шко́лу.
b. Ты идёшь на спорти́вную встре́чу? Ты ча́сто _____ на спорти́вные встре́чи?
c. Он идёт на футбо́л. Он ка́ждую суббо́ту _____ на футбо́л.
d. Мы идём на баскетбо́л. Мы ре́дко _____ на баскетбо́л.
e. Вы идёте в кино́? Вы иногда́ _____ в кино́?
f. Они́ иду́т на бале́т. Они́ ка́ждое воскресе́нье _____ на бале́т.

2. **ехать — ездить**

a. Я еду на работу. Я обычно _____ на работу на автобусе.

b. Ты едешь на завод? Ты каждое утро _____ на завод на метро?

c. Она едет в Горький. Она каждое лето _____ в Горький.

d. Мы едем в Ульяновск. Мы каждую зиму _____ в Ульяновск.

e. Вы едете в Ярославль? Вы часто _____ в Ярославль?

f. Они едут в Калинин. Они каждую осень _____ в Калинин.

G. Give the correct present tense form of **идти — ходить, ехать — ездить, лететь — летать, бежать — бегать**. In some instances, the infinitive may be required:

1. Куда ты сейчас (walk)? Я (walk) на вокзал.

2. Каждое утро я (walk) в школу.

3. Ты каждый день (drive) в город? Нет, я (drive) в город только в среду.

4. Вы завтра (drive) в деревню? Нет, мы больше туда не (drive).

5. В эту субботу я (fly) в Сан-Франциско.

6. Куда (fly) этот самолёт? Он (fly) во Владивосток.

7. Ты иногда (walk) на балет? Нет, я редко (walk) на балет; я предпочитаю оперу.

8. Он сегодня (walk) на работу пешком? Да, он всегда (walk) пешком.

9. Послезавтра мы (fly) в Чикаго. Мы редко (fly) туда; обычно мы (drive) туда на автомобиле.

10. Я никогда не (fly) на самолёте. Я боюсь (fly)!

11. В каком направлении мы теперь (drive)? Мы (drive) в северо-восточном направлении.

12. Куда (run) эти дети? Никуда. Они просто (run). Все дети любят (run).

13. Давайте поговорим потом: вы опаздываете на урок. Да, (run)!

14. Почему ваши дети больше не (walk) в школу? Потому что у них теперь каникулы.

15. Петя! Куда ты (run)? Домой! Пора обедать!

16. Вы часто (fly) в отпуск в Крым? Да, но в этом году я (fly) на Кавказ.

17. Вы каждую субботу (walk) на футбол? Нет, мы (walk) только в воскресенье.

18. Мне сказали, что ваши родители скоро (fly) в Европу. Да, они (fly) туда каждое лето.

19. Я слышал, что в этом году́ вы (drive) в о́тпуск на Чёрное мо́ре. Это пра́вда? Нет, как пра́вило я (drive) на Чёрное мо́ре, но в этом году́ хочу́ пое́хать на Во́лгу.
20. Ва́ши роди́тели иногда́ (drive) в столи́цу? (drive), но не ча́сто.
21. Ва́ши друзья́ иногда́ (fly) в Яку́тск? Нет, они́ туда́ никогда́ не (fly). Там сли́шком хо́лодно.
22. Вы за́втра (walk) на ле́кцию? Да, мы (walk) и на ле́кцию, и на конце́рт.

H. Change to the perfective past:

1. Она́ шла в библиоте́ку.
2. Мы ходи́ли на рабо́ту.
3. Он е́здил на вы́ставку.
4. Они́ лете́ли в Астраха́нь.
5. Я лета́л(а) во Владивосто́к.
6. Она́ лете́ла в Каза́нь.
7. Мы бежа́ли в магази́н.
8. Он бе́гал на по́чту.

I. Change to the perfective future:

1. Она́ бу́дет ходи́ть к врачу́.
2. Они́ бу́дут е́здить на о́зеро.
3. Он бу́дет бе́гать в го́род.
4. Я бу́ду лета́ть в Му́рманск.

J. Change from the past to the future or vice-versa:

1. Куда́ пошли́ ва́ши роди́тели?
2. Мне ка́жется, что Бори́с пое́дет на конце́рт.
3. Оля побежа́ла в кни́жный магази́н.
4. Я сомнева́юсь, что он сего́дня полети́т в столи́цу.

K. Переведи́те слова́ в ско́бках:

1. Вы (want to go there) пешко́м?
   Нет, я (want to go) на автомоби́ле!
2. Ты (can fly) со мной в Ту́лу?
   Нет, я бою́сь самолётов.

L. Переведи́те слова́ в ско́бках:

1. Где вы бы́ли в суббо́ту у́тром? Мы (went to the museum).
2. Вы бы́ли неда́вно на Кавка́зе? Да, я (went there in spring).
3. Когда́ они́ бы́ли в Ку́йбышеве? Они́ (went there in the winter).
4. Она́ была́ в Волгогра́де? Да, она́ (flew there in the summer).
5. Когда́ вы бы́ли в Сове́тском Сою́зе? Я (went there in the fall).
6. Где ты был(а́) в полови́не второ́го? Я звони́л, но никто́ не отвеча́л на мой звонки́. Я (went to the bookstore).
7. Ско́лько раз вы бы́ли в Москве́? Я (went there only once).
8. Вы бы́ли сего́дня у профе́ссора Мака́рова? Да, я (went to see him this morning).

M. Translate as indicated:

1. **Кото́рый тепе́рь час?**
a. It's already after four.
b. It's half past five.
c. It's a bit after ten.
d. It's seven forty-five.
e. It's already one in the morning.
f. It's already four o'clock in the morning.

2. **Во ско́лько приезжа́ют ва́ши друзья́?**
a. At nine o'clock.
b. At a quarter after nine.
c. At nine-thirty.
d. At a quarter to ten.
e. At twenty-two minutes to ten.
f. At three minutes to twelve.

N. Переведи́те с англи́йского на ру́сский:

1. What time is it according to your watch?
   According to my watch it's twenty-one minutes to five.

2. Does your watch keep correct time?
a. To the minute.
b. My watch is ten minutes fast.
c. My watch is 22 minutes slow.
d. My watch has stopped.
e. I forgot to wind it.

Вопро́сы

1. Како́й сего́дня день неде́ли?
2. Како́е сего́дня число́?
3. Како́е сейча́с вре́мя го́да?
4. Сейча́с день и́ли ночь?
5. Когда́ вы прихо́дите (приезжа́ете) в шко́лу: у́тром, по́сле обе́да, ве́чером и́ли но́чью?
6. Когда́ вы ухо́дите из шко́лы?
7. Когда́ вы у́чите уро́ки?
8. Кому́ вы даёте свои́ дома́шние рабо́ты (homework)?
9. Ско́лько ме́сяцев вы у́читесь ру́сскому языку́?
10. В како́м ме́сяце вы на́чали учи́ться ру́сскому языку́?
11. Ско́лько челове́к сейча́с в ва́шем кла́ссе?
12. Вы зна́ете имена́ всех студе́нтов и студе́нток в ва́шем кла́ссе?
13. Ско́лько здесь в ко́мнате двере́й, о́кон, столо́в, сту́льев, карт и досо́к?
14. Ско́лько часо́в в день вы за́няты в шко́ле?
15. В каки́е дни вы хо́дите в шко́лу?
16. В каки́е дни вы свобо́дны?
17. Ско́лько вам лет?
18. У вас есть часы́?
19. Кото́рый час на ва́ших?
20. Ва́ши часы́ иду́т пра́вильно?
21. Вы иногда́ забыва́ете их завести́?
22. Во ско́лько вы встаёте?
23. Во ско́лько вы ухо́дите (уезжа́ете) в шко́лу?
24. Во ско́лько вы прихо́дите (приезжа́ете) в шко́лу?
25. В кото́ром часу́ начина́ется ваш уро́к ру́сского языка́?
26. А в кото́ром часу́ он конча́ется?
27. В кото́ром часу́ вы обе́даете?
28. Во ско́лько вы ложи́тесь спать?
29. Вы лю́бите путеше́ствовать?
30. В каки́х города́х в Аме́рике вы уже́ бы́ли?
31. Како́й америка́нский го́род вам бо́льше всего́ нра́вится?
32. Где живёт бо́льше люде́й: в города́х, леса́х и́ли гора́х?
33. Вы жена́ты (за́мужем)? Ско́лько вре́мени?
34. Ско́лько вре́мени остаётся до конца́ уро́ка?
35. В како́м шта́те нахо́дится исто́к реки́ Миссиси́пи?

36. В каком штате находится гидроэлектростанция Гренд Кули?
37. В каком направлении течёт река Рейн в Германии?
38. В каком направлении текут сибирские реки?
39. Как называется самая длинная река в мире?
40. Как сказать по-русски:
   a. Allow me to introduce myself.
   b. I hope you don't forget to tell him.
   c. You don't happen to know my Russian teacher, do you? His name is Petrov.
   d. Let's take a look!
   e. Is there a bookstore in the vicinity?
   f. In order to speak Russian well it is necessary to study a lot.

Перевод

1. One of my teachers lives in the mountains near the sea.
2. Our parents take offense at trifles.
3. Peter Vereshchagin is always thinking about girls.
4. How long have you been traveling in the Soviet Union?
   Approximately a week and a half.
5. Do you often drive to the country?
   No, but I'm driving there tomorrow.
6. Last week I went to New York.
7. Where are your brothers and sisters?
   They've gone to the Exhibition.
8. On Saturday we are flying to the capital.
9. Next year we are going to build a house in the forest.
10. In the forests in the north of the country live very few people.
11. I'll drink a cup of tea and go home.
12. Where were you going when I saw you?
    I was going to the bookstore.
13. Do you often receive letters from your parents?
    No, last year I received only three letters.
14. Who lives in these large houses?
    No one.
15. Downstream go logs; upstream they transport agricultural products.
16. In the wintertime these rivers are covered with ice.
17. The Huns appeared on the banks of the Volga in the fourth century.

18. The capital of The Golden Horde was located not far from the mouth of the Volga.
19. Do you see the Volga, Don, and Dnieper on this map?
    No, but I'll find them now.
20. Do you want to go to the movies?
    Yes, I do. Let's go right (**сразу**) after dinner.

ГРАММА́ТИКА

The Genitive Case of Cardinal Numbers

In order to tell time in Russian (see **Дополни́тельный материа́л**) it is necessary to know the genitive case of the cardinal numbers:

1	оди́н / одна́ / одно́	одного́ / одно́й / одного́
2	два / две	двух
3	три	трёх
4	четы́ре	четырёх
5	пять	пяти́
6	шесть	шести́
7	семь	семи́
8	восемь	восьми́
9	девять	девяти́
10	десять	десяти́
11	оди́ннадцать	оди́ннадцати
12	двена́дцать	двена́дцати
13	трина́дцать	трина́дцати
14	четы́рнадцать	четы́рнадцати
15	пятна́дцать	пятна́дцати
16	шестна́дцать	шестна́дцати
17	семна́дцать	семна́дцати
18	восемна́дцать	восемна́дцати
19	девятна́дцать	девятна́дцати
20	двадцать	двадцати́
22	двадцать два	двадцати́ двух
30	тридцать	тридцати́

33	тридцать три	тридцатú трёх
40	сорок	сорокá
44	сорок четы́ре	сорокá четырёх
50	пятьдеся́т	пятúдесяти
55	пятьдеся́т пять	пятúдесяти пятú
60	шестьдеся́т	шестúдесяти
70	семьдесят	семúдесяти
80	восемьдесят	восьмúдесяти
90	девянóсто	девянóста
100	сто	ста
166	сто шестьдеся́т шесть	ста шестúдесяти шестú
200	двести	двухсóт
300	триста	трёхсóт
400	четы́реста	четырёхсóт
500	пятьсóт	пятисóт
600	шестьсóт	шестисóт
700	семьсóт	семисóт
800	восемьсóт	восьмисóт
900	девятьсóт	девятисóт
1000	тысяча (*a feminine noun:* 1 тысяча, 2 тысячи, 5 тысяч)	
1.000.000	миллиóн (*a masculine noun:* 1 миллиóн, 2 миллиóна, 5 миллиóнов)	

The numbers 5–10, 20, 30, 50 ,60, 70, and 80 drop **-ь** and add stressed **-й**; 11–19 change **-ь** to **-и** without the stress shift.

The Prepositional Plural

A. Nouns

1. The prepositional plural endings for all nouns are **-ах** (hard) or **-ях** (soft):

Nom. Sing.	студéнт –	музé й	автомобúл ь
Prep. Pl.	студéнт ах	музé ях	автомобúл ях

Nom. Sing.	комнат а	галерé я	тетрáд ь	лаборатóри я
Prep. Pl.	комнат ах	галерé ях	тетрáд ях	лаборатóри ях

Nom. Sing.	окн о́	по́л е	здани е
Prep. Pl.	о́кн ах	пол я́х	здани ях

Nom. Sing.	им я
Prep. Pl.	им ена́х

2. The vast majority of nouns that are irregular or have a stress shift in the nominative plural have that same irregularity or stress shift in the prepositional plural:

Nominative Singular	*Nominative Plural*	*Prepositional Plural*
врач	врачи́	о врача́х
каранда́ш	карандаши́	о карандаша́х
язы́к	языки́	о языка́х
до́ктор	доктора́	о доктора́х
профе́ссор	профессора́	о профессора́х
учи́тель	учителя́	об учителя́х
жена́	жёны	о жёнах
сестра́	сёстры	о сёстрах
окно́	о́кна	об о́кнах
письмо́	пи́сьма	о пи́сьмах
мо́ре	моря́	о моря́х
брат	бра́тья	о бра́тьях
де́рево	дере́вья	о дере́вьях
крыло́	кры́лья	о кры́льях
лист	ли́стья	о ли́стьях
перо́	пе́рья	о пе́рьях
стул	сту́лья	о сту́льях
друг	друзья́	о друзья́х
муж	мужья́	о мужья́х
сын	сыновья́	о сыновья́х
у́хо	у́ши	об уша́х

сосе́д	сосе́ди	о сосе́дях
англича́нин	англича́не	об англича́нах
ребёнок	де́ти	о де́тях
челове́к	лю́ди	о лю́дях

3. Some feminine nouns that end in **-ь** take stressed plural endings in all cases except the nominative and *inanimate* accusative:

Nom. Pl.	ве́щи	две́ри	пло́щади	ло́шади	ма́тери	до́чери
Gen. Pl.	веще́й	двере́й	площаде́й	лошаде́й	матере́й	дочере́й
Acc. Pl.	ве́щи	две́ри	пло́щади	лошаде́й	матере́й	дочере́й
Prep. Pl.	веща́х	деверя́х	площадя́х	лошадя́х	матеря́х	дочеря́х

B. Adjectives

1. The prepositional plural adjective endings are **-ых** (hard) or **-их** (soft; Spelling Rule 1):

Hard: но́вый ⎫
новая ⎬ но́вых
новое ⎭

Soft: си́ний ⎫
синяя ⎬ си́них
синее ⎭

Spelling Rule 1: хоро́ший ⎫
хоро́шая ⎬ хоро́ших
хоро́шее ⎭

2. Demonstrative adjectives/pronouns:

э́тот ⎫　　　тот ⎫
э́та ⎬ э́тих　та ⎬ тех
э́то ⎭　　　то ⎭

3. Possessive adjectives/pronouns:

мой ⎫　　　　наш ⎫
моя́ ⎬ мои́х　наша ⎬ на́ших
моё ⎭　　　　наше ⎭

$$\left.\begin{array}{l}\text{твой}\\ \text{твоя}\\ \text{твоё}\end{array}\right\}\text{твои́х}\qquad\left.\begin{array}{l}\text{ваш}\\ \text{ваша}\\ \text{ваше}\end{array}\right\}\text{ваших}$$

The prepositional case is used after the following prepositions:

о(б)	about
в	in, inside
на	on, on top of, at, in
при	in the presence of; during the reign (administration) of

Note the following sentences:

Не говори́те так при отце́!	Don't talk that way in your father's presence!
Это было при Петре́ Вели́ком.	That was during the reign of Peter the Great.
Это было при Рузвельте.	That was during the Roosevelt administration.

Unidirectional and Multidirectional Verbs of Motion

A. Unidirectional verbs of motion

All the verbs of motion ("going" verbs) which you have encountered thus far (**идти́, ехать, лете́ть, бежа́ть**) are referred to as "unidirectional verbs of motion." These verbs describe "going" that is, was, or will be *in progress* at a *specified time*, with a *specified destination* and in *only one direction*; they have the meaning "to be on the way to...," "to be going to..."

$$\text{Он}\left\{\begin{array}{l}\text{идёт}\\ \text{едет}\\ \text{лети́т}\\ \text{бежи́т}\end{array}\right\}\text{туда́.}\qquad\text{He is}\left\{\begin{array}{l}\text{going}\\ \text{driving}\\ \text{flying}\\ \text{running}\end{array}\right\}\text{there.}$$

$$\text{Он}\left\{\begin{array}{l}\text{шёл}\\ \text{ехал}\\ \text{лете́л}\\ \text{бежа́л}\end{array}\right\}\text{туда́.}\qquad\text{He was}\left\{\begin{array}{l}\text{going}\\ \text{driving}\\ \text{flying}\\ \text{running}\end{array}\right\}\text{there.}$$

B. Multidirectional verbs of motion

For each unidirectional verb of motion there is a corresponding "multidirectional" verb: **ходи́ть, ездить, лета́ть,** and **бегать.** These verbs describe *repeated or habitual "going"* or *going without a destination or specified direction.* In the *past tense*, multidirectional verbs must be used to describe a *round trip (there and back) on one (or more) occasions.*

The uni- and multidirectional verbs of motion are conjugated as follows:

Unidirectional	*Multidirectional*
идти́ to be going (on foot), walking	**ходи́ть** to go (on foot), walk (often, usually, seldom, never, there and back)
я иду́	я хожу́
ты идёшь	ты ходишь
он идёт	он ходит
мы идём	мы ходим
вы идёте	вы ходите
они́ иду́т	они́ ходят
ехать to be going (by vehicle), driving, riding	**ездить** to go (by vehicle), drive, ride (often, usually, seldom, never, there and back)
я еду	я езжу
ты едешь	ты ездишь
он едет	он ездит
мы едем	мы ездим
вы едете	вы ездите
они́ едут	они́ ездят
лете́ть to be flying	**лета́ть** to fly (often, usually, seldom, never, there and back)
я лечу́	я лета́ю
ты лети́шь	ты лета́ешь
он лети́т	он лета́ет
мы лети́м	мы лета́ем
вы лети́те	вы лета́ете
они́ летя́т	они́ лета́ют

бежа́ть to be running	бегать to run (often, usually, seldom, never, there and back)
я бегу́	я бегаю
ты бежи́шь	ты бегаешь
он бежи́т	он бегает
мы бежи́м	мы бегаем
вы бежи́те	вы бегаете
они́ бегу́т	они́ бегают

Note the following:

Unidirectional: (on the way, going)	*Multidirectional:* (there and back)

1. Present tense:

Я **иду́** в город.	Я часто **хожу́** в город.
Я **еду** на рабо́ту.	Я каждый день **езжу** на рабо́ту.
Я **лечу́** на Кавка́з.	Я иногда́ **лета́ю** на Кавка́з.
Я **бегу́** на уро́к.	Я всегда́ **бегаю** на уро́ки.

2. Past tense:

Куда́ вы **шли** вчера́, когда́ я вас видел(а)?	Где вы были вчера́?
Я **шёл (шла)** в город.	Я **ходи́л(а)** в город.
Куда́ вы **ехали** вчера́, когда́ он вас видел?	Вы были сего́дня в Москве́?
Я **ехал(а)** на рабо́ту.	Да, я **ездил(а)** туда́ на поезде.
В како́м направле́нии вы **лете́ли**, когда́ вы видели эту высо́кую гору?	Вы часто **лета́ете** на север?
Мы **лете́ли** на север.	Нет, я редко **лета́ю** туда́.
Куда́ вы **бежа́ли**, когда́ я вас видел вчера́?	Этот мальчик всегда́ **бегал** в школу.

3. Future:[31]

Я завтра **иду́** на лекцию.	Я каждый день **буду ходи́ть** на лекции.
Я сего́дня вечером **е́ду** на конце́рт.	Я каждую суббо́ту **буду ездить** в дере́вню.
Я завтра утром **лечу́** в Киев.	Я иногда́ **буду лета́ть** в Киев.
Я сейча́с **бегу́** туда́.	Мне ка́жется, что я всегда́ **буду бегать**, потому́ что я всегда́ опа́здываю.

No destination or direction is necessary with multidirectional verbs of motion:

$$\text{Я люблю́}\begin{cases}\text{ходи́ть.}\\\text{е́здить.}\\\text{лета́ть.}\\\text{бегать.}\end{cases}\quad\text{I like to}\begin{cases}\text{walk.}\\\text{ride (drive).}\\\text{fly.}\\\text{run.}\end{cases}$$

When a person travels by car, train, bus, etc., the verbs **ехать/ездить** must be used. When one refers to the movement of the conveyance itself, however, **идти́** and **ходи́ть** are used:

> Вот идёт ваш автобус!
> Како́й автобус идёт на Красную площадь?
> Трамва́и сего́дня не ходят.

On the way (present or future, depending on the context)	я иду́ я еду я лечу́ я бегу́ →
Repeated going, to and from, no destination or direction needed	← я хожу́ я езжу я лета́ю я бегаю

---

[31] **Я буду идти́** (**ехать, лете́ть, бежа́ть**) is rare. The present tense of unidirectional verbs is used to describe a single action in the future, as long as the context or some word indicates that the future is implied. Compare with the English:

> Я завтра иду́ в город.   I am going to town tomorrow.

C. Perfective forms of the verbs of motion

The unidirectional and multidirectional verbs of motion share a single perfective which is formed by adding the prefix to the unidirectional verb. Note the change in the spelling of **идти́** (**пойти́**):

Imperfective	*Perfective*
идти́ ⎱ ходи́ть⎰	пойти́
е́хать ⎱ е́здить⎰	пое́хать
лете́ть⎱ лета́ть⎰	полете́ть
бежа́ть⎱ бе́гать ⎰	побежа́ть

Perfective verbs of motion are used to describe the actual start or beginning of "going"; they may be rendered in English merely by the verbs "to go," "to ride," "to fly," and "to run," but they always imply "to set out," "to leave for." The perfective forms of the verbs of motion do not indicate whether the person reached (or will reach) his destination and, consequently, they describe neither arrival *nor* return:

Где Оля? Она́ уже́ пошла́ в шко́лу.	Where's Olya? She's already left for school.
Где Ива́н? Он пое́хал в го́род.	Where's Ivan? He's gone to town.
Где Петро́вы? Они́ полете́ли в Ленингра́д.	Where are the Petrovs? They have set out (by plane) for Leningrad.
Где ваш сын? Он побежа́л в магази́н.	Where's your son? He just ran to the store.
По́сле обе́да они́ пойду́т в теа́тр.	After dinner they are going to the theater.
Мы заку́сим и пойдём в кино́.	We'll have a bite and go to the movies.
Моя́ сестра́ сего́дня полети́т в Москву́.	My sister is leaving (by plane) for Moscow today.

Я напишý это письмó и
побегý на почту.

I'll write this letter and run to the
post office.

With **мочь, хотéть, надо, нужно** and **должен** (especially in the past
and future tenses) **пойтú** and **поéхать** are almost always used. **Идтú** and
éхать are used, however, when the means of locomotion, rather than the
goal of motion is stressed:

Он не хотéл пойтú со мной
в кинó.

He didn't want to go to the movies
with me.

Я не мог(лá) поéхать с
ними на концéрт.

I wasn't able to go to the concert
with them.

But:

Мы не можем идтú тудá
пешкóм, надо ехать на
машúне.

We can't go there on foot; we'll
have to go by car.

Following are useful command forms of the verbs of motion:

Идú(те)!   Go! *or* Come! (on foot)
Поезжáй(те)!   Go! (by vehicle)
Бегú(те)!   Run!
Идём(те)!   Let's go! (on foot)
Едем(те)!   Let's go! (by vehicle)
Пошлú!   Let's go! (on foot)
Поéхали!   Let's go! (by vehicle)
Пошёл (пошлá, пошлú) вон!   Get out of here!

Идтú is used in certain idiomatic expressions which do not allow the use
of **ходúть**:

Идёт дождь.   It's raining.
Идёт снег.   It's snowing.
Какóй фильм идёт сегóдня?   What film is showing today?
Сегóдня идёт русский фильм.   Today a Russian film is showing.
Хóчешь пойтú в кинó?   Do you want to go to the movies?
  Идёт!   Swell!
Это платье вам не идёт   This dress doesn't suit you.
  (*или* вам не к лицý).

СЛОВА́РЬ

баржа	barge
бегать (I) (*pf.* побежа́ть)	to run (*multidirectional*)
бежа́ть (II) (*pf.* побежа́ть)	to run (*unidirectional*)
бегу́, бежи́шь, бегу́т	
буфе́т	bar
весело	happily
весёлый	happy
волжский	Volga (*adj.*)
вы́пить (I)	to have a drink (*pf. of* пить)
вы́пью, вы́пьешь, вы́пьют	
гидроэлектроста́нция	hydro-electric station
глава́	head, leader; chapter
длина́	length
должно́ быть	undoubtedly
дре́вний, -яя, -ее, -ие	ancient
е́здить (II) (*pf.* пое́хать)	to go, drive, ride (*multidirectional*)
закуси́ть (II)	*pf. of* заку́сывать
закушу́, заку́сишь, заку́сят	
заку́сывать (I) (*pf.* закуси́ть)	to have a snack
знако́миться (II) (с кем? с чем?) (*pf.* познако́миться)	to get acquainted (with)
знако́млюсь, знако́мишься, знако́мятся	
исключе́ние	exception
за исключе́нием (кого́? чего́?)	with the exception (of)
исто́к	source
кана́л	canal
лёд (льда, льду, лед, льдом, льде; во, на льду)	ice
лета́ть (I) (*pf.* полете́ть)	to fly (*multidirectional*)
ми́ля (*gen. pl.* миль)	mile
наводне́ние	flood
назва́ть (I)	*pf. of* называ́ть
назову́, назовёшь, назову́т	
называ́ть (I) (*pf.* назва́ть)	to call, name (a thing, place)
направле́ние	direction
в како́м направле́нии?	in which direction?
неразры́вно	inseparably
нефть (ж.)	crude oil
оби́деть (II)	*pf. of* обижа́ть
оби́жу, оби́дишь, оби́дят	
оби́деться (II)	*pf. of* обижа́ться
оби́жусь, оби́дишься, оби́дятся	

обижа́ть (I) (*pf.* оби́деть)	to offend
обижа́ться (I) (*pf.* оби́деться)	to take offense
одна́ко	but, however, still, although
описа́ть (I)	*pf. of* опи́сывать
опишу́, опи́шешь, опи́шут	
опи́сывать (I) (*pf.* описа́ть)	to describe
остава́ться (I) (*pf.* оста́ться)	to remain, stay
остаю́сь, остаёшься, остаю́тся	
оста́ться (I)	*pf. of* остава́ться
оста́нусь, оста́нешься, оста́нутся	
о́тпуск	leave, vacation from work
е́хать в о́тпуск	to go on leave
быть в о́тпуске (и́ли в отпуску́)	to be on leave
па́луба	deck
переду́мать (I)	*pf. of* переду́мывать
переду́мывать (I) (*pf.* переду́мать)	to change one's mind
плоти́на	dam
познако́миться (II)	*pf. of* знако́миться
познако́млюсь, познако́мишься, познако́мятся	
полови́на	half
полтора́ (*fem.* полторы́)	one and a half
полчаса́	a half hour
поте́чь (I)	*pf. of* течь
потечёт, потеку́т	
пото́мок (*мн.* пото́мки)	descendant
появи́ться (II)	*pf. of* появля́ться
появлю́сь, поя́вишься, поя́вятся	
появля́ться (I) (*pf.* появи́ться)	to appear, put in an appearance
предста́виться (II)	*pf. of* представля́ться
предста́влюсь, предста́вишься, предста́вятся	
представля́ться (I) (*pf.* предста́виться)	to introduce onself
прито́к	tributary
проли́в	strait, sound, channel
пустяки́	trifles, nonsense
путеше́ствие	trip
путеше́ствовать (I) (по чему́?)	to travel (around)
путеше́ствую, путеше́твуешь, путеше́ствуют	
разреша́ть (I) (*pf.* разреши́ть)	to permit
разреши́ть (II)	*pf. of* разреша́ть
раста́ять (I)	*pf. of* та́ять
реши́ть (II)	*pf. of* реша́ть
руче́й	brook
систе́ма	system

случай	event, occurrence
в таком случае	in that event (case)
случайно	accidentally, by chance
соединить (II)	*pf. of* соединять
соединиться (II) (с кем? с чем?)	*pf. of* соединяться
соединять (I) (*pf.* соединить)	to join, connect, unite
соединяться (I) (*pf.* соединиться) (с кем? с чем?)	to be joined, connected, united (by)
страдать (I) (от кого? от чего?) (*pf.* пострадать)	to suffer (from)
судоходство	navigation
таять (I) (*pf.* растаять)	to thaw
теплоход	motor launch
течение	current
течь (I) (*pf.* потечь)	to flow
течёт, текут	
уверен (-а, -о, -ы)	sure, certain
угадать (I)	*pf. of* угадывать
угадывать (I) (*pf.* угадать)	to guess (correctly)
устье	mouth (of a river)
хладнокровно	calmly, dispassionately
ходить (II) (*pf.* пойти)	to go, walk (*multidirectional*)
хожу, ходишь, ходят	
холостой	single, not married
чайка	gull

Двадцать четвёртый урок

РАЗГОВО́Р А: **В гости́нице в Тбили́си**

Служащая: — С до́брым утром, господи́н Ньюто́н. Я наде́юсь, что вы хорошо́ прово́дите вре́мя в столи́це Грузи́нской респу́блики.

Ми́ша: — Спаси́бо. Всё в поря́дке. Тбили́си — сла́вный го́род.

Служащая: — Мо́жно узна́ть, каки́е у вас пла́ны на сего́дня?

Clerk: Good morning, Mr. Newton. I hope that you are having a good time in the capital of the Georgian Republic.

Misha: Thanks. Everything is all right. Tbilisi is a fine city.

Clerk: Might I ask what you have planned for today?

Миша: — Мы с новым знакомым поедем посмотреть на колхоз «Красное знамя».

Служащая: — В таком случае, вы познакомитесь с моими родителями. Мой отец председатель этого колхоза.

Миша: — Да что вы говорите! Я сам родился и вырос на ферме в Америке. Мне интересно узнать, как живётся советским колхозникам.

Служащая: — Папа с удовольствием вам об этом расскажет. Имейте в виду, мама прекрасно готовит грузинские блюда. Если вас пригласят на обед, не отказывайтесь!

Миша: — Нет, не откажусь! А вот идёт молодой человек, который везёт меня в колхоз.

Служащая: — Это Анатолий Инашвили. Его мать работает там дояркой. А можно спросить, во сколько вы вернётесь?

Миша: — Это зависит от Анатолия. Если в шесть часов я ещё не вернусь, передайте моим спутникам, чтобы они обедали без меня. Я не хочу, чтобы меня долго ждали.

Служащая: — Хорошо, передам. До свидания.

Миша: — Всего доброго.

Misha: I'm going with a new acquaintance to take a look at the collective farm "Red Banner."

Clerk: In that event, you will meet my parents. My father is the president of that kolkhoz.

Misha: Really! I myself was born and raised on a farm in America. I'm interested in finding out how Soviet collective farmers are getting along.

Clerk: Papa will be very happy to tell you about that. Keep in mind that my mother cooks Georgian dishes to perfection. If they invite you to dinner, don't turn them down.

Misha: No, I won't! Oh, here comes the young man who is taking me to the kolkhoz.

Clerk: That's Anatoli Inashvili. His mother works there as a milkmaid. And may I ask what time you will return?

Misha: That depends on Anatoli. If at six o'clock I still haven't returned, tell my traveling companions to eat without me. I don't want them to wait a long time for me.

Clerk: Fine, I'll let them know. Good-by.

Misha: All the best.

Анато́лий: — Приве́т, Ми́ша. Ты гото́в? Нам пора́.

Ми́ша: — Я уже́ давно́ гото́в. Пое́хали!

Anatoli: Hi, Misha. Are you ready? It's time for us to go.

Misha: I've been ready for some time. Let's go!

РАЗГОВО́Р Б: Ми́ша приезжа́ет в колхо́з

Ми́ша: — Ско́лько киломе́тров остаётся до колхо́за?

Anatoli: — Мы уже́ подъезжа́ем. Вот э́ти поля́ и фрукто́вые сады́ принадлежа́т колхо́зу.

Ми́ша: — Мне неда́вно сказа́ли, что есть и «колхо́зы», и «совхо́зы». Кака́я ра́зница между ни́ми?

Anatoli: — Ви́дишь ли, «колхо́з» — э́то коллекти́вное хозя́йство, а «совхо́з» — сове́тское хозя́йство, други́ми слова́ми — госуда́рственное предприя́тие.

Ми́ша: — Вот оно́ что. Посмотри́, что э́то за огро́мные маши́ны в по́ле? Вон — ви́дишь?

Anatoli: — Да, э́то на́ши колхо́зники комба́йнами кукуру́зу убира́ют.

Ми́ша: — Интере́сно, каки́е у вас есть фру́кты на Кавка́зе?

Anatoli: — Я́блоки, гру́ши, виногра́д, ви́шни — у нас почти́ всё хорошо́ растёт. А вот посмотри́: председа́тель колхо́за идёт нам навстре́чу.

Misha: How many kilometers are we from the kolkhoz?

Anatoli: We're already approaching it. These fields and orchards here belong to the kolkhoz.

Misha: I was recently told that there are "kolkhozes" and "sovkhozes." What's the difference between them?

Anatoli: Well, you see, a "kolkhoz" is a collective farm, but a "sovkhoz" is a soviet farm; in other words, it's a governmental enterprise.

Misha: So that's it. Look! What sort of huge machines are those in the field? Over there, see?

Anatoli: Yes, those are our collective farmers harvesting corn with combines.

Misha: It would be interesting to know what sort of fruit you have in the Caucasus.

Anatoli: Apples, pears, grapes, cherries—almost everything grows well here. Oh, look! The chairman of the kolkhoz is coming to meet us.

Председатель: — С приездом![1] Добро пожаловать!

Анатолий: — Здравствуй, Яким. Можно тебя познакомить с моим американским знакомым Мишей Ньютоном? А это, Миша, Яким Какабадзе.

Председатель: — Очень приятно. Давайте я познакомлю вас с достижениями советской сельскохозяйственной системы...

Анатолий: — Ну что ты, Яким! Без очковтирательства, пожалуйста! Скажи, мама где?

Председатель: — Кормит коров. Ну что ж... пойдёмте в хлев Покажу вам наш скот. Хотите?

Миша: — С удовольствием. Пойдёмте.

Chairman: How nice you've come![1] Welcome!

Anatoli: Hello, Yakim. May I introduce my American friend Misha Newton. Misha, this is Yakim Kakabadze.

Chairman: Pleased to meet you. Allow me to acquaint you with the achievements of the Soviet agricultural system...

Anatoli: Oh, come on, Yakim! Leave out the eye-wash, please! Tell me, where's Mama?

Chairman: She's feeding the cows. Well, O.K... let's go into the barn. I'll show you our livestock. Do you want to?

Misha: Very much. Let's go.

ТЕКСТ ДЛЯ ЧТЕНИЯ: Кавказ

Кавказ — это преимущественно горная[2] страна на юге СССР, которая омывается[3] на западе Чёрным и Азовским морями, а на востоке — Каспийским морем. Южная граница Кавказа соответствует государственной границе СССР с Турцией и Ираном.[4] На Кавказе есть девять гор, которые выше, чем Монблан.[5] Эльбрус — самая высокая гора в Европе — славится своей красотой, а гора

---

[1] **С приездом!**: *Literally,* "With arrival!"
[2] **горный**: mountainous
[3] **омывается (чем?)**: is bounded ("washed") by
[4] **Турция и Иран**: Turkey and Iran
[5] **Монблан**: Mt. Blanc

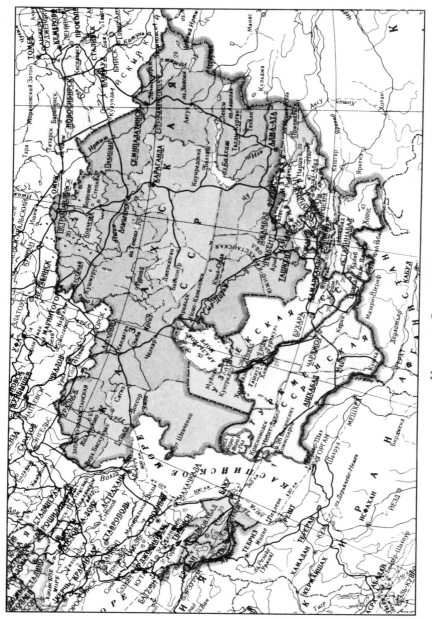

Кавказ и Средняя Азия.

Арара́т изве́стна всему́ ми́ру по библе́йской[6] исто́рии о но́евом ковче́ге.[7]

Населе́ние Кавка́за, кото́рое включа́ет в себя́ три́дцать одну́ национа́льность, достига́ет почти́ 10 миллио́нов челове́к. Эти лю́ди говоря́т на многочи́сленных кавка́зских, индоевропе́йских и алта́йских языка́х.[8]

Кли́мат и расти́тельность[9] Кавка́за разнообра́зны. Там, на верши́нах[10] высо́ких гор, лежа́т ве́чные снега́,[11] а в тёплых доли́нах созрева́ют не то́лько я́блоки, гру́ши, сли́вы, абрико́сы и пе́рсики, но та́кже и апельси́ны, лимо́ны и мандари́ны. На виногра́дниках собира́ют зелёный, ро́зовый и чёрный виногра́д,[12] из кото́рого де́лают замеча́тельные кавка́зские ви́на.

Террито́рия Кавка́за включа́ет в себя́ три сове́тские социалисти́ческие респу́блики: Грузи́нскую, Армя́нскую и Азербайджа́нскую.[13] Грузи́нская ССР (или про́сто Гру́зия) — э́то краси́вая го́рная страна́ с населе́нием приблизи́тельно в 4 миллио́на челове́к, из кото́рых 700 ты́сяч живу́т в столи́це — Тбили́си. Гла́вная у́лица э́того живопи́сного дре́внего го́рода но́сит и́мя грузи́нского поэ́та-гумани́ста[14] 12-го ве́ка Шота́ Руставе́ли. Большинство́ грузи́нских фами́лий име́ют оконча́ния « -шви́ли » или « -адзе », что соотве́тствует « -ович » или « -евич » в ру́сских о́тчествах. Кру́глый год сове́тские и иностра́нные тури́сты прово́дят свои́ отпуска́ и кани́кулы в таки́х грузи́нских города́х-куро́ртах на берегу́ Чёрного мо́ря как Га́гра, Со́чи и Суху́ми.

Азербайджа́нцы — э́то преиму́щественно мусульма́нский[15] наро́д туре́цкого происхожде́ния. Го́род Баку́, столи́ца Азербайджа́на, располо́женный пря́мо на берегу́ Каспи́йского мо́ря, — кру́пный центр нефтяно́й промы́шленности.[16]

Арме́ния — э́то дре́вняя страна́ с населе́нием приблизи́тельно в

---

[6] **библе́йский**: biblical

[7] **но́ев ковче́г**: Noah's Ark

[8] **кавка́зские, индоевропе́йские и алта́йские языки́**: Caucasian, Indoeuropean, and Altaic languages

[9] **расти́тельность**: vegetation, flora

[10] **верши́на**: summit

[11] **ве́чные снега́**: eternal snows

[12] **виногра́д**: grape(s) (*sing.* and *pl.*)

[13] **Грузи́нская, Армя́нская и Азербайджа́нская ССР**: Georgian, Armenian, and Azerbaijanian Republics

[14] **поэ́т-гумани́ст**: poet and humanist

[15] **мусульма́нский**: Moslem

[16] **нефтяна́я промы́шленность**: crude-oil industry

2 миллиóна человéк. Ереван, столица Армéнии, находится недалекó от границы с Турцией и Ираном. В Эчмиадзине, бывшей столице страны, можно увидеть одну из самых старых церквéй христианского[17] мира.

В старые временá Армéния былá под госпóдством[18] грузин; может быть поэтому, армяне и грузины до сих пор не очень любят друг друга. О спорах между армянами и грузинами расскáзывается в многочисленных анекдóтах и шутках.[19] Вот один из этих анекдóтов:

Однáжды между грузином и армянином завязáлся[20] спор. Один старáлся доказáть другóму превосхóдство[21] культýры своегó нарóда. Грузин говорил:

— Вот к нам приéхали археóлоги[22] — копáли, копáли, копáли и нашли кусóчек проволоки.[23]

— Что ж из этого? — спросил армянин.

— Как что? Тысячу лет томý назáд у нас был телеграф, а ты говоришь: « Что ж из этого »?

— Пустяки, — сказáл армянин. — У нас тоже копáли, копáли и... ничегó не нашли. Во!

— Ну вот видишь! — обрáдовался[24] грузин.

— Что «видишь»?— рассмеялся армянин. — У нас в то время ужé был беспрóволочный телеграф![25]

ВЫРАЖÉНИЯ

1. С добрым утром. — Good morning.
2. проводить (провести) время (отпуск, каникулы) — to spend one's time (leave, vacation)
3. Всё в порядке. — Everything is all right (in order).
4. Можно узнáть,...? — Might I ask...?
5. мы со знакóмым — a friend and I

---

[17] **христиáнский**: Christian
[18] **госпóдство**: rule, reign, domination
[19] **анекдóт**: anecdote; **шутка**: joke
[20] **завязáлся**: there arose
[21] **превосхóдство**: superiority
[22] **приéхали археóлоги**: archeologists came
[23] **кусóчек проволоки**: a little piece of wire
[24] **обрáдоваться**: to respond joyfully
[25] **беспрóволочный телеграф**: the wireless

6. Как живётся (кому?)?	How is (are)... getting along?
7. Имейте в виду,...	Keep in mind...
Надо иметь в виду,...	You have to keep in mind...
8. Это зависит от (кого? чего)...	That depends on...
9. Передайте (скажите), чтобы они... (*past tense of the verb*)	Tell them to...
10. Я (не) хочу, чтобы они... (*past tense of the verb*)	I (don't) want them to...
11. Какая разница между (кем? чем?) и (кем? чем?)?	What's the difference between... and...?
12. другими словами	in other words
13. Вот оно что.	So that's it.
14. идти (кому-нибудь) навстречу	to come toward, meet (someone)
15. С приездом!	How nice you've come!
16. Добро пожаловать!	Welcome!
17. Давайте я познакомлю вас с (кем? чем?)...	Let me introduce you to (acquaint you with)...
18. Без очковтирательства, пожалуйста!	Leave out the eye-wash, please.
19. Что ж из этого?	So what?
Как что?	What do you mean "so what?"
20. Пустяки!	That's nothing! Nonsense!
21. Во!	How about that!

ПРИМЕЧАНИЯ

Колхозы и совхозы

1. **Колхозы** — это деревенские коммуны, которые имеют свои дома, магазины, школы, библиотеки, больницы, театры и, в редких случаях, даже церковь. Колхозы получают от государства в аренду[26] земли, за что они ежегодно сдают государству определённое количество продуктов. Доходы колхозников зависят от качества и количества урожая в данном году. Большие сельскохозяйственные машины, которыми пользуются колхозники, арендуются у[27] так называемых МТС (машино-тракторных

---

[26] **получать в аренду от**: to lease from
[27] **арендуются у**: are leased from

станций). Кáждая колхóзная семья́ имéет прáво вырáщивать[28] óвощи на мáленьком учáстке земли́ (котóрый не принадлежи́т колхóзу) и продавáть их на базáрах[29] и в городáх. В СССР имéется приблизи́тельно 70 ты́сяч колхóзов.

2. **Совхóзами** называ́ются госудáрственные сельско-хозя́йственные предприя́тия. На совхóзах рабóчие и служáщие зарабáтывают[30] определённую мéсячную зарпла́ту:[31] други́ми слова́ми, их жалова́ние[32] не зави́сит от урожáя.[33] Кáждый совхóз имéет свои́ трáкторы, грузовики́, комбáйны и други́е кру́пные сельско-хозя́йственные маши́ны. В Совéтском Сою́зе имéется óколо 6 ты́сяч (шести́ ты́сяч) совхóзов.

ДОПОЛНИ́ТЕЛЬНЫЙ МАТЕРИА́Л

Фрукты

абрикóс	apricot
апельси́н	orange
виногрáд (*no pl.*)	grape(s)
ви́шня	cherry
гру́ша	pear
лимóн	lemon
мандари́н	tangerine
пéрсик	peach
сли́ва	plum
я́блоко (*pl.* я́блоки)	apple

Óвощи

баклажáн	eggplant
боб (*pl.* бобы́)	bean
горóх (*no pl.*)	pea(s)
капу́ста	cabbage

---

[28] **вырáщивать**: to raise, cultivate
[29] **базáр**: market place
[30] **зарабáтывать**: to earn
[31] **определённая мéсячная зарпла́та**: specific monthly wage
[32] **жалова́ние**: salary
[33] **урожáй**: harvest

цветна́я капу́ста	cauliflower
лук	onion
морко́вь (ж.)	carrot
огуре́ц (*pl.* огурцы́)	cucumber, pickle
помидо́р	tomato
сала́т	lettuce
свёкла	beet
сахарная свёкла	sugar beet

Ягоды

брусни́ка	cranberry
земляни́ка	wild strawberry
клубни́ка	strawberry
мали́на	raspberry
черни́ка	blackberry

Хлеб

кукуру́за	corn
пшени́ца	wheat
рожь (м.)	rye
ячме́нь (м.)	barley

Разные

виногра́дник	vineyard
огоро́д	vegetable garden
фрукто́вый сад	orchard
удобре́ние	fertilizer
выра́щивать/вырастить	to raise, cultivate
паха́ть (пашу́, пашешь, пашут)	to plow, cultivate
полива́ть/поли́ть	to water
ороша́ть/ороси́ть	to irrigate
спелый	ripe
зелёный (неспе́лый)	green (not ripe)
созрева́ть/созре́ть	to ripen

УПРАЖНÉНИЯ

A. Следуйте данным примéрам:

Примéр: I'm having a good time   **Я здесь хорошó провожý**
here.   **врéмя.**

1. He's having a good time here.
2. They're having a good time here.
3. We're having a good time here.
4. Are you (**ТЫ**) having a good time here?
5. Are you (**ВЫ**) having a good time here?

Примéр: He himself was born and   **Он сам родѝлся и вырос**
grew up on a farm.   **на фéрме.**

1. I myself was born and grew up on a farm.
2. She herself was born and grew up in the city.
3. They themselves were born and grew up in the south.

Примéр: I want you to call me.   **Я хочý, чтобы вы мне**
                                       позвонѝли.

1. He wants me to call him.
2. We want her to call us.
3. She wants you (**ВЫ**) to call her.

Примéр: It all depends on your   **Всё завѝсит от твоѝх**
friends.   **друзéй.**

1. It all depends on my brothers.
2. It all depends on our sisters.
3. It all depends on your parents.
4. It all depends on the weather.
5. It all depends on your plans.

Примéр: Tell my traveling com-   **Передáйте моѝм спýтникам,**
panions to eat without   **чтобы онѝ обéдали без меня́.**
me.

1. Tell my traveling companions to have breakfast without me.
2. Tell my traveling companions to go without me.
3. Tell my traveling companions to take in the sights of the city without me.

Пример: I'll return at 5:30.   **Я верну́сь в полови́не шесто́го.**

1. He'll return at 7:30.
2. They'll return at 8:30.
3. We'll return at 11:30.
4. Will you (**ты**) return at 1:30?
5. Will you (**вы**) return at 3:30?

Пример: We are one kilometer   **До Москвы́ остаётся**
from Moscow.   **оди́н киломе́тр.**

1. We are 22 kilometers from Leningrad.
2. We are 33 kilometers from Odessa.
3. We are 44 kilometers from the border.
4. We are 55 kilometers from the Caspian Sea.

Пример: Let me introduce you   **Дава́йте я познако́млю вас**
to my brothers.   **с мои́ми бра́тьями!**

1. Let me introduce you to my sons.
2. Let me introduce you to our children.
3. Let me introduce you to these people.

Пример: He found out whom you   **Он узна́л, кому́ вы**
called.   **звони́ли.**

1. She found out with whom you were there.
2. They found out about whom he said that.
3. We found out who wasn't there.
4. I found out who refused.

Пример: I didn't recognize you!   **Я вас не узна́л(а)!**

1. He didn't recognize me!
2. She didn't recognize him!
3. They didn't recognize her!

B. Use the correct form of the imperfective or perfective verb to translate the words in parentheses:

1.

возвращáться:	возвращáюсь, возвращáешься, возвращáются; Не возвращáйся!, -тесь!
вернýться:	вернýсь, вернёшься, вернýтся; Верни́сь!, -тесь!

a. — Я слышал(а), что вы скоро уезжáете на Кавкáз. Это правда?
   — Да, я уезжáю через 3 недéли.
   — А когдá вы (will return)?
   — Я (will return) 25-го áвгуста.
b. — Во скóлько вы обы́чно (return) домóй с рабóты?
   — Обы́чно я (return) в половúне шестóго, но сегóдня я (returned) немнóго рáньше — в чéтверть шестóго.
c. — Они́ ужé (have returned) с концéрта?
   — Да, (they have).
d. — Ивáн Петрóвич всегдá (returns) вóвремя?
   — Рáньше он всегдá (returned) вóвремя, а тепéрь он чáсто опáздывает.

2.

готóвить:	готóвлю, готóвишь, готóвят; Не готóвь(те)!
приготóвить:	приготóвлю, приготóвишь, приготóвят; Приготóвь(те)!

a. — Вáша мать чáсто (cooks) грузúнские блюда?
   — Нет, рéдко, но вчерá онá (cooked) нам óчень вкýсный пилáв.
b. — Вы ужé (have cooked) зáвтрак?
   — Нет, но я сейчáс егó (will prepare).
c. — Когдá ты (prepare) урóки: ýтром или вéчером?
   — Обы́чно я (prepare) их вéчером.
d. — Я надéюсь, что вы всегдá (will prepare) вáши урóки вóвремя.
   — Я бýду старáться, но обещáть не могý.

3.

старáться:	старáюсь, старáешься, старáются; Не старáйся! -тесь!
постарáться:	постарáюсь, постарáешься, постарáются; Постарáйся! -тесь!

a. — (Try) сдéлать это хорошó!
   — (I will). Я всегдá (try) дéлать всё как слéдует.
b. — (Will you try) кóнчить эту рабóту ещё сегóдня?
   — Да, (I will), но я сомневáюсь, что её сегóдня кóнчу.

c. — Мы всегда (try) делать только добро.

d. — Они долго (tried) решить эту задачу, но не могли.

4.	знать:	знаю, знаешь, знают; Знай(те)!
	узнать:	узнаю, узнаешь, узнают; Узнай(те)!

a. — Вы уже (know), что он вам купит?

— Ещё нет, но я завтра (will find out) от Тани. Она мне скажет!

b. — Откуда вы (found out), что я скоро уезжаю?

— Я только что (found out) об этом от вашего брата.

c. — Как ты (find out), где они живут?

— Ваня (will find out) и скажет мне.

d. — Вы мне не скажете, в котором часу они вернутся из колхоза?

— Нет, (I don't know), но я сейчас (will find out) и позвоню вам.

5.	узнавать:	узнаю, узнаёшь, узнают; Узнавай(те)!
	узнать:	узнаю, узнаешь, узнают; Узнай(те)!

a. — Я всегда (recognize) моих старых знакомых.

b. — Я его давно не видел. Боюсь, что я его (won't recognize).

c. — Володя видел тебя вчера в театре?

— По-моему, видел, но я сомневаюсь, что он меня (recognized).

d. — Я удивляюсь, что вы (recognized) моих родителей в толпе. Ведь вы только вчера с ними познакомились.

— Нет, что вы, мы давно знакомы!

6.	становиться:	становлюсь, становишься, становятся; Не становись!; -тесь!
	стать:	стану, станешь, станут; Стань(те)!

a. — Какая у вас теперь погода на востоке?

— Наступает лето. (It's getting) жарко.

b. — Когда (it got) темно, мы пошли домой.

c. — Ваши дочери (are getting to be) просто красавицами!

d. — Наши сыновья (will become) врачами, а наши дочери — медсёстрами.

e. — Кем он (became)?

— Он (became) археологом.

f. — Когда́ мы возвраща́лись домо́й с конце́рта, уже́ (was getting) холодно.

g. — Сего́дня ему́ плохо; завтра, наве́рно, (will become) ещё хуже.

7.

собира́ть:	собира́ю, собира́ешь, собира́ют; Не собира́й(те)!
собра́ть:	соберу́, соберёшь, соберу́т; Собери́(те)!

a. — Что (are picking) эти колхо́зники? абрико́сы или персики?
   — Наве́рно, персики; абрико́сы уже́ (have picked) в про́шлом месяце.

b. — Когда́ вы (will be picking) я́блоки?
   — Мы их (will pick) к концу́ сентября́.

c. — Сколько времени они́ (were picking) груши?
   — Около неде́ли.

d. — У вас в этом году́ много вишен?
   — Нет, мало; мама их уже́ (has picked).

8.

приглаша́ть:	приглаша́ю, приглаша́ешь, приглаша́ют; Не приглаша́й(те)!
пригласи́ть:	приглашу́, пригласи́шь, приглася́т; Пригласи́(те)!

a. — Мы наде́емся, что вы завтра вечером свобо́дны: мы хоти́м (invite) вас на обе́д.
   — С удово́льствием! — В кото́ром часу́?
   — Скажем, в полови́не восьмо́го.

b. — Вчера́ они́ нас (invited) на обе́д, но мы не могли́ пойти́.

c. — Мы почти́ каждую суббо́ту (invite) наших друзе́й к себе́ игра́ть в карты, но в эту суббо́ту мы никого́ не (will invite).

d. — Кого́ вы (will invite) на обе́д кроме меня́?
   — Я думаю, что (I will invite) Ива́на Куропа́ткина.
   — Прошу́ вас, (don't invite) его́! Он всё время говори́т только о своём здоро́вье!

9.

отка́зываться:	отка́зываюсь, отка́зываешься, отка́зываются; Не отка́зывайся!, -тесь!
отказа́ться:	откажу́сь, отка́жешься, отка́жутся; Откажи́сь! -тесь!

a. Если они́ меня́ приглася́т, я (won't refuse).

b. Мы его часто приглашаем, но он всегда (refuses).

c. Если они узнают, что и вы также будете у нас, то они (will not refuse).

d. Когда нас приглашали, мы никогда не (refused).

C. Form the plural in the dative case (дательный падеж):

1. Позвони {своему профессору / своему товарищу / своему учителю} сразу после обеда.

2. Я передам {вашему другу / вашему сыну / вашему брату}, чтобы он обедал без нас.

3. Я не завидую {этому человеку. / этому ребёнку.}

4. Эти вещи принадлежат {этой молодой даме. / этой красивой секретарше.}

5. Сколько лет {этой лошади? / их матери?}

6. По-моему, эта книга понравится {нашему дяде. / нашему отцу.}

D. Form the plural in the instrumental case (творительный падеж):

1. Студенты, кажется, довольны {экзаменом. / лекцией. / словарём.}

2. Он давно интересуется {этим предметом. / этим делом.}

3. Они были там вместе с отцом.

4. Между этим зданием и нашим домом — большой парк.

5. Мы живём в квартире над этим человеком.

6. Перед нашей фабрикой стоит несколько высоких деревьев.

7. Наш автомобиль стоит за вашим автомобилем.

8. Дети отдыхают под большим деревом.

E. Complete each sentence with **эти молоды́е лю́ди** in the correct case:

1. Вы зна́ете, когда́ верну́лись в гости́ницу _____ ?
2. _____ ка́жется, что всё зави́сит от нас, но э́то непра́вда.
3. Дава́й я познако́млю тебя́ с _____.
4. Мне жаль, что на́до отказа́ть _____. Призна́ться, они́ мне о́чень понра́вились.
5. Все бы́ли на ле́кции, кро́ме _____.
6. Мы _____ не пригласи́ли, потому́ что они́ сли́шком мно́го пьют.
7. Интере́сно, что вы там узна́ли об _____.

F. Complete each sentence by putting the word(s) in parentheses in the correct case:

1. Таки́е ма́ленькие магази́ны у нас называ́ются (ла́вки).
2. Мы о́чень ра́ды (ваш прие́зд)!
3. Фёдор Серге́евич получи́л но́вую рабо́ту. Мы так ра́ды за (он)!
4. Как живётся (ва́ши роди́тели) в Сиби́ри?
5. Вы идёте к (ва́ши но́вые друзья́)?
6. Э́та страна́ сла́вится (свои́ дре́вние це́ркви).
7. Мы счита́ем на́ших знако́мых (о́чень симпати́чные лю́ди).
8. Мне жаль (э́ти ма́льчики).
9. Я про́сто не ве́рю (свои́ глаза́)!
10. На́ши де́ти ещё говоря́т о (ва́ши вку́сные пирожки́).
11. На́ши сыновья́ пое́хали в го́род с (ва́ши до́чери).
12. Они́ не ви́дели (э́ти фи́льмы).
13. Они́ встре́тили (на́ши жёны) в го́роде.
14. Я покажу́ э́ти фотогра́фии (сёстры).
15. Мы до́лго гуля́ли по (ста́рые у́лицы) Тбили́си.
16. Ско́лько вре́мени вы путеше́ствовали по (э́ти стра́ны)?
17. Сади́тесь за (э́ти столы́)! За те́ми бу́дут сиде́ть го́сти.
18. За (э́ти дли́нные столы́) всегда́ мо́жно уви́деть студе́нтов.
19. Сади́тесь в (э́ти но́вые кре́сла) — ста́рые уже́ совсе́м плохи́е.
20. По (вечера́) мы люби́ли сиде́ть в (э́ти удо́бные кре́сла) и говори́ть о (ста́рые времена́).
21. Ма́льчики бегу́т под (высо́кие дере́вья).
22. Под (э́ти высо́кие дере́вья) прохла́дно; здесь мо́жно хорошо́ отдохну́ть!
23. Они́ до́лго отдыха́ли под (дере́вья) о́коло сара́я.

24. По (суббо́ты) мы ча́сто хо́дим к (сосе́ди).
25. По (воскресе́нья) мы хо́дим в це́рковь.

G. Отве́тьте на вопро́сы:

Приме́р: Куда́ вы несёте э́ти кни́ги?   **Я несу́ их в библиоте́ку.**
(библиоте́ка)

1. нести́ — носи́ть
a. Куда́ вы несёте э́ти словари́? (класс)
b. Куда́ ты несёшь э́ти пи́сьма? (по́чта)
c. Куда́ ма́льчик несёт э́ти я́блоки? (дом)
d. Куда́ де́ти несу́т э́ти ве́щи? (сара́й)

2. везти́ — вози́ть
a. Куда́ вы везёте э́ти о́вощи? (база́р)
b. Куда́ ты везёшь э́ти абрико́сы? (го́род)
c. Куда́ колхо́зник везёт виногра́д? (колхо́з)
d. Куда́ грузовики́ везу́т фру́кты? (село́)

3. вести́ — води́ть
a. Куда́ вы ведёте э́тих дете́й? (парк)
b. Куда́ ты ведёшь э́тих люде́й? (музе́й)
c. Куда́ доя́рка ведёт э́тих коро́в? (хлев)
d. Куда́ экскурсово́ды веду́т э́тих тури́стов? (Кра́сная пло́щадь)

H. Form the past tense:

1. Я несу́
   Он несёт ⎫ э́ти ве́щи
   Она́ несёт ⎬ домо́й.
   Мы несём ⎭

   Я обы́чно ношу́
   Он обы́чно но́сит ⎫
   Она́ обы́чно но́сит ⎬ их в портфе́ле.
   Мы обы́чно но́сим ⎭

2. Я везу́
   Он везёт ⎫ това́рищей
   Она́ везёт ⎬ в го́род.
   Мы везём ⎭

   Я обы́чно вожу́
   Он обы́чно во́зит ⎫ их на своём
   Она́ обы́чно во́зит ⎬ автомоби́ле.
   Мы обы́чно во́зим ⎭

3. Я веду́
   Он ведёт ⎫
   Она́ ведёт ⎬ дете́й в парк.
   Мы ведём ⎭

   Я обы́чно вожу́
   Он обы́чно во́дит ⎫ их туда́ по
   Она́ обы́чно во́дит ⎬ утра́м.
   Мы обы́чно во́дим ⎭

I. Переведи́те слова́ в ско́бках:

1. Он (is carrying) э́ти чемода́ны на вокза́л.
2. Я (am taking) э́ти кни́ги домо́й. Они́ нужны́ отцу́.
3. — Вы всегда́ (carry) ва́ши тетра́ди и блокно́ты в портфе́ле?
   — Нет, то́лько сего́дня. Обы́чно я (carry) их про́сто в рука́х.
4. — Роди́тели (are driving) мои́х бра́тьев в шко́лу.
   — Они́ ка́ждый день (take) их туда́?
   — Нет, обы́чно Бо́ря и Ва́ня е́здят на авто́бусе.
5. — Куда́ медсестра́ (is taking, leading) э́тих пацие́нтов?
   — В сад. Она́ ка́ждое у́тро (takes) их туда́; врачи́ хотя́т, что́бы они́ по утра́м лежа́ли на со́лнце.
6. — Куда́ вы (are taking, leading) э́тих дете́й?
   — Я (am taking) их в парк. Я всегда́ (take) их туда́ по суббо́там. Их роди́тели хотя́т, что́бы в э́тот день до́ма бы́ло ти́хо и споко́йно.
7. — Куда́ вы е́дете с э́тими людьми́?
   — Э́то америка́нские тури́сты. Я (am taking) их на аэропо́рт.
   — Вы ча́сто (take) тури́стов на аэропо́рт?
   — Нет, ре́дко. Обы́чно Воло́дя (takes) их. Э́то его́ де́ло, а не моё.
8. — Куда́ ты (are taking, leading) покупа́телей?
   — Вниз, к ка́ссе. Э́то иностра́нцы; они́ не зна́ют, как и где на́до плати́ть за поку́пки.[34]

J. Отве́тьте на сле́дующие вопро́сы:

1. Куда́ вы е́здили в про́шлом году́ в о́тпуск (на кани́кулы)? Как вы там проводи́ли вре́мя?
2. Где вы проведёте ваш о́тпуск (ва́ши кани́кулы) в э́том году́?
3. Где вы роди́лись и вы́росли?
4. Вы быва́ли когда́-нибудь в грузи́нском и́ли в армя́нском рестора́не?
5. Каки́е кавка́зские блю́да вы зна́ете?
6. Каки́е иностра́нные блю́да вам бо́льше всего́ нра́вятся?
7. Вы бы́ли когда́-нибудь в колхо́зе?
8. Каки́е фру́кты, о́вощи и я́годы расту́т в ва́шем шта́те?
9. Каки́е фру́кты расту́т во Флори́де и в ю́жной Калифо́рнии, но не расту́т в се́верных края́х?

---

[34] поку́пка: purchase

10. Где растёт хлеб (пшеница, ячмень, рожь и т. д.): в горах или полях?
11. Как называются сады, в которых растут фруктовые деревья?
12. Где растёт виноград?
13. Что делают из винограда?
14. Как называют женщин, которые доят коров?
15. Вы когда-нибудь доили корову?
16. От кого колхозники получают в аренду земли?
17. От чего зависят доходы колхозников?
18. Где колхозники продают продукты, которые они выращивают на своих участках?
19. Какая разница между колхозами и совхозами?
20. Когда созревают яблоки: зимой или летом?
21. Вы любите собирать яблоки? Какие яблоки вы любите больше всего?
22. Как называется машина, которой убирают хлеб?
23. Чем поливают овощи и цветы?
24. Вы предпочитаете зелёные или спелые яблоки?
25. Что вы отвечаете, когда вас спрашивают: « Хотите водки? »
26. Когда вас приглашают на обед, вы отказываетесь?
27. Если у вас нет автомобиля, кто возит вас в школу (в университет)?

Перевод

1. I refuse to answer that question.
2. I never go back on my word.
3. They refused to help me.
4. I don't think that he will refuse you this.
5. I want to write this letter today.
6. I want you to write this letter today.
7. Please tell my parents that I will come home at a quarter to five.
8. Do you want me to buy some bread? No, I want you to buy just butter.
9. I went to the store to buy a magazine and a newspaper.
10. Tell the children not to bother our neighbors.
11. I am very sorry for your brother.
12. She is very happy about your arrival.
13. We all consider him a good lawyer.
14. These machines are called "combines."

15. What is the difference between these dictionaries?
16. It's getting cool.
17. Do you like to ride horseback? No, I don't.
18. Last year my father and I went to the Crimea.
19. Who's that walking toward us? That's the chairman of the kolkhoz.
20. Welcome!

ГРАММА́ТИКА

Some New Verbs That Require Special Attention

1. **Отка́зывать/отказа́ть (кому́? в чём?)** "to refuse or deny (a person, something"):

Я наде́юсь, что вы мне в э́том не отка́жете.	I hope that you won't refuse me (in) this.
Нет, не откажу́.	No, I won't.
Пожа́луйста, помоги́те мне написа́ть э́тот перево́д.	Please help me write this translation.
К сожале́нию, я до́лжен вам в э́том отказа́ть.	Unfortunately, I must refuse you (in) this.

2. **Отка́зываться/отказа́ться (от чего́?)** "to refuse (something), turn (something) down." This reflexive verb is not used in reference to people:

Мы отка́зываемся от э́того предложе́ния.	We are turning down this suggestion.
Я до́лжен отказа́ться от ва́шего приглаше́ния.	I must turn down your invitation.
Он отказа́лся от по́мощи.	He refused help.
Я отка́зываюсь говори́ть!	I refuse to speak!
Он от своего́ сло́ва не отка́зывается.	He doesn't go back on his word.
Е́сли вас приглася́т на обе́д, не отка́зывайтесь!	If they invite you to dinner, don't refuse!
Нет, не откажу́сь.	No, I won't.
Ча́ю хоти́те?	Do you want some tea?
Не откажу́сь.	I don't mind if I do.

3. **Знать/узнáть** "to know, to find out":

Как вы об этом узнáли?	How did you find out about that?
Откýда они́ узнáли, что я был на концéрте?	How did they find out that I was at the concert?
От Бори́са.	From Boris.
Об этом вы узнáете завтра.	You find out about that to-morrow.

4. **Узнавáть/узнáть** "to recognize." **Знать** and **узнавáть** share the perfective verb **узнáть**. **Узнавáть** has *stressed* class I endings, while the endings of **узнáть** are not stressed:

узна	вáть	узнá	ть
узна	ю́	узнá	ю
узна	ёшь	узнá	ешь
узна	ю́т	узнá	ют

Note the following sentences:

Я всегдá узнаю́ её по гóлосу.	I always recognize her by her voice.
Если вы егó уви́дите, вы егó узнáете.	If you see him you will recognize him.
Он меня́ никогдá не узнавáл в этом костю́ме.	He never recognized me in this suit.
Я егó прóсто не узнáл.	I simply didn't recognize him.

Чтобы

This conjunction has two basic functions: used with the meaning "so that" or "in order to" it is followed by a verb infinitive. **Для тогó** is optional.

Они́ рабóтают, (для тогó) **чтобы жить.**	They work (in order) to live.
Я купи́л эту кни́гу, (для тогó) **чтобы показáть** её вам.	I bought this book so that I might show it to you.
Онá пошлá в магази́н, (для тогó) **чтобы купи́ть** словáрь.	She went to the store (in order) to buy a dictionary.

The **чтобы** phrase is used in answering the questions **Для чего?** or **Почему?** In answer to the questions **Где?** or **Кудá?**, **чтобы** is omitted:

Для чегó (почемý) Анна пошлá в магазин?	Why did Anna go to the store?
Онá пошлá тудá, (для тогó) **чтобы купить** словáрь.	She went there (in order) to buy a dictionary.
Где Анна?	Where is Anna?
Онá пошлá в магазин **купить** словáрь.	She's gone to the store to buy a dictionary.
Кудá Анна пошлá?	Where has Anna gone?
Онá пошлá в магазин **купить** словáрь.	She's gone to the store to buy a dictionary.

In sentences expressing the wish, desire, request, or reported command of one person to have *someone else* do something, Russians use **чтобы** followed by a verb in the *past tense*. The subject of the **чтобы** clause is normally a direct object in the equivalent English construction:

Когдá вы хотите, **чтобы** я это **сдéлал**?	When do you want me to do this?
Я хочý, **чтобы** он здесь **был** без чéтверти вóсемь.	I want him to be here at 7:45.
Скажите студéнтам, **чтобы** они **написáли** это упражнéние на зáвтра.	Tell the students to write this exercise for tomorrow.
Отéц говорит, **чтобы** ты **вернýлся** рáно.	Father says for you to return early.
Смотрите, **чтобы** ваши дéти бóльше не **приходили** сюдá!	See to it that your children don't come here any more!
Передáйте, **чтобы** они **обéдали** без меня.	Tell them to eat without me.

The Verbs of "Taking (Bringing, Carrying, Leading)"

Russian verbs of "taking" follow the same pattern as the verbs of "going," "running," and "flying." There are two verbs (*unidirectional and multidirectional*) for *carrying* (on foot), two for taking *by conveyance*, and two for *leading* (on foot).

1. **Нести́ — носи́ть**   to carry (take, bring) on foot

Unidirectional	Multidirectional	Perfective
нести́	**носи́ть**	**понести́**
несу́	ношу́	понесу́
несёшь	носишь	понесёшь
несу́т	носят	понесу́т

Past

нёс	носи́л	понёс
несла́	носи́ла	понесла́
несло́	носи́ло	понесло́
несли́	носи́ли	понесли́

Note the following sentences:

Куда́ вы **несёте** э́тот паке́т?	Where are you taking that package?
Я **несу́** его́ на по́чту.	I'm taking it to the post office.
Вы ча́сто **но́сите** паке́ты туда́?	Do you often take packages there?
Нет, обы́чно я **ношу́** то́лько пи́сьма.	No, usually I take only letters.

2. **Везти́ — вози́ть**   to take (bring, transport) by conveyance

Unidirectional	Multidirectional	Perfective
везти́	**вози́ть**	**повезти́**
везу́	вожу́	повезу́
везёшь	возишь	повезёшь
везу́т	возят	повезу́т

Past

вёз	вози́л	повёз
везла́	вози́ла	повезла́
везло́	вози́ло	повезло́
везли́	вози́ли	повезли́

Note the following sentences:

Куда́ вы **везёте** э́ти паке́ты?	Where are you taking those packages?

Я **везу́** их на по́чту.	I'm taking them to the post office.
Вы ка́ждый день **во́зите** туда́ пакéты?	Do you take packages there every day?
Нет, я ре́дко **вожу́**: обы́чно я их **ношу́**.	No, I seldom take them by vehicle: I usually take them on foot.

3. **Вести́ — води́ть**   to lead (conduct, bring along, take on foot)

Unidirectional	*Multidirectional*	*Perfective*
вести́	**води́ть**	**повести́**
веду́	вожу́[35]	поведу́
ведёшь	во́дишь	поведёшь
веду́т	во́дят	поведу́т

Past		
вёл	води́л	повёл
вела́	води́ла	повела́
вело́	води́ло	повело́
вели́	води́ли	повели́

Note the following sentences:

Куда́ вы **ведёте** этих детéй?	Where are you taking those children?
Я **веду́** их на вы́ставку.	I'm taking them to the exhibition.
Вы ча́сто **во́дите** их туда́?	Do you often take them there?
Нет, обы́чно я **вожу́** их в парк.	No, usually I take them to the park.

The Dative and Instrumental Plural

Nouns take the dative plural endings **-ам** (hard) or **-ям** (soft) and the instrumental plural endings **-ами** (hard) or **-ями** (soft):

1. Dative: **-ам**; instrumental: **-ами**

Nom. Sing.	ма́льчик —	ко́мнат а	окн ó	врем я
Dat. Pl.	ма́льчик ам	ко́мнат ам	óкн ам	врем ена́м
Inst. Pl.	ма́льчик ами	ко́мнат ами	óкн ами	врем ена́ми

---

[35] The first person singular of both **вози́ть** and **води́ть** is **вожу́**.

2. Dative: **-ям**; instrumental: **-ями**

Nom. Sing.	портфе́л ь	музе́ й	галере́ я	площад ь	здани е
Dat. Pl.	портфе́л ям	музе́ ям	галере́ ям	площад я́м	здани ям
Inst. Pl.	портфе́л ями	музе́ ями	галере́ ями	площад я́ми	здани ями

If the stress shifts to or from the ending in the nominative plural, this same shift normally also occurs in the dative, instrumental and prepositional plural. Feminine nouns are unreliable in this respect except for those in which **e** becomes **ё** (see lesson 20):

Nom. Sing.	*Nom. Pl.*	*Dat. Pl.*	*Inst. Pl.*	*Prep. Pl.*
врач	врачи́	врача́м	врача́ми	врача́х
гриб	грибы́	гриба́м	гриба́ми	гриба́х
дождь	дожди́	дождя́м	дождя́ми	дождя́х
жена́	жёны	жёнам	жёнами	жёнах
сестра́	сёстры	сёстрам	сёстрами	сёстрах
о́зеро	озёра	озёрам	озёрами	озёрах
письмо́	пи́сьма	пи́сьмам	пи́сьмами	пи́сьмах
мо́ре	моря́	моря́м	моря́ми	моря́х
а́дрес	адреса́	адреса́м	адреса́ми	адреса́х
учи́тель	учителя́	учителя́м	учителя́ми	учителя́х

Nouns with any sort of irregularity in the nominative plural normally have the same irregularity in the dative, instrumental and prepositional plural (the genitive must be considered separately):

Nom. Sing.	*Nom. Pl.*	*Dat. Pl.*
америка́нец	америка́нцы	америка́нцам
пирожо́к	пирожки́	пирожка́м
це́рковь[36]	це́ркви	церква́м
па́лец	па́льцы	па́льцам
день	дни	дням
брат	бра́тья	бра́тьям

---

[36] Note that the nominative/accusative and genitive plural endings of **це́рковь** (**це́ркви**, **церкве́й**) are soft, while the other plural endings are hard (**церква́м**, **церква́ми**, **церква́х**).

стул	сту́лья	сту́льям
лист	ли́стья	ли́стьям
друг	друзья́	друзья́м
муж	мужья́	мужья́м
сын	сыновья́	сыновья́м
де́рево	дере́вья	дере́вьям
перо́	пе́рья	пе́рьям
у́хо	у́ши	уша́м
зна́мя	знамёна	знамёнам
англича́нин	англича́не	англича́нам
крестья́нин	крестья́не	крестья́нам
господи́н	господа́	господа́м
мать	ма́тери	матеря́м
дочь	до́чери	дочеря́м
ребёнок	де́ти	де́тям
челове́к	лю́ди	лю́дям

Inst. Pl.	*Prep. Pl.*
америка́нцами	америка́нцах
пирожка́ми	пирожка́х
церква́ми	церква́х
па́льцами	па́льцах
дня́ми	днях
бра́тьями	бра́тьях
сту́льями	сту́льях
ли́стьями	ли́стьях
друзья́ми	друзья́х
мужья́ми	мужья́х
сыновья́ми	сыновья́х
дере́вьями	дере́вьях
пе́рьями	пе́рьях
уша́ми	уша́х
знамёнами	знамёнах
англича́нами	англича́нах
крестья́нами	крестья́нах
господа́ми	господа́х
матеря́ми	матеря́х
дочерьми́	дочеря́х
детьми́	де́тях
людьми́	лю́дях

Three feminine nouns which end in **-ь** may take the instrumental plural endings **-ьми** or **-ями**:

Nominative Singular	Nominative Plural	Instrumental Plural
дверь	двери	дверьми́ дверя́ми
дочь	дочери	дочерьми́ дочеря́ми
лошадь	лошади	лошадьми́ лошадя́ми

The nouns **дети** and **люди** take the ending **-ьми** only:

Nominative Singular	Nominative Plural	Instrumental Plural
ребёнок	дети	детьми́
челове́к	люди	людьми́

Adjectives take the dative plural endings **-ым** (hard) or **-им** (soft) and the instrumental plural endings **-ыми** (hard) or **-ими** (soft). In addition, Spelling Rule 1 is always observed.

1. Adjectives:

	Hard	Soft	Spelling Rule I
Nom. Pl.	нов ый	древн ий	хоро́ш ий
Dat. Pl.	нов ым	древн им	хоро́ш им
Inst. Pl.	нов ыми	древн ими	хоро́ш ими

2. Demonstrative adjectives/pronouns:

Nom. Pl.	эти	те
Dat. Pl.	этим	тем
Inst. Pl.	этими	теми

3. **Все**:

Nom. Pl.	все
Dat. Pl.	всем
Inst. Pl.	всеми

4. Possessive adjectives/pronouns:

Nom. Pl.	мо й	тво й	наш и	ваш и
Dat. Pl.	мо йм	тво йм	наш им	ваш им
Inst. Pl.	мо йми	тво йми	наш ими	ваш ими

Note the uses of the *dative case*:

First, review lesson 17.

There are verbs that take dative objects only (prefixes in parentheses indicate perfective forms):

1. **обещáть**   to promise

> Я **вам** обещáю, что это так бу́дет.

2. **принадлежáть**   to belong to

> Эта маши́на принадлежи́т **мои́м роди́телям**.

3. **соотвéтствовать**   to correspond to, conform to

> Ваши планы не соотвéтствуют **нáшим**.

4. **отвечáть/отвéтить**   to answer

> Профéссор отвечáет **студéнтам** на вопрóсы.

5. **помогáть/помóчь**   to help

> Помоги́те **этим лю́дям**!

6. **(по)зави́довать**   to envy

> Я **ему́** не зави́дую.

7. **(по)мешáть**   to disturb

    Не мешáйте **мне**!

8. **(по)нрáвиться**   to appeal to

    Вы очень понрáвились **нашим детям**.

9. **(по)совéтовать**   to advise

    Что вы посовéтуете **мне** купи́ть?

10. **(по)звони́ть**   to call, phone

    Я **ей** сегóдня позвоню́.

11. **(на)учи́ться**   to learn

    Мы учимся **ру́сскому языкý**.

The dative is used in the following expressions:

Мы **рáды** вашим успéхам.[37]	We are happy about your success.
Нам **порá** (идти́)!	It's time for us to go.
Мне **жаль** егó.	I'm sorry for him.
Как им **живётся**?	How are they getting along?
по понедéльникам (и т. д.)	on Mondays (etc.)
по утрáм (вечерáм, ночáм)	in the morning (evening, night)

Note the uses of the *instrumental case*:
First, review lesson 18 and 19.
These are verbs that take instrumental objects only:

1. **горди́ться**   to be proud of

    Вы мóжете горди́ться **вашими детьми́**.

2. **руководи́ть**   to direct, supervise

    Кто здесь руководи́т **рабóтой**?

3. **прáвить**   to drive, operate

    Вы умéете прáвить **автомоби́лем**?

---

[37] But **Мы рáды за вас** (*acc.*): We are happy for you!

4. **занимáться/заня́ться**   to study, occupy oneself with

> Я занимáюсь **спортом**.[38]

5. **(вос)пóльзоваться**   to use, make use of

> **Каки́ми словаря́ми** вы пóльзуетесь?

6. **(о)владéть**   to have (a) command of

> Он владéет **нескóлькими языкáми**.

7. **(за)интересовáться**   to be interested in

> Они́ интересýются **рáзными вещáми**.

8. **(про)слáвиться**   to be famous, renowned for

> Эльбрýс слáвится **своéй красотóй**.

9. **считáть(ся)**   to consider, (be considered) to be

> Мы считáем егó **хорóшим врачóм**.
> Они́ считáются **хорóшими писáтелями**.

The verbs **называ́ться/назвáться** and **(на)звáть** formerly required that the name be given in the instrumental case; now proper nouns may be given in the nominative, but under all other circumstances the instrumental is used:

> Эта цéрковь называ́ется храм Васи́лия Блажéнного
> (хрáмом Васи́лия Блажéнного).
> Егó зовýт Ивáн (Ивáном).

But:

> « Совхóзами » называ́ются госудáрственные
> сельскохозя́йственные предприя́тия.
> Деревéнские коммýны называ́ются « колхóзами ».

The imperfective form of **стать** is **станови́ться**:

Imperfective: **станови́ться**	*Perfective:* **стать**
я становлю́сь	стáну
ты станóвишься	стáнешь
они́ станóвятся	стáнут

---

[38] Note also: **Чем вы занимáетесь?** What do you do for a living?

1. Use without the instrumental:

Стано́вится хо́лодно.	It's getting cold.
Ста́ло тепло́.	It got warm.

2. Use with the instrumental:

Он стано́вится бога́тым челове́ком.	He's getting to be a rich man.
Я хочу́ стать врачо́м.	I want to become a physician.
Он ста́нет адвока́том.	He's going to become a lawyer.
Они́ о́ба ста́ли учителя́ми.	They both became teachers.

Learn the following new expressions:

други́ми слова́ми	in other words
идти́ (ходи́ть) пешко́м	to go on foot
е́хать (е́здить) верхо́м	to ride horseback
мы с бра́том	my brother and I
мы с сестро́й	my sister and I
мы с друзья́ми	my friends and I

The Case of Adjectives Used in Combination with
the Numerals 2, 3, and 4

After the numerals 2, 3, and 4, adjectives which modify masculine or neuter nouns take *genitive plural* endings; those which modify feminine nouns take *nominative plural* endings:

оди́н	большо́й дом	одно́	большо́е окно́
два три четы́ре	} больши́х до́ма	два три четы́ре	} больши́х окна́
пять	больши́х домо́в	пять	больши́х о́кон

одна́	больша́я кни́га
две три четы́ре	} больши́е кни́ги
пять	больши́х кни́г

СЛОВÁРЬ

абрикóс	apricot
апельсúн	orange
армянúн (*pl.* армя́не)	Armenian
блю́до (*pl.* блю́да)	dish, food
везтú (*unidirectional*) (I)	to convey, transport, take, bring (by vehicle)
везу́, везёшь, везу́т; вёз, везлá, везлó, везлú (*pf.* повезтú)	
вернýться (I)	*pf. of* возвращáться
вернýсь, вернёшься, вернýтся	
вестú (*unidirectional*) (I)	to conduct, lead, take, bring
ведý, ведёшь, ведýт; вёл, велá, велó, велú (*pf.* повестú)	
винó (*pl.* вúна)	wine
виногрáд (*no pl.*)	grape, grapes
виногрáдник (на виногрáднике)	vineyard
вúшня (*gen. pl.* вишен)	cherry
включáть (I) (*pf.* включúть)	to include
включáть в себя́	to take in, consist of, include
включúть (II)	*pf. of* включáть
водúть (*multidirectional*) (II)	to conduct, lead, take, bring
вожý, вóдишь, вóдят (*pf.* повестú)	
возвращáться (I) (*pf.* вернýться)	to return (*intransitive*)
возúть (*multidirectional*) (II)	to convey, transport, take, bring (by vehicle)
вожý, вóзишь, вóзят (*pf.* повезтú)	
вы́копать (I)	*pf. of* копáть
вы́расти (I)	*pf. of* растú
вы́русту, вы́растешь, вы́растут; вы́рос, вы́росла, вы́росло, вы́росли	
гранúца	border
грузúн (*gen pl.* грузúн)	Georgian
грузúнский	Georgian (*adj.*)
грýша	pear
доказáть (I)	*pf. of* докáзывать
докажý, докáжешь, докáжут	
докáзывать (I) (*pf.* доказáть)	to prove
долúна	valley
достигáть (когó? чегó?) (I) (*pf.* достúгнуть)	to achieve, attain, reach
достúгнуть (когó? чегó?) (I)	*pf. of* достигáть
достúгну, достúгнешь, достúгнут; достúг, достúгла, достúгло, достúгли	
дохóд(ы)	income
дойть (II)	to milk

доя́рка	milkmaid
ежего́дно	yearly, annually
знако́мить (II)	to acquaint
знако́млю, знако́мишь, знако́мят (*pf.* познако́мить)	
зави́сеть (II)	to depend
зави́шу, зави́сишь, зави́сят (*no pf.*)	
ка́чество	quality
когда́-нибудь	ever
коллекти́вный	collective
коли́чество	quantity
комба́йн	combine
комму́на	commune
копа́ть (I) (*pf.* вы́копать)	to dig
корми́ть (II)	to feed
кормлю́, ко́рмишь, ко́рмят (*pf.* накорми́ть)	
коро́ва	cow
красота́	beauty
кукуру́за	corn
ло́шадь (ж.)	horse
мандари́н	tangerine
навстре́чу	from the opposite direction
идти́ (кому́-либо) навстре́чу	to walk up to, meet
накорми́ть (II)	*pf. of* корми́ть
накормлю́, нако́рмишь, нако́рмят	
нести́ (*unidirectional*) (I)	to carry, take, bring (on foot)
несу́, несёшь, несу́т; нёс, несла́, несло́, несли́ (*pf.* понести́)	
определённый	specific
оста́ться (I)	*pf. of* остава́ться
оста́нусь, оста́нешься, оста́нутся	
отказа́ть (I)	*pf. of* отка́зывать
откажу́сь, отка́жешься, отка́жутся (от чего́?)	
отказа́ться (I)	*pf. of* отка́зываться
откажу́сь, отка́жешься, отка́жутся (от чего́?)	
отка́зывать (I) (кому́? в чём?) (*pf.* отказа́ть)	to deny, refuse (someone something)
отка́зываться (I) (от чего́?) (*pf.* отказа́ться)	to turn down, refuse (something)
очковтира́тельство	eye-wash
пе́рсик	peach
план	plan
подойти́ (I)	*pf. of* подходи́ть
подойду́, подойдёшь, подойду́т	

подъе́хать (I)	*pf. of* подъезжа́ть
подъе́ду, подъе́дешь, подъе́дут	
подъезжа́ть (I) (*pf.* подъе́хать)	to drive up to, approach
поря́док	order
Всё в поря́дке.	Everything is in order (fine).
после́довать (I)	*pf. of* сле́довать
постара́ться (I)	*pf. of* стара́ться
предприя́тие	enterprise
преиму́щественно	essentially, principally, basically
председа́тель (м.)	chairman
пригласи́ть (II)	*pf. of* приглаша́ть
приглашу́, пригласи́шь, приглася́т	
приглаша́ть (I) (*pf.* пригласи́ть)	to invite
пригото́вить (II)	*pf. of* гото́вить
пригото́влю, пригото́вишь, пригото́вят	
прие́зд	arrival
принадлежа́ть (кому́?) (II)	to belong (to)
провести́ (I)	*pf. of* проводи́ть
проведу́, проведёшь, проведу́т; провёл, провела́, провело́, провели́	
проводи́ть (II)	to lead through
провожу́, прово́дишь, прово́дят (*pf.* провести́)	
проводи́ть отпуск (время, кани́кулы)	to spend one's leave (time, vacation)
происхожде́ние	origin, descent, extraction
Он (она́, они́) русского происхожде́ния.	He (she, they) is (are) of Russian descent.
просла́виться (чем?) (II)	*pf. of* сла́виться
просла́влюсь, просла́вишься, просла́вятся	
разница	difference
разнообра́зный	various, diverse
сара́й	barn (for hay, equipment, etc.)
сдава́ть (I)	to deliver, yield, surrender
сдаю́, сдаёшь, сдаю́т (*pf.* сдать)	
сдать	*pf. of* сдава́ть
сдам, сдашь, сдаст, сдади́м, сдади́те, сдаду́т	
систе́ма	system
скот	livestock, cattle
скота́, скоту́, скот,ското́м, James ско́те	
сла́виться (чем?) (II)	to be famous (for)
сла́влюсь, сла́вишься, сла́вятся (*pf.* просла́виться)	
славный	nice, fine

следовать (I) (*pf.* послéдовать)	to follow
Он делает всё как следует.	He does everything as one should.
слива	plum
служащий	clerk
собирáть (I) (*pf.* собрáть)	to pick, gather
собрáть (I)	*pf. of* собирáть
соберý, соберёшь, соберýт	
совхóз	sovkhoz (governmental farm)
созревáть (I) (*pf.* созрéть)	to ripen
созрéть (I)	*pf. of* созревáть
созрéю, созрéешь, созрéют	
соотвéтствовать (I) (комý? чемý?) (*no pf.*)	to correspond (to), suit
спелый	ripe
спор	quarrel
спутник	satellite, traveling companion
степь (ж.)	steppe
старáться (I) (*pf.* постарáться)	to try, endeavor
телегрáф	telegraph
убирáть (I) (*pf.* убрáть)	to harvest
убрáть (I)	*pf. of* убирáть
уберý, уберёшь, уберýт	
узнавáть (I)	to recognize
узнаю́, узнаёшь, узнаю́т (*pf.* узнáть)	
узнáть (I)	*pf. of* узнавáть
узнáю, узнáешь, узнáют	
учáсток (*pl.* учáстки)	part, piece (of land)
фрукт	fruit
фруктóвый сад	orchard
хлев	barn (for livestock)
яблоко (*pl.* яблоки)	apple

Двадцать пятый урок

РАЗГОВÓР: **Председáтель колхóза покáзывает своúм гостя́м живóтных**[1]

Якúм: — Интерéсно, какóе у вас впечатлéние о нашей странé?

Yakim: It would be interesting to know what impression you have of our country.

Миша: — Ещё рано судúть, но я бы сказáл, что услóвия жизни в СССР в óбщем выше, чем я себé раньше представля́л.

Misha: It's still too early to judge, but I would say that living conditions in the U.S.S.R. are, in general, higher than I formerly imagined.

---

[1] **Живóтное** is a neuter adjective that serves as a noun. Only in the *plural* is it declined as an *animate* adjective (*accusative*: **живóтных**).

Анато́лий: — По сравне́нию с на́шей жи́знью при Ста́лине, у нас тепе́рь настоя́щий рай.

Яки́м: — Да, с тех пор, как у́мер наш « дорого́й оте́ц и учи́тель », на́ша жизнь постепе́нно стано́вится лу́чше.

Ми́ша: — Вы бы́ли знако́мы со Ста́линым?

Яки́м: — Да. Мы да́же учи́лись вме́сте в шко́ле. Я был бы о́чень рад, е́сли бы Сосо́ Джугашви́ли[2] роди́лся не в Гру́зии, но факт остаётся фа́ктом.

Анато́лий: — Где же ты был, Яки́м, во вре́мя ста́линского терро́ра?

Яки́м: — У меня́, сла́ва Бо́гу, был блат,[3] без кото́рого я, наве́рно, поги́б бы. Но дава́йте поговори́м о бо́лее прия́тных веща́х: вот на́ши коро́вы и теля́та.

Ми́ша: — Куда́ их сейча́с веду́т доя́рки?

Яки́м: — Обра́тно в по́ле. Их уже́ подои́ли и накорми́ли.

Ми́ша: — Мне ка́жется, что ва́ши коро́вы поме́ньше на́ших в Соединённых Шта́тах.

Яки́м: — Ви́дите ли, э́то осо́бая поро́да коро́в; они́ ме́ньше ро́стом, но зато́ они́ здорове́е

Anatole: In comparison with our life during Stalin's time, we now have a genuine paradise.

Yakim: Yes, since our "dear father and teacher" died, our life has been getting gradually better.

Misha: Were you acquainted with Stalin?

Yakim: Yes. We even went to school together. I would be very happy if only Soso Dzhugashvili had not been born in Georgia, but a fact's a fact.

Anatole: Where were you, Yakim, during the "Stalin terror?"

Yakim: I, thank the Lord, had "blat," without which I undoubtedly would have perished. But let's talk about more pleasant things: here are our cows and calves.

Misha: Where are the milkmaids taking them now?

Yakim: Back to the field. They have already milked and fed them.

Misha: It seems to me that your cows are a bit smaller than ours in the United States.

Yakim: Well, you see, this is a special breed of cows; they are smaller in size, but to make up

---

[2] Настоя́щее и́мя Ста́лина бы́ло Ио́сиф Виссарио́нович Джугашви́ли. Его́ това́рищи по па́ртии зва́ли его́ « Сосо́ ».

[3] See **Примеча́ния**, p. 569.

и даю́т почти́ сто́лько же молока́, ско́лько и бо́лее кру́пные коро́вы.

Ми́ша: — А ку́ры у вас, я ви́жу, таки́е же, как и у нас.

Анато́лий: — Ку́ры везде́ одина́ковые. Скажи́, Яки́м, почему́ ма́мы нигде́ не ви́дно? Куда́ она́ пропа́ла?

Яки́м: — Уже́ двена́дцатый час. Она́, вероя́тно, либо[4] гото́вит обе́д, либо полива́ет о́вощи в огоро́де.

Анато́лий: — В тако́м слу́чае, я пойду́ поздоро́ваться с ней.

Яки́м: — Хорошо́. Как то́лько я покажу́ твоему́ знако́мому ове́ц, свине́й и гусе́й, я напра́влю его́ к вам.

Анато́лий: — Ла́дно. До обе́да.

for it they are healthier and give almost as much milk as larger cows do.

Misha: I see you have the same kind of chickens as we do.

Anatole: Chickens are the same everywhere. Tell me, Yakim, why isn't Mama anywhere to be seen? Where has she disappeared to?

Yakim: It's after eleven already. She probably is either cooking dinner or watering the vegetables in the garden.

Anatole: In that case, I'll go and say "hello" to her.

Yakim: All right. As soon as I have shown your friend the sheep, pigs and geese, I'll send him to you.

Anatole: O.K. See you at dinner.

ТЕКСТ ДЛЯ ЧТЕНИЯ: География СССР

Сою́з Сове́тских Социалисти́ческих Респу́блик — са́мая больша́я страна́ в ми́ре — занима́ет бо́льшую террито́рию, чем Соединённые Шта́ты Аме́рики, Кана́да и Ме́ксика вме́сте. СССР простира́ется[5] приблизи́тельно на 10 ты́сяч киломе́тров[6] от са́мой кра́йней восто́чной то́чки Сиби́ри до за́падной грани́цы, а от побере́жья Се́верного Ледови́того океа́на до ю́жной грани́цы с Ира́ном и Афганиста́ном — приблизи́тельно на 4 ты́сячи. На восто́ке СССР со́лнце восхо́дит и захо́дит[7] на 11 часо́в ра́ньше, чем на за́паде.

От Владивосто́ка до Москвы́ приблизи́тельно тако́е же расстоя́ние,

---

[4] **либо..., либо...**: или..., или...

[5] **простира́ться**: to extend

[6] **1 киломе́тр** = 0,62137 ми́ли

[7] **Со́лнце восхо́дит и захо́дит**: The sun rises and sets.

В оазисах Средней Азии хорошо растёт хлопок.

как от эква́тора[8] до по́люса.[9] В то время как стре́лки[10] Кремлёвских часо́в в Москве́ пока́зывают по́лдень, во Владивосто́ке уже́ 7 часо́в ве́чера. (Интере́сно отме́тить, что ра́зница во вре́мени ме́жду Москво́й и Ло́ндоном всего́ 2 часа́!)

Террито́рия СССР простира́ется на два контине́нта (на полови́ну европе́йского и одну́ треть азиа́тского) и явля́ется по сравне́нию с други́ми европе́йскими и азиа́тскими стра́нами, са́мым бли́зким сосе́дом Соединённых Шта́тов. От кра́йней восто́чной грани́цы Сиби́ри до Аля́ски всего́ 56 миль.

Сове́тский Сою́з разделя́ется на[11] не́сколько климати́ческих зон. На кра́йнем се́вере лежи́т ту́ндра. Э́то са́мый холо́дный и суро́вый край страны́. Здесь из-за хо́лода о́чень небольшо́е населе́ние и бе́дная расти́тельность.[12] В Арктике кру́глый год снег и лёд. Полго́да не ви́дно со́лнца; то́лько вре́мя от вре́мени я́рко вспы́хивает[13]

---

[8] **эква́тор**: equator
[9] **по́люс**: pole
[10] **стре́лка**: pointer, hand (of a clock)
[11] **разделя́ться на**: to be divided into
[12] **бе́дная расти́тельность**: sparse vegetation
[13] **вспы́хивать**: to flash, light up

северное сияние.[14] Зимóй 1933-го года в Оймякóне температýра снизилась до 67,7[15] градуса ниже нуля. Летом же солнце совсéм не захóдит, и день продолжáется несколько месяцев.

На юг от тундры начинáется огрóмная зóна лесóв — тайгá.[16] В тайгé много диких зверéй: медвéдей, волкóв, лисиц и т. д. Здесь живýт охóтники и лесники. Зимá в тайгé теплéе, чем в тундре, но всё же очень холóдная.

К югу от тайги простирáются от Алтáя до западной границы СССР безграничные степи, котóрые нерéдко упоминáются[17] в произведéниях русских писáтелей. Почва в степях плодорóдная; говорят, что нет более плодорóдной почвы, чем чернозём[18] украинских степéй. Климат на Украине мягче, чем в северных краях страны; здесь много огорóдов и фруктóвых садóв.

Совéтская Средняя Азия — странá гор, долин, пустынь и оáзисов. В пустынях, котóрые начинáются к востóку от Каспийского моря, климат очень сухóй, но в оáзисах, где можно пахáть и орошáть земли, хорошó растёт хлопок[19] (так называемое « белое золото »), рис,[20] сахарная свёкла, картóфель. Самый большóй оáзис — Ферганская долина, котóрая прохóдит через все четыре респýблики Средней Азии: Узбéкскую, Таджикскую, Туркмéнскую и Киргизскую. В Средней Азии выращивают также виногрáд, занимáются шелковóдством, садовóдством и скотовóдством.[21] Здесь разводят[22] цéнные порóды овéц, здесь же пасýтся[23] и верблюды, котóрые в пустыне являются рабóчими живóтными. В Туркмéнской респýблике разводят прекрáсных лошадéй, а на склóнах[24] гор Киргизской респýблики, котóрые покрывáются богáтыми горными лугáми, пасýтся всё лето колхóзные и совхóзные стадá. Зимóй они спускáются в более тёплые долины.

---

[14] **северное сияние**: the northern lights
[15] **снизилась до шестидесяти семи и семи десятых градуса ниже нуля**: dropped to −67.7°C. (−89.9°F.)
[16] **тайгá**: taiga
[17] **упоминáться**: to be mentioned
[18] **чернозём**: black earth
[19] **хлопок**: cotton
[20] **рис**: rice
[21] **шелковóдство, садовóдство и скотовóдство**: silk worm culture, horticulture, and cattle-breeding
[22] **разводить**: to breed
[23] **пастись (пасётся, пасýтся)**: to graze
[24] **склон**: slope

В ю́жной части Кавка́за, в Закавка́зье,[25] кли́мат субтропи́ческий. Здесь хорошо́ расту́т апельси́ны, лимо́ны, мандари́ны, па́льмы, ка́ктусы, таба́к и чай.

Вопро́сы

1. Кака́я страна́ бо́льше: Соединённые Шта́ты или Сове́тский Сою́з?
2. На ско́лько часо́в ра́ньше всхо́дит (захо́дит) со́лнце на восто́ке, чем на за́паде СССР?
3. Кака́я ра́зница во вре́мени ме́жду Владивосто́ком и Москво́й?
4. Что тако́е ту́ндра?
5. Мо́жно ли ви́деть се́верное сия́ние там, где вы живёте?
6. Ско́лько вре́мени продолжа́ется зима́ на кра́йнем се́вере СССР?
7. Как называ́ется зо́на лесо́в на юг от ту́ндры?
8. Кто живёт в тайге́?
9. Где тепле́е: в ту́ндре или в тайге́?
10. Что тако́е чернозём?
11. Где начина́ются пусты́ни Сре́дней Азии?
12. Что растёт в оа́зисах Сре́дней Азии?
13. Как называ́ется са́мый большо́й оа́зис Сре́дней Азии?
14. Чем занима́ются лю́ди в Сре́дней Азии?
15. Каки́х живо́тных разво́дят в Сре́дней Азии?
16. Почему́ зимо́й стада́ спуска́ются в доли́ны?
17. Как называ́ется ю́жная часть Кавка́за?
18. Како́й там кли́мат?

ВЫРАЖЕ́НИЯ

1. Како́е у вас впечатле́ние о (ком? чём?) — What is your impression of...?
2. Ещё ра́но суди́ть. — It's still too early to judge.
3. по сравне́нию с (кем? чем?) — in comparison with
4. с тех пор, как — since (the time that)
5. Факт остаётся фа́ктом. — A fact's a fact.

---

[25] **Закавка́зье**: Transcaucasia

6. столько же, сколько (и)   as much as
7. Почемý (когó? чегó?) не   Why is... nowhere to be seen?
    видно?

8. такóй ⎫
   такáя ⎪
         ⎬ же..., как (и)...
   такóе ⎪
   такúе ⎭
    just as... as..., the same kind of... as... (*adjectival construction*)

9. так же..., как (и)...   just as... as... (*adverbial construction*)

10. Кудá ⎧ он пропáл?
         ⎪ онá пропáла?
         ⎨ онó пропáло?
         ⎩ онú пропáли?
    Where ⎧ has he ⎫
         ⎨ has she ⎬ disappeared to?
         ⎩ has it / have they ⎭

11. Солнце всходит (захóдит).   The sun rises (sets).
12. Интерéсно отмéтить, что...   It is interesting to note that...
13. разница во времени (между)   the difference in time (between)
14. время от времени   from time to time
15. всё же (*или* тем не менее)   nevertheless

ПРИМЕЧÁНИЯ

1. **Сталин (Иóсиф Висаррióнович Джугашвúли)** родúлся в 1879 годý в Тбилúси и умер в 1953-м годý в Москвé.
2. **Блат**: "Blat" is a slang word which means much the same as "string-pulling," "pull," or "good connections." "Blat" is practiced extensively by individuals, factory managers, and chairmen, etc., on nearly all levels of Soviet society. A person who is especially adept at "blat" is called a **толкáч** ("pusher"). "Blat" and "tolkachí" are not officially sanctioned, but unofficially they are recognized as a necessary evil in the bureaucratic Soviet system.
3. **Тундра**: The tundra is a treeless plain in northern Russia. It comprises approximately 10 percent of the total land surface of the country and is very sparsely populated.
4. **Тайгá**: The taiga is an enormous coniferous forest zone in the far northern regions of Europe, Asia, and North America.
5. **Степь**: The Russian steppe is a huge plain which extends through the Ukraine and Central Asia. Much of the steppe is extremely fertile; the black earth (**чернозём**) region of the Ukraine is called the "bread basket of Russia" (**житница Россúи**).

6. **Ферга́нская доли́на**: The Fergana Valley is about 8000 square miles in area. The desert in the center of the valley is surrounded by a very fertile oasis which is the leading cotton-producing region of the U.S.S.R.
7. **Закавка́зье**: Transcaucasia is bounded on the north by the Caucasus Mountains, on the south by the frontiers of Turkey and Iran, and on the east and west by the Caspian and Black Seas. The region comprises the republics of Georgia, Armenia and Azerbaidzhan.

ДОПОЛНЙТЕЛЬНЫЙ МАТЕРИА́Л

Дома́шние живо́тные и пти́цы[26]

1. **соба́ка**　dog
a. пёс (*pl.* псы)　dog
b. щено́к (щенка́; *pl.* щеня́та, щеня́т)　puppy
c. ла́ять　to bark

Соба́ка ла́ет.

2. **ко́шка** (*pl.* ко́шки, ко́шек)　cat
a. кот (*pl.* коты́)　tomcat
b. котёнок (котёнка; *pl.* котя́та, котя́т)　kitten
c. мяу́кать　to meow

Ко́шка мяу́кает.

d. мурлы́кать　to purr

Ко́шка мурлы́кает.

3. **ло́шадь** (*pl.* ло́шади, лошаде́й, лошадя́м, лошадьми́, лошадя́х) horse
a. конь　steed
b. жеребе́ц (*pl.* жеребцы́)　stallion
c. кобы́ла　mare
d. жеребёнок (жеребёнка; *pl.* жеребя́та, жеребя́т)　colt
e. коню́шня (*pl.* коню́шни, коню́шен)　stable

---

[26] Irregular forms given in parentheses are (1) genitive singular, (2) nominative plural, and (3) genitive plural (and in some instances dative, instrumental and prepositional).

f. ржать[27]   to neigh

Лóшадь ржёт.

4. **корóва**   cow
a. бык (*pl.* быкú)   bull
b. телёнок (телёнка; *pl.* телńта, телńт)   calf
c. мычáть[28]   to moo

Корóва мычúт.

5. **овцá** (*pl.* óвцы, овéц)   sheep
a. барáн   ram
b. ягнёнок (ягнёнка; *pl.* ягнńта, ягнńт)   lamb
c. блéять   to bleat

Овцá блéет.

6. **свиньń** (*pl.* свúньи, свинéй)   pig
a. бóров   hog
b. поросёнок (поросёнка; *pl.* поросńта, поросńт)   piglet
c. хрńкать   to grunt

Свиньń хрńкает.

7. **кýрица** (*pl.* кýры, кур, кýрам)   chicken
a. петýх (*pl.* петухú)   rooster
b. цыплёнок (цыплёнка; *pl.* цыплńта, цыплńт)   chick
c. кудáхтать   to cluck

Кýрица кудáхчет.

d. кукарéкать   to crow

Петýх кукарéкает.

e. ку-ка-ре-кý!   cock-a-doodle-doo!

8. **ýтка** (*pl.* ýтки, ýток)   duck
a. сéлезень (сéлезня; *pl.* сéлезни, сéлезней)   drake

---

[27] **Ржать** is also used colloquially with the meaning "to laugh very loudly": **Чегó ты ржёшь?**

[28] **Мычáть** is also used colloquially with the meaning "to mumble": **Чегó ты мычúшь?**

b. утёнок (утёнка; *pl.* утя́та, утя́т) duckling
c. кря́кать to quack

Утка кря́кает.

9. **индю́шка** (*pl.* индю́шки, индю́шек) turkey
a. индю́к gobbler
b. индéйка turkey meat
c. кулды́кать to gobble

Индю́к кулды́кает.

10. **гусь** (м.) (*pl.* гуси, гусéй, гуся́м) goose
a. гусы́ня female goose
b. гогота́ть to honk

Густь гогóчет.

Совéтские респу́блики и их столи́цы

Респу́блики	Столи́цы
РСФСР (Росси́йская Совéтская Федерати́вная Социалисти́ческая Респу́блика)	Москвá
Укрáинская ССР	Киев
Белору́сская ССР	Минск
Молдáвская ССР	Кишинёв
Эстóнская ССР	Тáллин
Латви́йская ССР	Ри́га
Литóвская ССР	Ви́льнюс
Грузи́нская ССР	Тбили́си
Армя́нская ССР	Еревáн
Азербайджáнская ССР	Баку́
Казáхская ССР	Алмá-Атá
Туркмéнская ССР	Ашхабáд
Кирги́зская ССР	Фру́нзе
Узбéкская ССР	Ташкéнт
Таджи́кская ССР	Душанбé

УПРАЖНÉНИЯ

A. Следуйте данным примéрам:

Примéр: I would say that this is true.

Я бы сказáл(а), что это правда.

1. I would say that that is not true.
2. I would say that that is fine.
3. I would say that that is bad.
4. I would say that that is not necessary.

Примéр: That would be nice.

Это было бы хорошó.

1. That would be interesting.
2. That would be boring.
3. That would be a real pity.
4. That would be very complicated.

Примéр: Our life is getting better.

Наша жизнь станóвится лучше.

1. Our life is getting worse.
2. Our life is getting easier.
3. Our life is getting simpler.
4. Our life is getting shorter.

Примéр: I would be very glad if you were here!

Я был(á) бы очень рад(а), если бы вы были здесь!

1. He would be very glad if she were here!
2. They would be very glad if he were here!
3. We would be very glad if they were here!

Примéр: Let's talk about more pleasant things.

Давáйте поговорѝм о более прия́тных вещáх.

1. Let's talk about more important things.
2. Let's talk about more interesting things.
3. Let's talk about more serious things.

Примéр: Ivan is one year older than I am.

Ивáн старше меня́ нá год.

1. Ivan is two years older than she is.

2. Ivan is four years older than you (**ты**) are.
3. Ivan is five years older than you (**вы**) are.

Пример: Why is Mama nowhere to be   **Почему́ ма́мы нигде́ не**
seen?   **видно ?**

1. Why is Sergei nowhere to be seen?
2. Why is the professor nowhere to be seen?
3. Why is the salesman nowhere to be seen?
4. Why is the chairman nowhere to be seen?

Пример: It's getting warmer and   **Стано́вится всё тепле́е**
warmer.   **и тепле́е.**

1. It's getting cooler and cooler.
2. It's getting hotter and hotter.
3. It's getting colder and colder.

Пример: Where has Ivan disappeared to?   **Куда́ Ива́н пропа́л ?**

1. Where has Olga disappeared to?
2. Where have the Petrovs disappeared to?
3. Lord knows where he has disappeared to!

B. Give the correct form of the perfective or imperfective verb:

оставаться:	остаю́сь, остаёшься, остаю́тся; остава́лся, -лась, -лось, -лись; Не оставайся! Не оставайтесь!
1. ———	
остаться:	остану́сь, оста́нешься, оста́нутся; оста́лся, -лась, -лось, -лись; Оста́нься! Оста́ньтесь!

a. Я не хочу́ бо́льше здесь (stay).
b. Я не могу́ себе́ предста́вить, почему́ вы здесь (stay).
c. Я (will stay) здесь до двух часо́в. Тогда́ я пойду́ на ле́кцию.
d. — Почему́ тебе́ на́до бы́ло (stay) в аудито́рии по́сле ле́кции сего́дня ?
    — Мне на́до бы́ло поговори́ть с профе́ссором.

e. — Вы до́лго (will stay) здесь ?
    — То́лько до понеде́льника.

f. Пожа́луйста, (stay) здесь до того́, как Воло́дя вернётся. Мне на́до с ва́ми поговори́ть.

2.

(себе́) представля́ть:	представля́ю, представля́ешь, представля́ют; Не представля́й(те) (себе́)!
(себе́) предста́вить:	предста́влю, предста́вишь, предста́вят; Предста́вь(те) (себе́)!

To imagine (with себе́):

a. Там лю́ди живу́т ещё ху́же, чем я себе́ ра́ньше (imagined).

b. В э́том году́ мы провели́ о́тпуск на Кавка́зе. Тру́дно себе́ (imagine) таки́е высо́кие го́ры!

c. (Imagine) себе́! Э́ти студе́нты у́чатся ру́сскому языку́ всего́ два семе́стра и уже́ говоря́т по-ру́сски, как настоя́щие ру́сские!

d. Не (imagine) себе́, что по́чва в степя́х неплодоро́дная.

e. Не могу́ себе́ (imagine), почему́ он её лю́бит!

To introduce (without себе́):

a. — Е́сли вы хоти́те, я вам (will introduce) председа́теля э́того колхо́за.

— Хорошо́. Я мно́го хоро́шего слы́шал о нём.

b. — Почему́ ты никогда́ не (introduce) меня́ свои́м това́рищам?

— Бою́сь, что они́ тебе́ не понра́вятся.

c. Вчера́ Фе́дя (introduced) меня́ свои́м сосе́дям. Они́ мне о́чень понра́вились.

3.

погиба́ть:	погиба́ю, погиба́ешь, погиба́ют
поги́бнуть:	поги́бну, поги́бнешь, поги́бнут; поги́б, поги́бла, поги́бло, поги́бли

a. На за́падном фро́нте ка́ждый день (perish) ты́сячи солда́т.

b. Без бла́та я, наве́рно, (would have perished).

c. Бог зна́ет, ско́лько люде́й (perished) во вре́мя Второ́й мирово́й войны́.

d. Мать бои́тся, что её сын на войне́ (will perish).

4.

здоро́ваться:	здоро́ваюсь, здоро́ваешься, здоро́ваются
поздоро́ваться:	поздоро́ваюсь, поздоро́ваешься, поздоро́ваются

a. — Вы зна́ете э́тих люде́й, кото́рые (are greeting) с Ивано́выми?

— Да, э́то Бори́с и Тама́ра Куприны́, сосе́ди Мака́ровых.

b. — Куда́ вы идёте?

— Я (am going to say "hello") с Мака́ровыми и пото́м пойду́ в столо́вую.

c. — Почему́ Ва́ни не ви́дно?

— Он (said hello) с Мака́ровыми и пошёл в столо́вую. Вы то́же хоти́те (greet) с ни́ми?

— С удово́льствием.

	становиться:	становлю́сь, стано́вишься, стано́вятся
5.		
	стать:	ста́ну, ста́нешь, ста́нут; стал, ста́ла, ста́ло, ста́ли

a. Мой сын хо́чет (to become) врачо́м.

b. На́ши усло́вия жи́зни (are getting) лу́чше.

c. (It is getting) холодне́е.

d. Вчера́ (it got) тепле́е.

e. На́ши до́чери все (will become) учи́тельницами.

f. Я, ка́жется, (became) ли́бо умне́е, ли́бо про́сто ста́рше.

C. For the dash substitute the verb:

Приме́р: Сове́тский Сою́з — са́мый близкий сосе́д Соединённых Шта́тов. → **Сове́тский Сою́з явля́ется са́мым близким сосе́дом Соединённых Шта́тов.**

1. Ту́ндра — са́мый холо́дный край страны́.
2. Тайга́ — са́мая широ́кая зо́на лесо́в ми́ра.
3. Ферга́нская доли́на — са́мый большо́й оа́зис Сре́дней А́зии.
4. В пусты́не верблю́ды — рабо́чие живо́тные.

D. Change to the plural:

Приме́р: Никола́ев мне нра́вится. → **Никола́евы мне нра́вятся.**

1. Куда́ пропа́л Никола́ев?
2. Мы бы́ли вчера́ у Никола́ева.
3. Они́ сего́дня помога́ют Никола́еву.
4. Мы давно́ знако́мы с Никола́евым.
5. Како́е у вас впечатле́ние о Никола́еве?
6. Мы ча́сто хо́дим к Никола́еву.
7. Без Никола́ева мы не пое́дем.
8. Председа́тель почему́-то недово́лен Никола́евым.

E. Change from the passive to the active voice:

> *Пример:* Мой рабочий день   **Я начинаю работать**
>   начинается в   **в восемь часов**
>   восемь часов утра.   **утра.**

1. Мой рабочий день кончается в пять часов вечера.
2. Моя работа сегодня начнётся в половине девятого.
3. Моя работа сегодня кончится без четверти пять.
4. Их работа продолжается до шести.
5. Наш разговор продолжался до конца собрания.

F. Change to the simple comparative:

> *Пример:* Этот автомобиль **новый**.   Этот автомобиль **новее**.

1. Этот дом **старый**.
2. Эта река **длинная**.
3. Это упражнение **трудное**.
4. Этот пирожок **вкусный**.
5. Сегодня погода **холодная**.
6. Этот пакет **тяжёлый**.
7. Эта вода **горячая**.
8. Эти дети **весёлые**.
9. Этот студент **здоровый**.

G. Complete each sentence with the comparative of the adjective in the first clause:

> *Пример:* Эта девушка **красивая**, а та ещё **красивее**.

1. Этот человек интересный, а тот ещё _____ .
2. Эти люди приятные, а те ещё _____ .
3. Вчера было прохладно, а сегодня ещё _____ .

H. Change to the compound comparative:

> *Пример:* Этот урок **труднее**.   Этот урок более **трудный**.

1. Эта квартира **красивее**.
2. Это здание **новее**.

3. Погода теперь **холоднее**.
4. Эти дела **важнее**.

I. Complete each sentence with the comparative of the adjective in the first clause:

Пример: Этот дом **большой**, а тот ещё **больше**.

1. Этот автомобиль **маленький**, а тот ещё _____.
2. Эта гора **высокая**, а та ещё _____.
3. Это озеро **глубокое**, а то ещё _____.
4. Этот человек **богатый**, а тот ещё _____.
5. Эти поля **широкие**, а те ещё _____.
6. Эта шляпа **дорогая**, а та ещё _____.
7. Этот галстук **дешёвый**, а тот ещё _____.
8. Этот стол **низкий**, а тот ещё _____.
9. Эта улица **узкая**, а та ещё _____.
10. Этот карандаш **короткий**, а тот ещё _____.

J. Change from **чем** to the genitive:

Пример: Иван старше, **чем Борис.**   Иван старше **Бориса.**

1. Владимир моложе, **чем Сергей.**
2. Волга шире и длиннее, **чем Дон.**
3. Этот урок легче, **чем двадцать четвёртый.**
4. Этот человек толще, **чем мой отец.**
5. Ваши очки лучше, **чем мой.**
6. Эти чернила чернее, **чем те.**

K. Complete each sentence with the comparative of the adverb in the first clause:

Пример: Он говорит хорошо, но она **говорит ещё лучше.**

1. Они приходят сюда **часто**, но он _____.
2. Сегодня **жарко**, но завтра будет _____.
3. В этих краях **сухо**, но в пустыне _____.
4. Ты живёшь **близко** от моря, но мы _____.
5. Я живу **далеко** от центра города, но они _____.
6. Он работает **много**, но она _____.
7. Мы говорим **мало**, но они _____.
8. Я встаю **рано**, но муж _____.

L. Translate the words in parentheses:

1. Вам надо рабóтать (a little bit more).
2. Говорńте (a little bit louder)! Я вас плóхо слышу.
3. Алексáндр Петрóвич (much older than) своéй женú.
4. В тундре (much colder), чем в степńх.
5. Погóда станóвится (much warmer).
6. Рекá станóвится (much wider).
7. Дáйте мне (as much money as possible)!
8. Приходńте к нам (as often as possible).
9. Пойдёмте (as soon as possible).
10. Когдá вы уезжáете? (As early as possible).
11. Скóлько денег вам нужно? (As much as possible).
12. Ваши дети (just as smart as ours).
13. Наши услóвия жизни (just as high as theirs).
14. Пóчва в этих краńх (just as fertile as in the South).
15. Я живý в (the same kind of house as you do).
16. Онá кýпńла (the same kind of hat as my wife did).

M. Use the indicated words to complete the following sentences:

1. (бóлее дешёвый словáрь)
a. Вот вам _____.
b. Покажńте, пожáлуйста, _____.
c. У вас нет _____?
d. Мы пóльзуемся _____.
e. Вы не найдёте этого слóва в _____.

2. (бóлее интерéсные вещи)
a. Жаль, что в этом магазńне нет _____.
b. Я люблю _____.
c. Обы́чно я занимáюсь _____.
d. Давáйте поговорńм о _____.
e. У вас так мнóго _____!

N. Change to the comparative word which is opposite in meaning:

Примéр: Эта рекá мéльче той. **Эта рекá глубже той.**

1. Эти горы **ниже** тех.
2. Эти книги **дорóже** тех.
3. Улицы в этом гóроде **ýже**, чем в нáшем.

4. Упражнёния в этом урóке **труднёе**, чем в двадцать четвёртом.
5. Эти студéнты рабóтают **бóльше** вас.
6. Мы приходи́ли **раньше**, чем он.
7. Он не говори́т **лу́чше**, чем онá.
8. Ваш дом **новée** нáшего.
9. Здесь кóфе продаётся **дешéвле**, чем чай.
10. В óбщем лю́ди на ю́ге живу́т **беднée**, чем на сéвере.
11. Эта проблéма ещё **сложнée**.
12. Мы тепéрь живём **дáльше** от университéта.
13. Этот ромáн **длиннée** « Войны́ и ми́ра ».
14. Мой пакéт **тяжелée** твоегó.

O. Слéдуйте дáнному примéру:

Прмиéр: Дон — дли́нная рекá.   Вóлга **длиннée** Дóна.
Енисéй ещё **длиннée**.
Обь — **самая дли́нная** рекá
Совéтского Сою́за.

1. Канáда — большáя странá.
a. Соединённые Штáты _____ .
b. Китáй _____ .
c. Совéтский Сою́з _____ странá в ми́ре.

2. Иссы́к-Куль — глубóкое óзеро.
a. Каспи́йское мóре _____ .
b. Байкáл _____ óзеро в ми́ре.

P. Читáйте:

Умирáл[29] стáрый узбéк, у котóрого бы́ло три сы́на. Сыновья́
стоя́ли вокру́г отцá и слу́шали егó послéднее желáние.[30]

— Остáвлю[31] вам семнáдцать верблю́дов, — сказáл стари́к.
— Раздели́те наслéдство[32] так: полови́на наслéдства — стáршему
сы́ну, треть — срéднему, девя́тая часть — млáдшему.

Сказáл и у́мер. Так пéред сыновья́ми стáла задáча. Семнáдцать
нельзя́ раздели́ть ни нá два, ни нá три, ни на дéвять частéй.

---

[29] **умирáть/умерéть** (умру́, умрёшь, умру́т; у́мер, умерлá, у́мерло, у́мерли):
to die
[30] **послéднее желáние**: last wish
[31] **оставля́ть/остáвить**: to leave
[32] **Раздели́те наслéдство**: Divide the inheritance

В это время проезжал мимо них дервиш. Дервиш — это мусульманский монах.[33] Он поздоровался с сыновьями и спросил, в чём дело. Они ему и рассказали. Он посоветовал:

— Возьмите моего верблюда. Теперь у вас не семнадцать верблюдов, а восемнадцать. Половина наследства — девять верблюдов, треть — шесть, а девятая часть — два. А теперь сложите[34] числа:

половина	9
треть	6
девятая часть	2
	17

— Что такое? — спросил дервиш. — Остаётся один верблюд. Кажется, мой верблюд не нужен. Каждый из вас и без него получит свою часть наследства.

Все сыновья были довольны решением дервиша, который улыбнулся[35] и простился[36] с ними.

Q. Следуйте данным примерам:

Пример: Это хорошо.   **Это было хорошо.**
                            Это будет хорошо.
                            Это было бы хорошо.

1. Это плохо.
2. Это интересно.
3. Это прекрасно.
4. Это скучно.

Пример: Интересно с ними   **Было бы интересно с ними**
познакомиться.   **познакомиться.**

1. Скучно весь день сидеть дома.
2. Неинтересно всю жизнь жить в одном и том же[37] месте.

---

[33] **монах:** monk
[34] **сложите:** add
[35] **улыбаться/улыбнуться:** to smile
[36] **прощаться/проститься:** to say good-by
[37] **одно и то же:** one and the same

Пример: Он хочет поехать с вами. — **Он хотел бы поехать с вами.**

1. Она хочет поговорить с председателем.
2. Они хотят познакомиться с Ивановыми.
3. Я хочу показать вам наших лошадей.
4. Петровы хотят поздороваться с нашими соседями.

Пример: Если он получит деньги, он купит эту машину. — **Если бы он получил деньги, он купил бы эту машину.**

1. Если ты мне напишешь, я сразу отвечу на твоё письмо.
2. Если у меня будет время, я вам помогу сделать этот перевод.
3. Если тебе нужны будут деньги, я их тебе дам.
4. Если вы пойщете наверху, вы найдёте эту книгу.
5. Если я его сегодня встречу, я скажу ему, что вы здесь.
6. Если у него не будет блата, он, наверно, погибнет.
7. Если вы интересуетесь животными, я покажу вам наш скот.
8. Если вы будете на съезде, я тоже поеду.

Пример: Я хочу отдохнуть. — **Отдохнуть бы!**

1. Я хочу поехать в отпуск.
2. Я хочу поговорить с вами.
3. Я хочу выпить.

R. Ответьте на следующие вопросы:

1. Какое у вас впечатление о романах Достоевского?
2. Какое у вас впечатление о русской музыке?
3. Какое у вас впечатление об условиях жизни в Советском Союзе?
4. По вашему мнению, в какой стране условия жизни выше: в СССР или в Китае?
5. По вашему мнению, в какой стране условия жизни ниже: в Канаде или в Индии?
6. Вы знаете настоящее имя Ленина? А Сталина?
7. Как звали товарищи по партии Сталина?
8. Где родился Сталин? В каком году он родился? Где и когда он умер?
9. Что больше: корова или овца?
10. Что меньше: гусь или утка?
11. На каких животных можно ездить верхом? Вы любите ездить верхом?

12. Какие птицы любят плавать? (swim)

13. Какóе живóтное хрюкает? Какóе мурлы́кает? Какóе лает? Какóе ржёт? Какóе мычит?

14. Какáя птица гогóчет? Какáя крякает? Какáя кулды́кает? Какáя кукарéкает?

15. Какáя респýблика нахóдится дáльше на востóк: Эстóнская или Казáхская?

16. Какóй гóрод нахóдится ближе к Москвé: Ташкéнт или Хельсинки?

17. Где растёт хлопок: на сéвере или на юге?

18. Где холоднéе: в тундре или в Закавкáзье?

19. Как называются гóрные местá, где пасýтся стадá?

20. Какá рекá длиннéе: Дон или Вóлга?

21. Какóе мóре шире: Арáльское или Каспийское?

22. Что дорóже: меховы́е шáпки или галстуки?

23. Что свéтит ярче: сóлнце или лунá?

24. Какóй премьéр был тóлще: Стáлин или Хрущёв?

25. Где сýше: в горáх или в пусты́не?

26. Где обы́чно бывáет теплéе: в долинах или в горáх?

27. У когó бóлее тяжёлая рабóта: у библиотéкарши или у колхóзника?

28. Что мягче: стул или крéсло?

29. Когдá сóлнце всхóдит позднéе: лéтом или зимóй?

30. Какáя рáзница во врéмени мéжду Нью-Йóрком и Сан-Франциско?

31. Скóлько респýблик включáет в себя́ СССР?

32. В какóм штáте США хорошó виднó сéверное сия́ние?

33. Éсли бы у вас бы́ло мнóго дéнег, что вы купили бы?

34. Éсли бы вы могли быть другим человéком, кем вы хотéли бы быть?

35. Éсли бы вы могли сегóдня дéлать что угóдно, что вы дéлали бы?

36. Éсли бы у вас сейчáс бы́ли каникулы, где вы их провели бы?

37. Как сказáть по-рýсски:

   a. It's too early to judge.

   b. Why is your brother nowhere to be seen?

   c. He works from time to time.

   d. There were just as many people there as here.

   e. Just imagine!

Устный перевод

1. — Где вы проведёте свой летний отпуск в этом году?

   In the country. At my parents'.

2. — Где они живут?

   On a kolkhoz to the north of Kiev. My father is chairman of the kolkhoz.

3. — Там сеют[38] пшеницу?

   Yes, they sow wheat, rye, and barley. The soil there is very fertile.

4. — Как урожай[39] в этом году?

   They say even better than last year.

5. — Какие овощи там выращивают?

   Carrots, cabbage, cucumbers, sugar beets. There, everything grows well.

6. — А фрукты?

   They pick cherries in June, apricots and peaches in August, and apples in September. Their fruit is tastier than ours.

7. — Там орошают поля и фруктовые сады?

   No, it isn't necessary, although I would say that it rains less often there than here in the north. Sometimes they have to water the vegetables in the vegetable gardens.

8. — Каких животных разводят в колхозе?

   Various breeds of horses, cows, sheep, and pigs.

9. Ваша мать помогает отцу по работе?

   Yes, my mother works not only in the house, but (**но и также**) in the garden and in the vegetable garden, and helps milk the cows and feed the livestock.

10. — Как я хотел бы поехать туда вместе с вами!

    That's all right. You'll soon have a vacation, too. And yours is much longer than mine.

11. — Знаю, знаю. Скажите, сколько на ваших?

    Twelve-twenty.

12. — Мне пора на службу. До свидания, и счастливого пути.

Письменный перевод

1. If you want to go with him, don't be late!

---

[38] **сеять**: to sow
[39] **урожай**: harvest, crop

2. If I'm not mistaken, Andrei is ten years older than I am.
3. We decided to go on vacation with (**со**) all our children.
4. I would like very much to see the Fergana Valley in Central Asia.
5. Do you like animals? I like dogs very much, but I don't like cats at all.
6. The northern lights are not visible in the south.
7. If they ask me, I will tell them where you are.
8. If they had asked me, I would have told them where you were.
9. If you write to me, I will answer your letter.
10. If you had written to me, I would have answered your letter.
11. The chairman of the kolkhoz wants you to be here tomorrow at twenty minutes to eight.
12. It's hard to judge, but I would say that you speak English better than Pyotr Andreevich.
13. I speak French better than German.
14. My father is thirty years older than she is.
15. My mother is twenty-one years younger than hers.
16. I would like to buy an even more expensive balalaika than this.
17. This is the best balalaika that we have. It costs 50 rubles.
18. It seems to me that your borshch is tastier than theirs. How do you prepare it?
    I can't tell you. It's a secret.
19. Sasha is the worst student in the entire school.
20. I don't want the larger (or largest) part.
21. I'll take the smaller (or smallest) pirozhok.
22. You should work a little bit faster. The chairman is watching you.
23. How much bread do you want?
24. Today it was just as hot at the beach as in the mountains.
25. Why didn't you show up at work on time today?
    I was tired.

ГРАММА́ТИКА

Verbs

Note the masculine past tense without **-л**:

to take (by conveyance)	везти́: вёз, везла́, везло́, везли́
to take (on foot)	нести́: нёс, несла́, несло́, несли́
to perish (*perfective*)	погибнуть: погиб, погибла, погибло, погибли

to die (*perfective*)   умере́ть: умер, умерла́, умерло, умерли

Начина́ть/нача́ть, конча́ть/ко́нчить, and **продолжа́ть/продо́лжить**
must have a direct object

$$
\text{Мы} \begin{Bmatrix} \text{начина́ем} \\ \text{конча́ем} \\ \text{продолжа́ем} \end{Bmatrix} \text{уро́к.} \qquad \text{We} \begin{Bmatrix} \text{begin} \\ \text{finish} \\ \text{continue} \end{Bmatrix} \text{the lesson.}
$$

$$
\text{Мы} \begin{Bmatrix} \text{начнём} \\ \text{ко́нчим} \\ \text{продо́лжим} \end{Bmatrix} \text{заня́тия.} \qquad \text{We} \begin{Bmatrix} \text{will begin} \\ \text{will finish} \\ \text{will continue} \end{Bmatrix} \text{our studies.}
$$

or be used with another verb (of the *imperfective aspect only*; they are never
used with perfective verbs):

Я сейча́с ко́нчу чита́ть.	I'll finish reading right away.
Он уже́ на́чал писа́ть письмо́.	He has already begun to write the letter.
Они́ продолжа́ют разгова́ривать.	They keep on talking.

The reflexive forms of these verbs are used in passive constructions. They
may neither take direct objects nor be used with other verbs:

На́ша рабо́та обы́чно начина́ется в во́семь, но сего́дня она́ начнётся (начала́сь) без че́тверти во́семь.	Our work usually begins at eight, but today it will begin (began) at quarter to eight.
Наш уро́к обы́чно конча́ется без десяти́ два, но сего́дня он ко́нчится (ко́нчился) в два.	Our lesson usually is over at ten minutes to two, but today it will be over (was over) at two.
Обы́чно фи́льмы продолжа́ются то́лько два часа́, но э́тот продолжа́лся четы́ре.	Usually films last only two hours, but this one lasted four.

The perfective verb **продо́лжить(ся)** is seldom used.
    The verb pair **явля́ться/яви́ться** is used in formal writing with the

meaning "to be." The predicate noun or adjective is in the instrumental case (but sometimes the *subject* follows the verb):

СССР явля́ется самым близким сосéдом США.	The U.S.S.R. is the nearest neighbor of the U.S.A.
В пусты́не верблю́ды явля́ются рабóчими живóтными.	In the desert camels are work animals.
Замечáтельным памятником церкóвной архитектýры 16-го века явля́ется храм Васи́лия Блажéнного.	St. Basil's Cathedral is a monument of sixteenth-century church architecture.

In the spoken language this verb pair is used only with the meaning "to appear," "to show (turn) up":

Надо вовремя явля́ться на рабóту.	One must get to work on time.
Онá яви́лась в послéдний момéнт.	She showed up at the last moment.

Review and Supplement of the Plural Declension

The basic declension patterns are:

			Nominative Singular		
	стол	**музéй**	**словáрь**	**лампа**	**баня**
			All Cases Plural		
Nom.	столы́	музéи	словари́	лампы	бани
Gen.	столóв	музéев	словарéй	ламп	бань
Dat.	столáм	музéям	словаря́м	лампам	баням
Acc.	столы́[40]	музéи[40]	словари́[40]	лампы[40]	бани[40]
Inst.	столáми	музéями	словаря́ми	лампами	банями
Prep.	столáх	музéях	словаря́х	лампах	банях

---

[40] The accusative plural of all animate nouns is the same as the genitive plural; the accusative plural of inanimate nouns is the same as the nominative plural.

	Nominative Singular				
	часть	лекция	дело	здание	имя
	All Cases Plural				
Nom.	части	лекции	делá	здания	именá
Gen.	частéй	лекций	дел	зданий	имён
Dat.	частя́м	лекциям	делáм	зданиям	именáм
Acc.	части[41]	лекции[41]	делá[41]	здания[41]	именá[41]
Inst.	частя́ми	лекциями	делáми	зданиями	именáми
Prep.	частя́х	лекциях	делáх	зданиях	именáх

Feminine nouns with stressed plural endings in oblique cases: the following feminine nouns, which end in **-ь** in the nominative singular, have a stress shift to all plural endings except the nominative (and the accusative of inanimate nouns):

Nominative Singular	Genitive Plural	English Singular
бровь	бровéй	eyebrow
вещь	вещéй	thing
дверь	дверéй	door
дочь	дочерéй	daughter
крепость	крепостéй	fortress
лошадь	лошадéй	horse
мать	матерéй	mother
новость	новостéй	news
ночь	ночéй	night
область	областéй	district, field
очередь	очередéй	line, turn

[41] See fn. 40, p. 587.

Nominative Singular	Genitive Plural	English Singular
площадь	площадéй	square
повесть	повестéй	tale, short novel
скатерть	скатертéй	tablecloth
степь	степéй	steppe
церковь	церквéй	church
часть	частéй	part
четверть	четвертéй	fourth

For example:

Nom.	лóшади
Gen.	лошадéй
Dat.	лошадя́м
Acc.	лошадéй[40]
Inst.	лошадьми́
Prep.	лошадя́х

Nom.	вéщи
Gen.	вещéй
Dat.	вещáм
Acc.	вéщи[40]
Inst.	вещáми
Prep.	вещáх

Note the plural declensions of the following adjectives:

1. Descriptive adjectives:

Nom.	новые	маленькие	хорóшие	древние
Gen.	новых	маленьких	хорóших	древних
Dat.	новым	маленьким	хорóшим	древним
Acc.	новых новые	маленьких маленькие	хорóших хорóшие	древних древние
Inst.	новыми	маленькими	хорóшими	древними
Prep.	новых	маленьких	хорóших	древних

2. Demonstrative adjectives:

Nom.	эти	те
Gen.	этих	тех
Dat.	этим	тем
Acc.	⎧ этих ⎨ ⎩ эти	тех те
Inst.	этими	теми
Prep.	этих	тех

3. Interrogative and possessive adjectives:

Nom.	чьи	мой	твой	наши	ваши
Gen.	чьих	мойх	твойх	наших	ваших
Dat.	чьим	мойм	твойм	нашим	вашим
Acc.	⎧ чьих ⎨ ⎩ чьи	мойх мой	твойх твой	наших наши	ваших ваши
Inst.	чьими	мойми	твойми	нашими	вашими
Prep.	чьих	мойх	твойх	наших	ваших

Note the singular and plural declensions of **весь**:

	Singular			*Plural*
Nom.	весь	вся	всё	все
Gen.	всегó	всей	всегó	всех
Dat.	всемý	всей	всемý	всем
Acc.	{всегó / все	всю	всё	{всех / все
Inst.	всем	всей	всем	всеми
Prep.	всём	всей	всём	всех

Last names that end in **-ов**, **-ев**, **-ёв**, or **-ин** are declined in some cases as nouns, in others as adjectives:

	Masculine	*Feminine*	*Plural*
Nom.	Иванóв	Иванóва	Иванóвы
Gen.	Иванóва	Иванóвой	Иванóвых
Dat.	Иванóву	Иванóвой	Иванóвым
Acc.	Иванóва	Иванóву	Иванóвых
Inst.	Иванóвым	Иванóвой	Иванóвыми
Prep.	Иванóве	Иванóвой	Иванóвых

Note these rules:

1. The masculine singular forms of last names ending in **-ов**, **-ев**, **-ёв**, or **-ин** have regular *noun* endings in all cases but the instrumental, which has an *adjective* ending.

2. The feminine singular forms have *noun* endings in the nominative and accusative only; in all other cases they have *adjective* endings.

3. The plural form has a *noun* ending in the nominative only; all other plural forms have *adjective* endings.

The Conditional-Subjunctive Mood of Verbs

The conditional-subjunctive mood of Russian verbs is formed with the past tense of the verb plus the particle **бы**. The verb then no longer has a past tense meaning. The conditional-subjunctive mood is used to express

1. a wish or desire:

Это **было бы** хорошо.	That would be nice.
Было бы интересно с ними познакомиться.	It would be interesting to meet them.
Я **хотёл(а) бы** пойти на концёрт.	I would like to go to the concert.

2. an unreal condition:

Был бы он здесь, то он **рассказал бы** вам об этом.	Had he been here, he would have told you about that.
Была бы лучшая погода, то мы **пошли бы** в парк.	Had the weather been better, we would have gone to the park.

3. "I would say that..."

Я **сказал(а) бы**, что это правильно.   I would say that that is correct.

The particle **бы** can be placed after the subject, the conjugated verb, or a verb modifier, but it always refers to the verb, regardless of its position:

Я **бы** очень хотёл(а) Я **очень бы** хотёл(а) поёхать с вами! Я очень **хотёл(а) бы**	I would like to go with you very much!
Я **бы** сказал(а) Я **сказал(а) бы** , что это правильно.	I would say that this is correct.

After a word that ends in a vowel, **бы** is sometimes shortened to **б**:

Это было бы хорошо.	
Это было б хорошо.	That would be fine.

A **если**-clause which expresses a condition capable (or believed to be capable) of being fulfilled, may have a verb in the past, present or future tenses:

Если она **купила** эту книгу, то она мне даст её почитать.	If she bought that book, she will give it to me to read.
Если вы этого не **понимаете**, то это не значит, что это неправда.	If you don't understand this, that doesn't mean that it's not true.
Если я его завтра **увижу**, то я скажу ему, что вы были здесь.	If I see him tomorrow, I will tell him that you were here.

However, if the condition is (or was) impossible or contrary to fact, then the clause is introduced by **если бы** and the verbs in both clauses are in the subjunctive-conditional:

Если бы погода была хорошей, дети **пошли бы** играть в парк.	If the weather were good, the children would go to the park to play (but it isn't, so they won't).
	If the weather had been good, the children would have gone to the park to play (but it wasn't, so they didn't).
Если бы он был здесь, он **рассказал бы** вам об этом.	If he were here, he would tell you about that (but he's not, so he can't).
	If he had been here, he would have told you about that (but he wasn't, so he couldn't).

Compare:

Если я его не **вижу**, то это не значит, что его здесь нет.	If I don't see him, that doesn't mean that he's not here.

| Если бы он был здесь, то я его увидел бы. | If he were here, I would see him. (If he had been here, I would have seen him.) |

A **если**-clause is sometimes used in exclamations; however, the verb in the second clause is not in the conditional-subjunctive:

| Если бы вы знали, как я хочу с вами поговорить! | If you only knew how much I want to talk to you! |

Чтобы-clauses are also in the conditional-subjunctive:

Скажите ему, чтобы он обедал без меня.	Tell him to eat without me.
Я хочу, чтобы вы это сейчас сделали.	I want you to do this now.
Передайте, чтобы она мне позвонила после обеда.	Tell her to phone me after dinner.

A mild command or wish is frequently constructed with the verb infinitive followed by **бы**:

Пойти бы на балет!	It would be nice to go to the ballet!
Пойти бы вам на лекцию!	You really ought to go to the lecture!
Отдохнуть бы!	It would be nice to take a rest!

The Comparative Degree of Adjectives and Adverbs

Adjectives and adverbs have three "degrees": positive, comparative, and superlative:

Positive	Comparative	Superlative
good	better	best
pretty	prettier	prettiest
interesting	more interesting	most interesting
much	more	most
easily	more easily	most easily

The comparative degree of adverbs and *predicate* adjectives (those that follow the noun they modify) is formed by dropping the positive degree ending and adding **-ee**. This ending is used for adjectives of all genders, both singular and plural. This "simple" comparative form may *never stand* *before the noun it modifies* and *never modifies a noun in any case but the nominative!* The ending **-ee** is sometimes shortened to **-ей**:

Positive:	новый (-ая, -ое, -ые)	new
Comparative:	новéе	newer
Positive:	интерéсный (-ая, -ое, -ые)	interesting
Comparative:	интерéснее	more interesting
Positive:	тёплый (-ая, -ое, -ые)	warm
Comparative:	теплéе	warmer
Positive	быстро	fast
Comparative:	быстрée	faster

Note the following rules of stress:

1. Adjectives and adverbs with a monosyllabic stem have a stress shift to the ending **-ée** (see **новый**, **тёплый**, and **быстро** above).

2. Those with a polysyllabic stem normally do not have a stress shift (see **интерéсный** above).

Exceptions to the second rule are

Positive Degree Adjectives	*Positive Degree Adverbs*	*Comparative*	
весёлый	вéсело	веселée	gayer, happier
здорóвый	здорóво	здоровée	healthier
тяжёлый	тяжелó	тяжелée	heavier; harder
холóдный	хóлодно	холоднée	colder
горячий	горячó	горячée	hotter (heated to a higher temperature), more heatedly

For example:

Ваша машúна новая, а наша **новée**.	Your car is new, but ours is newer.
Их дом красúвый, а ваш ещё **красúвее**.	Their house is pretty, but yours is even prettier.
Эти дети умные, а эти ещё **умнée**.	These children are intelligent, but those are even more intelligent.
Вы расскáзываете **интерéснее**, чем Ивáн.	You tell stories in a more interesting way than Ivan does.

The following adjectives and adverbs have irregular "simple" comparative forms which should be learned:

Adjective	*Adverb or Short Adjective*	*Comparative*	
высо́кий	высоко́	вы́ше	higher, taller
ни́зкий	ни́зко	ни́же	lower, shorter (in height)
широ́кий	широко́	ши́ре	wider, broader
у́зкий	у́зко	у́же	narrower
коро́ткий	коротко́	коро́че	shorter (in length)
лёгкий	легко́	ле́гче	easier, lighter (in weight)
глубо́кий	глубоко́	глу́бже	deeper
ме́лкий	ме́лко	ме́льче	shallower
дорого́й	до́рого	доро́же	dearer, more expensive
дешёвый	дёшево	деше́вле	cheaper, less expensive
большо́й	(мно́го)	бо́льше	bigger, more
ма́ленький	(ма́ло)	ме́ньше	smaller, less
хоро́ший	хорошо́	лу́чше	better
плохо́й	пло́хо	ху́же	worse
я́ркий	я́рко	я́рче	brighter
молодо́й	мо́лодо	моло́же	younger
ста́рый	старо́	ста́рше[42]	older
бога́тый	бога́то	бога́че	richer
далёкий	далеко́	да́льше	further, farther
бли́зкий	бли́зко	бли́же	nearer, closer
то́лстый	то́лсто	то́лще	fatter
ти́хий	ти́хо	ти́ше	quieter, calmer
гро́мкий	гро́мко	гро́мче	louder
кре́пче	кре́пко	кре́пче	stronger
мя́гкий	мя́гко	мя́гче	softer
сухо́й	су́хо	су́ше	drier
жа́ркий	жа́рко	жа́рче	hotter
просто́й	про́сто	про́ще	simpler
ча́стый	ча́сто	ча́ще	more often
ре́дкий	ре́дко	ре́же	more seldom, less often

---

[42] **Ста́рше** is the normal comparative of **ста́рый**; the form **старе́е** is used when comparing old, worn-out things.

ранний	рано	раньше	earlier
поздний	поздно	позже (позднée)	later

The Comparative with Более and Менее

The comparative degree of adjectives may also be formed with the words **более** or **менее** plus the positive degree of the adjective. This "compound" comparative is rarely used with adverbs. The compound comparative is *the only form of comparative adjectives which may be used to modify nouns in oblique cases*:

Он живёт в **более новом** доме, чем мы.	He lives in a newer house than we do.
Я хочý купúть **более дорогýю** шляпу, чем эта.	I want to buy a more expensive hat than this.
У нас нет **более дешёвого** словаря́.	We don't have a cheaper dictionary.
Это **менее трудный** урóк, чем двадцать четвёртый.	This is a less difficult lesson than twenty-four.

Four common adjectives are never used with **более** and **менее**. They have instead a special comparative form (which serves as the superlative as well):

хорóший	лýчший (-ая, -ее, -ие)	better (best)
плохóй	хýдший (-ая, -ее, -ие)	worse (worst)
большóй	бóльший (-ая, -ее, -ие)	larger, greater (largest, greatest)
маленький	меньший (-ая, -ее, -ие)	smaller (smallest)

Note the following sentences:

Это **лýчший теáтр** города.	This is the city's best theater.
Онá **хýдшая учéница** в классе.	She is the worst student in the class.
Бóльшую часть дня он рабóтает.	He works the greater part of the day.
Он мне дал **меньший кусóк** пирогá.	He gave me the smaller (smallest) piece of pie.

Remember that the compound comparative may be used before or after a noun, while the simple comparative may be used only as a predicate adjective:

По-мо́ему, мы ви́дели бо́лее интере́сный фильм, чем вы.	I think we saw a more interesting film than you did.
По-мо́ему, э́тот фильм интере́снее (*и́ли* бо́лее интере́сный).	I think that film is more interesting.

"Than"—**чем** or genitive: After the compound comparative (or **лу́чший, ху́дший, бо́льший, ме́ньший**) the second part of the comparison is always part of a **чем**-clause. **Чем** is always preceded by a comma:

Ки́ев — **бо́лее краси́вый** го́род, **чем Таганро́г.**	Kiev is a more beautiful city *than* Taganrog.
Мы ви́дели **бо́лее высо́кого** челове́ка, **чем э́тот.**	We saw a taller man *than* that one.
Я купи́л(а) **бо́лее дешёвую** кни́гу, **чем э́та.**	I bought a cheaper book *than* this one.

The simple comparative may be followed by a **чем**-clause, or the noun, pronoun, or adjective in the second part of the comparison may be in the *genitive case without* **чем**:

Ки́ев краси́вее, **чем** Таганро́г. Ки́ев краси́вее Таганро́г**а.**	Kiev is more beautiful than Taganrog.
Э́тот челове́к вы́ше, **чем я.** Э́тот челове́к вы́ше **меня́.**	This man is taller than I am.
Он говори́т по-ру́сски лу́чше, **чем вы.** Он говори́т по-ру́сски лу́чше **вас.**	He speaks Russian better than you do.

To prevent ambiguity, a **чем**-clause must be used (instead of the genitive) whenever the second part of the comparison involves the third person possessive pronouns **его́, её, их**. Obviously, if these pronouns were to be put in the genitive case in a comparison it would be impossible to distinguish "him" from "his" (**его́**), "her" from "hers" (**её**), and "them" from "theirs" (**их**):

Мой брат ста́рше, чем его́.	My brother is older than his.
Мой брат ста́рше, чем он. (Мой брат ста́рше его́.)	My brother is older than he is.

Моя́ сестра́ моло́же, чем её.	My sister is younger than hers.
Моя́ сестра́ моло́же, чем она́.⎫ (Моя́ сестра́ моло́же её.) ⎭	My sister is younger than she is.
На́ши роди́тели рабо́тают бо́льше, чем их.	Our parents work more than theirs.
На́ши роди́тели рабо́тают⎫ бо́льше, чем они́. ⎬ (На́ши роди́тели рабо́тают⎪ бо́льше их.) ⎭	Our parents work more than they do.

Learn these other comparative constructions:

1. "A little bit..." is expressed in Russian by adding the prefix **по-** to the simple comparative form:

    побо́льше   a little bit more (bigger)
    полу́чше   a little bit better

2. "Much..." is **гора́здо** plus the simple comparative:

    гора́здо ста́рше   much older
    гора́здо быстре́е   much faster

3. To indicate a constant increase in the quantity involved, Russians use **всё** plus the comparative stated twice:

    всё бо́льше и бо́льше   bigger and bigger, more and more
    всё тепле́е и тепле́е   warmer and warmer

4. "As... as possible" is **как мо́жно** plus the comparative:

    Приходи́те **как мо́жно ра́ньше.**   Come as early as possible.
    Да́йте мне **как мо́жно бо́льше** молока́.   Give me as much milk as possible.
    Иди́те **как мо́жно скоре́й!**   Go as soon as possible!

5. "The... the (better)" is **чем..., тем (лу́чше):**

    чем бо́льше, тем лу́чше   the more (bigger) the better
    чем скоре́е, тем лу́чше   the sooner the better

6. "Even" (or "still") in comparisons is **ещё**:

ещё бога́че	even (still) richer
ещё холодне́е	even (still) colder

7. "Bigger, (older, younger, etc.) than... by..." is **бо́льше (ста́рше, моло́же и т.д.) на...**:

Он **ста́рше** меня́ **на** два го́да.	He is two years older than I am.
Он **моло́же** вас **на** семь ме́сяцев.	He is seven months younger than you are.
Э́та река́ **длинне́е на** 100 киломе́тров.	This river is 100 kilometers longer.

8. "Just as... as" with adjectives is **тако́й же, как (и)...** used with the positive degree of the adjective. **Тако́й же, как (и)** also means "the same kind (sort) of.... **Так же, как (и)** is the corresponding expression when it is used with adverbs:

a. Adjectives:

Э́тот дом **тако́й же** краси́вый, как **(и)** сосе́дний.	This house is just as pretty as the neighboring one.
Э́та маши́на **така́я же** хоро́шая, как **(и)** та.	This car is just as good as that one.
Э́то ра́дио **тако́е же хоро́шее**, как **(и)** неме́цкое.	This radio is just as good as a German one.
Э́ти лю́ди **таки́е же симпати́чные**, как **(и)** ва́ши сосе́ди.	These people are just as nice as your neighbors.

b. Adverbs:

Она́ говори́т по-ру́сски **так же хорошо́, как (и)** он.	She speaks Russian just as well as he does.
Они́ прихо́дят сюда́ **так же ча́сто, как (и)** мы.	They come here just as often as we do.

c. "The same kind (sort) of...":

У вас **така́я же** рабо́та, **как (и)** у меня́.	You have the same kind of work that I have.
У них **тако́й же** автомоби́ль, **как (и)** у нас.	They have the same kind of car as we have.

The Superlative Degree of Adjectives

The superlative degree of adjectives is already familiar to you; add **самый (-ая, -ое, -ые)** to the positive degree of the adjective:

самая длинная река́	the longest river
самое глубо́кое озеро	the deepest lake

"One of the ...est" is **оди́н (одна́, одно́) из самых...**

Это оди́н из самых краси́вых домо́в в этом го́роде.	This is one of the most beautiful houses in this city.
Это одна́ из самых высо́ких гор в СССР.	This is one of the highest mountains in the U.S.S.R.
Это одно́ из самых больши́х зда́ний в этом райо́не.	This is one of the largest buildings in this region.

The superlative degree of adverbs and a bookish form of the superlative of adjectives will be discussed in the next lesson.

СЛОВА́РЬ

ба́ня (*gen. pl.* бань)	steam bath
бе́дный	poor
безграни́чный	endless
блат	"blat," "good connections," "pull"
бога́тый	rich
бо́лее	more (*compound comparative*)
бо́льший, -ая, -ее, -ие	greater, larger; greatest, largest
бы	*conditional subjunctive particle*
везде́	everywhere
верблю́д	camel
волк (*gen. pl.* волко́в)	wolf
впечатле́ние	impression
вспаха́ть (I)	*pf. of* паха́ть
вы́растить	*pf. of* выра́щивать
вы́ращу, вы́растишь, вы́растят	
выра́щивать (I) (*pf.* вы́растить)	to grow, raise, cultivate
вы́ше	higher
гусь (м.) (*gen. pl.* гусе́й)	goose
ди́кий	wild, untamed
доли́на	valley
дома́шний, -яя, -ее, -ие	domestic

живо́тное	animal
заме́тить (II)	*pf. of* замеча́ть
заме́чу, заме́тишь, заме́тят	
замеча́ть (I) (*pf.* заме́тить)	to notice
зато́	for all that, to make up for it
зверь (м.) (*gen. pl.* звере́й)	beast, (savage) animal
здоро́ваться (I) (*pf.* поздоро́ваться)	to greet, to say "hello"
зо́лото	gold
зо́на	zone
ка́ктус	cactus
климати́ческий	climatic
кра́йний, -яя, -ее, -ие	extreme
ку́рица (*pl.* ку́ры; *gen. pl.* кур)	chicken
лесни́к (*pl.* лесники́)	forester
лиси́ца	fox
луг (*pl.* луга́)	meadow
медве́дь (м.)	bear
мя́гкий	soft
мя́гче	softer
напра́вить (II)	*pf. of* направля́ть
напра́влю, напра́вишь, напра́вят	
направля́ть (I) (*pf.* напра́вить)	to direct, send, guide
настоя́щий	genuine, real
оа́зис	oasis
овца́ (*pl.* о́вцы; *gen. pl.* ове́ц)	sheep
огоро́д	vegetable garden
одина́ковый	the same, identical
ороси́ть (II)	*pf. of* ороша́ть
орошу́, ороси́шь, орося́т	
ороша́ть (I) (*pf.* ороси́ть)	to irrigate
осо́бый	special
остава́ться (I) (*pf.* оста́ться)	to stay, remain
остаю́сь, остаёшься, остаю́тся	
оста́ться (I)	*pf. of* остава́ться
оста́нусь, оста́нешься, оста́нутся	
отме́тить (II)	*pf. of* отмеча́ть
отме́чу, отме́тишь, отме́тят	
отмеча́ть (I) (*pf.* отме́тить)	to note, observe
охо́тник	hunter
паха́ть (I) (*pf.* вспаха́ть)	to plow
пашу́, па́шешь, па́шут	
плодоро́дный	fertile
погиба́ть (I) (*pf.* поги́бнуть)	to perish
поги́бнуть (I)	*pf. of* погиба́ть
поги́бну, поги́бнешь, поги́бнут;	
поги́б, поги́бла, поги́бло; поги́бли	

поздорóваться (I)	*pf. of* здорóваться
поливáть (I) (*pf.* полúть)	to water
полúть (I)	*pf. of* поливáть
полью́, польёшь, полью́т; полúл, полилá, полúло, полúли	
полгóда	half a year
порóда	breed
постепéнно	gradual(ly)
посудúть (II)	*pf. of* судúть
пóчва	soil
предстáвить (II)	*pf. of* представля́ть
предстáвлю, предстáвишь, предстáвят	
представля́ть (I) (*pf.* предстáвить)	to present
себé представля́ть	to imagine
продолжáться (I) (*pf.* продóлжиться)	to continue
продóлжить(ся) (II)	*pf. of* продолжáть(ся)
пропадáть (I) (*pf.* пропáсть)	to disappear, vanish, be lost
пропáсть (I)	*pf. of* пропадáть
пропадý, пропадёшь, пропадýт	
разница	difference
рай	paradise
расстоя́ние	distance
родúться (II)	*pf. of* рождáться
рожу́сь, родúшься, родя́тся; родúлся, родилáсь, родúлось, родúлись[43]	
рождáться (I) (*pf.* родúться)	to be born
свинья́ (*gen. pl.* свинéй)	pig
сравнéние	comparison
по сравнéнию (с кем? с чем?)	in comparison (with)
срéдний, -яя, -ее, -ие	middle
стáдо (*pl.* стадá)	herd
становúться (II) (*pf.* стать)	to become
становлю́сь, станóвишься, станóвятся	
степь (ж.) (*gen. pl.* степéй)	steppe
субтропúческий	subtropical
судúть (II) (*pf.* посудúть)	to judge
сужу́, сýдишь, сýдят	
сухóй	dry
телёнок (*pl.* теля́та; *gen. pl.* теля́т)	calf

---

[43] Either stress is correct; however, **родúлся, родúлась, родúлось, родúлись** may be imperfective or perfective, while **родился́, родилáсь, родилóсь, родилúсь** are perfective only.

террóр	terror
точка (*gen. pl.* точек)	point, period
треть (ж.) (*gen. pl.* третéй)	third
умирáть (I) (*pf.* умерéть)	to die
умерéть	*pf. of* умирáть
умрý, умрёшь, умрýт; умер, умерлá, умерло; умерли	
услóвие	condition
факт	fact
холод	cold (*noun*)
цeнный	valuable
явúться (II) (кем? чем?)	*pf. of* явлáться
явлюсь, явишься, явятся	
явлáться (I) (кем? чем?) (*pf.* явúться)	to be (*see* **Граммáтика**, p. 587); to put in an appearance, show up, turn up

Двадцать шестой урок

РАЗГОВО́РЫ: **Пое́здка в Ки́ев**

(На у́лице в Москве́)

Америка́нка: — Скажи́те, пожа́луйста, как мне дое́хать до Ки́евского вокза́ла?

Милиционе́р: — Иди́те по э́той у́лице до ближа́йшей трамва́йной остано́вки и сади́тесь на « пя́тый ». Конду́ктор вам ска́жет, на́до ли сде́лать переса́дку.

(On a street in Moscow)

American: Tell me, please, how can I get to the Kiev Station?

Policeman: Go down this street to the next streetcar stop and get on a number five car. The conductor will tell you if you have to transfer.

605

Американка: — Большóе спасибо.

American: Thanks very much.

Милиционéр: — Не стоит.

Policeman: Don't mention it.

(*В трамвáе*)

(*On the tramway*)

Американка: — Мóжно ли на
« пя́том » проéхать до Киев-
ского вокзáла без пересáдки
или нáдо пересáживаться?

American: Can one go straight
through to Kiev Station without
transferring or must one transfer?

Кондýктор: — Да, вам нáдо
бýдет пересéсть. Сойди́те на
трéтьей останóвке и сади́-
тесь на « седьмóй ».

Conductor: Yes, you'll have to
transfer. Get off at the third
stop and take a number seven
car.

Американка: — Предупреди́те,
пожáлуйста, когдá мне
сойти́.

American: Please warn me when it's
time for me to get off.

Кондýктор: — Хорошó.

Conductor: All right.

Пассажи́р: — Вы не схóдите?

Passenger: Aren't you getting off?

Американка: — Нет, я тóлько
что сéла.

American: No, I just got on.

Пассажи́р: — Разреши́те мне
тогдá вы́йти, пожáлуйста.
Это моя́ останóвка. Гóсподи!
Проéхали!

Passenger: Then allow me to get
out, please, This is my stop. Oh,
good grief! We've passed it!

Американка: — Прости́те меня́.
Бою́сь, что я виновáта.

American: Forgive me. I'm afraid
that I'm to blame.

Пассажи́р: — Не беспокóйтесь.
Я ещё успéю на слýжбу.

Passenger: Don't worry. I'll still get
to work on time.

Кондýктор: — Мы сейчáс подъ-
езжáем к вáшей останóвке.

Conductor: We're approaching your
stop now.

Американка: — Спаси́бо.

American: Thank you.

Кондýктор: — Пожáлуйста.
Проходи́те, товáрищи, про-
ходи́те![1] Этой дéвушке порá
сходи́ть.

Conductor: You're welcome. Step to
the rear, comrades, step to the
rear. It's time for this girl to
get off.

---

[1] **Проходи́те!:** Literally, "Walk through!"

(*На вокзале*)

Американка: — Дайте, пожалуйста, билет до Киева, если можно, место в мягком вагоне.

Кассир: — Вот ваш билет. Вагон шестой, третье купе, восьмое место.

Американка: — Во сколько отходит этот поезд?

Кассир: — Ровно в шестнадцать часов.

Американка: — А когда он приходит в Киев?

Кассир: — Завтра утром. Более точную справку вам дадут в справочном бюро, вон здесь, налево.

(*At the station*)

American: Please give me a ticket to Kiev—if possible, a seat in a first class car.

Cashier: Here's your ticket. Car number six, compartment three, seat eight.

American: What time does this train leave?

Cashier: At four P.M. sharp.

American: And when does it arrive in Kiev?

Cashier: Tomorrow morning. They will give you more exact information in the information office, here on the left.

(*В купе*)

Молодой человек: — Не возражаете, если я открою окно?

Американка: — Нет, по-моему, надо открыть. В купе душно.

Молодой человек: — Вы, кажется, не русская?

Американка: — Да, я американка. Я приехала в Советский Союз как туристка.

Проводник: — Здравствуйте, товарищи. Здесь всё в порядке?

Американка: — Да, но мне очень хочется пить. Принесите, пожалуйста, стакан чаю.

(*In the compartment*)

Young man: Would you mind if I opened the window?

American: No, I think it should be opened. It's stuffy in the compartment.

Young man: Apparently you aren't a Russian.

American: No, I'm an American. I've come to the Soviet Union as a tourist.

Porter: Hello, comrades. Is everything in order here?

American: Yes, but I'm very thirsty. Please bring me a glass of tea.

Молодо́й челове́к: — Нет, принеси́те лу́чше бу́лты́лку шампа́нского. Дава́йте вы́пьем за мир и дру́жбу на́ших наро́дов!

Young man: No, bring a bottle of champagne instead. Let's drink to peace and the friendship of our people!

Америка́нка: — Неплоха́я иде́я. Дава́йте!

American: That's not a bad idea. Let's!

(На стоя́нке такси́)

(At the taxi stand)

Америка́нка: —Такси́ свобо́дно?

American: Is this taxi free?

Шофёр: — Да, сади́тесь, пожа́луйста. Вам куда́?

Driver: Yes, get in please. Where do you want to go?

Америка́нка: — Мне в гости́ницу « Мир ».

American: To Hotel Mir.

Шофёр: — Вы бу́дете проводи́ть о́тпуск у нас?

Driver: Are you going to spend your vacation with us?

Америка́нка: — Нет, я оста́нусь в Ки́еве то́лько четы́ре дня. В четве́рг я вы́лечу в Самарка́нд.

American: No, I'm going to stay in Kiev only four days. On Thursday I'm leaving by plane for Samarkand.

Шофёр: — Жаль. В четы́ре дня вы ма́ло успе́ете осмотре́ть.

Driver: Too bad. You won't have time to see much in four days.

Америка́нка: — Зна́ю, но вре́мени никогда́ не хвата́ет[2] на всё.

American: I know, but there's never enough time for everything.

Шофёр: — Вот мы и прие́хали. Швейца́р возьмёт ваш бага́ж и внесёт его́ в гости́ницу.

Driver: Well, here we are. The hotel porter will take your luggage and carry it into the hotel.

Америка́нка: — Благодарю́ вас.

American: Thank you.

Шофёр: — Ра́ди Бо́га.

Driver: You're welcome.

ТЕКСТ ДЛЯ ЧТЕНИЯ: **Город-сад**

Ки́ев — столи́цу Украи́нской респу́блики — справедли́во называ́ют « ма́терью городо́в ру́сских ». Он располо́жен на берега́х

---

[2] Note also **Чего́-то не хвата́ет:** Something's missing.

Площадь Калинина в Киеве.

широ́кого Днепра́, кото́рый берёт своё нача́ло[3] на земле́ русского наро́да, течёт по Белору́ссии, и наибо́льшего вели́чия[4] достига́ет среди́ украи́нских степе́й. В да́вние времена́ го́род Ки́ев стал це́нтром могу́чего[5] госуда́рства — Ки́евской Руси́[6] — колыбе́ли[7] ру́сской, украи́нской и белору́сской культу́ры. И Ки́ев, и Днепр явля́ются как бы[8] си́мволами дру́жбы э́тих трёх вели́ких восточнославя́нских наро́дов.

В Ки́еве мно́го интере́сных па́мятников про́шлого. Тури́сты прие́зжа́ют сюда́ кру́глый год, осма́тривают Софи́ю Ки́евскую,[9] Ки́ево-Пече́рскую ла́вру,[10] Андре́евскую це́рковь.[11] Над Днепро́м, в центра́льной ча́сти Влади́мирской го́рки,[12] они́ ви́дят па́мятник

---

[3] **берёт своё нача́ло:** originates
[4] **наибо́льшее вели́чие:** greatest grandeur
[5] **могу́чий:** mighty
[6] **Ки́евская Русь:** Kievan Rus
[7] **колыбе́ль (ж.):** cradle
[8] **как бы:** so to speak
[9] **Софи́я Ки́евская:** St. Sophia's Cathedral
[10] **Ки́ево-Пече́рская ла́вра:** Kiev-Pechersky Monastery
[11] **Андре́евская це́рковь:** St. Andrew's Church
[12] **Влади́мирская го́рка:** Vladimir's Hillock

князю Влади́миру Святосла́вичу, свято́му засту́пнику[13] всех ру́сских христиа́н, кото́рый в 988-м году́ крести́л[14] Ки́евскую Русь.

Ки́ев по́мнит триумфа́льный въезд,[15] свы́ше трёхсо́т лет наза́д, гетма́на[16] Богда́на Хмельни́цкого, дни воссоедине́ния Украи́ны с Росси́ей, кото́рое сыгра́ло реша́ющую роль в дальне́йшей исто́рии страны́. Мо́жно себе́ предста́вить, что в Ки́еве и сейча́с звуча́т шаги́ поэ́та Т. Г. Шевче́нко, кото́рый роди́лся крепостны́м, но стал велича́йшим певцо́м украи́нского наро́да.

Многочи́сленные го́сти говоря́т о Ки́еве, как об одно́м из краси́вейших городо́в ми́ра. В нём огро́мное коли́чество садо́в и па́рков. Вдоль у́лиц тя́нутся[17] ты́сячи дере́вьев, кусто́в, цвету́т бесчи́сленные цветы́. Весно́й весь го́род ка́жется мо́рем садо́в, расцвета́ют[18] кашта́ны,[19] я́блони, ви́шни, пе́рсики, абрико́сы. Киевля́не[20] справедли́во гордя́тся свои́м го́родом-са́дом и гостеприи́мно принима́ют друзе́й из всех стран ми́ра.

Вопро́сы

1. Отчего́ называ́ют Ки́ев « ма́терью городо́в ру́сских » ?
2. Где достига́ет Днепр наибо́льшего вели́чия ?
3. Како́й князь крести́л Ки́евскую Русь ?
4. Кем был Т. Г. Шевче́нко ?
5. Как называ́ют люде́й, кото́рые живу́т в Ки́еве ?

ВЫРАЖЕ́НИЯ

1. Как $\begin{Bmatrix} \text{дое́хать} \\ \text{прое́хать} \end{Bmatrix}$ до... ?	How can one get to...?
2. (с)де́лать переса́дку (переса́живаться/пересе́сть)	to transfer
3. прое́хать без переса́дки	to go straight through (without transferring)

---

[13] **свято́й засту́пник:** patron saint
[14] **крести́ть:** to christen, baptize
[15] **триумфа́льный въезд:** triumphal entrance
[16] **гетма́н:** hetman, Cossack chief
[17] **тяну́ться:** to stretch out, extend
[18] **расцвета́ть:** to bloom
[19] **кашта́н:** chestnut tree
[20] **киевля́нин** (*pl.* киевля́не, *gen. pl.* киевля́н; *fem.* киевля́нка): resident of Kiev

4. Когда́ (где) мне сойти́? — When (where) do I get off?
5. Когда́ (где) мне пересе́сть на трамва́й (авто́бус, метро́)? — When (where) do I transfer to the streetcar (bus, subway)?
6. Прое́хали! — We've gone past! We've missed it!
7. Не $\begin{Bmatrix} \text{беспоко́йся} \\ \text{беспоко́йтесь} \end{Bmatrix}$ об э́том! — Don't worry about that!
8. успе́ть — to have time, to manage to
9. успе́ть на (что?) — to get to... on time
10. Проходи́(те)! — Step to the rear! Walk through!
11. Не возража́ете, е́сли...? — Would you mind if...?
    Не возража́ю. — No, I wouldn't mind.
12. Я прие́хал(а) в СССР, как тури́ст(ка). — I've come to the U.S.S.R. as a tourist.
13. Принеси́те, пожа́луйста,... — Please bring me...
14. Вам куда́? — Where do you want to go?
    Мне к (в, на)... — I want to go to...
15. Вре́мени не хвата́ет на всё. — There's not enough time for everything.
16. Ра́ди Бо́га. — You're welcome.

ПРИМЕЧА́НИЯ

1. **Проводни́к**: The basic meaning of the word **проводни́к** is "guide." On Soviet trains, each passenger car has a **проводни́к** who is in charge of the car and takes care of the passengers' needs.

2. **Ки́евская Русь**: Between the ninth and the thirteenth centuries, all the territories inhabited by the East Slavic tribes were united in the state of Kievan Rus. By the beginning of the twelfth century this great state had begun to disintegrate, and it was destroyed by the Mongols in 1237. The Russian people at that time fell under the so-called "Tartar Yoke" (**Тата́рское иго**).

3. **Софи́я Ки́евская** (**Софи́йский собо́р**): The construction of St. Sophia's Cathedral was commissioned in 1037 by Yaroslavl the Wise, one of the great princes of Kievan Rus. The restoration of the cathedral has been under way since the latter half of the 19th century.

4. **Ки́ево-Пече́рская ла́вра**: The Kiev-Pecherskaya Lavra ("lavra" means "monastery of the first rank") was built in the eleventh and twelfth centuries. The upper lavra is now a governmental museum; the lower

one still serves as a monastery. The catacombs contain the remains of many of Russia's most celebrated saints.

5. **Андре́евская це́рковь**: St. Andrew's Church was designed in the eighteenth century by Bartholomew Rastrelli.

6. **Влади́мир Святосла́вич**: Vladimir Svyatoslavich (956–1015), the Grand Prince of Kiev from 980 till his death, became a Christian early in his reign, married a sister of the Byzantine emperor, and in 988 made Christianity the official religion of Kievan Rus. Vladimir Svyatoslavich is the patron saint of all Russian Christians.

7. **Богда́н Хмельни́цкий**: Bohdan Khmelnitsky (1593–1657) was a Ukrainian Cossack chief ("hetman"). In 1648 he led his followers in an uprising against the Polish administration of the Ukraine.

8. **Т. Г. Шевче́нко**: Taras Shevchenko (1814–61) is the most famous of all Ukrainian poets. He was born a serf, but was educated by a group of Russian and Ukrainian intellectuals who discovered that the boy had a remarkable talent for verse. His major works may be found in the collection « Kobzar » (1840).

ДОПОЛНИ́ТЕЛЬНЫЙ МАТЕРИА́Л

Поле́зные выраже́ния для тури́стов

1. Ско́лько сто́ит биле́т до...?	How much is a ticket to...?
2. Да́йте, пожа́луйста, биле́т до...	Please give me a ticket to...
3. Предупреди́те, пожа́луйста, когда́ мне сходи́ть.	Please warn me when I should get off.
4. Мо́жно ли прое́хать без переса́дки?	Can you go straight through without transferring?
5. Где ну́жно сде́лать переса́дку (переса́живаться)?	Where must one transfer?
6. Как дое́хать до...?	How do you get to...?
7. Ско́лько ходьбы́ до...?	How long does it take to walk to...?
8. Ско́лько езды́ до...?	How long does it take to drive to...?
9. С како́го вокза́ла иду́т поезда́ на...?	From which station do trains leave for...?
10. Ско́лько сто́ит биле́т в мя́гком (купи́рованном, жёстком) ваго́не?	How much is a first-class (second-class, third-class) ticket?

11. Скажи́те, пожа́луйста, где   Tell me, please, where is

    a. ка́мера хране́ния?   a. the luggage office?

    b. спра́вочное бюро́?   b. the information office?

    c. почто́вое отделе́ние?   c. the post office?

    d. ваго́н-рестора́н?   d. the dining car?

    e. расписа́ние поездо́в?   e. timetable?

12. ни́жнее ме́сто   a lower berth

13. ве́рхнее ме́сто   an upper berth

14. В кото́ром часу́ отхо́дит (от-   What time does the Moscow-
правля́ется) поезд Москва́-   Leningrad train leave?
Ленингра́д?

15. В кото́ром часу́ прихо́дит   What time does that train arrive
(прибыва́ет) э́тот поезд в   in Leningrad?
Ленингра́д?

16. Носи́льщик (швейца́р), возь-   Porter (doorman), please take
ми́те, пожа́луйста, э́ти ве́щи.   these things.

17. Сда́йте, пожа́луйста, э́ти ве́-   Please check these things.
щи в бага́ж.

18. Включи́те (вы́ключите), по-   Please turn on (off) the light (radio).
жа́луйста, свет (ра́дио).

19. Откро́йте, пожа́луйста, ва́ши   Please open your suitcases.
чемода́ны.

20. Как прое́хать к аэропо́рту?   How can one get to the airport?

21. Закажи́те, пожа́луйста, для   Please order two tickets for me on
меня́ на вто́рник два биле́та   the plane to... for Tuesday.
на самолёт до....

22. Како́е коли́чество багажа́   How much luggage is permitted
принима́ется на самолёт?   on the plane?

23. Ско́лько ну́жно плати́ть за   How much do you have to pay for
бага́ж сверх но́рмы?   extra luggage?

24. Сего́дня лётная пого́да?   Is the weather suitable for flying
today?

25. Где бу́дет сле́дующая по-   Where will the next landing be?
са́дка?

26. На како́й высоте́ мы лети́м?   What elevation are we flying at
now?

27. Ско́лько часо́в продли́тся   How long will our flight last?
наш полёт?

28. Я чу́вствую себя́ в самолёте   Flying agrees with me.
хорошо́.

29. Самолёт идёт на посáдку.　　The plane is coming in for a landing.

30. Когдá по расписáнию прибывáет наш самолёт?　　According to schedule, when will our plane arrive?

УПРАЖНÉНИЯ

A. Следуйте данным примéрам:

Примéр: I'm getting off at the next stop.　　**Я сойдý на следующей останóвке.**

1. He's getting off at the next stop.
2. They're getting off at the next stop.
3. We're getting off at the next stop.
4. Are you (**вы**) getting off at the next stop?

Примéр: I won't have time to get that done today.　　**Я не успéю сдéлать это сегóдня.**

1. He won't have time to get that written today.
2. They won't have time to get that read today.
3. We won't have time to buy that today.
4. You (**ты**) won't have time to get that finished today.

Примéр: Please bring me a glass of tea.　　**Принесúте, пожáлуйста, стакáн чаю.**

1. Please bring me a cup of coffee.
2. Please bring me a dish of borshch.
3. Please bring me a glass of cold water.
4. Please bring me some black bread.

Примéр: How can I get to the Bolshoi Theater?　　**Как мне доéхать до Большóго теáтра?**

1. How can I get to Kiev Station?
2. How can I get to St. Sophia's Cathedral?
3. How can I get to Kiev-Pecherskaya Lavra?
4. How can I get to Hotel Mir?

Пример: I won't have enough money   **У меня́ не хва́тит де́нег**
for such an expensive cap.   **на таку́ю дорогу́ю ша́пку.**

1. I won't have enough money for such an expensive suit.
2. I won't have enough money for such an expensive overcoat.
3. I won't have enough money for such an expensive book.
4. I won't have enough money for such expensive gloves.

Пример: Do you mind if I sit   **Не возража́ете, е́сли я**
down here? No, please   **ся́ду сюда́? Нет, сади́тесь,**
sit down.   **пожа́луйста.**

1. Do you mind if he sits down here? No, please sit down.
2. Do you mind if we sit down here? No, please sit down.
3. Do you mind if they sit down here? No, please sit down.

Пример: In Moscow I will transfer   **В Москве́ я переся́ду**
to the bus.   **на авто́бус.**

1. In Leningrad we will transfer to the boat.
2. In Kiev they will transfer to the train.
3. In Odessa you (**вы**) will transfer to the plane.

Пример: The mother is worried about   **Мать беспоко́ится о**
her children.   **свои́х де́тях.**

1. I'm worried about my brothers.
2. We're worried about our parents.
3. They're worried about their money.
4. Don't worry about that!

B. Use the correct form of the perfective or imperfective verb to translate the word(s) in parentheses:

1.	сади́ться:	сажу́сь, сади́шься, садя́тся; Сади́сь! Сади́тесь!
	сесть:	ся́ду, ся́дешь, ся́дут; сел, се́ла, се́ло, се́ли; Сядь(те)![21]

a. Я (will sit down) на дива́н и прочту́ э́тот расска́з.
b. Де́душка (is sitting down) в кре́сло, а ба́бушка на дива́н.

---

[21] The command forms of **сесть** and **лечь** are very direct; they are best avoided unless addressing an animal or a willful child.

c. Дава́йте (sit down) за стол, заку́сим.

d. Мы (sat down) за стол и на́чали есть.

e. Де́вушка (got on) на « пя́тый » и уе́хала.

f. Ла́ра, (sit) в э́то кре́сло! Оно́ удо́бное.

g. Профе́ссор Соро́кин, (sit down), пожа́луйста, ря́дом с мое́й жено́й. Она́ о́чень хо́чет с ва́ми поговори́ть.

2.

ложи́ться:	ложу́сь, ложи́шься, ложа́тся; Ложи́сь! Ложи́тесь!
лечь:	ля́гу, ля́жешь, ля́гут; лёг, легла́, легло́, легли́; Ляг(те)![22]

a. — Вы, ка́жется, уста́ли.

— Да, уста́л(а). Я ско́ро (will go to bed).

b. — В кото́ром часу́ вы обы́чно (go) спать?

— Обы́чно я (go to bed) в де́сять, но вчера́ я (went to bed) в полови́не девя́того.

c. — В кото́ром часу́ ва́ши де́ти (go) спать?

— Обы́чно они́ (go to bed) в че́тверть восьмо́го, но сего́дня они́ (will go to bed) в во́семь.

d. — Когда́ вы бу́дете в о́тпуске, в кото́ром часу́ вы (will go to bed)?

— Не могу́ вам то́чно сказа́ть, но я (will go to bed) дово́льно ра́но.

e. — Почему́ Ива́на не ви́дно?

— Он уже́ (has gone) спать.

C. Give the correct form of the perfective or imperfective verbs:

$$\text{при-} \begin{cases} \text{в/на (acc.)} \\ \text{к (dat.)} \end{cases} \Big\} \text{ come, arrive}$$

1.

приходи́ть:	прихожу́, прихо́дишь, прихо́дят; Приходи́(те)!
прийти́:	приду́, придёшь, приду́т; пришёл, пришла́, пришло́, пришли́; Приходи́(те)!

a. — Почему́ вы тепе́рь так ре́дко (come) к нам?

— У меня́ про́сто вре́мени не хвата́ет.

b. — Во ско́лько вы (arrive) на рабо́ту?

— Обы́чно я (arrive) в во́семь часо́в утра́, но сего́дня я (arrived) в полови́не восьмо́го.

---

[22] See preceding footnote.

c. — Профе́ссор Мака́ров уже́ здесь?

   — Нет, но он ско́ро (will come).

d. — Я наде́юсь, что вы (will come) к нам ча́сто.

   — С больши́м удово́льствием. То́лько в э́ту суббо́ту мы (won't come), потому́ что бу́дем обе́дать у сы́на.

e. — Вы не зна́ете, почему́ они́ так ре́дко к нам (came)?

   — Я ду́маю, что они́ бы́ли о́чень за́няты.

f. — (Come) ко мне поча́ще. Я всегда́ рад(а) тебя́ ви́деть.

2. приезжа́ть:	приезжа́ю, приезжа́ешь, приезжа́ют; Приезжа́й(те)!
приéхать:	прие́ду, прие́дешь, прие́дут

a. — Почему́ ты всегда́ опа́здываешь на рабо́ту? Твой сосе́д всегда́ (arrives) во́время.

   — Да, но он холостя́к. У него́ нет ни жены́, ни дете́й.

b. — Где ва́ши роди́тели?

   — Их нет, но они́ (are arriving) сего́дня, и мне на́до бу́дет встре́тить их на вокза́ле.

c. — Ва́ши друзья́ (will arrive) сего́дня ве́чером?

   — Они́ уже́ (have arrived).

d. — Когда́ мы жи́ли в Нью-Йо́рке, Петро́вы ча́сто к нам (came) в го́сти.

   — Почему́ они́ тепе́рь так ре́дко (come)?

   — Потому́ что они́ живу́т далеко́.

e. — (Come) к нам поча́ще. Мы всегда́ ра́ды вас ви́деть.

3. прилета́ть:	прилета́ю, прилета́ешь, прилета́ют; Прилета́й(те)!
прилете́ть:	прилечу́, прилети́шь, прилетя́т

a. — Во ско́лько (will arrive) самолёт из Ташке́нта?

   — Обы́чно э́тот самолёт (arrives) в 16 часо́в, но сего́дня он опа́здывает.

b. — Когда́ вы (will arrive) в Ерева́н?

   — Я (will arrive) в Ерева́н 6-го а́вгуста, в 14 часо́в.

c. — Самолёт Ленингра́д-Москва́ уже́ (has arrived)?

   — Нет, э́тот самолёт (will arrive) че́рез 20 мину́т.

d. — На како́й аэродро́м (arrive) больши́е самолёты?

   — Наве́рно, на Вну́ковский.

e. — Сюда́ (will arrive) не ме́ньше десяти́ самолётов ка́ждый день.

4.
приноси́ть:	приношу́, прино́сишь, прино́сят; Не носи́(те)!
принести́:	принесу́, принесёшь, принесу́т; принёс, принесла́, принесло́, принесли́; Принеси́(те)!

a. — Вы всегда́ (bring) так мно́го веще́й на уро́к?
   — Нет, обы́чно я (bring) то́лько блокно́т и тетра́дь.

b. — (Bring), пожа́луйста, ча́шку ко́фе.
   — Ещё что-нибудь?
   — Нет, пока́ не на́до.

c. — Мне ну́жен ру́сско-англи́йский слова́рь. Я свой сего́дня не (brought).
   — У меня́ здесь нет словаря́, но я его́ вам за́втра (will bring).

d. — Интере́сно, кто (brought) тебе́ э́ти цветы́?
   — Ва́ня. Он зна́ет, что я о́чень люблю́ цветы́, и ка́ждый день (brings) мне буке́т.
   — Да? Мо́жет быть, он мне (will bring) за́втра.

e. — Вчера́ О́льга (brought) мне интере́снейшую кни́гу!
   — Ты её уже́ прочла́?
   — Нет, я прочту́ её за́втра.

5.
привози́ть:	привожу́, приво́зишь, приво́зят; Не привози́(те)!
привезти́:	привезу́, привезёшь, привезу́т; привёз, привезла́, привезло́, привезли́; Привези́(те)!

a. — Кто (brought) э́ти ве́щи сюда́?
   — Како́й-то шофёр (brought) их на большо́м грузовике́.

b. — Я хочу́, что́бы вы (bring) э́ти паке́ты ко мне в суббо́ту.
   — К сожале́нию, я не могу́ в суббо́ту. Но я их вам (will bring) в понеде́льник.

c. — Не зна́ете ли вы, когда́ они́ (will bring) мой бага́ж с вокза́ла?
   — Его́ то́лько что (brought). Всё уже́ стои́т у вас в но́мере.

d. — Как (do they bring) пшени́цу с поля на элева́торы?
   — На грузовика́х.

e. — Вы всегда́ (bring) ва́ших дете́й в шко́лу на маши́не?
   — Нет, они́ обы́чно е́здят на велосипе́дах.

6.
приводи́ть:	привожу́, приво́дишь, приво́дят; Не приводи́(те)!
привести́:	приведу́, приведёшь, приведу́т; привёл, привела́, привело́, привели́; Приведи́(те)!

a. — Кто (brings) коро́в с поля домо́й?
   — Обы́чно их (bring) доя́рки, но сего́дня (brought) их я.

b. — Матери каждый день (bring) свои́х дете́й в шко́лу, потому́ что эти дети ещё слишком маленькие.

— Сего́дня их (brought) отцы́.

c. — Пожа́луйста, (bring) моего́ сы́на сюда́. Он не знает, как сюда́ попа́сть.

— Хорошо́. Я его́ с удово́льствием (will bring).

d. — У вас сего́дня мно́го госте́й!

— Да, мы пригласи́ли Петро́вых, а они́ (brought) с собо́й свои́х друзе́й.

e. — Вы всегда́ (bring) ваших дете́й с собо́й на конце́рты?

— Нет, я их сего́дня (brought) потому́, что « Петя и волк » Проко́фьева в общем вещь для дете́й.

D. Translate each pattern sentence into English; then make the substitutions as indicated:

1. **Я** зайду́ за **ва́ми** о́коло **семи́**.

a. Я _____ ты _____ во́семь.

b. Он _____ она́ _____ де́вять.

c. Мы _____ они́ _____ де́сять.

d. Они́ _____ мы _____ оди́ннадцать.

2. **Я** сойду́ на сле́дующей остано́вке и переся́ду на **трамва́й**.

a. Мы _____ авто́бус.

b. Вы _____ тролле́йбус.

c. Она́ _____ метро́.

3. **Я** поздоро́ваюсь с гостя́ми, когда́ войду́ в **гости́ную**.

a. Он _____ столо́вая.

b. Мы _____ кухня.

c. Они́ _____ сосе́дняя ко́мната.

4. **Мы** обойдём **это о́зеро**.

a. Я _____ этот памятник.

b. Он _____ эта дере́вня.

c. Они́ _____ это кладбище.

5. **Вы** пройдёте ми́мо **парка** и уви́дите **новую гости́ницу**.

a. Ты _____ гости́ница _____ старая больни́ца.

b. Вы _____ больни́ца _____ больша́я площадь.

c. Они́ _____ площадь _____ наш дом.

6. **Мы** перейдём через **улицу** и зайдём в **лавку**.
   a. Я _____ улица _____ библиотéка.
   b. Он _____ мост _____ музéй.
   c. Онú _____ плóщадь _____ магазúн.

7. **Он** подойдёт к этому милиционéру и спросит егó, как доéхать до **университéта**.
   a. Я _____ Киевский вокзáл.
   b. Мы _____ Софúя Киевская.
   c. Онú _____ Печéрская лавра.

8. **Онú** проéдут больше **пятúдесяти** киломéтров.
   a. Мы _____ шестьдесят _____.
   b. Я _____ семьдесят _____.
   c. Он _____ восемьдесят _____.

9. **Я** сойдý вниз и выйду на двор.
   a. Он _____.
   b. Мы _____.
   c. Онú _____.

E. Change the verbs and prepositions to those which are opposite in meaning:

   Примéр: Наши товáрищи ужé   Наши товáрищи ужé
   приéхали в Москвý.   **уéхали из** Москвы́.

1. Этот поезд **прихóдит в** Киев в 14 часóв.
2. Таксú **подъезжáет к** вокзáлу.
3. **Подойдúте ко** мне!
4. Я **въезжáю в** гарáж.
5. Онú должны́ сейчáс **уéхать**.
6. Ивáн, навéрно, **приéдет** сегóдня после обéда.
7. Их самолёт **улетúт** ровно в 20 часóв.
8. Турúсты **отъезжáли от** старого собóра.
9. Кто **въехал в** гарáж?
10. Сейчáс мы **въедем в** длинный туннéль.
11. Самолёты **подлетáют к** аэропóрту.
12. Мы **отхóдим от** озера.
13. Не **подходú к** окнý!
14. **Выйди úз** дому!

15. Студе́нты **подхо́дят к** доске́.
16. Эти самолёты всегда́ **прилета́ют** вовремя.
17. Председа́тель колхо́за **прилете́л** сего́дня утром.
18. Я **прие́ду в** Москву́ 10-го августа в 15 часо́в.
19. Поезд **отъезжа́ет от** моста.

F. Переведи́те слова́ в скобках:

1. В прошлом году́ мы (moved) из города в дере́вню.
2. На будущей неде́ле я (will move) на новую кварти́ру.
3. Авто́бус (passed) мою́ остано́вку.
4. Мы (missed) доро́гу в город.
5. Как только (pass) эти маши́ны, мы (will cross) через улицу.
6. Я (am getting off) на следующей остано́вке.
7. Наш авто́бус (passed) мимо Большо́го теа́тра.
8. Мы (drove) вокру́г памятника, кото́рый стои́т на перекрёстке.
9. Бума́ги (are flying) со стола́ на́ пол.

G. Переведи́те слова́ в скобках:

1. Приходи́те (to) нам в гости!
2. Я вхожу́ (into) дом.
3. Мы выхо́дим (out of) теа́тра.
4. Не подходи́те (up to) окну́!
5. Доезжа́йте (to) перекрёстка.
6. Этот поезд прихо́дит (in) Оде́ссу в 20 часо́в.
7. Мы пришли́ (at) конце́рт слишком поздно.
8. Он прие́хал (from) Кавка́за.
9. (From) лекции мы пошли́ (to) библиоте́ку.
10. (From) нас Петро́вы пое́хали (to) Андре́евым.
11. Я зае́ду (for) тобо́й без четверти восемь.
12. По пути́ в школу он зашёл (into) магази́н купи́ть черни́ла.
13. Я каждый день прохожу́ (past) этой церкви.
14. Самолёты долете́ли (as far as) Тулы и верну́лись (to) Москву́.
15. Стару́ха сходит (off) трамва́я.
16. По-мо́ему, мы можем перейти́ (through) эту реку.
17. В прошлом году́ мои́ това́рищи объе́хали (around) света.
18. Мы перее́хали (across) мост и попа́ли в новый жило́й райо́н.
19. Через несколько мину́т этот самолёт вылетит (to) Англию.
20. Мы перее́хали (from) Портланда (to) Сан-Франци́ско.

H. Письмо́ из Ки́ева

Ки́ев, 7-ое ию́ля 1966-го го́да

Дорого́й Арка́дий Никола́евич!

Давно́ собира́лась Вам написа́ть, но у меня́ про́сто нехвата́ло вре́мени. Е́сли Вы получи́ли откры́тку, кото́рую я посла́ла Вам из Москвы́, Вы зна́ете, что я соверша́ю путеше́ствие по Сове́тскому Сою́зу. Я **вы́летела из** Нью-Йо́рка у́тром 17-го ию́ня; че́рез 10 часо́в самолёт уже́ **прилете́л в** Ло́ндон, где должны́ бы́ли собра́ться все чле́ны экску́рсии. В Ло́ндоне наш экскурсово́д сказа́л нам, что 20-го ию́ня мы **улети́м в** Стокго́льм, там переся́дем на парохо́д, на кото́ром **дое́дем до** Хе́льсинки, переночу́ем в столи́це Финля́ндии и на сле́дующий день **вы́едем в** Ленингра́д на по́езде. В Ленингра́де проведём 5 дней, в Москве́ це́лую неде́лю, в Ки́еве 4 дня. Из Ки́ева мы **улети́м** ли́бо **на** Кавка́з, ли́бо **в** Сре́днюю А́зию... э́ту зада́чу реши́м не здесь, а в Ки́еве.

Так и **вы́шло,**[23] по кра́йней ме́ре до того́, как[24] мы **прие́хали в** Москву́. Но в Москве́ мы отказа́лись от своего́ пла́на — одни́ реши́ли соверши́ть путеше́ствие по Во́лге и посети́ть Тбили́си до пое́здки в Ки́ев, други́е хоте́ли осмотре́ть Я́сную Поля́ну, бы́вшее име́ние Льва Толсто́го под Ту́лой,[25] а я то́же переду́мала и реши́ла оста́ться ещё на не́сколько дней в Москве́.

Тепе́рь мы все собрали́сь в Ки́еве. Я **прие́хала** вчера́ ве́чером на по́езде, **дое́хала до** гости́ницы на такси́, офо́рмилась и, так как я уста́ла, сра́зу легла́ спать. Пое́здка на по́езде была́ о́чень интере́сной. Я была́ в купе́ с молоды́ми сове́тскими студе́нтами, и от Москвы́ до Ки́ева мы всё вре́мя разгова́ривали, пе́ли наро́дные пе́сни и пи́ли шампа́нское. Я обеща́ла с ни́ми перепи́сываться, когда́ верну́сь в Аме́рику. Бы́ло не́сколько утоми́тельно, но зато́ ве́село.

Сего́дня я ра́но вста́ла, бы́стро помы́лась, оде́лась и **вы́шла на** у́лицу. Пе́ред гости́ницей стоя́л Ми́ша Нью́тон, молодо́й челове́к из Калифо́рнии. Мы реши́ли до за́втрака **ходи́ть по** го́роду. Мы **перешли́** у́лицу, **прошли́ че́рез** ма́ленький парк, **дошли́ до** перекрёстка, **обошли́** па́мятник како́му-то украи́нскому геро́ю, **пошли́** да́льше по

---

[23] **Так и вы́шло:** That's the way things turned out.
[24] **до того́, как:** until
[25] **под Ту́лой:** near Tula (Used with cities **под** means "near," "in the vicinity of").

красивой, широкой улице « Крещатик ». Там мы **заходили в** магазины и лавки, в которых покупали открытки и маленькие сувениры.

В одном магазине **к** нам **подошёл** пожилой человек, который сразу узнал в нас американцев, и спросил, не знаем ли мы его родственников в Миннеаполисе? Мы их, конечно, не знали, но обещали передать им от него привет, если будем когда-нибудь в этом городе.

Мы **вышли из** магазина и заметили, что уже половина двенадцатого. До обеда оставалось только полчаса! Мы **добежали до** ближайшей остановки, сели на автобус и спросили кондуктора, где нам **сойти**, чтобы попасть в гостиницу. К счастью, нам не надо было пересаживаться. Поездка продолжалась полчаса. Мы **приехали в** гостиницу как раз вовремя, **вошли в** ресторан, нашли своих товарищей, сели и пообедали. После обеда я **пошла** к себе в номер,[26] где сейчас отдыхаю и пишу Вам это письмо.

Сегодня мы осмотрим Киево-Печерскую лавру, Софию Киевскую, Андреевскую церковь и памятник князю Владимиру, который в 988-м году крестил Киевскую Русь.

Через 2 дня наша группа **вылетит в** Самарканд, старейший город в Средней Азии.

Ну, а теперь пожелаю Вам всего хорошего. Надеюсь, что всё у вас в порядке, и что мы увидимся в сентябре. Мне очень хочется рассказать Вам о своих впечатлениях об СССР и о людях, с которыми я здесь познакомилась.

Сердечный привет, крепко жму Вашу руку.[27]

Елизавета

Вопросы

1. Откуда послала Елизавета Аркадию открытку?
2. Какого числа она вылетела из Нью-Йорка?
3. В какой город прилетел самолёт?
4. Какой у них был план путешествия?
5. Как называется бывшее имение Л. Н. Толстого?

---

[26] **пойти к себе в номер:** to go to one's (hotel) room
[27] **Сердечный привет, крепко жму Вашу руку.** *Literally,* "Hearty greeting, I firmly press your hand."

6. На чём ехала Елизавета в Киев?
7. Совершила ли она путешествие по Волге?
8. Как она доехала до гостиницы?
9. Как называется гостиница, в которой она остановилась?
10. Почему поездка на поезде была такой весёлой?
11. Куда вышла Елизавета после того, как она помылась и оделась?
12. С кем она ходила по городу?
13. Что хотел от них пожилой человек, который к ним подошёл?
14. Который был час, когда они вышли из магазина?
15. Сколько времени продолжалась поездка до гостиницы?
16. Где Елизавета и Миша нашли своих товарищей?
17. Успели ли они на обед?
18. Куда пошла Елизавета после обеда?
19. Что туристы сегодня осмотрят?
20. Куда они вылетят через два дня?
21. В какой республике находится Самарканд?
22. О чём хочет Елизавета рассказать Аркадию Николаевичу?

I. Следуйте данному примеру:

Пример: Я сегодня слышал **очень интересную** радиопередачу.	**Я сегодня слышал интереснейшую радиопередачу.**

1. Это **очень холодный** район.
2. Там **очень высокие** горы.
3. В этом колхозе пользуются **самыми новыми** методами.
4. Это **самое глубокое** и **самое широкое** озеро в стране.
5. Шевченко стал **самым великим** певцом украинского народа.
6. Это **очень трудный** урок!

J. Переведите слова в скобках:

1. Она хорошо говорит и хорошо пишет, но (best of all) она переводит.
2. Все эти студенты пишут хорошо, но Владимир пишет (best of all).
3. Ваня и Вова — большие мальчики, но Никита (is biggest of all).
4. Я люблю чай и кофе, но шоколад я люблю (best of all).
5. Оля пела хорошо, Таня тоже пела хорошо, но Анна пела (best of all).
6. Боб говорит по-русски (better than we do).

7. Алёша понимáет по-англи́йски (better than you do).
8. Ири́на знает это (better than they do).

К. Отвéтьте на вопрóсы:

1. В котóром часý вы обы́чно ложи́тесь спать? Когдá вы вчерá легли́? Когдá вы сегóдня ля́жете?
2. В котóром часý вы обы́чно встаёте? Когдá вы сегóдня встали? Когдá вы зáвтра встáнете?
3. Что вы собирáетесь дéлать сегóдня вéчером?
4. Вы были когдá-нибудь в Ки́еве?
5. Вы собирáетесь в бýдущем соверши́ть путешéствие по Совéтскому Сою́зу?
6. Вы перепи́сываетесь с людьми́, котóрые живýт за грани́цей?
7. Когдá вы говори́те с рýсскими, они́ узнаю́т в вас америкáнца (америкáнку)?
8. Вы лю́бите шампáнское? Это дорогóе или дешёвое винó?
9. В котóром часý вы обы́чно прихóдите (приезжáете) в шкóлу? Когдá вы сегóдня пришли́ (приéхали)?
10. Во скóлько начинáется ваш пéрвый урóк? А когдá он кончáется?
11. Скóлько врéмени продолжáется урóк рýсского языкá?
12. Во скóлько кóнчится ваш послéдний урóк сегóдня?
13. В котóром часý вы уйдёте (уéдете) из шкóлы домóй сегóдня?
14. Какóго числá вы уезжáете на кани́кулы в этом годý? Где вы бýдете ночевáть?
15. Скóлько врéмени бýдут продолжáться ваши кани́кулы?
16. Когдá вы путешéствуете, вы иногдá посылáете вáшим друзья́м и роди́телям откры́тки?
17. Как сказáть по-рýсски:
    a. Everything's in order.
    b. Everything was in order.
    c. When he arrives, everything will be in order.
    d. If he had gone away, everything would have been in order.
    e. How are you getting along in Kiev?
    f. You have to keep in mind that you can't get to the station without transferring.
    g. Something's missing! Where's my briefcase?
    h. I won't have enough money for that.
    i. Tell your friends to come tomorrow.

    j. What's the difference between these words?

    k. What time do you want me to come? That depends on you.

    l. I won't have time to write this letter today.

    m. Have you already washed, shaved, and dressed?

    n. What time will you pick me up (drop in for me)? At a quarter to seven.

L. Переведи́те слова́ в скобках:

1. Профессора́ (walk up to the students) и здоро́ваются с ни́ми.
2. Мы (walked up to the salesmen) и (asked them), где лифт.
3. Я (entered the barn) и (walked up to the chairman of the kolkhoz).
4. Кто э́ти лю́ди, (who are coming out of the church)? Они́ не (come out), они́ (are going in).
5. По́сле концéрта мы (will walk out of the theater), встретим их у входа и (go to) хоро́ший рестора́н. Я так люблю́ есть в (good restaurants)!
6. Ваш самолёт (has already left). Следующий (will leave) че́рез четы́ре часа́.
7. Мы (are planning to leave for Kiev) че́рез 10 дней.
8. (Take [carry on foot]) э́ти ве́щи домо́й сего́дня ве́чером.
9. Куда́ вы (did take [by vehicle] my friends) по́сле ле́кции?
10. Я (will bring [conduct, lead] these boys) к вам сра́зу по́сле уро́ка.
11. Трамва́й (is driving away from the stop).
12. Маши́на бы́стро (passed by him) и он (crossed the street).
13. Сего́дня мы (drove 500 kilometers).
14. Я (hope), что мы (will reach Moscow) к ве́черу.
15. Я (am afraid), что мы (won't arrive) во́время.
16. На́до бу́дет (drive completely around) э́того зда́ния.
17. Мне на́до здесь (get off). Я всегда́ (get off at this stop). Бо́же! (We've gone past!)
18. Она́ (came downstairs, walked through) гости́ную и (went into) ку́хню.
19. Грузовики́ всегда́ (drove between the house and the barn).
20. Пожа́луйста, (bring me) буты́лку молока́.
21. Вы уже́ (moved) на но́вую кварти́ру? Ещё нет. Мы (are going to move) на бу́дущей неде́ле.
22. Мо́жно (come in)? Пожа́луйста, (come in)!
23. Я (will pick you up) в во́семь часо́в. Наде́юсь, что вы (will be ready).

24. Я послáл (my son) в лáвку (for a newspaper).
25. Я (will drop into) эту лáвку (for a magazine).
26. (Drop in) к нам. Мы всегдá рáды вас вúдеть.
27. Зимóй сóлнце (rises) пóздно и (sets) рáно.
28. Автомобúль (drove behind) здáние пóчты и остановúлся.
29. Грузовикú (were driving away from) пóчты.
30. Мы (went as far as the university) пешкóм. Там мы (got on) метрó.

ГРАММÁТИКА

The Superlative Degree of Adjectives (continued)

The compound superlative of adjectives (with **сáмый**) is already familiar to you (see lessons 10 and 25). The simple superlative is a bookish form which is normally avoided in the spoken language.

The simple superlative is formed by adding the suffix and adjective ending **-ейший (-ая, -ее, -ие)** to the adjective stem. This ending becomes **-áйший (-ая, -ее, -ие)** if the adjective stem ends in **г, к, х**. In addition, these final consonants becomes **ж, ч, ш**, respectively. The stress is normally the same as that of the simple comparative. However, **-áйший** is always stressed. **Дорогóй** and **корóткий** have no simple superlative form.

1. -ейший (-ая, -ее, -ие)

Positive	*Superlative*	
нóвый	новéйший	the very newest
умный	умнéйший	highly intelligent
холóдный	холоднéйший	extremely cold
длинный	длиннéйший	very long

2. -áйший (-ая, -ее, -ие)

стрóгий	строжáйший	extremely strict
велúкий	величáйший	greatest
тúхий	тишáйший	most (very) quiet

Note also:

блúзкий	ближáйший	nearest
нúзкий	нижáйший	lowest

Unless the context indicates that a comparison is definitely intended, the simple superlative is usually best translated into English as "an extremely (especially, terribly, etc.)...," "a most (very)...":

Я сегóдня слышал **интерéснейшую** прогрáмму!	I heard the most interesting program today!
В Грýзии вы увѝдите **красѝвейшие высочáйшие** гóры.	In Georgia you will see very beautiful, extremely high mountains.

As was indicated in lesson 25, some adjectives have only one form for the comparative *and* superlative:

Это **лýчший** метóд.	This is a better (*or* the best) method.
Это **хýдшая** позѝция.	This is a worse (*or* the worst) position.
Это мой **млáдший** брат.	This is my younger brother (he may also be the youngest in the family).
Это моя́ **стáршая** сестрá.	This is my older sister (she may also be the oldest in the family).

The superlative degree of some adjectives may be intensified by adding the prefix **наи-**. The word **наилýчший** ("the very best") is commonly used in the expression:

Передáйте **наилýчшие** пожелáния (комý?).	Give my very best regards to...

The Superlative Degree of Adverbs

The superlative degree of adverbs is formed by placing **всех** ("than *anyone* else") or **всегó** ("than *anything* else") after the comparative form of the adverb:

Он игрáет в шáхматы **лýчше всех.**	He plays chess best of all (better than anyone else).
Он игрáет в шáхматы **лýчше всегó.**	He plays chess best of all (better than any other game).

The superlative degree of adverbs is infrequently expressed by adding the words **наибóлее** ("most") or **наимéнее** ("least") to the positive degree:

Из всех он говорѝт **наибóлее (наимéнее) интерéсно.**	He speaks the most (least) interesting of all (of them).

Сесть *and* Лечь

The perfective verbs **сесть** and **лечь** come from different roots than their imperfective counterparts **садиться** and **ложиться**:

Imperfective	*Perfective*
садиться	**сесть** ("to sit down, take a seat")
сажусь	сяду
садишься	сядешь
садятся	сядут
	сел, села, село, сели
ложиться	**лечь** ("to lie down")
ложусь	лягу
ложишься	ляжешь
ложатся	лягут
	лёг, легла, легло, легли

Used with the verbs **садиться/сесть** and **ложиться/лечь**, the prepositions **в** and **на** govern the accusative case; with **сидеть** and **лежать** they govern the prepositional:

> Он садится (сядет) на стул (в кресло).
> Он ложится (ляжет) в постель.

> Он сидит на стуле (в кресле).
> Он лежит в постели.

Avoid the command forms of **сесть** and **лечь** except when addressing a pet or a willful child!

Verbs of "Going" and "Taking" with Prefixes (**Приставочные глаголы движения**)

As has already been explained in previous chapters, the perfective aspect of verbs of going and taking is formed by adding the prefix **по-** to the *unidirectional* verb. This perfective verb serves for both the unidirectional and the multidirectional verb involved.

Multidirectional	Unidirectional	Perfective for Both Verbs
ходи́ть	идти́	пойти́
е́здить	е́хать	пое́хать
лета́ть	лете́ть	полете́ть
бе́гать	бежа́ть	побежа́ть
носи́ть	нести́	понести́
вози́ть	вёзти́	повезти́
води́ть	вести́	повести́

There are a number of other prefixes which may be added to both the multidirectional and the unidirectional verbs of going and taking (verbs of motion). These prefixes alter the meaning of the verbs and make of them a normal imperfective–perfective pair (the prefixed multidirectional verb remains imperfective, while the unidirectional verb becomes perfective). When prefixed, these verbs lose their multidirectional-unidirectional functions completely.

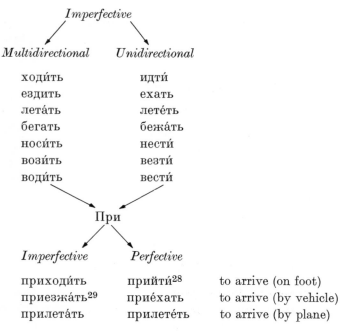

Imperfective

Multidirectional   *Unidirectional*

ходи́ть	идти́
е́здить	е́хать
лета́ть	лете́ть
бе́гать	бежа́ть
носи́ть	нести́
вози́ть	везти́
води́ть	вести́

При

Imperfective   *Perfective*

приходи́ть	прийти́[28]	to arrive (on foot)
приезжа́ть[29]	прие́хать	to arrive (by vehicle)
прилета́ть	прилете́ть	to arrive (by plane)

---

[28] When prefixed, **идти́** becomes **-йти́**.

[29] When prefixed, **е́здить** becomes **-езжа́ть**.

прибега́ть	прибежа́ть	to come running
приноси́ть	принести́	to bring (on foot)
привози́ть	привезти́	to bring (by vehicle)
приводи́ть	привести́	to bring (lead, conduct)

The following are the most commonly used prefixes of this type:

при-	arrival, coming, bringing
у-	departure, going (taking) away
в-	entrance, going (coming, taking, bringing) in
вы-	exit, going (coming, taking, bringing) out
под-	approach, going (etc.) up to
от-	leaving, going (etc.) away from
до-	reaching, going (etc.) as far as
про-	traversing, going (etc.) through
пере-	crossing, going (etc.) across
с-	descending, going (etc.) down or off
за-	motion directed behind; dropping in
об-	circling, going (etc.) around (a given object)

Note these examples (using **ходи́ть-идти́** and **ездить-ехать** only):

1. **при-** │ из, с, от │ ──▶ │ в, на, к │   arrive, come, bring

a. Imperfective:

> Они́ всегда́ **приезжа́ют в** шко́лу во́время.
> Они́ всегда́ **приезжа́ли на** рабо́ту во́время.
> Они́ всегда́ **будут приезжа́ть** во́время.

b. Perfective:

> Они́ **прие́хали** сего́дня **из** Москвы́.
> Они́ **прие́дут к** нам на одну́ неде́лю.

Note: When prefixes are added to **идти́** it becomes **-йти́**; however, the verb **прийти́** drops **-й-** in its future conjugation:

при	йти́
при	ду́
при	дёшь
при	ду́т

пришёл, пришла́, пришло́, пришли́

2. **у-** | из, с, от | ⟶ | в, на, к |

Imperfective	*Prepositions*	*Perfective*

уходи́ть $\begin{pmatrix} \text{из} \\ \text{с} \\ \text{от} \end{pmatrix}$ place person $\begin{pmatrix} \text{в} \\ \text{на} \\ \text{к} \end{pmatrix}$ уйти́   to leave (on foot)

уезжа́ть   уе́хать   to leave (by vehicle)

a. Imperfective:

Он всегда́ $\begin{Bmatrix} \text{ухо́дит} \\ \text{уходи́л} \\ \text{бу́дет уходи́ть} \end{Bmatrix}$ в шко́лу в семь часо́в.

b. Perfective:

Он сего́дня $\begin{Bmatrix} \text{уйдёт} \\ \text{ушёл} \end{Bmatrix}$ из шко́лы в три часа́.

3. **в-**   ⟶ | в |

Imperfective	*Preposition*	*Perfective*
входи́ть	в	во́йти́ to come in
въезжа́ть		въе́хать to drive in

a. Imperfective:

Мы $\begin{Bmatrix} \text{въезжа́ем} \\ \text{въезжа́ли} \\ \text{бу́дем въезжа́ть} \end{Bmatrix}$ в го́род.

b. Perfective:

Мы $\begin{Bmatrix} \text{ско́ро въе́дем} \\ \text{то́лько что въе́хали} \end{Bmatrix}$ в го́род.

Note: If the prefix ends in a consonant, **-о-** is inserted between the prefix and **-йти́**, and **-ъ-** between the prefix and **-езжа́ть, -ехать**:

идти́:	вой	ти́
	вой	ду́
	вой	дёшь
	вой	ду́т

вошёл, вошла́, вошло́, вошли́

ездить: въезжа́ | ть

въезжа́	ю
въезжа́	ешь
въезжа́	ют

въезжа́л, въезжа́ла, въезжа́ло, въезжа́ли

ехать: въе | хать

въе	ду
въе	дешь
въе	дут

въехал, въехала, въехало, въехали

4. **вы-**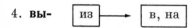

Imperfective	*Prepositions*	*Perfective*	
выходи́ть	(из)	вы́йти	to go out
выезжа́ть	(в, на)	вы́ехать	to drive out

a. Imperfective:

Я всегда́ { выхожу́ / выходи́л / бу́ду выходи́ть } из конто́ры в пять часо́в.

b. Perfective:

Сего́дня я { вы́йду / вы́шел } из конто́ры без че́тверти пять.

Note: The prefix **вы-** is always stressed when added to unidirectional verbs:

идти́: вы́й | ти

вы́й	ду
вы́й	дешь
вы́й	дут

вы́шел, вы́шла, вы́шло, вы́шли

ехать: вы́е | хать

вы́е	ду
вы́е	дешь
вы́е	дут

вы́ехал, вы́ехала, вы́ехало, вы́ехали

"To go out of a house" is **выходи́ть/вы́йти из до́ма**, but "to go out of one's own house" is **выходи́ть/вы́йти и́з дому**.

5. **под-** ──────▶ к

Imperfective	*Preposition*	*Perfective*	
подходи́ть	к	подойти́	to walk up to
подъезжа́ть		подъе́хать	to drive up to

a. Imperfective:

$$\text{Авто́бус} \begin{cases} \text{подъезжа́ет} \\ \text{подъезжа́л} \\ \text{бу́дет подъезжа́ть} \end{cases} \text{к го́роду.}$$

b. Perfective:

$$\text{Авто́бус} \begin{cases} \text{подъе́дет} \\ \text{подъе́хал} \end{cases} \text{к го́роду.}$$

6. **от-**   от   ──────▶

Imperfective	*Preposition*	*Perfective*	
отходи́ть	от	отойти́	to walk away
отъезжа́ть		отъе́хать	to drive away

a. Imperfective:

$$\text{Авто́бусы} \begin{cases} \text{отхо́дят} \\ \text{отходи́ли} \\ \text{бу́дут отходи́ть} \end{cases} \text{от ста́нции.}$$

b. Perfective:

$$\text{Авто́бусы} \begin{cases} \text{отойду́т} \\ \text{отошли́} \end{cases} \text{от ста́нции.}$$

Note: The prefixes **при-**, **в-**, and **под-** denote arrival and may be paired with **у-**, **вы-**, and **от-** which denote departure:

Мы **при**лете́ли **в** Ленингра́д в два часа́.

Мы **у**лете́ли **из** Ленингра́да в три часа́.

Мы **въ**ехали **в** гараж.
Мы **вы**ехали **из** гаража́.

Мы **по**дошли́ **к** милиционе́ру.
Мы **от**ошли́ **от** милиционе́ра.

7. **до-** ——▶ до

Imperfective	*Preposition*	*Perfective*	
доходи́ть	до	до**й**ти́	to go as far as, reach
доезжа́ть		дое́хать	to drive as far as, reach

a. Imperfective:

Он доезжа́ет до вокза́ла на авто́бусе и переса́живается на поезд.
Он доходи́л до нашего дома пешко́м и ехал дальше с нами.
Доезжа́йте до четвёртой остано́вки и переса́живайтесь на метро́.

b. Perfective:

Вчера́ мы дое́хали до Ки́ева и реши́ли там оста́ться на несколько
дней.
Сего́дня утром температу́ра дошла́ до 40°.
Наде́юсь, что мы сего́дня дое́дем до Пско́ва.

8. **про-** to go through; to pass by (between); to miss; to cover

Imperfective	*Prepositions*	*Perfective*	
проходи́ть	через	пройти́	to go through, cross, etc.
проезжа́ть	мимо	прое́хать	to drive through, cross, etc.
	между		

a. *To go through:*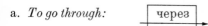

Мы часто проходи́ли **через** этот лес.

b. *To pass by:*

Авто́бусы прохо́дят мимо Большо́го теа́тра.

c. *To pass between:*

Грузовики проедут между сараем и нашим домом.

d. *To go past, miss, leave behind: (acc.* without *prep.)*

Я проехал свою остановку.

e. *To cover a given distance:*

Сегодня мы проехали 400 километров.

f. *To cover a lesson or unit of work:*

Мы прошли 25 уроков.
Мы уже прошли фонетику.

9. **пере-**   через ⟶   acc. / without prep.

Imperfective	*Prepositions*	*Perfective*	
переходить	через	перейти	to go across or over
переезжать	из в, на, к	переехать	to drive across or over

a. Imperfective:

Они ⎰переходят / переходили / будут переходить⎱ (через) улицу.

b. Perfective:

Мы ⎰перейдём / перешли⎱ (через) мост.

Note: The verbs **переезжать/переехать** also mean "to move" (from one place of residence to another):

Мы недавно переехали в новый дом.
Мы скоро переедем на новую квартиру.
Мы переехали из деревни в город.
Родители переехали к сыну.

10. **с-** to go down or off; to get off; to make a quick round trip

Imperfective	*Prepositions*	*Perfective*	
сходи́ть	{ с }	сойти́	to go off, come down, etc.
съезжа́ть	{в, на, к}	съехать	to drive down, off, etc.

a. *To go (come) down, descend:*

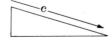

Тури́сты схо́дят с горы́.
Ва́ня сошёл вниз и вы́шел на у́лицу.

b. *To go off:*

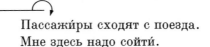

Автомоби́ль съезжа́ет с доро́ги.

c. *To get off:*

Пассажи́ры схо́дят с по́езда.
Мне здесь на́до сойти́.

Note the following expression:

Он с ума́ сошёл!   He's lost his mind!

11. **за-** to go behind; to drop in; to stop by for, pick up (person or thing).

Imperfective	*Prepositions*	*Perfective*	
заходи́ть	(в, на)	зайти́	to go behind, etc.
заезжа́ть	{ к }	зае́хать	to drive behind, etc.
	(за)		

a. *To go behind; to set (the sun):*   за │ (acc.)

Грузови́к заезжа́ет за сара́й.
Тепе́рь ле́то. Со́лнце захо́дит о́коло семи́.

b. *To drop in, stop by:*

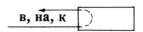

Заходи́те, когда́ у вас бу́дет свобо́дное вре́мя!
Тури́сты зашли́ в ла́вку и купи́ли сувени́ры.
По́сле конце́рта мы зайдём к Ивано́вым.
Я ка́ждый день захожу́ на по́чту.

c. *To stop by for, pick up (a person or thing):*

за (*inst.*)

Я зае́ду за ва́ми о́коло восьми́.
По пути́ в шко́лу он обы́чно захо́дит за мно́й.
Мы зайдём к вам за паке́тами.
Они́ зае́хали в магази́н за пода́рками.

12. **об-**   to go around, make the rounds

Imperfective	*Preposition*	*Perfective*	
обходи́ть	вокру́г[30]	об**о**йти́	to go around
объезжа́ть		объ**е**́хать	to drive around

a. *To go around an obstacle and continue on one's way:*

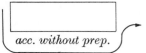

acc. *without prep.*

Грузовики́ объезжа́ют го́род.
Нам на́до обойти́ это о́зеро.

b. *To go completely around an obstacle:*

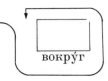

вокру́г

Тури́сты обхо́дят вокру́г па́мятника.
Они́ объе́хали вокру́г стадио́на и уе́хали.

c. *To make the rounds (of stores, etc.):*

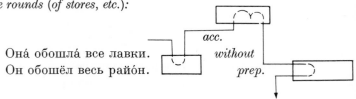

acc. *without prep.*

Она́ обошла́ все ла́вки.
Он обошёл весь райо́н.

---

[30] (or accusative case without a preposition)

Following, is a list of some general information about prefixed verbs of "going" and "taking":

1. The command forms of **ехать** are never used. Instead, Russians use prefixed forms of **ездить (-езжа́ть)**:

> Поезжа́й(те)!
> Приезжа́й(те)!
> Уезжа́й(те)!

2. When inviting someone to pay a visit, Russians always use the imperfective commands:

> Приезжа́й(те) ⎫
> Приходи́(те)　⎬ к нам!
>
> Заезжа́й(те)!
> Заходи́(те)!

3. The present tense of *imperfective prefixed verbs of "going" and "taking"* may be used to imply the future if the context makes the tense clear. Thus, these verbs are like comparable unidirectional verbs without prefixes:

> Он приезжа́ет (уезжа́ет) завтра.
> Когда́ вы уезжа́ете?

4. The prefix **по-** when added to *multidirectional* verbs causes them to become *perfective* verbs with the meaning "to... a little while."

Я просто похожу́, посмотрю́.	I'll just walk around a bit and take a look.
Мне хоте́лось бы полета́ть.	I'd like to fly awhile.

СЛОВА́РЬ

Приста́вочные глаго́лы движе́ния

Imperfective	*Perfective*	
в |ходи́ть	в |ойти́	to enter, go (walk) in
ъезжа́ть	ъехать	to enter, drive in
летáть	летéть	to fly in
бегáть	бежáть	to run in
носи́ть	нести́	to take (bring, carry) in
вози́ть	везти́	to take (bring) in (by vehicle)
води́ть	вести́	to take (lead, conduct) in

вы	ходи́ть	**вы**	йти	to exit, go (walk) out
	езжа́ть		ехать	to exit, drive out
	лета́ть		лететь	to fly out
	бега́ть		бежать	to run out
	носи́ть		нести	to take (bring, carry) out
	вози́ть		везти	to take (bring) out (by vehicle)
	води́ть		вести	to take (lead, conduct) out
до	ходи́ть	**до**	йти́	to reach, go (walk) as far as
	езжа́ть		éхать	to reach, drive as far as
	лета́ть		летéть	to fly as far as
	бега́ть		бежа́ть	to run as far as
	носи́ть		нести́	to take (bring, carry) as far as
	вози́ть		везти́	to take (bring) as far as (by vehicle)
	води́ть		вести́	to take (lead, conduct) as far as
за	ходи́ть	**за**	йти́	to go (walk) behind, drop in, stop by for, pick up
	езжа́ть		éхать	to drive behind, drop in, stop by for, pick up
	лета́ть		летéть	to fly behind; to fly (burst) in
	бега́ть		бежа́ть	to run behind; to drop in "for a second"
	носи́ть		нести́	to drop off (something which is carried)
	вози́ть		везти́	to drop off (by vehicle)
	води́ть		вести́	to drop off (conduct or lead); *to wind (a watch)*
об	ходи́ть	**об**	ойти́	to go (walk) around, make the rounds
	ъезжа́ть		ъéхать	to drive around, make the rounds
	лета́ть		летéть	to fly around (something)
	бега́ть		бежа́ть	to run around (something)
	носи́ть		нести́	to take (bring, carry) around (something)
	вози́ть		везти́	to take (bring) around (something) (by vehicle)
	води́ть		вести́	to take (lead, conduct) around (something)
от	ходи́ть	**от**	ойти́	to go (walk) away (from)
	ъезжа́ть		ъéхать	to drive away (from)
	лета́ть		летéть	to fly away (from)
	бега́ть		бежа́ть	to run away (from)
	носи́ть		нести́	to take (carry) away (from)
	вози́ть		везти́	to take (by vehicle) away (from)
	води́ть		вести́	to take (lead, conduct) away (from)
пере	ходи́ть	**пере**	йти́	to cross (on foot), go over, switch
	езжа́ть		éхать	to cross (by vehicle); *to move (change one's place of residence)*
	лета́ть		летéть	to fly across
	бега́ть		бежа́ть	to run across
	носи́ть		нести́	to take (carry) across
	вози́ть		везти́	to take across (by vehicle)
	води́ть		вести́	to take (lead, conduct) across; *to translate*

под|ходи́ть	под|ойти́	to approach, walk up to
ъезжа́ть	ъе́хать	to approach, drive up to
лета́ть	лете́ть	to approach, fly up to
бега́ть	бежа́ть	to run up to
носи́ть	нести́	to take (carry) up to
вози́ть	везти́	to take through (by vehicle)
води́ть	вести́	to take (lead, conduct) up to

при|ходи́ть	при|йти́	to arrive, come (on foot)
езжа́ть	е́хать	to arrive, come (by vehicle)
лета́ть	лете́ть	to arrive, come (by plane)
бега́ть	бежа́ть	to come running
носи́ть	нести́	to bring (on foot)
вози́ть	везти́	to bring (by vehicle)
води́ть	вести́	to bring (lead, conduct)

про|ходи́ть	про|йти́	to go (walk) through, walk past, cover a given distance or unit
езжа́ть	е́хать	to drive through, drive past, drive a given distance
лета́ть	лете́ть	to fly through, fly past, fly a given distance
бега́ть	бежа́ть	to run through, run past
носи́ть	нести́	to take (carry) through
вози́ть	везти́	to take (drive) through
води́ть	вести́	to take (lead, conduct) through

с|ходи́ть	с|ойти́	to get off, walk down, make a quick round trip
ъезжа́ть	ъе́хать	to drive down, make a quick round trip (by vehicle)
лета́ть	лете́ть	to fly down, make a quick round trip (by plane)
бега́ть	бежа́ть	to run down, make a quick round trip (running)
носи́ть	нести́	to take (carry) down; *to steal*; *to endure*
вози́ть	везти́	to take (carry) *away* (by vehicle)
води́ть	вести́	to take (lead, conduct, assist) down

у|ходи́ть	у|йти́	to leave, depart, go (walk) away
езжа́ть	е́хать	to leave, depart, go (drive) away
лета́ть	лете́ть	to fly away
бега́ть	бежа́ть	to run away
носи́ть	нести́	to take (carry) away
вози́ть	везти́	to take away (by vehicle)
води́ть	вести́	to take (lead, conduct) away

Други́е слова́

багáж (*gen.* багажá)   baggage
беспокóиться (II) (о ком? о чём?)   to be worried, concerned (about)
  (*pf.* обеспокóиться)

бесчи́сленный	countless
ближа́йший	nearest, next
буты́лка (*gen. pl.* буты́лок)	bottle
велича́йший	greatest
ве́рхний, -яя, -ее, -ие	upper
возрази́ть (II)	*pf. of* возража́ть
возражу́, возрази́шь, возразя́т	
возража́ть (I) (*pf.* возрази́ть)	to object, mind
воссоедине́ние	reunion, rejoining
встать (I)	*pf. of* встава́ть
вста́ну, вста́нешь, вста́нут	
гостеприи́мно	hospitably
да́вний, -яя, -ее, -ие	olden
дальне́йший	farther, further, farthest, furthest
дру́жба	friendship
ду́шно	stuffy
зато́	in spite of that, to make up for it
кондỳктор	conductor (on a train, streetcar, etc.)
краси́вейший	a most beautiful
крепостно́й	serf
к сча́стью	fortunately
купе́ [купэ́]	compartment
лечь (I)	*pf. of* ложи́ться
ля́гу, ля́жешь, ля́гут; лёг, легла́, легло́, легли́	
ни́жний, -яя, -ее, -ие	lower
ночева́ть (I) (*pf.* переночева́ть)	to spend the night
ночу́ю, ночу́ешь, ночу́ют	
обеспоко́иться (II)	*pf. of* беспоко́иться
оде́ться (I)	*pf. of* одева́ться
оде́нусь, оде́нешься, оде́нутся	
офо́рмиться (II)	*pf. of* оформля́ться
офо́рмлюсь, офо́рмишься, офо́рмятся	
оформля́ться (I) (*pf.* офо́рмиться)	to register (in a hotel)
перекрёсток (*pl.* перекрёстки)	intersection
переночева́ть (I)	*pf. of* ночева́ть
перепи́сываться (I) (с кем?) (*no pf.*)	to correspond (with)
переса́дка (*gen. pl.* переса́док)	transfer
сде́лать переса́дку	to transfer
переса́живаться (I) (*pf.* пересе́сть)	to transfer
пересе́сть (I)	*pf. of* переса́живаться
переся́ду, переся́дешь, переся́дут; пересе́л, пересе́ла, пересе́ло, пересе́ли	
пожела́ть (I) (кому́? чего́?)	*pf. of* жела́ть
пожило́й	elderly

поездка	trip, journey
помыться (I)	*pf. of* мыться
пообедать (I)	*pf. of* обедать
посетить (II)	*pf. of* посещать
посещу, посетишь, посетят	
послать (I)	*pf. of* посылать
пошлю, пошлёшь, пошлют	
предупредить (II)	*pf. of* предупреждать
предупрежу, предупредишь, предупредят	
предупреждать (I) (кого? о чём?) (*pf.* предупредить)	to warn, give advance notice
проводник (*pl.* проводники)	porter
прошлое	(the) past
решающий	decisive
ровно	exactly
родственник	relative
роль (ж.)	role
свыше (кого? чего?)	more than
сесть (I)	*pf. of* садиться
сяду, сядешь, сядут; сел, села, село, сели	
собираться (I) (*pf.* собраться)	to plan, intend
собраться (I)	*pf. of* собираться
соберусь, соберёшься, соберутся; собрался, собралась, собралось, собрались	
совершать (I) (*pf.* совершить)	to complete, accomplish
совершать путешествие	to take a trip
справедливо	justly
справка	information
справочное бюро	information bureau
сразу	immediately
стоянка такси	taxi stand, stop
сувенир	souvenir
точный	exact
успевать (I) (*pf.* успеть)	to have time; to get somewhere on time
успеть (I)	*pf. of* успевать
успею, успеешь, успеют	
утомительно	fatiguing, tiring
хватать (I) (*pf.* хватить)	to be enough
Чего не хватает?	What's missing?
Времени не хватает на всё.	There's not enough time for everything.
хватить (II)	*pf. of* хватать
Хватит?	Will that be enough?
Нет, этого не хватит.	No, that won't be enough.

христиани́н	a Christian
член	member
шаг (*pl.* шаги́)	step
шампа́нское	champagne
швейца́р	doorman, hall porter

Двадцать седьмой урок

РАЗГОВО́РЫ: **Жени́тьба**

(*Ольга и Влади́мир поженились*)	(*Olga and Vladimir got married*)
Лари́са: — Ники́та Семёныч,[1] вы слы́шали, что О́льга По́пова вы́шла за́муж?	*Larissa:* Nikita Semyonich, have you heard that Olga Popova got married?
Ники́та Семёныч: — Вот но́вость! За кого́ она́ вы́шла?	*Nikita Semyonich:* That's news! Whom did she marry?
Лари́са: — За Влади́мира Кули́бина. Вы его́ зна́ете?	*Larissa:* Vladimir Kulibin. Do you know him?

---

[1] In spoken Russian, **отчества** are shortened: Семён**ыч** = Семён**ович**.

Никита Семёныч: — Знаю, но это меня очень удивляет!

Лариса: — Чему вы удивляетесь?

Никита Семёныч: — Тому, что Володя, окончив институт, мне сказал, что собирается сразу же поступить на строительство на Дальнем Востоке и ни за что на свете не женится.

Лариса: — Он, кажется, передумал. Недавно, возвращаясь с Олей с концерта, он вдруг ни с того, ни с сего сделал ей предложение.

Никита Семёныч: — И она, не обдумывая, конечно, согласилась.

Лариса: — Повидимому, было так. Но я уверена, что они будут очень счастливы. У них много общего.

Никита Семёныч: — Увидим.

(*Дома у Кулибиных*)

Оля: — Кто-нибудь мне звонил?

Володя: — Да, кто-то звонил, даже три раза. Какая-то девушка.

Оля: — А своего имени она не сказала?

Володя: — Сказала, но я забыл.

Оля: — Она что-нибудь просила мне передать?

Володя: — Говорила что-то о каком-то вечере у кого-то...

Nikita Semyonich: Yes, I do, but this surprises me very much!

Larissa: Why are you surprised?

Nikita Semyonich: Because, when Volodya finished the institute, he told me that he planned to go into construction work in the Far East immediately and under no circumstances get married.

Larissa: It seems he changed his mind. Not long ago, returning with Olga from a concert, out of a clear blue sky he proposed to her.

Nikita Semyonich: And she, without thinking it over, of course, accepted.

Larissa: Evidently that's what happened. But I'm sure that they will be very happy. They have a lot in common.

Nikita Semyonich: We'll see.

(*At the Kulibin's*)

Olya: Did anyone call me on the phone?

Volodya: Yes, someone called three times. Some girl.

Olya: Didn't she give her name?

Volodya: She did, but I've forgotten it.

Olya: Did she ask you to give me any message?

Volodya: She said something about some sort of party at someone's

Она́, ка́жется, не смо́жет пойти́... и́ли ей не хо́чется... Пра́во, не по́мню.

Оля: — Воло́дя! Э́тот ве́чер бу́дет у нас! Ты, повиди́мому, был чем-нибу́дь о́чень за́нят?

Воло́дя: — Само́ собо́й разуме́ется.

Оля: — А ты ей что говори́л?

Воло́дя: — Сказа́л, что ты куда́-то вы́шла.

Оля: — Мне опя́ть на́до вы́йти на мину́тку. Е́сли она́ опя́ть позвони́т, узна́й, по кра́йней ме́ре, её но́мер телефо́на. Не забу́дешь?

Воло́дя: — Не беспоко́йся. Не забу́ду.

house... It seems she can't go... or she doesn't feel like it.... Really, I don't remember.

Olya: Volodya! That party is going to be at our place! Evidently you were very occupied with something or other.

Volodya: That goes without saying.

Olya: And what did you tell her?

Volodya: I told her that you had gone out somewhere.

Olya: I have to go out again for a minute. If she calls again, at least find out her telephone number. You won't forget, will you?

Volodya: Don't worry. I won't forget.

ТЕКСТ ДЛЯ ЧТЕНИЯ: О том, как Влади́мир сде́лал Ольге предложе́ние

Инжене́р Влади́мир Кули́бин до́лго уха́живал за Ольгой Попо́вой, но как э́то ни стра́нно, ему́ никогда́ в го́лову да́же не приходи́ла мысль о том, что он мо́жет на ней жени́ться. Гуля́я по па́рку, он говори́л с ней о рабо́те, о строи́тельстве; идя́ в кино́ и́ли на конце́рт, они́ разгова́ривали о том, как бы́стро тепе́рь стро́ятся но́вые жилы́е дома́ и тому́ подо́бное. Иногда́, си́дя на дива́не и смотря́ телевизио́нную переда́чу, Ольга обраща́ла его́ внима́ние на то, как хорошо́ живётся жена́тым лю́дям и на плю́сы супру́жеской жи́зни вообще́. Одна́ко, Влади́мир продолжа́л смотре́ть переда́чу, не говоря́ ни сло́ва.

Одна́жды в кино́ шёл фильм о длинне́йшей в ми́ре трансконтинента́льной[2] магистра́ли — Вели́кой Сиби́рской желе́зной доро́ге.[3] Зна́я,

---

[2] **трансконтинента́льный:** transcontinental
[3] **Вели́кая Сиби́рская желе́зная доро́га:** the Trans-Siberian Railway

Регистрация брака в ЗАГСе.

что Ольга дома, Владимир позвони́л ей и предложи́л пойти́ в кино́. Она́, само́ собо́й разуме́ется, согласи́лась.

Помы́вшись, побри́вшись и переоде́вшись, Владимир вышел на улицу, сел в маши́ну и пое́хал за Ольгой.

После кино́, везя́ Ольгу домо́й, Владимир подро́бно расска́зывал ей о почти́ непреодоли́мых препя́тствиях, с кото́рыми встреча́лись инжене́ры, стро́я Вели́кую Сиби́рскую желе́зную доро́гу.

Вдруг Ольга сказа́ла:

— Ты не можешь себе́ предста́вить, как все это мне надое́ло! Твои́х желе́зных доро́г, жилы́х домо́в и гидроэлектроста́нций я терпе́ть не могу́! Или же мы сейча́с поже́нимся, или же в будущем мы будем говори́ть о том, что меня́ интересу́ет!

Обду́мав несколько мину́т, Владимир, нахму́рившись, сделал Ольге предложе́ние, и они́ пошли́ в ЗАГС зарегистри́ровать свой брак.

Только некоторое время спустя́, выйдя из ЗАГСа жена́тым челове́ком, Владимир, наконец, ясно понял, что с ним случи́лось. Так начала́сь для него́ новая радостная жизнь жена́того челове́ка.

Вопрóсы

1. За кем ухáживал Владúмир Кулúбин?
2. О чём онú всегдá разговáривали?
3. На что обращáла Óльга внимáние Владúмира, смотря́ телевизиóнные передáчи?
4. Какáя трансконтинентáльная магистрáль явля́ется самой длинной желéзной дорóгой в мире?
5. Что сделал Владúмир перед тем, как он поéхал за Óльгой?
6. О чём он ей расскáзывал, возвращáясь домóй?
7. Чегó Óльга не моглá терпéть?
8. Чегó онá требовала от Владúмира?
9. Дóлго ли он обдýмывал?
10. Зачéм онú пошлú в ЗАГС?

ВЫРАЖÉНИЯ

1. Онá выхóдит замуж (за когó?). — She is getting married.
   Онá вышла замуж (за когó?). — She got married.
   Онá выйдет замуж (за когó?). — She is going to get married.
2. Вот новость! — That's new!
3. поступáть/поступúть (в, на что?) — to enroll (in, at), sign up (for)
4. ни за что на свете — under no circumstances
5. ни с тогó, ни с сегó — out of a clear blue sky
6. сделать предложéние — to propose (marriage)
7. повúдимому — evidently
8. У них много (мало) óбщего. — They have a lot (little) in common.
9. Прáво, не помню. — Really, I don't remember.
10. (Это) самó собóй разумéется. — That goes without saying.
11. ухáживать за (кем?) — to court, date (a girl), to look after
12. как это ни странно — strange as it may seem
13. Емý никогдá в голову даже не приходúла мысль о том, что... — The thought never occurred to him that...
14. о том, как — about the fact that, about how

15. обращáть/обратúть внимáние   to pay attention, draw attention (to)
(на когó? на что?)
16. томý подóбное   so forth, the like, things like that
17. не говоря́ ни слóва   without saying a word
18. Это мне надоéло.   I'm sick of that.
19. Я этого терпéть не могý!   I can't stand that!
20. нéкоторое врéмя спустя́   a little while later
21. Что случúлось?   What happened?

ПРИМЕЧА́НИЯ

1. **ЗАГС**: Совéтские люди не жéнятся в церквáх, а прóсто регистрúруют свой брак в ЗАГСе. Церемóния в ЗАГСе рáньше былá óчень официáльной, деловóй, на что всегдá жáловался нарóд, осóбенно жéнщины. Поэтому, правúтельство тепéрь старáется сдéлать церемóнию красúвее и привлекáтельнее.

2. **Велúкая Сибúрская желéзная дорóга**: Это — длиннéйшая трансконтинентáльная желéзная дорóга в мúре. Начинáясь в Москвé и проходя́ путь в 9172 киломéтра чéрез Урáл, Сибúрь и Дáльний Востóк, онá кончáется во Владивостóке, котóрый явля́ется важнéйшим совéтским тихоокеáнским пóртом. Эта желéзная дорóга стрóилась 24 гóда (с 1891-го до 1915-го гóда).

ДОПОЛНЙТЕЛЬНЫЙ МАТЕРИÁЛ

Брак

1. **ухáживать (за кем?)**   to court, date (a girl)

> Ивáн ухáживает за Тамáрой.

2. **(по)целовáть(ся)**   to kiss

> Ивáн целýет Тамáру.
> Тамáра поцеловáла Ивáна.
> Онú поцеловáлись.

3. **влюбля́ться/влюбúться (в когó?)**   to fall in love (with)

> Ивáн влюбúлся в Тамáру.

4. **влюблён, влюблена́, влюблены́ (в кого́?)**   in love (with)

> Тама́ра влюблена́ в Ива́на.

5. **(с)делать предложе́ние**   to propose

> Ива́н сделал Тама́ре предложе́ние.
> Тама́ра согласи́лась.

6. **обруча́ться/обручи́ться (с кем?)**   to get engaged (to)

> Ива́н обручи́лся с Тама́рой.
> Тама́ра обручи́лась с Ива́ном.

7. **обручён, обручена́, обручены́**   engaged

> Ива́н и Тама́ра обручены́.

8. **брак**   marriage (the institution)
9. **жени́тьба**   marriage (the event)
10. **свадьба**   wedding (ceremony)
11. **жени́ться (на ком?)** (*impf. and pf.*)   to get married (a man to a woman)

> Ива́н скоро же́нится на Тама́ре.
> Ива́н неда́вно жени́лся.

12. **жена́т (на ком?)**   married (a man to a woman)

> Ива́н жена́т на Тама́ре.

13. **жена́ты**   married (men or couples)

> Ива́н и Тама́ра жена́ты.

14. **пожени́ться** (*pf.*)   to get married (This perfective verb may be used in referring to couples only.)

> Ива́н и Тама́ра скоро поже́нятся.
> Они́ пожени́лись 4-го августа.

15. **выходи́ть/вы́йти замуж (за кого́?)**   to get married (a woman to a man)

> Тама́ра скоро вы́йдет замуж за Ива́на.
> Тама́ра неда́вно вышла замуж за Ива́на.

16. **замужем (за кем?)**   married (a woman to a man)

> Тама́ра замужем за Ива́ном.

17. **муж** husband
18. **жена́** wife
19. **супру́г** spouse (husband)
20. **супру́га** spouse (wife)
21. **тесть** father-in-law (wife's father)
22. **тёща** mother-in-law (wife's mother)
23. **свёкор (свёкры)** father-in-law (husband's father)
24. **свекро́вь** mother-in-law (husband's mother)
25. **разво́д** divorce
26. **разводи́ться/развести́сь (с кем?)** to get divorced (from)

> Ива́н развёлся с Тама́рой.
>
> Тама́ра развела́сь с мужем.
>
> Они́ разведу́тся.

Анекдо́т

— Доктор, вы мне прописа́ли[4] дие́ту — фрукто́вый сок, гренки́[5] и кофе, но не сказа́ли, как её принима́ть: до или после еды́.[6]

УПРАЖНЕ́НИЯ

A. Следуйте данным приме́рам:

Приме́р: He was surprised at the fact that she got married.	**Он удиви́лся тому́, что она́ вышла замуж.**

1. We were surprised at the fact that she got married.
2. She was surprised at the fact that she got married.
3. Were you surprised at the fact that she is going to get married soon?

Приме́р: Having finished the institute, Sergei went to work in Moscow.	**Око́нчив институ́т, Серге́й поступи́л на рабо́ту в Москве́.**

1. Having finished the institute, Sergei and Andrei went to work in the Far East.

---

[4] **пропи́сывать/прописа́ть**: to prescribe
[5] **гренки́** (*sing.* **грено́к**): toast
[6] **еда́**: food

2. Having finished the university, Anna Pavlovna went to work in a village near Moscow.
3. Having finished the ten-year school, we went to work on a collective farm in Central Asia.

Пример: He said that he wouldn't get married for anything in the world!   **Он сказа́л, что он ни за что на све́те не же́нится.**

1. He said that he wouldn't buy that car for anything in the world!
2. They said that they wouldn't go to that party for anything in the world!
3. She said that she wouldn't get married for anything in the world!

Пример: Someone phoned you.   **Вам кто-то звони́л.**

1. Someone wanted to talk with you.
2. Someone was here, but he didn't give his name.
3. Someone came, but left without saying a word.

Пример: I'm fed up with this.   **Это мне надое́ло.**

1. I'm fed up with this work.
2. I'm fed up with this novel.
3. I'm fed up with the people.

Пример: I can't stand him!   **Я его́ терпе́ть не могу́!**

1. I can't stand them!
2. I can't stand this fellow!
3. I can't stand these people!

Пример: What happened?   **Что случи́лось?**

1. Nothing happened.
2. I can imagine what happened.
3. Lord knows what happened!
4. How did this happen?
5. I don't know how that happened.

Пример: If you tell him that, he will understand.   **Если вы ему́ э́то ска́жете, он пойме́т.**

1. If you tell them that, they will understand.
2. If you tell her that, she will understand.
3. If you tell the Petrovs that, they will understand.

Приме́р: He evidently didn't
understand me.

**Он, повидимому, меня
не понял.**

1. She evidently didn't understand him.
2. We evidently didn't understand them.
3. I evidently didn't understand her.

B. Use the correct form of the perfective or imperfective verb to translate
the word(s) in parentheses:

1.

удивля́ться:	удивля́юсь, удивля́ешься, удивля́ются; Не удивля́йся! Не удивля́йтесь!
удиви́ться:	удивлю́сь, удиви́шься, удивя́тся

a. Я ва́шим успе́хам про́сто (am surprised).
b. Не (be surprised), е́сли она́ то́же бу́дет на э́том ве́чере!
c. А́нна (was very surprised), когда́ ей муж сказа́л, что хо́чет с ней
развести́сь.
d. Андре́й, наве́рное, о́чень (will be surprised), когда́ он об э́том узна́ет.
— Вы э́той но́вости (are surprised)?
— Нет, (I'm not).

2.

поступа́ть:	поступа́ю, поступа́ешь, поступа́ют; Не поступа́й(те)!
поступи́ть:	поступлю́, посту́пишь, посту́пят; Поступи́(те)!

a. — Ваш сын (is going to enter) в университе́т?
— Нет, он уже́ (has entered) в педагоги́ческий институ́т.
b. — Когда́ вы (will begin) на рабо́ту?
— Ещё не зна́ю. Мо́жет быть, я (will begin) по́сле пе́рвого декабря́.
c. — Мне ка́жется, что О́льга в э́том де́ле (is behaving) о́чень глу́по.
— А по-мо́ему, она́ (is behaving) соверше́нно пра́вильно.
d. — Вы слы́шали, что сыновья́ Попо́вых (enlisted) в а́рмию?
— Да, а их дочь (enlisted) на госуда́рственную слу́жбу. Она́
слу́жит секрета́ршей и перево́дчицей.

3.

обду́мывать:	обду́мываю, обду́мываешь, обду́мывают; Не обду́- мывай(те)!
обду́мать:	обду́маю, обду́маешь, обду́мают; Обду́май(те)!

a. — Я до́лго (considered) ва́шу пробле́му.
— И как реши́ли?

— Вам лучше всего развести́сь с му́жем.

b. — Знаешь что? Посту́пим в а́рмию!

— Это интере́сная иде́я, но дава́й снача́ла всё (think over) хоро-
шéнько!

c. — Мне сказа́ли, что ты собира́ешься жени́ться.

— Собира́лся. Но я (have thought over) это де́ло и реши́л, что
ещё ра́но.

d. — Вы уже́ зна́ете, куда́ вы посту́пите на слу́жбу?

— Ещё нет. Этот вопро́с я (will think over), когда́ око́нчу институ́т.

соглаша́ться:	соглаша́юсь, соглаша́ешься, соглаша́ются; Не со- глаша́йся! Не соглаша́йтесь!
4. согласи́ться:	соглашу́сь, согласи́шься, согла́сятся; Согласи́сь! Согласи́тесь!

a. — Ты (will agree) пойти́ в кино́ с Ва́ней?

— Да, (I will).

b. — Вы ду́маете, что Та́ня (would agree) вы́йти за́муж за меня́?

— Тру́дно сказа́ть. Сде́лайте ей предложе́ние; мо́жет быть, она́
(will agree).

c. — Мне ка́жется, что Воло́дя глу́по поступа́ет.

— Я с ва́ми не могу́ (agree). Воло́дя молоде́ц.

d. — Я попроси́л и Та́ню, и Ма́шу пойти́ со мной на ве́чер.

— И кто из них (agreed)?

— Обе. Тепе́рь я не зна́ю, что де́лать.

e. — Я Ники́ту Жу́кова терпе́ть не могу́! Он идио́т!

— Я не могу́ с тобо́й не (agree).

5. проси́ть:	прошу́, про́сишь, про́сят; Не проси́(те)!
попроси́ть:	попрошу́, попро́сишь, попро́сят; Попроси́(те)!

a. — У вас есть ли́шний каранда́ш?

— К сожале́нию, нет. Но у На́ди есть.

— Хорошо́. Я (will ask) у неё.

b. — (I beg of) тебя́, не выходи́ за́муж за Фёдора Алекса́ндровича!
Он сли́шком мно́го пьёт!

— Ну, что ты, ма́ма! Он меня́ то́лько пригласи́л на конце́рт!

— Ну, сла́ва Бо́гу!

c. — Вы мне за́втра помо́жете сде́лать э́тот перево́д?

— Нет, не смогу. (Ask) Шуру. Он не будет рабóтать завтра.

— Я егó ужé (asked). Он тóже не мóжет.

d. — Я не люблю́ ходи́ть на концéрты однá. Пойдёмте вмéсте!

— Я не смогу́, но я увéрена, что éсли вы (ask) Влади́мира, он согласи́тся.

— Хорошó. Я егó (will ask).

предлагáть:	предлагáю, предлагáешь, предлагáют; Не пред- лагáй(те)!
6.	
предложи́ть:	предложу́, предлóжишь, предлóжат; Предло- жи́(те)!

a. — Кудá нам пойти́: на балéт, на óперу или на концéрт?

— Я (suggest) пойти́ на балéт. Сегóдня идёт « Спя́щая красáвица ».

b. — Скажи́, почему́ ты не попрóсишь сосéда помóчь тебé пострóить гарáж? Ведь он плóтник!

— Знáю, знáю. Он (offered) мне помóчь, но я отказáлся. Я хочу́ сам пострóить.

c. — Я не знáю, что дéлать сегóдня. Сидéть дóма скучно.

— Пойдёмте тогдá к Ивáновым.

— Нет, они́, навéрное, (will suggest) поéхать на пикни́к, а мне кáк-то не хóчется.

7.	мочь: могу́, мóжешь, мóгут
	смочь: смогу́, смóжешь, смóгут

a. — Вы (will be able) мне завтра помóчь?

— Ещё не знáю. Éсли я (will be able), то я вам позвоню́ пóсле обéда.

b. — Надéюсь, что Петрóвы поéдут завтра с нáми на выставку.

— К сожалéнию, они́ (won't be able to). К ним приéхали гóсти.

c. — Ты (can) сегóдня рабóтать?

— Да, (I can).

d. — Почему́ вы не хоти́те пойти́ в кинó?

— Нам óчень хóчется, но мы (won't be able to). К нам приéдут Петрóвы.

e. — Ви́ктор хотéл бы вам сегóдня помóчь, но он (won't be able to).

— Скажи́те ему́, чтóбы он об этом не беспокóился. Áнна ужé обещáла мне помóчь.

8.

мыться:	моюсь, моешься, моются; Не мойся! Не мойтесь!
помыться:	помоюсь, помоешься, помоются; Помойся! Помойтесь!

a. — Боря! Ты (are washing up)?
   — Нет, мама! Я ужé (have washed).
b. — Нам порá идтú. Где дети? Они ужé (have washed up)?
   — Они сейчáс (are washing).
c. — Ты ещё не готóв?
   — Подождú. Я сейчáс (will wash up) и переодéнусь. Тогдá мы сможем пойтú.

9.

бриться:	бреюсь, бреешься, бреются; Не брейся! Не брейтесь!
побрúться:	побрéюсь, побрéешься, побрéются; Побрéйся! Побрéйтесь!

a. — Как чáсто вы (shave)?
   — Обы́чно я (shave) два раза в день.
b. — Ты ужé (have shaved)?
   — Нет, я сейчáс (will shave).
c. — Ваш сын ужé (shaves)?
   — Да, он сегóдня (shaved) в пéрвый раз. Он этим, конéчно, очень гордúтся.

10.

переодевáться:	переодевáюсь, переодевáешься, переодевáются; Не переодевáйся! Не переодевáйтесь!
переодéться:	переодéнусь, переодéнешься, переодéнутся; Переодéнься! Переодéньтесь!

a. — Что вы дéлаете, когдá вы прихóдите домóй с рабóты?
   — Сначáла я моюсь и (change clothes), потóм обéдаю, а после обéда я смотрю́ телевúзор или читáю.
b. — Пойдёмте в кинó!
   — Неплохáя идéя! Я сейчáс (will change clothes) и побрéюсь.
   — Хорошó. Покá вы (are changing clothes) и бреетесь, я поговорю́ с вáшими родúтелями.
c. — Сáша и Вáня! Нам порá идтú! (Change clothes) и поéдемте!
   — Мы ужé (changed clothes) и сейчáс сойдём вниз.
d. — Зачéм тебé (change clothes)? Это плáтье тебé очень к лицý.
   — Ну что ты! Онó стáрое и некрасúвое!

C. Complete each sentence with the correct form of "someone" or "something":

1. **кто-нибудь**

a. _____ звони́л мне?
b. Вы спроси́ли _____ об э́том?
c. Вы сказа́ли _____, что вы бы́ли больны́?
d. Вы там рабо́тали с _____?
e. Да́йте э́ту кни́гу _____! Она́ мне бо́льше не нужна́.
f. Они́ писа́ли вам о _____?

2. **кто-то**

a. Вам _____ звони́л, когда́ вы бы́ли в го́роде.
b. Мы ви́дели вас с _____ на конце́рте.
c. Они́ е́дут в Сан-Франци́ско. Они́ _____ там зна́ют.
d. — Где ва́ша жена́? — Она́ пошла́ к _____.
e. Студе́нты говоря́т о _____.

3. **что-нибудь**

a. Вы хоти́те, что́бы я купи́л _____ для него́?
b. Купи́те ему́ _____ ко дню рожде́ния.
c. Вы бы́ли _____ о́чень за́няты?
d. Когда́ я бу́ду в Оде́ссе, я куплю́ вам _____; ещё не зна́ю что.
e. Вы хоти́те _____?

4. **что-то**

a. Он сказа́л _____ и ушёл.
b. За́втра я расскажу́ вам о _____ о́чень интере́сном.
c. Я, ка́жется, _____ не по́нял.
d. Вы, пови́димому, _____ недово́льны.
e. _____ ему́ здесь не нра́вится.

D. Complete each sentence with one of the words indicated:

1. **где-нибудь, где-то; куда́-нибудь, куда́-то**

a. — Они́ вчера́ е́здили _____?
   — Да, они́ е́здили _____ и купи́ли све́жие абрико́сы.
b. — Он тепе́рь _____ рабо́тает?
   — Да, он рабо́тает _____ на заво́де.
c. — Наш бы́вший профе́ссор тепе́рь преподаёт _____ в Сре́дней Азии.

d. — Где ваша сестра? Она ушла _____?

— Да, она сегодня утром ушла _____ и сказала, что вернётся довольно поздно.

2. откуда-нибудь, откуда-то

a. Он вчера получил открытку _____.

b. Он _____ узнал, что она теперь живёт в Одессе.

c. Он иногда — получает письма?

3. как-нибудь, как-то

a. — Вы думаете, что вы это _____ сделаете?

— Да, всё можно сделать _____.

b. Он плохо знает русский язык, но он _____ написал мне это письмо по-русски.

4. когда-нибудь, когда-то

a. — Вы были _____ в Советском Союзе?

— Да, я был там прошлым летом.

b. — Вы _____ поедете в Канаду?

— Да, я _____ поеду туда, может быть, ещё в этом году.

c. — Вы _____ учились русскому языку?

— Да, я _____ учился, но потом забыл.

d. — Вы _____ видели этот балет?

— Да, я _____ видел, но это было давно.

e. — Вы знаете этого человека?

— Да, мы где-то, _____ познакомились.

5. почему-нибудь, почему-то

a. — Вы поедете с нами за город?

— Нет, мужу _____ не хочется.

b. — Ваши дети пошли в парк?

— Нет, они _____ решили, что лучше остаться дома.

c. Если вы _____ не сможете пойти в церковь, позвоните мне.

d. — Где Ваня?

— Не знаю. Он _____ ещё не пришёл.

6. чей (-ья, -ьё, -ьи)-нибудь, чей (-ья, -ьё, -ьи)-то

a. _____ автомобиль стоит перед вашим домом?

b. — Вы нашли _____ вещи?

— Да, нашёл.

c. — Вы видели _____ книгу в этой комнате?

— Да, _____ книга лежит там, на столе.

7. какóй (-áя, -óе, -úе)-нибудь, какóй (-áя, -óе, -úе)-то

a. — Кто-нибудь мне звонúл сегóдня?

— Да, звонúл _____ молодóй человéк. Он хотéл что-то узнáть о _____ вéчере.

b. — Ваш брат бýдет сегóдня дóма?

— Нет, он идёт к _____ студéнтам игрáть в шáхматы.

E. Answer negatively as in the example:

Примéр: **Когó** вы вúдели?   Я **никогó** не вúдел.

1. Кто знáет, где онú живýт?
2. Когó вы ждёте?
3. Комý вы помогáете?
4. Кто здесь знáет этого человéка?
5. Комý нужнá пóмощь?
6. О ком онú говоря́т?
7. С кем вы ходúли на концéрт?
8. У когó есть дéньги?
9. К комý вы ходúли в суббóту?
10. От когó вы это слы́шали?

Примéр: **Что** вы читáете?   Я **ничегó** не читáю.

1. Чем вы тепéрь заняты́?
2. Чемý вы учитесь?
3. Что вы дéлаете?
4. Чегó вы хотúте?
5. Чем вы занимáетесь?
6. О чём вы дýмаете?
7. На чём вы приéхали сюдá?
8. В чём вы виновáты?

F. Give the verbal adverb (**дееприча́стие**) of each of the following verbs. Indicate the stressed syllable. Translate each into English:

1. читáть
2. вúдеть
3. учúться
4. идтú
5. обдýмывать
6. нестú
7. продавáть
8. узнавáть

9. возвращáться
10. хмýриться
11. быть
12. прочитáть
13. увúдеть
14. научúться
15. выйти

16. обдýмать
17. принестú
18. продáть
19. узнáть
20. вернýться
21. нахмýриться
22. написáть

G. Change to imperfective or perfective verbal adverb constructions as in the examples:

Примéры: **Когдá онú гуляли**, онú говорúли о фильме.   **Гуляя**, онú говорúли о фильме.

Когдá вы прочтёте эту книгу, дайте её читáть другóму.   **Прочтя** эту книгу, дайте её читáть другóму.

1. **После тогó, как я написáл** это письмó, я отнёс егó на пóчту.
2. **Когдá онú говорят по-рýсски**, онú иногдá делают ошúбки.
3. **Когдá я приезжáю домóй**, я всегдá срáзу же переодевáюсь.
4. **Он вошёл** в кóмнату и поздорóвался с гостями.
5. **Когдá турúсты проходúли** через Крáсную плóщадь, онú снимáли мавзолéй Лéнина и стéны Кремля.
6. **После тогó, как Волóдя вышел** úз дому, он сел в машúну и уéхал.
7. **Когдá вы бýдете** в Москвé, вы увúдите мнóго интерéсного.
8. **Мы обошлú** пáмятник и увúдели нáшего приятеля.
9. **Когдá мы путешéствовали** по Вóлге на парохóде, мы отдыхáли на пáлубе, игрáли в кáрты и танцевáли.
10. **Когдá онá покупáла** эти вéщи, онá разговáривала с продавщúцей.
11. **Когдá я вернýлся** домóй, я срáзу лёг спать.
12. **Когдá вы доéдете** до этого селá, вы увúдите стáрую цéрковь.
13. **Óля сошлá** вниз, попрощáлась с нáми и вышла.
14. **Когдá пассажúры прилетéли**, онú сошлú с самолёта и вошлú в рсторáн аэродрóма.
15. **Когдá пассажúры прилетáют** на этот аэропóрт, онú всегдá удивляются, что он такóй красúвый.
16. Дéти говорúли мéжду собóй **и** весело **смеялись** о чём-то.
17. **Онá переодéлась и** пошлá в гóрод.

18. **Когда она переодевалась**, она пела арию из « Садко ».
19. **Он побрился и** уехал в университет
20. **Когда он брился**, он думал об Ольге.
21. **Как только мы продадим** этот дом, мы переедем в новую квартиру.

H. Ответьте на следующие вопросы:

1. Вы собираетесь скоро жениться (выйти замуж)?
2. Куда вы собираетесь поступить, окончив эту школу?
3. Вы часто ходите на вечера?
4. Что обычно делают на вечерах, на которые вы ходите?
5. Ваши товарищи вам иногда надоедают?
6. Как вы думаете, чего больше в супружеской жизни: плюсов или минусов?
7. Вы всегда обращаете внимание на ваше произношение и вашу интонацию?

I. Как сказать по-английски:

1. Само собой разумеется.
2. Иван ухаживает за Татьяной.
3. Я этого человека терпеть не могу!
4. Вы знаете, что случилось?
5. Вот новость!
6. Боюсь, что не успеем на лекцию.
7. Как это ни странно, он её очень любит.
8. Ради Бога!
9. Не возражаете, если я выйду на минутку?
10. Какая разница между словами « брак » и « женитьба »?
11. Всё у нас в порядке.
12. Вот оно что!
13. С приездом!
14. Как вы это угадали?
15. На моих уже четверть второго.
16. Пожалуйста, не стоит.
17. Верно?
18. Признаться, я думаю, что это так.
19. Бояться нечего.
20. в конце концов

21. по крайней мере
22. во врéмя
23. вóвремя

Перевóды

1. Переведи́те с англи́йского на русский:
a. Someone is looking for you.
b. My husband has gone somewhere.
c. He always goes away somewhere after dinner.
d. They want to talk with you for some reason.
e. Do you want to talk with me about something?
f. Tell us something interesting.
g. He lives somewhere in Germany.
h. I found someone's gloves.
i. The students were talking about some sort of party.
j. Anna Ivanovna got married last week. Whom did she marry? Peter Ivanov.
k. Victor Petrovich got married on May 24th. Whom did he marry? Tamara Ivanova.
l. Ivan and Olga are going to get married next year. In what month? In January.
m. George and Tatiana Zhukovsky got divorced in August, 1959.
n. With whom were you at the concert? With no one. I usually go to concerts alone.
o. About whom are they talking? They aren't talking about anyone.
p. What are you thinking about? I'm not thinking about anything.

2. Переведи́те следующие фразы, пользуюсь, где возмóжно, дееприча́стями:
a. The student is sitting at the table *reading a book.*
b. The student sat at the table *talking with his friends.*
c. The student will be sitting at the table *listening to the radio.*
d. *Having caught sight of me on the street,* he ran into a small shop.
e. *When we have covered lesson* 27 (**пройти́ урóк**) we will write these exercises.
f. *When they returned home,* they had dinner.
g. *Having bought what she needed,* she walked out of the store.
h. *While getting up from the table,* (**встава́ть из-за стола́**) they continued talking.

ГРАММА́ТИКА

The Connective Phrases То, как *and* То, что

Russian prepositions must have a noun or pronoun object; thus the connective phrases **то, как** and **то, что** (with **то** in the appropriate case) are used in sentences which in English have a dependent clause as the object of a preposition. In English, many prepositions also serve as conjunctions; Russian prepositions, however, may not.

1. **то, как:**

Она́ рассказа́ла нам **о том, как** Воло́дя сделал ей предложе́ние.	She told us *about how* Volodya proposed to her.
После того́, как он кончил эту рабо́ту, он ушёл домо́й.	*After* he had finished this work, he left for home.
Перед тем, как выйти на двор, дети переоде́лись.	Just *before* going outside, the children changed clothes.

2. **то, что** (frequently best translated "the fact that"):

Рабо́чие жа́луются **на то, что** плохо зараба́тывают.	The workers complain (*about the fact*) that they do not earn a good wage.
Студе́нты недово́льны **тем, что** завтра будет экза́мен.	The students are dissatisfied (*about the fact*) *that* there will be a test tomorrow.
Он удиви́лся **тому́, что** она́ вышла замуж.	He was surprised (*at the fact*) *that* she got married.

Indefinite Pronouns, Adjectives, and Adverbs

Certain pronouns, adjectives and adverbs may be made indefinite by the addition of the particles **-то** or **-нибудь** (**-нибудь** conveys a more indefinite feeling than **-то**):

| кто-то | someone | кто-нибудь | someone (or other), anyone |
| что-то | something | что-нибудь | something (or other), anything |

Here are some hints for the correct usage of **-то** and **-нибудь**.

1. In *questions* and *commands* use **-нибудь**:

Кто-нибудь мне звонил?   Did *anyone* phone me?

Дайте мне **что-нибудь**   Give me *something* to read.
почитать.

2. In statements in the *past tense* use **-то**:

Кто-то мне сказал, что вы   *Someone* told me that you are
скоро уедете.   leaving soon.

Студент подошёл к профес-   The student walked up to the
сору и сказал ему **что-**   professor and said *something* to
то.   him.

3. In statements in the *present tense* use **-то** unless a repeated action is involved:

Кто-то хочет с вами пого-   *Someone* wants to speak with you.
ворить.

Когда я очень занят, **кто-**   Whenever I am very busy, *some-*
нибудь всегда хочет со   *one* always want to speak with
мной поговорить.   me.

4. In statements in the *future tense*, **-нибудь** is most often used, but **-то** is possible when the person or thing involved is known:

Сюда должен **кто-нибудь**   *Someone (or other)* is supposed to
прийти.   come.

— Знаешь, к нам сегодня   You know, *someone* is coming to
кто-то придёт.   see us today.

— Да? Кто?   Really? Who?

— Сам увидишь.   You'll see for yourself.

Кто-то (-нибудь) and **что-то (-нибудь)** are declined regularly (**-то** and **-нибудь** remain constant, however):

Nominative:	кто-то (-нибудь)	что-то (-нибудь)
Genitive:	кого́-то (-нибудь)	чего́-то (-нибудь)
Dative:	кому́-то (-нибудь)	чему́-то (-нибудь)
Accusative:	кого́-то (-нибудь)	что-то (-нибудь)
Instrumental:	кем-то (-нибудь)	чем-то (-нибудь)
Prepositional:	о ком-то (-нибудь)	о чём-то (-нибудь)

Other words that are commonly used with the particles **-то** and **-нибудь** are:

где	where (at)
где-то	somewhere
где-нибудь	somewhere (or other), anywhere
куда́	where (to)
куда́-то	somewhere
куда́-нибудь	somewhere (or other), anywhere
отку́да	where (from)
отку́да-то	from somewhere
отку́да-нибудь	from somewhere (or other), from anywhere
как	how
как-то	somehow, in some way
как-нибудь	somehow, someway (or other), (in) any way
когда́	when
когда́-то	sometime
когда́-нибудь	sometime (or other), any time
почему́	why
почему́-то	for some reason
почему́-нибудь	for some reason (or other), for any reason

чей	whose
чей-то	someone's, somebody's
чей-нибудь	someone's, somebody's, anyone's, anybody's

какóй	which, what kind of
какóй-то	some kind (sort) of
какóй-нибудь	some kind (sort) of, any kind (sort) of

The Declension of the Negative Pronouns **Никтó** and **Ничтó**

These negative pronouns are declined regularly, but **ни** is separated from **кто** and **что** by prepositions:

Nominative:	никтó	–	(no one)
Genitive:	никогó	ни от когó	from no one
Dative:	никомý	ни к комý	to no one
Accusative:	никогó	ни на когó	at no one
Instrumental:	никéм	ни с кéм	with no one
Prepositional:	–	ни о кóм	about no one

Nominative:	ничтó	–	(nothing)
Genitive:	ничегó	ни от чегó	from nothing
Dative:	ничемý	ни к чемý	toward nothing
Accusative:	ничтó	ни за чтó	for nothing (under no circumstances)
Instrumental:	ничéм	ни с чéм	with nothing
Prepositional:	–	ни о чём	about nothing

The Imperfective Verbal Adverb[7]

An *imperfective verbal adverb* is a verb form which may be used (especially in the written language) to describe an action which occurs simultaneously with another action, provided both clauses have the same subject. The imperfective verbal adverb is thus very similar to the English present participle (reading, hearing, listening, running, etc.).

---

[7] "Verbal adverb" in Russian is **деепричáстие.**

Most imperfective verbal adverbs are formed by dropping the present tense ending from the third person plural (**они**) form of the verb and adding **-я** (**-а** if the stem of the verb ends in **ж, ч, ш, щ**):

читá	ют	
читá	**я**	(while) reading
говор	я́т	
говор	**я́**	(while) speaking
ид	у́т	
ид	**я́**	(while) walking
слыш	ат	
слыш	**а**	(while) hearing

The verb **давáть** and any verb which ends in **-знавáть** or **-ставать** form the imperfective verbal adverb by dropping **-ть** and adding **-я**:

давá	ть	
давá	**я**	(while) giving
узнавá	ть	
узнавá	**я**	(while) finding out
вставá	ть	
вставá	**я**	(while) getting up, arising

The verb **быть** has a special form:

будучи   being

Reflexive verbs have the ending **-ясь** or **-ась**:

возвращá	ются	
возвращá	**ясь**	(while) returning

сме	ются	
сме	**ясь**	(while) laughing

лож	áтся	
лож	**áсь**	(while) lying down

The stress is not completely predictable; usually it is the same as that of the infinitive, but sometimes it shifts to the first syllable:

леж	áть	
леж	áт	
лёж	а	(while) lying

сид	éть	
сид	ят	
сúд	я	(while) sitting

сто	ять	
сто	ят	
стó	я	(while) standing

The main verb may be in the present, past, or future tense, and the sentence may begin with either of the two clauses involved:

Сидя у окнá,
{ я читáю газéту.
я читáл газéту.
я буду читáть газéту. }

Sitting at the window
{ I read a book.
I read a book.
I will read a book. }

Я сидéл у окнá, **читáя** газéту.

I was sitting at the window, *reading* a book.

Here are some other examples of the use of verbal adverbs, together with comparable constructions used in the spoken language:

With Imperfective Verbal Adverbs	More Usual Construction in the Spoken Language	
Возвраща́ясь домо́й, мы не говори́ли ни сло́ва.	**Когда́ мы возвраща́лись** домо́й, мы не говори́ли ни сло́ва.	(*While*) *returning* home, we didn't say a word.
По пра́вде **говоря́**,[8] Ива́н мне нра́вится.	**Е́сли говори́ть** по пра́вде, то Ива́н мне нра́вится.	*To tell* the truth, I like Ivan.
Идя́ по э́той у́лице, ты, наве́рно, встре́тишь Та́ню.	**Е́сли ты бу́дешь идти́** по э́той у́лице, ты, наве́рно, встре́тишь Та́ню.	*If you walk* along this street, you will surely meet Tanya.
Не **зна́я** но́мера его́ телефо́на, я не могу́ ему́ позвони́ть.	**Так как я не зна́ю** но́мера его́ телефо́на, я не могу́ ему́ позвони́ть.	*Since I don't know* his telephone number, I can't call him.

A few verbs do not have an imperfective verbal adverb form, notably:

бежа́ть	мочь
бить (to beat, strike)	петь
есть	писа́ть
е́хать	ре́зать (to cut)
ждать	хоте́ть
звать	шить (to sew)
каза́ться	Any verb with the suffix **-нуть**.

The Perfective Verbal Adverb

A *perfective verbal adverb* is used to denote an action that was or will be completed before another action begins, began or will begin.

---

8 **По пра́вде говоря́** is a fairly common expression in spoken Russian, too.

Most perfective verbal adverbs are formed by dropping the past tense ending of the perfective verb and adding **-в**. Reflexive verbs add **-вшись**:

уви́де	л	
уви́де	в	having caught sight of
кончи	л	
кончи	в	having finished
верну́	лся	
верну́	вшись	having returned (come back)
попроща́	лся	
попроща́	вшись	having said " good-by "

Perfective (prefixed) forms of **идти́**, **везти́**, **вести́**, **нести́**, and the perfective verb **прочёсть** form the verbal adverb by dropping the third person plural ending of the future tense and adding **-я** (or **-а**), instead of **-в**:

прид	у́т	
прид	**я́**	having arrived, come
увез	у́т	
увез	**я́**	having taken away
отвед	у́т	
отвед	**я́**	having led away
внес	у́т	
внес	**я́**	having carried in
прочт	у́т	
прочт	**я́**	having read, finished reading

The ending **-вши** is sometimes encountered instead of **-в**, but is not prevalent in modern, educated Russian:

взя	л
взя	в
взя	вши

} having taken

написа́	л
написа́	в
написа́	вши

} having read

The main verb may be in the past or future tense, and the perfective verbal adverb clause normally precedes the main clause:

With Perfective Verbal Adverbs	*More Usual Construction in the Spoken Language*	
Прочита́в э́ту газе́ту, он верну́л её мне.	**Когда́**[9] он прочита́л э́ту газе́ту, он верну́л её мне.	*When he had read*[10] this newspaper, he returned it to me.
Прочита́в э́ту газе́ту, он вернёт её мне.	**Когда́**[9] он прочита́ет э́ту газе́ту, он вернёт её мне.	*When he has read* this newspaper, he will return it to me.
Придя́ домо́й, я позвони́л по телефо́ну Ива́ну.	**Когда́**[9] я пришёл домо́й, я позвони́л по телефо́ну Ива́ну.	*When I arrived*[11] home, I called Ivan on the phone.
Попроща́вшись, он вы́шел.	**Он попроща́лся и** вы́шел.	*Having said "good-by,"* he left.

Remember: No subject is expressed with verbal adverbs; their subject is always that of the main clause.

---

[9] **Когда́** or **после того́, как** (*after*) would be equally correct here.
[10] "When he had read" or "Having read."
[11] "When I arrived" or "Having arrived."

СЛОВА́РЬ

(Some additional vocabulary items may be found in the **Дополни́тельный материа́л**).

брак	marriage (the institution)
вечер (*pl.* вечера́)	evening; *here,* party
внима́ние	attention
вы́йти за́муж (за кого́?)	to get married (to) (women only)
где-нибудь	somewhere (or other), anywhere
где-то	somewhere
Да́льний Восто́к	Far East
дееприча́стие	verbal adverb
делово́й	businesslike
доро́га	road
желе́зный	iron
желе́зная доро́га	railroad
жена́тый	married (*adj.*)
жени́тьба	marriage (the event)
жени́ться (на ком?) (*impf.* and *pf.*)	to get married (to) (men only)
зарегистри́ровать (I)	*pf. of* регистри́ровать
как-нибудь	somehow, some way (or other), in any way
как-то	somehow, some way
како́й-нибудь	some kind (sort) of, any kind (sort) of
како́й-то	some kind (sort) of
когда́-нибудь	sometime (or other), any time
когда́-то	sometime
коридо́р	corridor
кто-нибудь	someone, somebody (or other), anyone, anybody
кто-то	someone, somebody
куда́-нибудь	somewhere (or other), anywhere
куда́-то	somewhere
магистра́ль (ж.)	trunk line (railroad)
ми́нус	minus, negative factor
мысль (ж.)	thought, idea
надоеда́ть (I) (*pf.* надое́сть)	to weary, tire, annoy
надое́сть	*pf. of* надоеда́ть
надое́м, надое́шь, надое́ст, надоеди́м, надоеди́те, надоедя́т	
Он надое́л мне.	I'm sick of him.
нахму́риться (II)	*pf. of* хму́риться
непреодоли́мый	insurmountable
но́вость (ж.)	news

обду́мать (I)	*pf. of* обду́мывать
обду́мывать (I) (*pf.* обду́мать)	to think over, ponder
обрати́ть (II)	*pf. of* обраща́ть
обращу́, обрати́шь, обратя́т	
обраща́ть (I) (*pf.* обрати́ть)	to turn, direct, revert
обраща́ть/обрати́ть внима́ние (на	to pay attention (to)
кого́? на что?)	
ока́нчивать (I) (*pf.* око́нчить)	to finish, complete, get through with
око́нчить (II)	*pf. of* ока́нчивать
отку́да-нибудь	from somewhere (or other), from anywhere
отку́да-то	from somewhere
официа́льный	official
переодева́ться (I) (*pf.* переоде́ться)	to change clothes
переоде́ться (I)	*pf. of* переодева́ться
переоде́нусь, переоде́нешься, пере-	
оде́нутся; Переоде́нься! Переоде́нь-	
тесь!	
пло́тник	carpenter
плюс	plus, positive factor
побри́ться (I)	*pf. of* бри́ться
повиди́мому	evidently
подро́бно	detailed, in detail
пожени́ться (II)	to get married (couples only) (*pf. of*
	жени́ться)
помы́ться (I)	*pf. of* мы́ться
помо́юсь, помо́ешься, помо́ются	
поня́ть (I)	*pf. of* понима́ть
пойму́, поймёшь, пойму́т; по́нял,	
поняла́, по́няло, по́няли	
попроси́ть (II)	*pf. of* проси́ть
попрошу́, попро́сишь, попро́сят	
поступа́ть (I) (в, на что?) (*pf.* посту-	to enter, enroll, begin, enlist
пи́ть)	
поступи́ть (II)	*pf. of* поступа́ть
поступлю́, посту́пишь, посту́пят	
почему́-нибудь	for some reason (or other), for any reason
почему́-то	for some reason
предлага́ть (I) (*pf.* предложи́ть)	to suggest
предложе́ние	suggestion, proposal
(с)делать предложе́ние	to propose
предложи́ть (II)	*pf. of* предлага́ть
препя́тствие	obstacle
привлека́тельный	attractive
проси́ть (II) (*pf.* попроси́ть)	to ask (a favor), ask for
прошу́, про́сишь, про́сят	
ра́достный	happy, glad, joyous

развóд	divorce
развести́сь (I) (с кем?)	*pf. of* разводи́ться
разведу́сь, разведёшься, разведу́т-ся; развёлся, развела́сь, развели́сь	
разводи́ться (II) (с кем) (*pf.* развести́сь)	to get divorced (from)
развожу́сь, разво́дишься, разво́дят-ся	
рассказа́ть (I)	*pf. of* расска́зывать
расскажу́, расска́жешь, расска́жут	
расска́зывать (I) (*pf.* рассказа́ть)	to tell, relate, narrate, recite
регистри́ровать (I) (*pf.* зарегистри́ро-вать)	to register
регистри́рую, регистри́руешь, ре-гистри́руют	
Самó собóй разумéется.	It (this, that) goes without saying.
свет	light; world
случа́ться (I) (*pf.* случи́ться)	to happen, occur
случи́ться (II)	*pf. of* случа́ться
Что случи́лось?	What happened?
смочь (I)	*pf. of* мочь
смогу́, смо́жешь, смо́гут; смог, смог-ла́, смогло́, смогли́	
согласи́ться (II) (с кем? в чём?)	*pf. of* соглаша́ться
соглаша́ться (I) (*pf.* согласи́ться) (с кем? в чём?)	to agree, consent
сразу	immediately
строи́тельство	construction
супру́жеский	married, conjugal
супру́жеская жизнь	married life
счастлив (-а, -о, -ы)	happy, lucky
тихоокеáнский	Pacific Ocean (*adj.*)
тому́ подóбное	so forth, the like, things like that
трансконтинентáльный	transcontinental
уви́деть (II)	*pf. of* видеть
уви́жу, уви́дишь, уви́дят	
удиви́ться (II) (кому́? чему́?)	*pf. of* удивля́ться
удивля́ться (I) (кому́? чему́?) (*pf.* удиви́ться)	to be surprised (at, by)
уха́живать (за кем?)	to court, woo, go out with; *also*, to nurse
хороше́нько	well, carefully
чей-нибудь	someone's, somebody's, anyone's, any-body's
чей-то	someone's, somebody's
что-нибудь	something (or other), anything
что-то	something

Двадцать восьмой урок

РАЗГОВÓР: **Родители у негó верующие**

(Дмитрий купил подержанную машину)	*(Dimitry bought a used car)*
Ольга: — Дима! Откуда у тебя эта машина? Ты её купил?	*Olga:* Dima! Where did you get that car? Did you buy it?
Дмитрий: — Купил. Это подержанная машина, но она в хорошем состоянии.	*Dmitry:* Yes, I did. It's a used car, but it's in good condition.
Ольга: — Очень хорошó выглядит, как будто совсем новая!	*Olga:* It looks fine... just as if it were brand new!
Дмитрий: — Ну нет, Оля.	*Dmitry:* Not really, Olga. Actually

Она, на самом деле, грязная, некрасивая, но зато мотор хороший.

Ольга: — Между прочим, Дима, как поживает твой отец? Мне сказали, что он был в автомобильной катастрофе и чуть не был убит.

Дмитрий: — Да, и мама тоже, но они постепенно поправляются. Они оба твёрдо настаивают на том, что не были убиты только потому, что веруют в Бога и регулярно ходят в церковь.

Ольга: — А я не знала, что родители у тебя верующие.

Дмитрий: — Как же! У них дома в каждой комнате висит икона.

Ольга: — Разве это не опасно?

Дмитрий: — А почему? Сам Павлов был верующий, однако его не трогали.

Ольга: — Впрочем, Дима, ты не довезёшь меня до университета? Мне так хочется покататься на твоей машине!

Дмитрий: — Ладно.

(*По дороге в университет*)

Ольга: — Хочешь папиросу?

Дмитрий: — Спасибо, я некурящий.

Ольга: — Я сама хотела бы бросить, но не могу, в особенности сейчас, когда готовлюсь к экзаменам.

it's dirty and ugly, but to make up for it the motor is good.

Olga: By the way Dima, how is your father? I heard that he was in an automobile accident and was nearly killed.

Dmitry: Yes, and Mama was, too, but they are getting better gradually. They both insist that they weren't killed only because they believe in God and go to church regularly.

Olga: I didn't know that your parents were believers.

Dmitry: Certainly! In their house there's an ikon hanging in every room.

Olga: But isn't that dangerous?

Dmitry: Why? Pavlov himself was a believer, but they didn't touch him.

Olga: Say, Dima, would you give me a lift to the university? I'm dying to ride in your car!

Dmitry: All right.

(*On the way to the university*)

Olga: Do you want a cigarette?

Dmitry: Thanks, I'm a non-smoker.

Olga: I'd like to quit myself, but I can't, especially now that I'm studying for exams.

Дмитрий: — Значит, сессия ещё не закончена?

Ольга: — Ещё нет, но я ужé сдалá экзáмены по химии и по англи́йскому языку́.

Дмитрий: — Поздравля́ю. Ка́кие отмéтки ты получи́ла?

Ольга: — Мне постáвили «отли́чно» и «хорошó». Остáлось ещё два экзáмена.

Дмитрий: — Ты сейчáс на каком курсе?

Ольга: — На второ́м. Мне ещё до́лго учи́ться.

Дмитрий: — Да, но вре́мя учёбы пролети́т бы́стро. Совéтую тебé не теря́ть егó дáром и как следует занимáться.

Ольга: — Остановись вон там. Спаси́бо, Ди́ма, что довёз.

Дмитрий: — Пустяки́. Жела́ю тебé успéхов на экзáменах!

Ольга: — Благодарю́. Призна́ться, я бою́сь провали́ться по матемáтике. До свидáния!

Дмитрий: — Всегó до́брого! Заходи́ к нам после экзáменов.

Dmitry: Oh, then the session isn't over yet?

Olga: Not yet, but I've already taken (and passed) my chemistry and English exams.

Dmitry: Congratulations! What grades did you get?

Olga: I got "excellent" and "good." I still have two exams left.

Dmitry: What class are you in now?

Olga: I'm a sophomore. I still have a lot of studying ahead of me.

Dmitry: Yes, but time in school will pass quickly. I would advise you not to waste it and to study the best you can.

Olga: Stop over there. Thanks for the lift, Dima.

Dmitry: Don't mention it. Lots of luck on your exams!

Olga: Thank you. To tell the truth, I'm afraid I might fail in mathematics. Good-by!

Dmitry: All the best! Drop in to see us when you're through with your tests!

ТЕКСТ ДЛЯ ЧТЕНИЯ: **Вели́кий русский физиóлог**

Вели́кий русский физиóлог Ивáн Петрóвич Пáвлов роди́лся 14-го сентября́ 1849-го года в Ряза́ни и умер 27-го февраля́ 1936-го года в Ленингрáде. Роди́вшись в семьé свящéнника, Пáвлов учи́лся снача́ла в духóвной семинáрии,[1] а затéм в Петербу́ргском универ-

---

[1] **духóвная семинáрия:** seminary

ситéте. Окóнчив университéт и Медико-хирургѝческую акадéмию,[2] Павлов начал рабóтать у выдаю́щегося медика С. П. Боткина и с 1890-го года стал профéссором акадéмии. В этом же годý в Петербýрге был организóван Институ́т эксперимента́льной медицѝны.[3] С 1891-го года до концá жизни Павлов был завéдующим физиологѝческой лаборатóрией этого институ́та.

В 1913-м годý при институ́те было построéно специа́льное здание, в котóром были оборýдованы[4] звуконепроница́емые[5] камеры[6] (так называ́емая « башня молча́ния »). Там, наблюда́я психѝческие секрéции[7] слюны́[8] у живóтных, Павлов открыл и изучѝл услóвные рефлéксы, лежа́щие в оснóве высшей нервной дéятельности.[9] За труды́ в области физиолóгии акадéмик Павлов получѝл Нобелевскую прéмию.[10]

И. П. Павлов был замеча́телен не только как учёный, но и как человéк. В 1912-м годý он получѝл почётное звание[11] дóктора в Кембриджском университéте. Когда́ Чарльз Дарвин получа́л дóкторскую степень в этом университéте, студéнты подарѝли емý игрýшечную обезья́нку.[12] Этим онѝ хотéли сказа́ть, что поддéрживают его теóрию происхождéния человéка.[13] Когда́ акадéмик Павлов проходѝл под галерéей, с котóрой студéнты наблюда́ли церемóнию, онѝ бросили емý прямо в руки игрýшечную собáку. Он посмотрéл наверх и, увѝдев улыба́ющиеся лица студéнтов, сразу же понял, что это значит. Это был одѝн из счастлѝвейших момéнтов в жизни велѝкого учёного.

Вопрóсы

1. В какóм годý родѝлся И. П. Павлов?
2. В какóм годý он умер?

---

[2] **Медико-хирургѝческая акадéмия**: The Academy of Medicine and Surgery
[3] **Институ́т эксперимента́льной медицѝны**: The Institute of Experimental Medicine
[4] **оборýдовать**: to equip, install
[5] **звуконепроница́емый**: sound-proofed
[6] **камера**: cell, room, chamber
[7] **психѝческие секрéции**: psychical secretions
[8] **слюна́**: saliva
[9] **высшая нервная дéятельность**: higher nervous activity
[10] **Нобелевская прéмия**: Nobel Prize
[11] **почётное звание**: honorary title
[12] **игрýшечная обезья́нка**: toy monkey
[13] **происхождéние человéка**: the origin of man

3. Где учился Павлов?

4. Как называется институт, в котором Павлов заведовал физиологической лабораторией?

5. Почему здание, в котором Павлов работал, называется « башней молчания »?

6. Что Павлов там открыл и изучил?

7. Какую премию он получил за свои труды в области физиологии?

8. Что студенты Кембриджского университета подарили великому физиологу? А что там подарили Дарвину?

9. Почему студенты подарили Павлову именно собаку?

ВЫРАЖЕНИЯ

1. Откуда у тебя...?	Where did you get...?
2. в хорошем состоянии	in good condition
3. как будто	as if
4. чуть не (+ *perfective past*)	nearly, almost; came close to
5. пока не (+ *perfective*)	until (such time as)
6. настаивать/настоять на том, что...	to insist that...
7. веровать в (кого? что?)	to believe in
8. Ты не довезёшь ⎱ меня до Вы не довезёте ⎰ (кого? чего?)	Would you give me a lift to...?
9. сдавать/сдать экзамен (по чему?)	to take (and pass) a (...) exam
10. готовиться/приготовиться к экзаменам	to study for exams
11. Мне поставили « отлично ».	I got (they gave me) an "A."
12. Осталось ещё два экзамена.	I still have two exams to take.
13. Ты ⎱ на каком курсе? Вы ⎰	What class (year) are you in?
14. терять даром	to waste
15. Спасибо, что ⎰ довёз. ⎱ довезла. ⎰ довезли.	Thanks for the lift.
16. Желаю ⎱ тебе ⎰ успехов. ⎰ вам ⎱	Lots of luck.

Служба в православной церкви.

17. Я боюсь провалиться (по чему?)   I'm afraid I might fail (in...).

18. бросать/бросить прямо в руки   to toss directly into (someone's arms)

ПРИМЕЧА́НИЯ

Рели́гия в СССР

Самой распространнёной[14] рели́гией в Сове́тском Сою́зе явля́ется правосла́вная.[15] Кро́ме того́, в ра́зных респу́бликах мо́жно встре́тить и лютера́нские це́ркви (в осо́бенности в Эсто́нии и Ла́твии), и католи́ческие (в Литве́), та́кже синаго́ги и мече́ти[16] (большинство́ наро́дов Сре́дней А́зии и Азербайджа́на — мусульма́не).

Так как коммунисти́ческие руководи́тели счита́ли и ещё счита́ют рели́гию «опиумом[17] для наро́да», мно́жество церкве́й после револю́ции бы́ло и́ли закры́то и́ли да́же уничто́жено. Во вре́мя Вели́кой

---

[14] **распространнёный**: widespread
[15] **правосла́вная це́рковь**: Orthodox Church
[16] **мече́ть** (ж.): mosque
[17] **опиум**: opium

Отéчественной (вторóй мировóй) войны́ некоторые[18] церкви были опять откры́ты, но прави́тельство продолжáет свою постоя́нную борьбý[19] с рели́гией и трéбует, чтобы все члены[20] партии были войнствующими безбóжниками.[21]

ДОПОЛНИ́ТЕЛЬНЫЙ МАТЕРИА́Л

Полéзные выражéния для изучáющих рýсский язык

1. учáщийся	student
2. получáть/получи́ть образовáние	to get an education
3. подавáть/подáть прошéние на стипéндию	to submit a request for a scholarship
4. принимáть/приня́ть в шкóлу (институ́т, университéт)	to accept (a student) at a school (institute, university)
5. поступáть/поступи́ть в шкóлу (и т. д.)	to enroll in school (etc.)
6. заполня́ть/запóлнить анкéту	to fill out an application
7. запи́сываться/записáться на курс (по чемý?)	to register for a course
8. дéлать переклúчку	to call roll
9. Идёт урóк (лéкция, семинáр, сéссия).	Class (the lecture, seminar, session) is in session.
10. сидéть на урóке (лéкции, семинáре)	to be present at a class (lecture, seminar)
11. читáть/прочитáть лéкцию	to give a lecture
12. слýшать/прослýшать курс (по чемý?)	to take a course (on...)
13. задавáть/задáть вопрóсы	to ask questions
14. составля́ть/состáвить конспéкты	to take notes
15. пропускáть/пропусти́ть лéкцию	to miss a lecture

---

[18] **некоторые**: some of the
[19] **постоя́нная борьбá**: continuous battle
[20] **член**: member
[21] **войнствующий безбóжник**: militant atheist

16. полуночничать — to burn midnight oil
17. полуночник (-ца) — a night owl
18. частный курс — private course
19. заочный курс — correspondence course
20. заочник (-ница) — correspondence-course student
21. проходить/пройти урок — to cover a lesson
22. пройденный урок — a lesson which has been covered
23. сдавать/сдать экзамен (по чему?) — to take (and pass) a (...) exam
24. сдавать/сдать экзамен на отлично (хорошо, удовлетворительно, нехорошо, плохо) — to get an "A" ("B," "C," "D," "F") on an exam
25. проваливаться/провалиться (на экзамене) (по чему?) — to fail (an exam) (in...)
26. ставить/поставить отметку (кому? по чему?) — to give a grade
27. получать/получить отметку — to receive a grade
28. оканчивать/окончить школу (институт, университет, сессию, физиологический факультет университета) — to finish school (an institute, university, session, the department of physiology of a university)
29. получать/получить степень бакалавра (магистерскую степень, докторскую степень) — to receive a B.A. degree (M.A. degree, Ph.D.)
30. работать над диссертацией — to work on a dissertation
31. защищать/защитить диссертацию — to defend a dissertation
32. аспирант — graduate student
33. аспирантура — post-graduate work
34. учебный год — academic (school) year
35. летняя сессия — summer session
36. время учёбы — school years

37. Он на ⎰ первом курсе. / втором курсе. / третьем курсе. / четвёртом курсе. ⎱
    He is a ⎰ freshman. / sophomore. / junior. / senior. ⎱

38. проверять/проверить домашнюю работу — to correct homework

УПРАЖНЕ́НИЯ

A. Следуйте данным приме́рам:

> *Приме́р:* You look fine.   **Вы о́чень хорошо́ вы́глядите.**

1. He looks fine.
2. They look fine.
3. How does she look? Better?

> *Приме́р:* He was nearly killed in   **Он чуть не́ был уби́т в**
> an automobile accident.   **автомоби́льной катастро́фе.**

1. She was almost killed in an automobile accident.
2. I was almost killed in an automobile accident.
3. They were almost killed in an automobile accident.

> *Приме́р:* I'll wait here until you   **Я подожду́ здесь, пока́**
> come back.   **вы не вернётесь.**

1. I'll wait here until he comes back.
2. I'll wait here until they come back.
3. Wait here until I come back.

> *Приме́р:* I'm studying for exams.   **Я гото́влюсь к экза́менам.**

1. He's studying for exams.
2. We're studying for exams.
3. Are they already studying for exams?

> *Приме́р:* He passed his chemistry   **Он сдал экза́мен по**
> exam.   **хи́мии.**

1. She passed her physics exam.
2. I passed my mathematics exam.
3. Did you (**ты**) pass your Russian exam? Yes, I did.

> *Приме́р:* He lost his watch.   **Он потеря́л свои́ часы́.**

1. Did you lose something?
2. I lost my glasses.
3. She lost her purse.

Примéр: The bus is stopping in   **Автóбус останáвливается**
         front of the hotel.   **перед гостńницей.**

1. The streetcar is stopping in front of the theater.
2. The trolley bus is stopping in front of the school.
3. Why are you stopping?   Walk on through, please.

Примéр: I'm afraid I might fail!   **Я боюсь провалńться!**

1. Ivan is afraid he might fail!
2. Weren't you afraid you might fail?
3. If I had been afraid I might fail, I would have studied for the exams.

Примéр: We watched the children   **Мы смотрéли, как дети**
         play.   **игрáли.**

1. We saw the children play.
2. We heard the children playing.
3. We noticed the children playing.

B. Use the correct form of the perfective or imperfective verb to translate the words in parentheses:

1.

опáздывать:	опáздываю, опáздываешь, опáздывают; Не опáздывай(те)!
опоздáть:	опоздáю, опоздáешь, опоздáют; Не опоздáй(те)!

a. Алёша обы́чно (is late) на лéкцию, но сегóдня он не (was late).
b. Я чáсто (am late) на лéкции, но сегóдня я не (was late).
c. Бегń скорéй! Инáче ты (will be late)!
d. Éсли вы всегдá (are going to be late) на лéкции, вы, навéрно, провáлитесь.

2.

останáвливаться:	останáвливаюсь, останáвливаешься, останáвливаются; Не останáвливайся! Не останáвливайтесь!
остановńться:	остановлюсь, останóвишься, останóвятся; Остановńсь! Остановńтесь!

a. Почему́ ты (are stopping)? Это не наш дом!
b. Я (will stop) вон там, перед гостńницей.

c. Этот автóбус обы́чно (stops) здесь, но сегóдня он почемý-то не (stopped).

d. (Stop)! Мне надо здесь вы́йти!

3.

класть:	кладý, кладёшь, кладýт; клал, клала, клало, клали; Не клади́(те)!
положи́ть:	положý, полóжишь, полóжит; Положи́(те)!

a. — Кудá вы (did put) мой словáрь?
— Тудá, кудá я егó всегдá (put) — на твой пи́сьменный стол.

b. Я (will put) ваши вещи сюдá, а мой — тудá.

c. (Put) бумáги под эту кни́гу: я не хочý, чтобы Кóля их ви́дел.

d. Не (put) газéт сюдá! (Put) их на этот стол!

4.

ставить:	ставлю, ставишь, ставят; Не ставь(те)!
постáвить:	постáвлю, постáвишь, постáвят; Постáвь(те)!

a. Я (will put) стакáны и чашки на стол, а ты, пожáлуйста, (put) тарéлки.

b. — Кудá надо (put) этот стул?
— Сюдá, в угол.

c. Бог знает, кудá женá (put) мою буты́лку!

d. Женá (will put) лампу в другóе мéсто.

5.

привыкáть:	привыкáю, привыкáешь, привыкáют
привы́кнуть:	привы́кну, привы́кнешь, привы́кнут; привы́к, привы́кла, привы́кло, привы́кли

a. — Как вам нрáвится погóда здесь?
— Не очень, но надо (get accustomed).

b. Наши студéнты, повидимому, (have become accustomed) к трýдным экзáменам. На этом экзáмене провали́лись только четы́ре.

c. Этот профéссор мне сначáла почемý-то не понрáвился, но я тепéрь к немý (have become accustomed).

d. Óльга постепéнно (is getting accustomed) к томý, что надо рáно вставáть, а Таня, кажется, к этому никогдá не (will get accustomed).

6.

провáливаться:	провáливаюсь, провáливаешься, провáливают-ся; Не провáливай(ся)! Не провáливайтесь!
провали́ться:	провалю́сь, провáлишься, провáлятся

a. Он редко (fails), но на этом экзамене он (failed).

b. — У тебя сегодня будет экзамен по физике?
   — Да, я очень боюсь, (I might fail)!

c. Если сегодня будет экзамен, то я, наверно, (will fail).

d. — Кто-нибудь в вашей группе (failed)?
   — Да, Женя и Боря (failed).

7. сдавать:	сдаю, сдаёшь, сдают; Не сдавай(те)!
сдать:	сдам, сдашь, сдаст, сдадим, сдадите, сдадут; сдал, сдала, сдало, сдали; Сдай(те)!

a. Наш сын обычно проваливается на экзаменах, но этот экзамен он (passed) на « удовлетворительно ».

b. — Я только что (took and passed) экзамен по английском языку.
   — Какую отметку тебе поставил профессор?
   — Обычно он мне ставит « хорошо », но на этот раз он поставил « отлично »!

c. Если я сегодня (pass) экзамен по физиологии, всё будет хорошо!

8. терять:	теряю, теряешь, теряют; Не теряй(те)!
потерять:	потеряю, потеряешь, потеряют; Не потеряй(те)!

a. Иван всегда гуляет и вообще даром (wastes) время.

b. Боже! Я, кажется, по дороге (lost) свой бумажник.[22]

c. Мать бойтся (to lose) детей в толпе.

d. Я (will not waste) даром время. Теперь я буду учиться как следует.

9. убивать:	убиваю, убиваешь, убивают; Не убивай(те)!
убить:	убью, убьёшь, убьют; Не убей(те)!

a. — Ты не знаешь, кто (killed) мою кошку?
   — Ей Богу, не знаю. Я сам очень люблю животных и их никогда не (kill).

b. Если ты не отдашь этому хулигану своих денег, то он, может быть, тебя (will kill)!

c. На войне люди каждый день (killed) друг друга.

C. Переведите слова в скобках:

1. (Let him) скажет мне об этом!

---

[22] **бумажник:** wallet

2. (Let them) это сделают!
3. (Let her) позвони́т Ива́ну. Мне всё равно́.
4. (Let's) выпьем за мир и дружбу всех наро́дов!
5. (Let's) споём ру́сскую песню!
6. (Let him) подождёт. Мне некогда с ним говори́ть.

D. Следуйте данному приме́ру:

    Приме́р: Они́ ни о чём не говоря́т.   **Им не́ о чем говори́ть.**

1. Мы здесь ни с ке́м не разгова́риваем.
2. Я ни к кому́ не хожу́ в гости.
3. Он ничего́ не делал.
4. Она́ там ничего́ не будет делать.

E. *Present active participles:* Change the indicated **кото́рый**-clauses to participial clauses as indicated in the examples:

    Приме́р: Профе́ссор, **кото́рый**   Профе́ссор, **чита́ющий**
       чита́ет эту лекцию,   **эту лекцию,** живёт
       живёт около нас.   около нас.

1. Мальчик смотрит на самолёт, **кото́рый лети́т на север**.
2. Учи́тельница, **кото́рая живёт в сосе́днем доме**, знает четы́ре иностра́нных языка́.
3. Дерево, **кото́рое стои́т перед нашим домом**, тако́е высо́кое, краси́вое!
4. Люди, **кото́рые сидя́т за нами**, неда́вно прие́хали из Герма́нии.

    Приме́р: Вот эта девушка,   Вот эта девушка,
       кото́рая так краси́во   **так краси́во улыба́ющаяся,**
       улыба́ется, моя́ сестра́.   моя́ сестра́.

1. Студе́нты, **кото́рые учатся здесь ру́сскому языку́**, делают больши́е успе́хи.
2. Этот молодо́й студе́нт, **кото́рый гото́вится к экза́менам**, кажется, никогда́ не спит.
3. Америка́нка, **кото́рая занима́ется ру́сским языко́м**, редко улыба́ется. Она́ бойтся провали́ться.
4. Здание, **кото́рое стои́т около озеро**, очень старое, но зато́ краси́вое.

Пример: Студéнт, **котóрый спит в крéсле**, не знáет, что лéкция ужé идёт.

Студент, **спящий в крéсле**, не знáет, что лéкция ужé идёт.
Спящий в крéсле студéнт не знáет, что лéкция ужé идёт.

1. Турúсты, **котóрые осмáтривают Кремль**, приéхали вчерá из Лóндона.
2. Дáма, **котóрая везёт эти кнúги в библиотéку**, самá не умéет читáть!
3. Молодóй человéк, **котóрый лежúт около машúны**, был в автомобúльной катастрóфе.

Пример: Рабóчие, **котóрые приезжáют**, жáлуются на всё.

Приезжáющие рабóчие жáлуются на всё.

1. Турúсты, **котóрые уезжáют**, ужé осмотрéли все достопримечáтельности гóрода.
2. Медсестрá, **котóрая отдыхáет**, всю ночь не спалá.
3. Студéнт, **котóрый смеётся**, тóлько что узнáл, что сдал трýдный экзáмен по математúке.

Пример: Вы знáете молодóго человéка, **котóрый слýжит у меня́ в контóре**?

Вы знáете молодóго человéка, **слýжащего у меня́ в контóре**?

1. Здесь живёт молодóй человéк, **котóрый слýжит у меня́ в контóре**.
2. Вот дом молодóго человéка, **котóрый слýжит у меня́ в контóре**.
3. Передáйте это молодóму человéку, **котóрый слýжит у меня́ в контóре**.
4. Вы знакóмы с молодым человéком, **котóрый слýжит у меня́ в контóре**?
5. Все говорúли о молодóм человéке, **котóрый слýжит у меня́ в контóре**.

F. *Past active participles:* Change the underlined **котóрый**-clauses to participial clauses:

Пример: Мáльчик, **котóрый читáл эту кнúгу**,...

Мáльчик, **читáвший эту кнúгу**,...

1. Мáльчик, **котóрый игрáл** в садý,...
2. Физиóлог, **котóрый открыл и изучúл услóвные рефлéксы**,...

3. Девушка, **кото́рая купи́ла себе́ шля́пу**,...
4. Студе́нтка, **кото́рая сказа́ла это**,...

> *Приме́р:* Студе́нт, **кото́рый**   Студе́нт, **ше́дший**
>   **шёл по у́лице**,...   **по у́лице**,...

1. Студе́нты, **кото́рые то́лько что ушли́ на ле́кцию**,...
2. Студе́нт, **кото́рый вошёл в ко́мнату**,...
3. Лю́ди, **кото́рые зашли́ к нам**,...
4. Де́ти, **кото́рые нашли́ мои́ де́ньги**,...

> *Приме́р:* Студе́нты, **кото́рые**   Студе́нты, **учи́вшиеся**
>   **учи́лись ру́сскому языку́**,...   **ру́сскому языку́**,...

1. Студе́нты, **кото́рые провали́лись на экза́мене**,...
2. Маши́ны, **кото́рые останови́лись пе́ред гости́ницей**,...
3. Де́вушка, **кото́рая боя́лась э́того профе́ссора**,...
4. Слу́жащая, **кото́рая смея́лась над на́ми**,...

> *Приме́р:* Мы се́ли в маши́ну,   Мы се́ли в маши́ну,
>   **кото́рая останови́лась**   **останови́вшуюся о́коло**
>   **о́коло теа́тра.**   **теа́тра.**

1. Милиционе́р подхо́дит к маши́не, **кото́рая останови́лась о́коло теа́тра.**
2. Ма́льчики интересу́ются маши́ной, **кото́рая останови́лась о́коло теа́тра.**
3. Тури́сты стоя́т и говоря́т о маши́нах, **кото́рые останови́лись о́коло теа́тра.**
4. Наш грузови́к стои́т ме́жду маши́нами, **кото́рые останови́лись о́коло теа́тра.**

G. *Present passive particles:* Change the underlined **кото́рый**-clauses to participial clauses:

> *Приме́р:* Профе́ссор Попо́в —   Профе́ссор Попо́в —
>   челове́к, **кото́рого**   челове́к, **уважа́емый**
>   **все уважа́ют.**   **все́ми.**

1. На столе́ лежи́т кни́га, **кото́рую чита́ют студе́нты тре́тьего ку́рса.**
2. Де́ти иногда́ замеча́ют ве́щи, **кото́рых взро́слые**[23] **не ви́дят.**

---

[23] **взро́слые:** adults

3. Вот идёт учительница, **которую любят все студенты**.
4. Концерт, **который передают по радио**, очень хороший.

H. *Past passive participles:*

1. Change from the active voice to the passive, using a short past passive participle in each sentence:

> *Пример:* Кто написал   **Кем была написана**
>   эту книгу?   **эта книга?**

a. Кто написал этот рассказ?
b. Кто написал это письмо?
c. Кто написал эти письма?

> *Пример:* Иван сделал   **Эта работа была**
>   эту работу.   **сделана Иваном.**

a. Я потерял эту книгу.
b. Тамара продала эту авторучку.
c. Андрей сделал эту ошибку.

> *Пример:* Здесь построят   **Здесь будет построен**
>   большой дом.   **большой дом.**

a. Здесь построят новую библиотеку.
b. Здесь построят новое высотное здание.
c. Здесь построят новые жилые дома.

2. Переведите слова в скобках:
a. Билеты на балет (are sold out).
b. Почему эта дверь (is closed)?
c. Мой бумажник, к счастью, (has been found).
d. Летняя сессия уже (is over).
e. Моя работа ещё не (finished).
f. Проблема уже (solved).

3. Переведите слова в скобках:
a. Произведения Шекспира (were translated) на русский язык Борисом Пастернаком.
b. Этот город (was destroyed) немцами во время Великой Отечественной войны.

c. Вопро́с ещё не (decided).

d. Она́ вчера́ (was) о́чень хорошо́ (dressed).

e. Вы зна́ете, кем (was killed) Распу́тин?

4. Переведи́те слова́ в ско́бках:

a. Я уве́рен, что письмо́ (will be received) за́втра.

b. Твоя́ рабо́та за́втра (will be finished).

c. Мо́жет быть, ва́ши часы́ (will be found) хоро́шим че́стным челове́ком, кото́рый вам их вернёт.

d. Я наде́юсь, что мы то́же (will be invited) к Ивано́вым.

e. За́втра всё (will be forgotten)!

5. Change from the short past passive participial construction to the corresponding long construction:

> *Приме́р:* Вы нашли́ кни́гу,   Вы нашли́ кни́гу,
> **кото́рая была́ забы́та**   **забы́тую ва́ми**
> **ва́ми в библиоте́ке?**   **в библиоте́ке?**

a. Студе́нты говоря́т о расска́зе, **кото́рый был прочи́тан вчера́ в кла́ссе**.

b. Тури́ст и́щет очки́, **кото́рые бы́ли поте́ряны им в собо́ре**.

c. Почему́ ты не чита́л мне письмо́, **кото́рое бы́ло полу́чено тобо́й вчера́ от Ива́на?**

d. Я не знако́м со все́ми людьми́, **кото́рые бы́ли приглашены́ к Петро́вым на ве́чер**.

I. Translate each sentence into English and re-write, substituting a **кото́рый**-clause for the bold-faced participial phrase or clause:

1. Здесь собрали́сь това́рищи, **изуча́ющие ру́сский язы́к**.

2. Я смотре́л на **расту́щее пе́ред окно́м** де́рево.

3. Молодёжь, **интересу́ющаяся литерату́рой**, собрала́сь в библиоте́ке.

4. Мои́ това́рищи, **гото́вящиеся к экза́менам**, сейча́с сидя́т в чита́льном за́ле.

5. Мы останови́лись о́коло **стро́ящегося** зда́ния.

6. В саду́ стоя́л дом, **неви́димый с у́лицы**.

7. Бы́стро лете́ли ли́стья, **поднима́емые и уноси́мые ве́тром**.

8. В **переводи́мых мно́ю** статья́х а́втор расска́зывает о жи́зни в Яку́тске.

9. Много молоды́х сове́тских специали́стов, **око́нчивших вузы**, уе́хали в Академгоро́д.
10. Мы интересова́лись дре́вними памятниками, **находи́вшимися на берегу́ моря**.
11. **Лежа́вшие на столе́** газе́ты он отнёс в другую комнату.
12. **Полу́ченные утром** письма лежа́т на столе́.
13. Ско́ро показа́лась степь, **покры́тая весе́нними цвета́ми**.
14. Футбо́льный матч, **ви́денный нами**, прошёл очень интере́сно.
15. Покажи́те, пожа́луйста, **ку́пленную вашей сестро́й** книгу.

J. Complete each sentence by putting the participles in parentheses in the proper case:

1. Ленингра́д

a. Ленингра́д, (явля́ющийся) одни́м из краси́вейших городо́в мира, был осно́ван в 1703-м году́.
b. Многочи́сленные мосты́, (соединя́ющие) острова́ дельты Невы́ и её берега́, очень украша́ют город.
c. Тури́сты любова́лись[24] широ́кой прямо́й улицей, (начина́ющаяся) у Адмиралте́йства и (веду́щая) к вокза́лу, куда́ прибыва́ют поезда́ из Москвы́. Эта улица называ́ется « Не́вский проспе́кт ».
d. Ленингра́д произво́дит[25] (незабыва́емое) впечатле́ние и свои́м положе́нием, и архитекту́рой зданий, и свои́ми длинными, широ́кими улицами.

2. Алекса́ндр Серге́евич Пушкин

a. Алекса́ндр Серге́евич Пушкин — велича́йший русский поэ́т, (живу́щий) в первой полови́не XIX века.
b. Пушкин получи́л образова́ние в лице́е, (находи́вшийся) под Петербу́ргом, в Царском селе́ (тепе́рь это город Пушкин).
c. В Миха́йловском Пушкин зако́нчил драму « Бори́с Годуно́в », (на́чатая) им уже́ несколько лет наза́д; сюже́т[26] её взят из исто́рии Росси́и.
d. В центре Москвы́, на площади, (нося́щая) имя Пушкина, стои́т памятник вели́кому поэ́ту.

---

[24] **любова́ться/полюбова́ться**: to admire
[25] **производи́ть/произвести́**: to make, produce
[26] **сюже́т**: subject

3. Волга

a. На парохо́дах, (иду́щие) по Волге, отдыха́ет много (трудя́щиеся).

b. На парохо́дах, (приходя́щие) с юга, приво́зят хлеб, нефть, рыбу, соль, фру́кты, о́вощи.

c. (Едущие) по Волге пассажи́рам интере́сно осмотре́ть дом-музе́й семьи́ Ленина в городе Улья́новске.

d. Реки Дон и Волга соединя́ются кана́лом, (постро́енный) в 1952-м году́.

4. Средняя Азия

a. Населе́ние Средней Азии тепло́ принима́ет люде́й, (приезжа́ющие) к ним в гости.

b. Мы проезжа́ли через Фергáнскую доли́ну, (находя́щаяся) в Средней Азии и (явля́ющаяся) там самым больши́м оа́зисом.

c. (Постро́енный) несколько лет наза́д Большо́й Фергáнский кана́л очень помо́г разви́тию сельского хозя́йства в Сове́тской Средней Азии.

d. На земле́, (ороша́емая) этим кана́лом, появи́лись новые поля́, сады́, виногра́дники.

e. На склонах, (покры́тые) густо́й траво́й, пасу́тся колхо́зные стада́.

5. Киев

В Киеве, (стоя́щий) на высо́ком берегу́ Днепра́, сохрани́лось[27] много древних памятников, (говоря́щие) о высо́кой культу́ре прошлого.

K. Give all possible participial and verbal adverb forms of the following verbs. For each participle and verbal adverb give the equivalent construction which is used in the spoken language, and translate each into English:

1. делать/сделать
2. покупа́ть/купи́ть
3. улыба́ться/улыбну́ться
4. интересова́ться/заинтересова́ться

Вопро́сы

1. У вас новая или поде́ржанная маши́на?
2. Когда́ вы её купи́ли?

---

[27] **сохраня́ться/сохрани́ться**: to be preserved

3. Ваша маши́на в хоро́шем или в плохо́м состоя́нии?
4. Вы бы́ли когда́-нибудь в автомоби́льной катастро́фе?
5. Вы ве́рующий? а ва́ши роди́тели?
6. Что тако́е ико́на?
7. Вы всегда́ хорошо́ гото́витесь к экза́менам?
8. Каки́е отме́тки вы обы́чно получа́ете?
9. Вы иногда́ прова́ливаетесь на экза́менах?
10. Вы сейча́с на како́м ку́рсе?
11. Како́го числа́ э́та се́ссия бу́дет зако́нчена?
12. Кто откры́л и изучи́л усло́вные рефле́ксы?
13. В бу́дущем году́ вы собира́етесь пода́ть проше́ние на стипе́ндию?
14. На каки́е ку́рсы вы запи́шетесь в бу́дущей се́ссии?
15. Каки́е ку́рсы вы слу́шаете в э́той се́ссии?
16. Вы составля́ете хоро́шие конспе́кты на ле́кциях?
17. Вы полуно́чник (полуно́чница)?
18. Ско́лько уро́ков мы уже́ прошли́ в э́том уче́бнике?
19. Вы уже́ получи́ли сте́пень бакала́вра (маги́стерскую сте́пень, до́кторскую сте́пень)?
20. Вы аспира́нт?

Перево́д

1. Tell me, please, did I pass the math test?
   No, you failed. If you had studied as best you could, you would have passed it.
2. What class are you in?
   I'm a junior.
3. How many exams do you still have to take?
   I still have three exams to take.
4. What grade did you get on the physics test?
   They gave me a "C."
5. Do you want to go to the movies?
   Yes, but I can't. I have to study for exams.
6. Would you give me a lift to the library?
   With pleasure. Get in and let's go!
7. Will we have a difficult Russian test?
   That goes without saying.
8. I almost forgot to tell you that my parents are coming to see us tomorrow.
   In that event, I'll buy some vodka today.

9. Where are you going?

   To the store. You wait here until I come back.

10. Shura insists that religion is the "opium of the people."

    I'm sick of these militant atheists!

11. Do you take good notes?

    Not very, but I try.

12. Which lesson did (they) cover in class today?

    The twenty-eighth.

13. Have you already submitted a request for a scholarship?

    Not yet. I'll wait until I find out what grades I (will) get; then I'll submit a request.

14. What courses are you taking this semester?

    I'm taking courses in Russian and history.

15. Did you sign up for my course?

    No, I didn't. I was afraid I might fail!

16. What is Alexander Sergeyevich doing?

    He's working on his dissertation. I don't envy him.

ГРАММА́ТИКА

Пусть он (она́, оно́, они́)...

The expression **пусть он (она́, оно́, они́)...** is the equivalent of the English "Let him (her, it, them) (+ verb)." **Пусть** is followed by a noun or third person (singular or plural) pronoun *in the nominative case*, and the verb may be either imperfective present or perfective future:

Пусть Ива́н отве́тит на э́тот вопро́с.	*Let Ivan answer* the question.
Пусть она́ сама́ э́то **сде́лает.**	*Let her do* that herself.
Пусть эти студе́нты говоря́т то́лько по-ру́сски.	*Have these students speak* only Russian.

Colloquially, Russians frequently say **пуска́й** instead of **пусть**:

Пуска́й Ва́ня ей об э́том **расска́жет.**   *Let Vanya tell* her about that.

If the subject is omitted, the resulting command is brusque (or even impolite):

— А что, е́сли Бори́с об э́том узна́ет?   And what if Boris finds out about this?

— **Пусть узна́ет!** Мне всё равно́!

Let him find out! I don't care!

Ви́деть (замеча́ть, слы́шать, смотре́ть), как (когда́)...

Infinitive phrases with accusative subjects are commonplace in English; in Russian they are impossible. Russians use instead two clauses joined by the conjunctions **как** or **когда́**:

Роди́тели **смотре́ли, как дети** игра́ли.

The parents watched the children play.

Я **ви́дел, как она́** вошла́ в ко́мнату.

I saw her come into the room.

Они́ **ждут, когда́ ты** придёшь.

They are waiting for you to come.

Мы **слы́шали, как она́** игра́ла на рояле.

We heard her play the piano.

Ста́вить/Поста́вить — Класть/Положи́ть

There are two pairs of Russian verbs which mean "to put" or "to place":

1.	ста́вить:	ста́влю, ста́вишь, ста́вят	to put (place) in a
	поста́вить:	поста́влю, поста́вишь, поста́вят	vertical position

Я всегда́ ста́влю стака́ны сюда́.

I always put the glasses here.

Поста́вьте ла́мпу на стол!

Put the lamp on the table!

Кто поста́вил буты́лку в шкаф?

Who put the bottle in the cupboard?

2.	класть:	кладу́, кладёшь, кладу́т	to put (place) in a
	положи́ть:	положу́, поло́жишь, поло́жат	horizontal position

Я кладу́ ножи́, ви́лки и ло́жки на стол.

I put the knives, forks, and spoons on the table.

Положи́те письмо́ на стол.

Put the letter on the table!

Я положу́ газе́ту на пи́сьменный стол.

I'll put the newspaper on the desk.

Both **ста́вить/поста́вить** and **класть/положи́ть** show directed motion and thus answer the question **куда́?**:

Куда́ вы поста́вили ча́шки?

Where did you put the cups?

Куда́ вы положи́ли ло́жки?

Where did you put the spoons?

Я поставил чашки сюда, а ложки положил туда.	I put the cups here and the spoons there.

The Negative Pronouns Некого *and* Нечего

The negative pronouns **некого** ("there is no one") and **нечего** ("there is nothing") are declined in the same way as **никто** and **ничто**, but they have no nominative case. **Ни-** is never stressed, while **не-** is always stressed. Both **ни-** and **не-** are separated from the pronoun by prepositions:

Nominative:	никто	ничто	–	–
Genetive:	никого	ничего	некого	нечего
Dative:	никому	ничему	некому	нечему
Accusative:	никого	ничто	некого	нечего
Instrumental:	никем	ничем	некем	нечем
Prepositional:	ни о ком	ни о чём	не о ком	не о чем

In sentences with **некого** or **нечего**, the infinitive of the verb is used. The noun or pronoun denoting who is carrying out the action is in the dative case:

Мне сегодня нечего делать.	I have nothing to do today.
Ему некого спросить об этом.	There is no one he can ask about this.
Им не с кем говорить.	They have no one to talk to.

The past and future tenses are formed with **было** and **будет**:

Мне вчера нечего было делать.	I had nothing to do yesterday.
Им там не с кем будет говорить.	There will be no one for them to talk to there.

In sentences with **никто** or **ничто**, the verb must be negated; in sentences with **некого** or **нечего**, the verb is never negated:

Мы никому не пишем.	We don't write to anyone.
Нам некому писать.	We have no one to write to.
Они ни с кем не говорили.	They didn't talk to anyone.
Им не с кем было говорить.	They had no one to talk to.

Note the following expressions:

Нечего делать.	It can't be helped.
Нечего бояться.	There's nothing to be afraid of.

От нечего делать я пошёл в кино́.	Since I had nothing to do, I went to the movies.
Не́ за что (благодари́ть).	You're welcome. (There's nothing to thank me for.)

Прича́стия (Participles)

Participles are verb forms that function as adjectives. They are, therefore, frequently referred to as "verbal adjectives." Participles are often used in *written* Russian, but only a few types derived from a limited number of verbs are in common use in the *spoken* language. (Most of them are considered to be simply adjectives, some of which function as nouns.) Participles may be present or past, imperfective or perfective, active or passive. Their gender, number, and case are determined by the noun which they modify (most often an antecedent).

A. Present active participles

Present active participles may be formed from imperfective verbs only. They are used to replace a phrase which consists of **кото́рый** + *a verb in the present tense*:

Кото́рый + *Present tense*	*Participle*	
Студе́нт, **кото́рый рабо́тает** здесь, учится в институ́те.	Студе́нт, **рабо́тающий** здесь, учится в институ́те.	The student *who works* here studies at the institute.

Present active participles are formed by dropping the **-т** of the present tense third person plural (**они́**) form of the verb and adding the endings **-щий, -щая, -щее, -щие**:

они́	рабо́таю	т		
	рабо́таю	щий	=	кото́рый рабо́тает
	рабо́таю	щая	=	кото́рая рабо́тает
	рабо́таю	щее	=	кото́рое рабо́тает
	рабо́таю	щие	=	кото́рые рабо́тают

они	говоря	т		
	говоря	щий	=	который говорит
	говоря	щая	=	которая говорит
	(говоря	щее	=	которое говорит)
	говоря	щие	=	которые говорят

они	иду	т		
	иду	щий	=	который идёт
	иду	щая	=	которая идёт
	иду	щее	=	которое идёт
	иду	щие	=	которые идут

Reflexive verbs add **-ся** to the regular participial ending:

они	занимаю	тся		
	занимаю	щийся	=	который занимается
	занимаю	щаяся	=	которая занимается
	(занимаю	щееся	=	которое занимается)
	занимаю	щиеся	=	которые занимаются

они	уча	тся		
	уча	щийся	=	который учится
	уча	щаяся	=	которая учится
	(уча	щееся	=	которое учится)
	уча	щиеся	=	которые учатся

Present active participles are declined like the adjective **хороший**. They agree in gender, number, and case with the noun they modify. **Который**, on the other hand, agrees with its antecedent in gender and number only; its case is determined by its function in the relative clause:

Который + *Present Tense*	*Participle*
Студент, **который работает** здесь, живёт у Ивановых.	Студент, **работающий** здесь, живёт у Ивановых.
Передайте это студенту, **который работает** здесь.	Передайте это студенту, **работающему** здесь.
Вы знаете студентов, **которые работают** здесь?	Вы знаете студентов, **работающих** здесь?
Они говорят о студентке, **которая работает** здесь.	Они говорят о студентке, **работающей** здесь.

Some present active participles have lost their significance as participles and are considered to be simple adjectives:

Горы покрываются **блестя-щим**[28] снегом.	The mountains are being covered by *glistening* snow.
Мы видели балет « **Спящая** красавица ».	We saw the ballet *Sleeping Beauty*.
Я не знаю **подходящего** выражения.	I don't know a *suitable* ("fitting") expression.
Ответьте на **следующие** вопросы.	Answer the *following* questions.

Others are normally used as nouns:[29]

верующий	believer (in God)
заведующий (магазином)[30]	manager (of a store)
курящий	smoker
начинающий	beginner
отдыхающий	vacationer (one who "rests")
служащий	clerk, office worker
трудящийся[31]	worker, laborer
управляющий (заводом)[32]	manager, director
учащийся	pupil, student

When a participle alone modifies a noun, it must stand before that noun; a participial phrase, however, may be placed either before or after the noun (in which case it is set off from the rest of the sentence by commas):

Который - *clause*	*Participle*
Здесь сидят рабочие, **которые отдыхают**.	Здесь сидят **отдыхающие** рабочие.

---

[28] **блестеть**: to glisten, shine

[29] Remember that after all numerals except 1 (21, 31, 41, etc.) adjectives take genitive plural endings: один служащий, два (три, четыре) служащих, пять (шесть, семь и т. д.) служащих. But: **две (три, четыре) служащие** (*fem.*).

[30] **заведовать (чем?)**: to manage, be in charge

[31] **трудиться**: to labor

[32] **управлять (чем?)**: to direct, guide, manage, govern

Кото́рый - *clause*	*Participial phrase*
Студе́нт, кото́рый рабо́тает у Ивано́вых, учится английскому языку́.	Студе́нт, рабо́тающий у Ивано́вых, учится английскому языку́. Рабо́тающий у Ивано́вых студе́нт учится английскому языку́.

B. Past active participles

Past active participles may be formed from imperfective or perfective verbs. They are used to replace a phrase which consists of **кото́рый** *plus a verb in the past tense*:

Кото́рый + *Past Tense*	*Participle*	
Студе́нт, **кото́рый чита́л** вашу кни́гу, только что ушёл.	Студе́нт, **чита́вший** вашу кни́гу, только что ушёл.	The student *who was reading* your book just left.
Студе́нт, **кото́рый про-чита́л** вашу кни́гу, только что ушёл.	Студе́нт, **прочита́вший** вашу кни́гу, только что ушёл.	The student who read (has finished read-ing, had finished reading) your book just left.

Past active participles are formed by dropping **-л** from the masculine past tense form of the verb and adding **-вший, -вшая, -вшее, -вшие**:

он	чита́	л		
	чита́	вший	=	кото́рый чита́л
	чита́	вшая	=	кото́рая чита́ла
	(чита́	вшее	=	кото́рое чита́ло)
	чита́	вшие	=	кото́рые чита́ли

он	прочита́	л		
	прочита́	вший	=	кото́рый прочита́л

он	говори́	л		
	говори́	вший	=	кото́рый говори́л

он	сказа́	л		
	сказа́	вший	=	кото́рый сказа́л

If the verb does not have **-л** in the masculine form of the past tense, there is no **в** in the participial ending:

он	нёс	—		
	нёс	ший	=	котóрый нёс
	нёс	шая	=	котóрая неслá
	(нёс	шее	=	котóрое неслó)
	нёс	шие	=	котóрые неслú

он	привёз	—		
	привёз	ший	=	котóрый привёз

он	привы́к	—		
	привы́к	ший	=	котóрый привы́к

The past active participle of **идтú** is **шедший**. All prefixed forms of **идтú** have this same participial form:

он	шё	л		
	ше	дший	=	котóрый шёл
	ше	дшая	=	котóрая шла
	ше	дшее	=	котóрое шло
	ше	дшие	=	котóрые шли

он	вошё	л		
	вошé	дший	=	котóрый вошёл

он	ушё	л		
	ушé	дший	=	котóрый ушёл

Reflexive verbs add **-ся** to the regular participial endings:

он	возвращá	лся		
	возвращá	вшийся	=	котóрый возвращáлся
	возвращá	вшаяся	=	котóрая возвращáлась
	возвращá	вшееся	=	котóрое возвращáлось
	возвращá	вшиеся	=	котóрые возвращáлись

он	верну́	лся		
	верну́	вшийся	=	котóрый верну́лся

он	улыбá	лся		
	улыбá	вшийся	=	котóрый улыбáлся

он	улыбну́	лся		
	улыбну́	вшийся	=	котóрый улыбну́лся

Past active participles are declined like **хоро́ший** and agree in gender, number, and case with the noun they modify:

Кото́рый + *Past Tense*	*Participle*
Тури́сты, **кото́рые** вчера́ **прие́хали** из Аме́рики, сего́дня осмо́трят Эрмита́ж.	Тури́сты, **прие́хавшие** вчера́ из Аме́рики, сего́дня осмо́трят Эрмита́ж.
Экскурсово́д то́лько что уе́хал с **тури́стами, кото́рые прие́хали** вчера́ из Аме́рики.	Экскурсово́д то́лько что уе́хал с **тури́стами, прие́хавшими** вчера́ из Аме́рики.
Ленингра́дцы разгова́ривают о **тури́стах, кото́рые прие́хали** вчера́ из Аме́рики.	Ленингра́дцы разгова́ривают о **тури́стах, прие́хавших** вчера́ из Аме́рики.

Past active participles are rarely used as simple adjectives. A notable exception is:

он	бы	л
	бы	вший
	бы	вшая
	бы	вшее
	бы	вшие

Э́то мой **бы́вший** студе́нт.   This is my *former* student.

When a participle alone modifies a noun, it must stand before that noun; a participial phrase, however, may be placed either before or after the noun (in which case it is set off from the rest of the sentence by commas):

Кото́рый - *clause*	*Participle*
Студе́нты, **кото́рые опозда́ли**, не по́няли вопро́са.	**Опозда́вшие** студе́нты не по́няли вопро́са.

Кото́рый - *clause*	*Participial Phrase*
Студе́нты, **кото́рые опозда́ли** на ле́кцию, не по́няли вопро́са.	Студе́нты, **опозда́вшие** на ле́кцию, не по́няли вопро́са.
	Опозда́вшие на ле́кцию студе́нты не по́няли вопро́са.

C. Present passive participles

Present passive participles may be formed from *imperfective transitive* verbs only. They are seldom used in modern Russian and should be avoided by the student not only in speech, but in writing as well. Present passive participles are used to replace a phrase which consists of **кото́рый** *plus a transitive verb in the present tense*. In the participial construction, however, the object of the active sentence becomes the subject, and the person who performs the action is in the instrumental case:

Кото́рый + *Present Tense*	*Participle*	
Ива́н Петро́вич—челове́к, **кото́рого все лю́бят**.	Ива́н Петро́вич—челове́к, **люби́мый все́ми**.	Ivan Petrovich is a person *who is liked by everyone.*

Present passive participles are formed by adding regular adjective endings to the first person plural form of the verb:

мы	изуча́ем	–		
	изуча́ем	ый	=	кото́рый изуча́ют
	изуча́ем	ая	=	кото́рую изуча́ют
	изуча́ем	ое	=	кото́рое изуча́ют
	изуча́ем	ые	=	кото́рые изуча́ют

The verb **дава́ть** and all of its prefixed forms are irregular:

дава́	ть		
дава́	емый	=	кото́рый даю́т
дава́	емая	=	кото́рую даю́т
дава́	емое	=	кото́рое даю́т
дава́	емые	=	кото́рые даю́т
продава́	ть		
продава́	емый	=	кото́рый продаю́т
передава́	ть		
передава́	емый	=	кото́рый передаю́т

The following present passive participles are frequently used and should be memorized:

мой **люби́мый** спорт	my favorite sport
моя́ **люби́мая** о́пера	my favorite opera
моё **люби́мое** заня́тие	my hobby
Много**уважа́емый** господи́н Жада́н!	Dear Mr. Zhadan, (salutation of a formal letter)
не**ви́димый**	invisible ("not seen")
не**обходи́мый**	essential
так **называ́емый**	so-called

Some verbs do not have this participial form, notably:

> **петь**
> **писа́ть**
> any verb, the infinitive form of which ends in **-ся**

Present passive participles also have short adjectival forms. Like all short adjectives, they may be used only predicatively:

> люби́мый, -ая, -ое, -ые: люби́м, люби́ма, люби́мо, люби́мы
> Вот идёт мой **люби́мый** профе́ссор: он, ка́жется, все́ми **люби́м**.

D. Past passive participles

Past passive participles may be formed from transitive verbs only; the vast majority are formed from verbs of the perfective aspect. There are both short and long form past passive participles; the former are commonly used in conversational Russian; the latter, for the most part, are used only in the written language.

1. Short past passive participles

Short past passive participles ("SPPP's") are used to render such English constructions as "is (has been, was, had been, will be, will have been) written." They are formed in the following ways.

a. Most verbs that end in **-ать, -ять**, or **-еть** form the SPPP by dropping **-л** from the perfective past of the verb and adding **-н, -на, -но, -ны**:

прочита́ть		потеря́ть		уви́деть	
я прочита́	л	я потеря́	л	я уви́де	л
прочи́та	н	поте́ря	н	уви́де	н
прочи́та	на	поте́ря	на	уви́де	на
прочи́та	но	поте́ря	но	уви́де	но
прочи́та	ны	поте́ря	ны	уви́де	ны

b. If the infinitive of the verb ends in **-ить** or **-ти**, the ending **-у (-ю)** is dropped from the 1st person singular (perfective future) of the verb, and **-ен (-ён)**, **-ена**, **-ено**, **-ены** are added:

получи́ть		реши́ть		перевести́	
я получ	**у́**	**я реш**	**у́**	**я перевед**	**у́**
полу́ч	ен	реш	ён	перевед	ён
полу́ч	ена	реш	ена́	перевед	ена́
полу́ч	ено	реш	ено́	перевед	ено́
полу́ч	ены	реш	ены́	перевед	ены́

c. A small number of class I verbs have the SPPP ending **-т**. It is best to memorize the following commonly used SPPP's:

взять:	взят, -а́, -о, -ы	taken
забы́ть:	забы́т, -а, -о, -ы	forgotten
заня́ть:	занят, -а́, -о, -ы	busy, occupied
закры́ть:	закры́т, -а, -о, -ы́	closed
нача́ть:	на́чат, -а́, -о, -ы	begun
оде́ть:	оде́т, -а, -о, -ы	dressed
откры́ть:	откры́т, -а, -о, -ы	open(ed)
уби́ть:	уби́т, -а, -о, -ы	killed

Short passive participles and short adjectives have a great deal in common: both may be used as *predicate adjectives* only; both agree in gender and number with the noun or pronoun to which they refer; the verb **быть** is used to form the past and future tenses of such constructions.

Short Adjective	*SPPP*
Они́ **больны́**.	Письма **напи́саны**.
Они́ **были больны́**.	Письма **были напи́саны**.
Они́ **будут больны́**.	Письма **будут напи́саны**.

Russian has only three passive constructions, while English has six:

Дверь откры́та.	The door is open. / The door has been opened.
Дверь была́ откры́та.	The door was open. / The door had been opened.
Дверь будет откры́та.	The door will be open. / The door will have been opened.

It is difficult to predict the stress of SPPP's. In general, the following is true: the endings **-ан, -ян, -ен** will not be stressed, while **-ён** is, of course, always stressed; if any form of the verb has the stress on the stem, the stem of the SPPP will also be stressed; if the masculine form is **-ён** the stress will be on the feminine, neuter and plural endings:

написа́ть	**получи́ть**	**перевести́**
напи́сан	полу́чен	переведён
напи́сана	полу́чена	переведена́
напи́сано	полу́чено	переведено́
напи́саны	полу́чены	переведены́

The person who performs the action of a passive sentence is in the instrumental case:

Active	*Passive*
Ива́н написа́л это письмо́.	Это письмо́ **бы́ло напи́сано Ива́ном**.

2. Long past passive participles

Long past passive participles ("*LPPP*'s") are formed by adding **-ный, -ная, -ное, -ные** to SPPP's ending in **-н**, and **-ый, -ая, -ое, -ые** to those ending in **-т**:

напи́сан	ный	откры́т	ый
	ная		ая
	ное		ое
	ные		ые

LPPP's *may not be used predicatively.* They may stand before or after the noun they modify and must agree with it in gender, number, and case. The person who performs the action (if given) is in the instrumental case.

Active	*SPPP*	*LPPP*	*LPPP*
В те́ксте, **кото́рый мы прочита́ли,** не́ было незнако́мых слов.	В те́ксте, **кото́рый был прочи́тан** нами, не́ было незнако́мых слов.	В те́ксте, **прочи́танном нами,** не́ было незнако́мых слов.	В **прочи́танном нами** те́ксте не́ было незнако́мых слов

The following past passive participles should be part of your active vocabulary. Pay particular attention to the stress of the SPPP.

Verbs	*LPPP (masc. only)*	*SPPP*	
-ен(ный):			
купи́ть	ку́пленный	ку́плен, а, о, ы	bought, purchased
найти́	на́йденный	на́йден, а, о, ы	found
око́нчить	око́нченный	око́нчен, а, о, ы	finished
офо́рмить	офо́рмленный	офо́рмлен, а, о, ы	registered
получи́ть	полу́ченный	полу́чен, а, о, ы	received
постро́ить	постро́енный	постро́ен, а, о, ы	built
пригото́вить	пригото́вленный	пригото́влен, а, о, ы	prepared
уничто́жить	уничто́женный	уничто́жен, а, о, ы	destroyed
-ён(ный):			
перевести́	переведённый	переведён, а́, о́, ы́	translated
пригласи́ть	приглашённый	приглашён, а́, о́, ы́	invited
реши́ть	решённый	решён, а́, о́, ы́	decided, solved
-ан(ный); -ян(ный):			
дать	да́нный	дан, а́, о́, ы́	given
написа́ть	напи́санный	напи́сан, а, о, ы	written
подписа́ть	подпи́санный	подпи́сан, а, о, ы	signed
потеря́ть	поте́рянный	поте́рян, а, о, ы	lost
прода́ть	про́данный	про́дан, а́, о, ы	sold
прочита́ть	прочи́танный	прочи́тан, а, о, ы	read
распрода́ть	распро́данный	распро́дан, а, о, ы	sold out
сде́лать	сде́ланный	сде́лан, а, о, ы	done
сказа́ть	ска́занный	ска́зан, а, о, ы	said
-т(ый):			
взять	взя́тый	взят, а́, о, ы	taken
забы́ть	забы́тый	забы́т, а, о, ы	forgotten
закры́ть	закры́тый	закры́т, а, о, ы	closed
заня́ть	за́нятый	за́нят, а́, о, ы	busy, occupied
нача́ть	на́чатый	на́чат, а́, о, ы	begun
оде́ть	оде́тый	оде́т, а, о, ы	dressed
откры́ть	откры́тый	откры́т, а, о, ы	closed
уби́ть	уби́тый	уби́т, а, о, ы	killed

ТАБЛИЦЫ

In these tables, the verbs **чита́ть/прочита́ть** and **возвраща́ться/ верну́ться** are used to indicate the types of participles and verbal adverbs which can be constructed from most verbs. Only masculine forms are given:

NON-REFLEXIVE VERBS

	Participles		Кото́рый...	
Pres. Active Part.	они́ чита́ю чита́ю	т щий	кото́рый чита́ет	who reads, is reading, does read
Past Active Part. Impf.	он чита́ чита́	л вший	кото́рый чита́л	who read, was reading
Pf.	он прочита́ прочита́	л вший	кото́рый прочита́л	who read, did read, has (had) read
Pres. Passive Part. *Short Form* *Long Form*	мы чита́ем чита́ем чита́ем	 ый	кото́рый чита́ют	which is read
Past Passive Part. *Short Form* *Long Form*	он прочита́ прочи́та прочи́та	л н нный	кото́рый прочита́ли кото́рый прочита́ли	which is (was, has been, had been) read
Impf. Verbal Adv.	они́ чита́ чита́	ют я	когда́ (они́) (чита́ют, чита́ли, бу́дут чита́ть)	while reading
Pf. Verbal Adv.	он прочита́ прочита́	л в	когда́ (они́) (прочита́ли, прочита́ют)	(after) having read

REFLEXIVE VERBS

	Participles		Который...	
Pres. Active Part.	они́ возвраща́ю возвраща́ю	тся щийся	кото́рый возвраща́ется	who returns, is returning, does return
Past Active Part. *Impf.*	он возвраща́ возвраща́	лся вшийся	кото́рый возвраща́лся	who returned, was returning
Pf.	он верну́ верну́	лся вшийся	кото́рый верну́лся	who returned, did return, has (had) returned
Pres. Passive Part.	*None*			
Past Passive Part.	*None*			
Impf. Verbal Adv.	они́ возвраща́ возвраща́	ются ясь	когда́ (они́) (возвраща́ют- ся, возвраща́- лись, бу́дут возвраща́ться)	while returning
Pf. Verbal Adv.	он верну́ верну́	лся вшись	когда́ (они́) (верну́лись, верну́тся)	(after) having returned

СЛОВА́РЬ

акаде́мия	academy
бу́дто	as though
как бу́дто	as though, apparently
ве́ровать (I) (в кого́? во что?) (*no pf.*)	to believe (in)
ве́рующий	believer (in God)

вы́глядеть (II) (*no pf.*)	to look, appear
вы́гляжу, вы́глядишь, вы́глядят	
выдаю́щийся	distinguished
гото́виться (II) (*pf.* пригото́виться)	to prepare oneself
гото́влюсь, гото́вишься, гото́вятся	
гото́виться к экза́мену	to study for an examination
гря́зный	dirty
заве́довать (I) (чем?) (*no pf.*)	to manage, be in charge of
заве́дующий (чем?)	manager, director
зако́нчен, -а, -о, -ы	concluded, over
изучи́ть (II)	*pf. of* изуча́ть
изучу́, изу́чишь, изу́чат	
ико́на	icon, holy picture
иссле́дование	research
катастро́фа	accident
ката́ться (I) (*pf.* поката́ться)	to go for a ride
на конька́х	to ice-skate
на ло́дке	to go boating
на лы́жах	to ski
на маши́не	to go for a ride (in a car)
на саня́х	to go for a sleigh ride
класть (I) (*pf.* положи́ть)	to put, place (in a horizontal position)
кладу́, кладёшь, кладу́т; клал, кла-ла, кла́ло, кла́ли	
курс	course
ме́дик	physician, medic
молодёжь (ж.)	youth (*collective singular noun*)
наблюда́ть (I) (*no pf.*)	to observe
наста́ивать (I) (*pf.* настоя́ть)	to insist
на (чём?)	
настоя́ть (II)	*pf. of* наста́ивать
начина́ющий	beginner
неви́димый	invisible
не́когда	there is no time
Мне не́когда.	I have no time.
не́кого	there is no one
некуря́щий	non-smoker
необходи́мый	essential
не́чего	there is nothing
о́бласть (ж.)	district
оде́тый	dressed
око́нчен, -а, -о, -ы	finished
опозда́ть (I)	*pf. of* опа́здывать
опозда́ю, опозда́ешь, опозда́ют	
опа́сно	dangerous (*adv.*)
опа́сный	dangerous (*adj.*)

организóванный	organized
оснóва	basis
лежáть в оснóве	to be the basis of
осóбенность (ж.)	peculiarity
в осóбенности	in particular, especially
останáвливать (I) (*pf.* остановѝть)	to stop (*transitive*)
останáвливаться (I) (*pf.* остановѝться)	to stop (*intransitive*)
остановѝть(ся) (II)	*pf. of* останáвливать(ся)
остановлю́(сь), останóвишь(ся), останóвят(ся)	
отмéтка	grade, mark in school
поддержáть (II)	*pf. of* поддéрживать
поддержу́, поддéржишь, поддéржат	
поддéрживать (I) (*pf.* поддержáть)	to support
подéржанный	used, second-hand
подходя́щий	suitable, fitting
покатáться (I)	*pf. of* катáться
положѝть (II)	*pf. of* класть
постáвить (II)	*pf. of* стáвить
потеря́ть (I)	*pf. of* теря́ть
привыкáть (I) (*pf.* привы́кнуть) (к кому́? чему́?)	to become accustomed (to)
Он привы́к к э́тому.	He got used to that.
привы́кнуть (I)	*pf. of* привыкáть
привы́кну, привы́кнешь, привы́кнут; привы́к, привы́кла, -ло, -ли	
приготóвиться (II)	*pf. of* готóвиться
причáстие	participle
провáливаться (I) (*pf.* провалѝться) (на экзáмене) (по чему́?)	to fail (an exam) (in...)
провалѝться (II)	*pf. of* провáливаться
провалю́сь, провáлишься, провáлятся	
пускáй	let (*third person command*)
пусть	let (*third person command*)
регуля́рно	regularly
рефлéкс	reflex
свящéнник	priest
сдавáть (I) (*pf.* сдать) экзáмен	to take (and pass) an exam
сдаю́, сдаёшь, сдаю́т	
сдать	*pf. of* сдавáть
сдам, сдашь, сдаст, сдадѝм, сдадѝте, сдаду́т; сдал, сдалá, сдáло, сдáли	
сéссия	session
состоя́ние	condition
в хорóшем (плохóм) состоя́нии	in good (bad) condition

ставить (II) (*pf.* поста́вить)	to put, place (in a vertical position)
ставлю, ставишь, ставят; Ставь(те)!	
ставить отме́тку (кому́?)	to give a grade (to)
сте́пень (ж.)	degree (university, college)
твёрдо	hard, firm(ly)
теря́ть (I) (*pf.* потеря́ть)	to lose
теря́ть даром	to waste
трогать (I) (*pf.* тронуть)	to touch
тронуть (I)	*pf. of* трогатъ
трону, тронешь, тронут	
труд	work, labor
трудя́щийся	worker, laborer
убива́ть (I) (*pf.* уби́ть)	to kill
уби́ть (II)	*pf. of* убива́ть
убью, убьёшь, убьют	
уважа́емый	respected
уважа́ть (I) (*no pf.*)	to respect
уничто́жен, -а, -о, -ы	destroyed
управля́ющий	operator, manager
усло́вный	conditioned
уча́щийся	student ("one who studies")
учёба	studies; time spent in school
учёный	scholar
физио́лог	physiologist
церемо́ния	ceremony
чуть не (*with pf. verb, past tense*)	nearly, came close to
шедший	who is going, walking

Appendix

MASCULINE NOUNS

	—	-й	-ь
Nom.	студéнт —	музéй й	портфéл ь
Gen.	студéнт а	музéй я	портфéл я
Dat.	студéнт у	музéй ю	портфéл ю
Acc.[1]	⌠студéнт а ⌡ стол —	⌠музéй й ⌡геро́ я	⌠портфéл ь ⌡ учи́тел я
Inst.[2]	студéнт ом	музéй ем	портфéл ем
Prep.	(о) студéнт е	(о) музéй е	(о) портфéл е
Nom.	студéнт ы	музéй и	портфéл и
Gen.[3]	студéнт ов	музéй ев	портфéл ей
Dat.	студéнт ам	музéй ям	портфéл ям
Acc.[1]	⌠студéнт ов ⌡ стол ы́	⌠музéй и ⌡геро́ ев	⌠портфéл и ⌡ учител éй
Inst.	студéнт ами	музéй ями	портфéл ями
Prep.	(о) студéнт ах	(о) музéй ях	(о) портфéл ях

	-и й	*Fleeting* o, e, ё
Nom.	санато́ри й	отéц —
Gen.	санато́ри я	отц а́
Dat.	санато́ри ю	отц у́
Acc.[1]	⌠санато́ри й ⌡ гени я	⌠ отц а́ ⌡ветер —
Inst.[2]	санато́ри ем	отц о́м
Prep.	(о) санато́ри и	(об) отц é
Nom.	санато́ри и	отц ы́
Gen.[3]	санато́ри ев	отц о́в
Dat.	санато́ри ям	отц а́м
Acc.[1]	⌠санато́ри и ⌡ гени ев	⌠ отц о́в ⌡ветр ы
Inst.	санато́ри ями	отц а́ми
Prep.	(о) санато́ри ях	(об) отц а́х

[1] In these two tables, the accusative case (singular and plural) of masculine animate nouns and the accusative *plural* of feminine animate nouns are the same as the genitive; the accusative of all other nouns is the same as the nominative.

[2] When stressed, **-ем** becomes **-ём** and **-ей** becomes **-ёй: словарём, семьёй.**

[3] See lesson 22 for a detailed discussion of the genitive plural.

FEMININE NOUNS

	-a	*Spelling Rule 1*	**-я**
Nom.	комнат а	книг а	галере́ я
Gen.	комнат ы	книг и	галере́ и
Dat.	комнат е	книг е	галере́ е
Acc.	комнат у	книг у	галере́ ю
Inst.[2]	комнат ой	книг ой	галере́ ей
Prep.	(о) комнат е	(о) книг е	(о) галере́ е
Nom.	комнат ы	книг и	галере́ и
Gen.[3]	комнат −	книг −	галере́ ей
Dat.	комнат ам	книг ам	галере́ ям
Acc.[1]	{ комнат ы { женщин −	{ книг и { девоч ек	{ галере́ и { тёт ей
Inst.	комнат ами	книг ами	галере́ ями
Prep.	(о) комнат ах	(о) книг ах	(о) галере́ ях

	-и я	**-ь**	**мать и дочь**
Nom.	лекци я	тетра́д ь	мат ь
Gen.	лекци и	тетра́д и	мат ери
Dat.	лекци и	тетра́д и	мат ери
Acc.	лекци ю	тетра́д ь	мат ь
Inst.[2]	лекци ей	тетра́д ью	мат ерью
Prep.	(о) лекци и	(о) тетра́д и	(о) мат ери
Nom.	лекци и	тетра́д и	мат ери
Gen.[3]	лекци й	тетра́д ей	мат ере́й
Dat.	лекци ям	тетра́д ям	мат еря́м
Acc.[1]	лекци и	тетра́д и	мат ере́й
Inst.	лекци ями	тетра́д ями	мат еря́ми
Prep.	(о) лекци ях	(о) тетра́д ях	(о) мат еря́х

NEUTER NOUNS

	-о	-е	-и е	-м я
Nom.	окн ó	пол е	здани е	им я
Gen.	окн á	пол я	здани я	им ени
Dat.	окн ý	пол ю	здани ю	им ени
Acc.	окн ó	пол е	здани е	им я
Inst.	окн óм	пол ем	здани ем	им енем
Prep.	(об) окн é	(о) пол е	(о) здани и	(об) им ени
Nom.	окн а[4]	пол я́	здани я	им ená
Gen.	окóн —[5]	пол éй	здани й	им ён
Dat.	окн ам	пол я́м	здани ям	им енáм
Acc.	окн а	пол я́	здани я	им ená
Inst.	окн ами	пол я́ми	здани ями	им енáми
Prep.	(об) окн ах	(о) пол я́х	(о) здани ях	(об) им енáх

FAMILY NAMES ENDING IN **-ын(а), -ин(а), -ов(а), -ев(а)**

	Masculine	*Feminine*	*Plural*
Nom.	Петрóв –	Петрóв а	Петрóв ы
Gen.	Петрóв а	Петрóв **ой**	Петрóв **ых**
Dat.	Петрóв у	Петрóв **ой**	Петрóв **ым**
Acc.	Петрóв а	Петрóв у	Петрóв **ых**
Inst.	Петрóв **ым**	Петрóв **ой**	Петрóв **ыми**
Prep.	(о) Петрóв е	(о) Петрóв **ой**	(о) Петрóв **ых**

[4] Bisyllabic neuter nouns ending in **-о** or **-е** (with the exception of **кресло**) have a stress shift in the plural. The following neuter nouns have the plural ending **-и**: **колéно** (knee)—**колéни**, **плечó** (shoulder)—**плечи**, **ухо** (ear)—**уши**, **яблоко** (apple)—**яблоки**. **Небо** (sky, heaven) has the plural **небесá**.

[5] Note also the fleeting **е** in **письмó**—**письма**—**писем**.

A. The noun **путь** has characteristics of both masculine and feminine declension patterns

Nom.	пут ь	(path, way)
Gen.	пут и́	
Dat.	пут и́	(по пути́)
Acc.	пут ь	
Inst.	пут ём	
Prep.	пут и́	

B. Some peculiarities in the declension of nouns in the plural

1. Nouns with the nominative singular ending **-анин** or **-янин**

Nom. Sing.	граждани́н (citizen)	крестья́нин (peasant)
Nom.	гражда́н е	крестья́н е
Gen.	гражда́н –	крестья́н –
Dat.	гражда́н ам	крестья́н ам
Acc.	гражда́н –	крестья́н –
Inst.	гражда́н ами	крестья́н ами
Prep.	(о) гражда́н ах	(о) крестья́н ах

2. Nouns with the nominative singular ending **-ёнок** or **-онок**

Nom. Sing.	котёнок (kitten)	волчо́нок (wolf cub)
Nom.	котя́т а	волча́т а
Gen.	котя́т –	волча́т –
Dat.	котя́т ам	волча́т ам
Acc.	котя́т –	волча́т –
Inst.	котя́т ами	волча́т ами
Prep.	(о) котя́т ах	(о) волча́т ах

3. A few masculine nouns have no ending in the genitive plural; thus their genitive plural and nominative singular are identical:

Nom. Sing.	Nom. Pl.	Gen. Pl.
глаз	глаза́	глаз
грузи́н	грузи́ны	грузи́н
партиза́н	партиза́ны	патриза́н
раз	разы́	раз
солда́т	солда́ты	солда́т

C. Nouns with completely irregular plural forms

Nominative Singular	Nominative Plural
господи́н	господа́
ребёнок	дети[6]
сосе́д	сосе́ди[7]
челове́к	люди[8]

Nouns with No Singular Form

брюки	pants	роди́тели[9]	parents
воро́та	gates	сутки	day (24 hour
деньги	money		period)
кани́кулы	vacation(s)	часы́	clock, watch
ножницы	scissors	черни́ла	ink
очки́	eyeglasses	шахматы	chess
перегово́ры	negotiations	щи	shchi (cabbage soup)

D. Nouns that are not declined

1. Family names ending in **-енко (Евтуше́нко)** or have an ending that is atypical of Russian family names (**Дурно́во, Чутки́х**).

---

[6] The neuter singular noun **дитя́** is archaic. The plural **ребя́та** is in common use in reference to young people (boys, boys and girls, fellows, "guys"); *inst. pl.* **детьми́**.

[7] **Сосе́д** is "hard" in the singular, but "soft" in the plural: сосе́д, сосе́да, сосе́ду, сосе́да, сосе́дом, сосе́де; сосе́ди, сосе́дей, сосе́дям, сосе́дей, сосе́дями, сосе́дях.

[8] The singular noun **люд** is archaic. **Челове́к (челове́ка)** is used with numerals and the words **сколько** and **несколько** rather than **людей**. Сколько там было челове́к? Там было несколько (десять, двадцать) челове́к (два, три, четы́ре челове́ка); *inst. pl.* **людьми́**.

[9] **Роди́тель** ("father") and **роди́тельница** ("mother") exist but are seldom used.

2. Family names ending in **-ич** or **-ович, -евич** (**Мицке́вич**) and foreign names ending in a consonant (**Смит, Моцарт**) are declined only when they designate male persons.

3. The following nouns, which end in a vowel and are of foreign extraction:

Гарибáльди	бюрó
Сальéри	депó
Бакý	кинó
Тбилúси	кофе
Сочи	купé
Токио	менЮ́
Сан-Францúско	метрó
Чикáго	пальтó
	рáдио
	таксú

E. Nouns with a partitive genitive ending in **-у** or **-ю**

Nominative Singular	*Partitive Genitive*	
мёд	мёду	(some) honey
рис	рису	(some) rice
сахар	сахару	(some) sugar
суп	супу	(some) soup
сыр	сыру	(some) cheese
чай	чаю	(some) tea
шоколáд	шоколáду	(some) chocolate

F. Masculine nouns that have the prepositional case ending **-ý** or **-ю́** when they occur as the object of the prepositions **в** and **на**

берег	на берегý	on the shore
вид	(имéете) в видý	keep in mind (sight)
глаз	в глазý	in (one's) eye
год	в (какóм) годý	in (which) year
Дон	на Донý	on the Don River
дым	в дымý	in the smoke
край	в (на) краю́	in the region (on the edge)

Крым	в Крыму́	in the Crimea
лес	в лесу́	in the forest
лёд	в (на) льду	in (on) the ice
лоб	на лбу	on (one's) forehead
луг	на лугу́	on the meadow
мёд	в (на) меду́	in (on) the honey
мост	на мосту́	on the bridge
нос	в (на) носу́	in (on) (one's) nose
плен	в плену́	in captivity
пол	на полу́	on the floor
порт	в порту́	in the port
пруд	в (на) пруду́	in (on) the pond
рот	во рту	in (one's) mouth
ряд	в ряду́	in a line
сад	в саду́	in the garden
снег	в (на) снегу́	in (on) the snow
угол	в (на) углу́	in (on) the corner
час	в (кото́ром) часу́	at what hour
шкаф	в (на) шкафу́	in (on) the cupboard, case

G. Nouns with a stress shift to plural endings in oblique cases

бровь	крепость	область	степь
вещь	лошадь	о́чередь	церковь
дверь	мать	площадь	часть
дочь	новость	повесть	че́тверть
зверь	ночь	скатерть	

	Inanimate	*Animate*
Nom.	вещи	лошади
Gen.	вещéй	лошадéй
Dat.	вещáм	лошадя́м
Acc.	вещи	лошадéй
Inst.	вещáми	лошадьми́ (*или* лошадя́ми)
Prep.	(о) вещáх	(о) лошадя́х

Declension of Pronouns

PERSONAL PRONOUNS

	Singular				
Nom.	я	ты	он	она́	оно́
Gen.	меня́	тебя́	его́ (у него́)	её (у неё)	его́ (у него́)
Dat.	мне	тебе́	ему́ (к нему́)	ей (к ней)	ему́ (к нему́)
Acc.	меня́	тебя́	его́ (на него́)	её (на неё)	его́ (на него́)
Inst.	мной (мно́ю)	тобо́й (тобо́ю)	им (с ним)	ей, е́ю (с ней, с не́ю)	им (с ним)
Prep.	(обо) мне	(о) тебе́	(о) нём	(о) ней	(о) нём

	Plural		
Nom.	мы	вы	они́
Gen.	нас	вас	их (у них)
Dat.	нам	вам	им (к ним)
Acc.	нас	вас	их (на них)
Inst.	нами	вами	и́ми (с ни́ми)
Prep.	(о) нас	(о) вас	(о) них

THE REFLEXIVE PRONOUN Себя́

Nom.	—	
Gen.	себя́	Я нашёл у **себя́** на столе́ кни́гу.
Dat.	себе́	Я купи́л **себе́** кни́гу.
Acc.	себя́	Он не зна́ет **себя́**.
Inst.	собо́й	Возьми́те э́ту кни́гу с **собо́й**.
Prep.	(о) себе́	Они́ рассказа́ли **о себе́** мно́го интере́сного.

POSSESSIVE PRONOUNS/ADJECTIVES[10]

	Singular					
Nom.	мо й	мо я́	мо ё	тво й	тво я́	тво ё
Gen.	мо его́	мо е́й	мо его́	тво его́	тво е́й	тво его́
Dat.	мо ему́	мо е́й	мо ему́	тво ему́	тво е́й	тво ему́
Acc.	⎧мо его́ ⎩мо й	мо ю́	мо ё	⎧тво его́ ⎩тво й	тво ю́	тво ё
Inst.	мо и́м	мо е́й	мо и́м	тво и́м	тво е́й	тво и́м
Prep.	(о) мо ём	(о) мо е́й	(о) мо ём	(о) тво ём	(о) тво е́й	(о) тво ём

Nom.	наш –	наш а	наш е
Gen.	наш его	наш ей	наш его
Dat.	наш ему	наш ей	наш ему
Acc.	⎧наш его ⎩наш –	наш у	наш е
Inst.	наш им	наш ей	наш им
Prep.	(о) наш ем	(о) наш ей	(о) наш ем

Nom.	ваш –	ваш а	ваш е
Gen.	ваш его	ваш ей	ваш его
Dat.	ваш ему	ваш ей	ваш ему
Acc.	⎧ваш его ⎩ваш –	ваш у	ваш е
Inst.	ваш им	ваш ей	ваш им
Prep.	(о) ваш ем	(о) ваш ей	(о) ваш ем

---

[10] **Его́, её,** and **их** never change.

		Plural		
Nom.	мо й	тво й	наш и	ваш и
Gen.	мо йх	тво йх	наш их	ваш их
Dat.	мо йм	тво йм	наш им	ваш им
Acc.	⎧мо йх ⎩мо й	⎧тво йх ⎩тво й	⎧наш их ⎩наш и	⎧ваш их ⎩ваш и
Inst.	мо йми	тво йми	наш ими	ваш ими
Prep.	(о) мо йх	(о) тво йх	(о) наш их	(о) ваш их

INTERROGATIVE PRONOUNS

Nom.	кто?	что?
Gen.	кого?	чего?
Dat.	кому́?	чему́?
Acc.	кого?	что?
Inst.	кем?	чем?
Prep.	(о) ком?	(о) чём?

NEGATIVE PRONOUNS

Nom.	никто́	ничто́	—	—
Gen.	никого́	ничего́	не́кого	не́чего
Dat.	никому́	ничему́	не́кому	не́чему
Acc.	никого́	ничто́	не́кого	не́чего
Inst.	никем	ничем	не́кем	не́чем
Prep.	ни о ко́м	ни о чём	не́ о ком	не́ о чем

INDEFINITE PRONOUNS

Nom.	кто-то (-нибудь)	что-то (-нибудь)
Gen.	кого́-то (-нибудь)	чего́-то (-нибудь)
Dat.	кому́-то (-нибудь)	чему́-то (-нибудь)
Acc.	кого́-то (-нибудь)	что-то (-нибудь)
Inst.	кем-то (-нибудь)	чем-то (-нибудь)
Prep.	(о) ком-то (-нибудь)	(о) чём-то (-нибудь)

Сам, сама́, само́, сами

Nom.	сам	сама́	само́	сами	Он пришёл **сам**.
Gen.	самого́	само́й	самого́	сами́х	Ещё нет его́ **самого́**.
Dat.	самому́	само́й	самого́	сами́м	Я переда́л ему́ **самому́**.
Acc.	самого́	саму́ / самоё	само́	сами́х	Я ви́дел его́ **самого́**.
Inst.	сами́м	само́й	сами́м	сами́ми	Я говори́л с ним **сами́м**.
Prep.	(о) само́м	само́й	само́м	сами́х	Мы говори́ли о нём **самом**.

Весь, вся, все, все

Nom.	весь	вся	всё	все
Gen.	всего́	всей	всего́	всех
Dat.	всему́	всей	всему́	всем
Acc.	всего́ / весь	всю	всё	всех / все
Inst.	всем	всей	всем	все́ми
Prep.	(обо) всём	(обо) всей	(обо) всём	(обо) всех

Чеи, чья, чье, чьй

Nom.	чей	чья	чьё	чьи
Gen.	чьего́	чьей	чьего́	чьих
Dat.	чьему́	чьей	чьему́	чьим
Acc.	чьего́ / чей	чью	чьё	чьих / чьи
Inst.	чьим	чьей	чьим	чьими
Prep.	(о) чьём	(о) чьей	(о) чьём	(о) чьих

Declension of Adjectives

MASCULINE ADJECTIVES

	Regular	*Stressed Ending*	*Spelling Rules*		*Soft Adjective*
Nom.	нов ый	молод о́й	хоро́ш ий	(1)	син ий
Gen.	нов ого	молод о́го	хоро́ш его	(3)	син его
Dat.	нов ому	молод о́му	хоро́ш ему	(3)	син ему
Acc.	нов ого / нов ый	молод о́го / молод о́й	хоро́ш его (3) / хоро́ш ий (1)		син его / син ий
Inst.	нов ым	молод ы́м	хоро́ш им	(1)	син им
Prep.	нов ом	молод о́м	хоро́ш ем	(3)	син ем

FEMININE ADJECTIVES

	Regular	Stressed Ending	Spelling Rules	Soft Adjective
Nom.	нов ая	молод áя	хорóш ая	син яя
Gen.	нов ой	молод óй	хорóш ей (3)	син ей
Dat.	нов ой	молод óй	хорóш ей (3)	син ей
Acc.	нов ую	молод ýю	хорóш ую	син юю
Inst.	нов ой	молод óй	хорóш ей (3)	син ей
Prep.	нов ой	молод óй	хорóш ей (3)	син ей

NEUTER ADJECTIVES

	Regular	Stressed Ending	Spelling Rules	Soft Adjective
Nom.	нов ое	молод óе	хорóш ее (3)	син ее
Gen.	нов ого	молод óго	хорóш его (3)	син его
Dat.	нов ому	молод óму	хорóш ему (3)	син ему
Acc.	нов ое	молод óе	хорóш ее (3)	син ее
Inst.	нов ым	молод ы́м	хорóш им (1)	син им
Prep.	нов ом	молод óм	хорóш ем (3)	син ем

PLURAL ADJECTIVES

	Regular	*Stressed Ending*	*Spelling Rules*	*Soft Adjective*
Nom.	нов ые	молод ы́е	хоро́ш ие (1)	син ие
Gen.	нов ых	молод ы́х	хоро́ш их (1)	син их
Dat.	нов ым	молод ы́м	хоро́ш им (1)	син им
Acc.	нов ых / нов ые	молод ы́х / молод ы́е	хоро́ш их (1) / хоро́ш ие (1)	син их / син ие
Inst.	нов ыми	молод ы́ми	хоро́ш ими (1)	син ими
Prep.	нов ых	молод ы́х	хоро́ш их (1)	син их

A. Nouns that may be used as adjectives

Names ending in **-a** or **-я** and nouns ending in **-a** or **-я** that denote members of the family (**мама, папа, бабушка, дедушка, тётя, дядя, и т. д.**) may be used as adjectives:

	Masculine		*Feminine*	*Neuter*	
Nom.	мамин	брат	мамина сестра́	мамино	письмо́
Gen.	мамина	брата	маминой сестры́	мамина	письма́
Dat.	мамину или маминому	брату	маминой сестре́	мамину или маминому	письму́
Acc.	мамина мамин	брата дом	мамину сестру́	мамино	письмо́
Inst.	маминым	братом	маминой сестро́й	маминым	письмо́м
Prep.	(о) мамином	брате	(о) маминой сестре́	(о) мамином	письме́

	Plural	
Nom.	мамины	братья (сёстры, письма)
Gen.	маминых	братьев (сестёр, писем)
Dat.	маминым	братьям (сёстрам, письмам)
Acc.	⎰маминых ⎱мамины	братьев (сестёр) письма
Inst.	мамиными	братьями (сёстрами, письмами)
Prep.	(о) маминых	братьях (сёстрах, письмах)

B. Short adjectives

Short adjectives may be used predicatively only. The masculine form has no ending, the feminine has the ending **-a**, the neuter has the ending **-o**, and the plural has **-ы** or **-и** (Spelling Rule 1). If the stem of the adjective ends in two consonants, a vowel (**-e-**, **-ё-**, or **-o-**) is frequently inserted between them in the masculine short form (sometimes replacing **-ь-**):

	Short Adjectives				
Masc.	здоро́в –	поло́н –	интере́сен –	умён –	бо́лен –
Fem.	здоро́в а	полн а́	интере́сн а	умн а́	больн а́
Neuter	здоро́в о	полн о́	интере́сн о	у́мн о́	больн о́
Pl.	здоро́в ы	полн ы́	интере́сн ы	у́мн ы́	больн ы́

Most short adjectives may be used interchangeably with long form predicate adjectives. However, some short adjectives are used to describe only a temporary state or condition, while the corresponding long adjective denotes a state or condition that is essentially permanent:

> Он **больно́й**.   He is a sick(ly) person.
> Он **бо́лен**.   He is sick (temporarily).

The short form of the following adjectives denotes a condition that is temporary, the long form, one that is essentially permanent:

Masculine Long Form	*All Short Forms*	
благода́рный	благода́рен, благода́рна (о, ы)	grateful, thankful
больно́й	бо́лен, больна́ (о́, ы́)	sick
гото́вый	гото́в (а, о, ы)	ready
до́брый	добр (а́, о́, ы́)	kind, good
занято́й	за́нят (а́, о, ы)	busy
здоро́вый	здоро́в (а, о, ы)	well, healthy
любе́зный	любе́зен, любезна (о, ы)	kind
свобо́дный	свобо́ден, свободна (о, ы)	free

The following short adjectives (some are actually short passive participles) are frequently used:

винова́т (а, о, ы)	guilty, "to blame"
дово́лен, дово́льна (о, ы)	satisfied
знако́м (а, о, ы)	acquainted
ну́жен (а́, о, ы́)	necessary
просту́жен (а, о, ы)	have (has) a cold
рад (а, о, ы)	happy, glad
располо́жен (а, о, ы)	situated
согла́сен, согласна (о, ы)	agreed, in accord
свя́зан (а, о, ы)	connected
уве́рен (а, о, ы)	sure
удивлён (а́, о́, ы́)	surprised

Comparison

A. The comparative degree of adjectives and adverbs

The compound comparative of adjectives is formed by placing the words **бо́лее** or **ме́нее** before the positive degree of the adjectives. This is the only comparative degree that may stand before the noun modified or that may modify nouns in oblique cases. The adjectives **хоро́ший, плохо́й, большо́й, ма́ленький** may not be used with **бо́лее** or **ме́нее**. Instead, they have special comparative forms (which also serve as the superlative): **лу́чший, ху́дший, бо́льший, ме́ньший**.

The simple comparative of adjectives and adverbs is formed by adding the ending **-ее** (or **-ей**) to the adjective or adverb stem:

Adjective: тёплый, -ая, -ое, -ые⎫
Adverb: тепло⎭ **теплее** (warmer)

The simple comparative of an adjective may be used only in the predicate; it may never stand before the noun it modifies nor modify a noun in an oblique case. A number of adjectives and adverbs have irregular simple comparative forms (see lesson 25).

The second item of the comparison may be in the genitive case, or it may be part of a **чем** clause:

Иван старше меня.

Иван старше, чем я.

B. The superlative degree of adjectives

The *compound* superlative degree of adjectives is formed by placing the word **самый, -ая, -ое, -ые** before the positive degree of the adjective.

The *simple* superlative is formed by adding the endings **-ейший, -ая, -ое, -ые** to the stem of the positive degree of the adjective. If the stem ends in **г, к, х**, those letters become **ж, ч, ш**, and the stressed ending **-айший, -ая, -ое, -ые** is used. The adjectives **хороший, плохой, большой, маленький** become **лучший, худший, больший, меньший** (identical to the comparative forms). The adjectives **короткий** and **дорогой** have no simple superlative form. The simple superlative is normally used with the meaning "a most...," "a very...," "an extremely...," etc. (see lesson 26).

интересный: интересн**ейший**

высокий: высоч**айший**

C. The superlative degree of adverbs

The superlative form of adverbs is formed by placing **всех** ("than any*one* else") or **всего** ("than any*thing* else") after the comparative degree the adverb:

лучше всех

лучше всего

Sometimes the superlative is formed by placing **наиболее** ("most") or **наименее** ("least") after the positive degree of the adverb (see lesson 26).

Numerals

A. The declension of cardinal numerals

Оди́н, одна́, одно́, одни́

	Masc. and Neuter		Fem.	Pl.
Nom.	оди́н	одно́	одна́	одни́
Gen.	одного́		одно́й	одни́х
Dat.	одному́		одно́й	одни́м
Acc.	оди́н, одного́	одно́	одну́	одни́, одни́х
Inst.	одни́м		одно́й (-о́ю)	одни́ми
Prep.	(об) одно́м		(об) одно́й	(об) одни́х

The plural **одни́** is used only with nouns having no singular form. Under all other circumstances it means "some."

Два, две (2); Три (3); Четы́ре (4)

	Masc. and Neuter	Fem.	For All Three Genders[11]	
Nom.	два	две	три	четы́ре
Gen.	двух		трёх	четырёх
Dat.	двум		трём	четырём
Acc.	два, двух	две, двух	три, трёх	четы́ре, четырёх
Inst.	двумя́		тремя́	четырьмя́
Prep.	(о) двух		(о) трёх	(о) четырёх

---

[11] Beginning with the number 3, no distinction is made for gender.

	пять (5)	шесть (6)	семь (7)	восемь (8)	девять (9)	десять (10)
Nom.	пять	шесть	семь	восемь	девять	десять
Gen.	пяти́	шести́	семи́	восьми́	девяти́	десяти́
Dat.	пяти́	шести́	семи́	восьми́	девяти́	десяти́
Acc.	пять	шесть	семь	восемь	девять	десять
Inst.	пятью́	шестью́	семью́	восемью́	девятью́	десятью́
Prep.	(о) пяти́	(о) шести́	(о) семи́	(о) восьми́	(о) девяти́	(о) десяти́

	пятна́дцать (15)	двадцать (20)	тридцать (30)
Nom.	пятна́дцать	двадцать	тридцать
Gen.	пятна́дцати	двадцати́	тридцати́
Dat.	пятна́дцати	двадцати́	тридцати́
Acc.	пятна́дцать	двадцать	тридцать
Inst.	пятна́дцатью	двадцатью́	тридцатью́
Prep.	(о) пятна́дцати	(о) двадцати́	(о) тридцати́

	сорок (40)[12]	пятьдеся́т (50)[13]	восемьдесят (80)
Nom.	сорок	пятьдеся́т	восемьдесят
Gen.	сорока́	пяти́десяти	восьми́десяти
Dat.	сорока́	пяти́десяти	восьми́десяти
Acc.	сорок	пятьдеся́т	восемьдесят
Inst.	сорока́	пятью́десятью	восемью́десятью
Prep.	(о) сорока́	(о) пяти́десяти	(о) восьми́десяти

---

[12] **Девяно́сто** (90) and **сто** (100) are declined like **сорок** (40).
[13] **Шестьдеся́т** (60), **семьдесят** (70) are declined in the same way as **пятьдеся́т**.

	двести (200)	**триста** (300)	**четы́реста** (400)
Nom.	двести	триста	четы́реста
Gen.	двухсо́т	трёхсо́т	четырёхсо́т
Dat.	двумста́м	трёмста́м	четырёмста́м
Acc.	двести	триста	четы́реста
Inst.	двумяста́ми	тремяста́ми	четырьмяста́ми
Prep.	(о) двухста́х	(о) трёхста́х	(о) четырёхста́х

	пятьсо́т (500)	**ты́сяча** (1000)	**миллио́н** (1,000,000)
Nom.	пятьсо́т	ты́сяча	миллио́н
Gen.	пятисо́т	ты́сячи	миллио́на
Dat.	пятиста́м	ты́сяче	миллио́ну
Acc.	пятьсо́т	ты́сячу	миллио́н
Inst.	пятьюста́ми	ты́сячей	миллио́ном
Prep.	(о) пятиста́х	(о) ты́сяче	(о) миллио́не

B. Ordinal numerals

Only the masculine forms are given here (except for "3rd").

пе́рвый	1st	четвёртый	4th
второ́й	2nd	пя́тый	5th
тре́тий, -ья,	3rd	шесто́й	6th
-ье, -ьи		седьмо́й	7th

восьмо́й	8th	семидеся́тый	70th
девя́тый	9th	восьмидеся́тый	80th
деся́тый	10th	девяно́стый	90th
оди́ннадцатый	11th	со́тный	100th
пятна́дцатый	15th	двухсо́тный	200th
двадца́тый	20th	трёхсо́тный	300th
двадцать пя́тый	25th	четырёхсо́тный	400th
тридца́тый	30th	пятисо́тный	500th
тридцать пя́тый	35th	шестисо́тный	600th
сороково́й	40th	семисо́тный	700th
сорок пя́тый	45th	восьмисо́тный	800th
пяти́десятый	50th	девятисо́тный	900th
пятьдеся́т пя́тый	55th	ты́сячный	1000th
шести́десятый	60th		

C. Collective numerals

The collective numerals **двое**, **трое**, **четверо**, **пятеро**, **шестеро**, and **семеро** are used only with nouns that denote male persons, with nouns that occur only in the plural, and with the nouns **люди** and **дети**. The noun involved is always in the genitive plural. These numerals are also used colloquially with nouns denoting the young of animals.

Шестеро ученико́в оста́лись в кла́ссе.	Six pupils stayed in the classroom.
У нас **трое** дете́й.	We have three children.
В ко́мнату вошли́ **четверо** незнако́мых люде́й.	Four unfamiliar people walked into the room.
Двое су́ток — это 48 часо́в.	Two "sutki" are 48 hours.
На дива́не лежа́ли **пятеро** котя́т.	Five kittens were lying on the divan.

Note also the following use with pronouns:

Двое из них говори́ли по-ру́сски.	*Two of them* spoke Russian.
Нас было трое (четверо, пятеро, и т. д.).	*There were three* (four, five, etc.) *of us.*

Оба, **обе** ("both") are also collective numerals:

	Masc., Neuter	*Fem.*
Nom.	оба	обе
Gen.	обо́их	обе́их
Dat.	обо́им	обе́им
Acc.	⎰обо́их ⎱оба	⎰обе́их ⎱обе
Inst.	обо́ими	обе́ими
Prep.	(об) обо́их	(об) обе́их

The Use of Cases without Prepositions

A. The *nominative case* is used to express the following:

1. Subject

      Студе́нт чита́ет.   The student reads.

2. Predicate

      Па́влов — **студе́нт**.   Pavlov is a student.

3. Direct address

      Това́рищи, идём!   Comrades, come along!

4. A nominative sentence

      Весна́.   It is spring.

5. The second member in a comparison (after the conjunction **чем**)

      Океа́н бо́льше, чем **мо́ре**.   The ocean is larger than the sea.

B. The *genitive case* is used

1. In combination with other nouns.
  a. To denote possession:

      кни́га ученика́   the pupil's book
      де́ти сестры́   (my) sister's children

b. To denote the person or object performing an action:

выступле́ние арти́ст**ов** (Арти́сты выступа́ют.)	the actors' performance (The actors perform.)
движе́ние поезда (Поезд дви́гается.)	the train's movement (The train moves.)

c. To denote the object of the action:

строи́тельство город**а** (Город стро́ят.)	the building of a town (A town is being built.)
чте́ние кни**ги** (Кни́гу чита́ют.)	the reading of a book (A book is being read.)

d. To denote the whole in relation to part:

кусо́к хлеб**а**	a slice of bread
у́гол комнат**ы**	a corner of a room
килогра́мм сыр**а**	a kilogram of cheese
буты́лка вин**а́**	a bottle of wine

e. To denote a quality of a person or object:

парк культу́р**ы** и о́тдых**а**	a park of culture and rest
челове́к высо́кого рост**а**	a tall man (*literally*, a man of tall stature)

2. In combination with numerals.
   a. With the numbers 2, 3, 4 (genitive singular):[14]

два стол**а́**	two tables
три кни**ги**	three books

   b. With the numbers 5, 6, 7, etc. (genitive plural):[14]

пять стол**о́в**	five tables
шесть книг	six books

3. In combination with words expressing an indefinite quantity.
   a. Nouns denoting countable objects are in the genitive plural:

ско́лько		how many	
мно́го	} стол**о́в**, книг	many	} tables, books
ма́ло		few	

---

[14] With compound numerals the case required by the last digit is used:

два́дцать два стола́	twenty-two tables
два́дцать пять книг	twenty-five books

b. Nouns denoting uncountable objects or abstract notions are in the genitive singular:

сколько ⎫
много ⎬ света, воды́
мало ⎭

how much ⎫
much ⎬ light, water
little ⎭

4. In combination with the comparative degree of adjectives (without the conjunction **чем**).[15]

Океа́н бо́льше мо́ря.   The ocean is bigger than the sea.

5. In combination with certain verbs.

a. With transitive verbs to denote part of a whole:

Мы купи́ли хле́ба.   We bought some bread.
Принеси́те молока́.   Bring us some milk.

b. To denote the object of transitive verbs in the negative:

Сего́дня я не чита́л газе́ты.   I have not read the newspaper today.
Вчера́ он не получи́л письма́.   He did not receive a letter yesterday.

c. With the following verbs to denote the object:

хоте́ть, жела́ть to wish:	Жела́ю вам всего́ хоро́шего.	I wish you all the best.
проси́ть to ask:	Он про́сит по́мощи.	He asks for aid.
тре́бовать to demand:	Учи́тель тре́бует тишины́.	The teacher demands silence.
достига́ть/дости́чь to achieve:	Мы дости́гли успе́ха.	We achieved success.
избега́ть to avoid:	Он избега́ет люде́й.	He avoids people.
боя́ться to be afraid of:	Я бою́сь го́лода.	I am afraid of the cold.
испуга́ться to be frightened:	Де́ти испуга́лись грозы́.	The children were frightened by the storm.

d. In impersonal sentences with **нет, не́ было, не бу́дет**:[16]

Сестры́ нет до́ма.   My sister is not at home.
Учи́теля не́ было до́ма.   The teacher was not at home.
За́втра у́тром его́ не бу́дет до́ма.   He will not be at home tomorrow morning.

---

[15] If the conjunction **чем** is used, see page 737.

[16] In the same instances personal sentences with the nominative case may be used:

О́тец не́ был до́ма.   Father was not at home.
О́тец не бу́дет до́ма.   Father will not be at home.

However, impersonal sentences with the genitive case are more commonly used.

C. The *dative case* is used

1. As indirect object in combination with verbs which denote an action directed towards somebody or something.

давáть/дать to give:	Дáйте сестрé кни́гу.	Give the book to the sister.
посылáть/послáть to send:	Я послáл письмó учи́телю.	I sent a letter to my teacher.
покáзывать/показáть to show:	Покажи́те гостя́м карти́ны.	Show the pictures to your guests.
объясня́ть/объяс- ни́ть to explain:	Объясни́те э́то ученикáм.	Explain this to the pupils

2. With nouns formed from the above verbs.

помощь товáрищу	help to the comrades
письмó учи́телю	letter to the teacher

3. With the following verbs.

рáдоваться, порáдо- ваться to be glad:	Мы рáдуемся наступлéнию весны́.	We are glad of spring's coming.
помогáть/помóчь to help:	Помоги́те де́тям!	Help the children!
отвечáть/отвéтить to answer:	Я отвéтил брáту на письмó.	I answered my brother's letter.
прикáзывать/при- казáть to order:	Офицéр приказáл солдáту...	The officer ordered the soldier...
откáзывать/отказáть to refuse:	Не откажи́те **им** в пóмощи.	Do not refuse them help.
мешáть/помешáть to prevent, hinder:	Не мешáйте отцý рабóтать.	Do not prevent father from working.
велéть/повелéть to order, tell (to do):	Дóктор велéл больнóму лежáть в постéли.	The doctor told the patient to stay in bed.
зави́довать to envy:	Я вам не зави́дую.	I don't envy you.
принадлежáть to belong to:	Комý принадлежи́т э́та фéрма?	To whom does this farm belong?
обещáть to promise:	Я вам обещáю.	I promise you.
соотвéтствовать to correspond to:	Вáши плáны не соотвéтствуют нáшим.	Your plans don't correspond to ours.
совéтовать/посовé- товать to advise:	Что вы совéтуете мне купи́ть?	What do you advise me to buy?
учи́ться/научи́ться to study, learn:	Я учýсь рýсскому языкý.	I'm learning Russian.

| удивля́ться, удиви́ться to be surprised: | Я удивля́юсь его́ реше́нию. | I am surprised at his decision. |
| нра́виться, понра́виться to please: | Ма́тери нра́вится но́вая о́пера. | My mother likes the new opera. |

4. In impersonal sentences.
   a. With such verbs as

живётся, жило́сь to be getting on:	Как живётся ва́шему дру́гу?	How is your friend getting on?
хо́чется, хоте́лось to want:	Сестре́ хо́чется петь.	My sister wants to sing.
прихо́дится, приходи́лось to have to:	Бра́ту приходи́лось мно́го рабо́тать.	My brother had to work a great deal.
удаётся, удало́сь to succeed (in); to manage:	Де́вушке не удало́сь пойти́ погуля́ть.	The girl did not manage to go for a walk.
ка́жется, каза́лось to seem:	Ма́тери ка́жется, что ребёнок нездоро́в.	It seems to the mother that the child is unwell.

b. With such words as

хорошо́ it is nice, fine:	Де́тям хорошо́ здесь.	The children feel fine here.
прия́тно it is pleasant:	Учи́телю прия́тно э́то услы́шать.	It is pleasant for the teacher to hear this.
хо́лодно it is cold:	Ребёнку бы́ло хо́лодно.	The child was cold.
тру́дно it is difficult:	Старику́ бу́дет тру́дно идти́.	The old man will find it difficult to walk.
ве́село it is fun:	Молодёжи бы́ло ве́село.	The young people had a good time.
мо́жно may:	Мо́жно Петру́ войти́?	May Peter come in?
ну́жно (I, he, she, it, etc.) need(s); must:	Шко́льникам ну́жно серьёзно занима́ться.	The schoolchildren must study seriously.
пора́ it is time:	Сестре́ пора́ бы́ло идти́ на рабо́ту.	It was time for the sister to go to work.
нельзя́ (I, he, she, it, etc.) must not, should not:	Ей нельзя́ кури́ть.	She must not smoke.
необходи́мо it is necessary; must:	Моему́ това́рищу необходи́мо мно́го занима́ться.	My comrade must study a great deal.
жаль it is a pity; sorry:	Отцу́ жаль, что вы не мо́жете прийти́.	Father is sorry you cannot come.
рад (а, ы) happy about:	Мы ра́ды ва́шим успе́хам.	We are happy about your success.

D. The *accusative case* is used

1. In combination with transitive verbs as a direct object with a verb in the affirmative:[17]

Я читаю книгу.	I am reading a book.
Я вижу людей на улице.	I see people in the street.

2. With intransitive verbs to denote
   a. A period of time:

Мы прожили неделью деревне.	We stayed for a week in the village.

   b. Distance:

Туристы прошли за три дня **сорок** километров.	The tourists covered forty kilometers in three days.

   c. Price:

Книга стоит рубль.	The book costs a ruble.

   d. A given amount of material (in a book, etc.):

Мы уже прошли **десять** уроков.	We've already covered ten lessons.

E. The *instrumental case* is used

1. In combination with verbs
   a. To denote the performer or the instrument of an action:

Мы режем хлеб нож**ом**.	We cut bread with a knife.
Я пишу карандаш**ом**.	I write with a pencil.
Земля освещается солнц**ем**.	The earth gets light from the sun.
Это письмо написано брат**ом**.	This letter was written by my brother.

   b. To denote the object with the following verbs:

руководить to lead, direct:	Кто руководит вашей работ**ой**?	Who directs your work?
управлять to govern:	Правительство управляет государ-ств**ом**.	The government governs the state.
командовать to command, be in command:	Этот офицер командует полк**ом**.	This officer is in command of a regiment.
владеть to possess, have command of:	Он хорошо владеет французским язык**ом**.	He has a good command of French.
пользоваться to make use of:	Мы пользуемся библиотек**ой**.	We make use of the library.

---

[17] For transitive verbs in the negative, see page 739.

занима́ться to study:	Я занима́юсь ру́сским языко́м.	I study Russian.
интересова́ться to be interested (in):	Она́ интересу́ется му́зыкой.	She is interested in music.
горди́ться to be proud of:	Он мо́жет горди́ться свои́м сы́ном.	He may well be proud of his son.
выбира́ть, вы́брать to choose, elect:	Това́рища Ивано́ва вы́брали депута́том.	Comrade Ivanov was elected deputy.
пра́вить to drive; to operate:	Вы уме́ете пра́вить автомоби́лем?	Can you drive a car?
сла́виться to be famous for:	Эльбру́с сла́вится свое́й красото́й.	The Elbrus is famous for its beauty.

2. As the nominal part of the predicate with the link verbs:

быть to be:	Мой оте́ц был врачо́м.	My father was a doctor.
станови́ться, стать to become, get:	Он стал учи́телем.	He became a teacher.
де́латься, сде́латься to become:	Он сде́лался чемпио́ном.	He became a champion.
явля́ться, яви́ться to be:	Э́тот инжене́р явля́ется дире́ктором заво́да.	This engineer is the director of the factory.
остава́ться, оста́ться to remain:	Он оста́лся мои́м дру́гом.	He remained my friend.
каза́ться, показа́ться to seem:	С самолёта лю́ди внизу́ каза́лись то́чками.	From the airplane the people below seemed like dots.
счита́ться to be considered:	Мой брат счита́ется хоро́шим студе́нтом.	My brother is considered a good student.

3. With verbs of motion to denote
   a. Place:

   Мы шли ле́сом.   We walked through (by way of) the woods.

   b. Means of conveyance:

   Мы е́хали по́ездом (= на по́езде).   We went by train.

4. To denote
   a. The time of an action:

   Вечера́ми я чита́ю (= по вечера́м).   In the evenings I read.

   b. Manner:

   Он говори́т гро́мким го́лосом.   He speaks in a loud voice.

5. As an object with the meaning "in the capacity of":

   Она́ рабо́тает машини́сткой   She works as a typist.
   (= в ка́честве машини́стки).

6. As an object of the word **доволен**;

Учи́тель был дово́лен свои́ми учени**ка́ми**.	The teacher was satisfied with his pupils.

Prepositions and the Cases They Govern

1. **без (безо)** without:

(*Gen.*)	Я вы́шел на у́лицу **без** шля́п**ы**.	I went out into the street *without* a hat.
	Мы нашли́ его́ дом **без** труд**а́**.	We found his house *without* difficulty.

2. **благодаря́** thanks to, owing to:

(*Dat.*)	**Благодаря́ вам** я научи́лся говори́ть по-ру́сски.	*Thanks to* you I learned to speak Russian.

3. **близ (вблизи́)** near:

(*Gen.*)	Но́вые заво́ды постро́или **близ** город**а**.	New plants have been built *near* the town.

4. **в (во)** in, at, into, to, on, etc.:

(*Acc.*)	Я е́ду **в** дере́вню.	I am going *to* the country.
	Приходи́те к нам **в** сре́д**у**.	Come and see us *on* Wednesday.
	Мой брат игра́ет **в** футбо́л.	My brother plays football.
(*Prep.*)	Вчера́ мы бы́ли **в** теа́тр**е**.	We were *at* the theater yesterday.
	В мо́лодости он люби́л танцева́ть.	*In* his youth he was fond of dancing.
	В а́вгусте я е́ду в о́тпуск.	I am going on my vacation *in* August.

5. **вдоль** along:

(*Gen.*)	Молодёжь гуля́ла **вдоль** рек**и́**.	The young people walked *along* the river bank.

6. **вместо** instead of:

(*Gen.*)	**Вместо** письм**а́** я посла́л телегра́мму.	*Instead of* a letter I sent a wire.

7. **вокру́г** around:

(*Gen.*)	**Вокру́г** дом**а** был большо́й сад.	*Around* the house there was a large garden.

8. **впереди́**   ahead (of):

(*Gen.*)   Иди́ **впереди́** всех.   Go *ahead of* everyone.

9. **в тече́ние**   during; for:

(*Gen.*)   Мы разгова́ривали **в тече́ние**   We talked *for* an hour.
           часа́.

10. **для**   for:

(*Gen.*)   {Я сде́лаю э́то **для вас**.   I will do this *for* you.
           {Э́та ча́шка **для молока́**.   This cup is *for* milk.

11. **до**   till; to:

(*Gen.*)   {**До** го́рода бы́ло три   It was three kilometers *to* the
           {   киломе́тра.   city.
           {Мы гуля́ли **до** ве́чера.   We walked *till* evening.

12. **за**   for; beyond; at:

(*Acc.*)   {Наро́д боро́лся **за** свою́   The people fought *for* their
           {   ро́дину.   motherland.
           {**За** э́ту кни́гу я заплати́л   I did not pay much *for* this book.
           {   недо́рого.
           {Ско́лько киломе́тров вы   How many kilometers a day do
           {   прохо́дите **за́** день?   you cover?
           {Я написа́л э́то **за** това́рища.   I wrote it *for* my comrade.

(*Inst.*) {**За** реко́й ви́дно по́ле.   A field is visible *beyond* the river.
           {Мой брат пошёл **за** биле́тами.   My brother went *for* tickets.
           {**За** обе́дом у нас был   *At* dinner we had an interesting
           {   интере́сный разгово́р.   talk.

13. **из (изо)**   from, out of, of:

(*Gen.*)   {На́ши го́сти прие́хали **из**   Our guests arrived *from*
           {   Москвы́.   Moscow.
           {Э́та коро́бка сде́лана **из**   This box is made *of* wood.
           {   де́рева.
           {**Из** любви́ к иску́сству он   *Out of* love for art he became an
           {   стал арти́стом.   actor.
           {Никто́ **из нас** не ушёл   None *of* us have been away from
           {   отсю́да.   here.

14. **из-за**   from behind; because of:

(*Gen.*)   {**Из-за** ле́са показа́лась луна́.   The moon appeared *from behind*
           {   the wood.
           {Кора́бль не вы́шел в мо́ре   The boat did not put out to sea
           {   **из-за** тума́на.   *because of* the fog.

15. **из-под**   from under:

(*Gen.*)   **Из-под** снега показались   The first flowers appeared *from*
первые цветы́.   *under* the snow.

16. **к (ко)**   to, toward, at:

(*Dat.*)

Автомоби́ль подъе́хал **к** до́му.   The motor car drove up *to* the
house.
К ве́черу ста́ло хо́лодно.   *Toward* evening it grew cold.
К обе́ду по́дали пиро́г.   Pie was served *at* dinner.
Приходи́те **ко** мне сего́дня.   Come to see me today.

17. **кроме**   besides, except:

(*Gen.*)   **Кроме** вас я здесь никого́ не   I don't know anyone here *except*
зна́ю.   you.

18. **вокру́г**   around:

(*Gen.*)   Де́ти бе́гали **вокру́г** стола́.   The children were running *around*
the table.

19. **между (меж)**   between:

(*Inst.*)

Между ле́сом и по́лем   A river flows *between* the wood
протека́ет река́.   and the field.
Пусть э́то оста́нется **между**   Let this remain *between* you and
на́ми.   me.

20. **мимо**   past:

(*Gen.*)

Мимо меня́ пролете́ла пти́ца.   A bird flew *past* me.
Кора́бль прошёл **мимо**   The ship sailed *past* the island.
о́строва.

21. **на**   on, onto, for, upon, at, to:

(*Acc.*)

Положи́те кни́гу **на** стол.   Put the book *onto* the table.
Да́йте мне э́ти журна́лы **на**   Give me these magazines *for* a
неде́лю.   week.
Мы идём **на** по́чту.   We are going to the post office.
Он наде́ется **на вас**.   He relies *upon* you.
Я купи́ла шёлк **на** пла́тье.   I bought silk *for* a dress.
Сын похо́ж **на** отца́.   The son resembles the father.

(*Prep.*)

Кни́га лежи́т **на** столе́.   The book is lying *on* the table.
Мой брат рабо́тает **на** заво́де.   My brother works *at* a factory.
Моя́ сестра́ игра́ет **на** роя́ле.   My sister plays the piano.

22. **над (надо)** over, above, at:

(*Inst.*)	**Над** город**ом** были видны́ облака́.	Clouds were seen *over* the city.
	Мы рабо́таем **над** нов**ым** план**ом**.	We are working *on* a new plan.
	Студе́нт склони́лся **над** книг**ой**.	The student bent *over* the book.
	Мы смея́лись **над** нов**ой** шутк**ой**.	We laughed *at* the new joke.

23. **несмотря́ на** in spite of, despite:

(*Acc.*)	**Несмотря́ на** плоху́ю пого́ду, мы пошли́ на стадио́н.	*Despite* the bad weather we went to the stadium.

24. **о (об, обо)** of, about, against, on, upon:

(*Prep.*)	Мы говори́ли **о** литерату́р**е** и **об** иску́сстве.	We spoke *of* literature and (*of*) art.
(*Acc.* [rare])	Волна́ уда́рила **о** борт корабл**я́**.	The wave beat *against* the side of the ship.

25. **около** near, by, about:

(*Gen.*)	Рыбаки́ сиде́ли **около** реки́.	The fishermen were sitting *by* the river.
	Я провёл у мо́ря **около** ме́сяц**а**.	I spent about a month *at* the sea (shore).

26. **от (ото)** from, with:

(*Gen.*)	**От** Ленингра́д**а** до Москвы́ почти́ 650 киломе́тров.	It is almost 650 kilometers *from* Leningrad to Moscow.
	Переда́йте ей приве́т **от меня́**.	Give her my regards.
	Он улыба́ется **от** удово́льств**ия**.	He smiles *with* pleasure.

27. **перед (передо)** in front of, before:

(*Inst.*)	**Перед** дива́н**ом** стои́т стол.	A table is standing *in front of* the sofa.
	Больши́е зада́чи стоя́т **перед** на́ми.	Great tasks confront us.
	Мы пришли́ **перед** обе́д**ом**.	We arrived *before* dinner.

28. **по**   along, in, through, by, according to; till:

(Dat.)	Они́ шли **по** у́лице.	They walked *along* the street.
	По утра́м я чита́ю газе́ты.	I read the newspapers *in* the morning.
	Мы рабо́таем **по** но́в**ому** ме́тод**у**.	We work *according to* a new method.
	Я посла́л письмо́ **по** по́чт**е**.	I sent a letter *by* post.
	Вчера́ прие́хал мой това́рищ **по** шко́л**е**.	Yesterday a schoolfellow of mine arrived.
	Де́ти получи́ли **по** кни́г**е**.	The children received a book each.
(Acc.)	Я бу́ду здесь **по** пя́т**ое** ма́я.	I shall stay here *till* the 5th of May.

29. **под (подо)**   under, near:

(Inst.)	Тури́сты сиде́ли **под** де́рев**ом**.	The tourists were sitting *under* a tree.
	Под стол**о́м** лежи́т ковёр.	A carpet is lying *under* the table.
	Мы изуча́ем язы́к **под** руково́дств**ом** учи́теля.	We study the language *under* the guidance of a teacher.
(Acc.)	**Под** Москв**о́й** есть краси́вые места́.	There are beautiful spots *near* Moscow.
	Положи́те ковёр **под** стол.	Put the carpet *under* the table.

30. **позади́**   to the rear (of):

Позади́ нас — Истори́ческий музе́й.	*To our rear* is the Historical Museum.

31. **после**   after:

(Gen.)	**После** рабо́ты все пошли́ под душ.	*After* work all went for a shower.

32. **посреди́ (посереди́не)**   in the middle of:

(Gen.)	**Посреди́** ко́мнаты стол.	There is a table *in the middle of* the room.

33. **при**   at, by, with:

(Prep.)	**При** заво́д**е** хоро́ший клуб.	There is a fine club *at* the factory.
	Он чита́л кни́гу **при** дневн**о́м** све́т**е**.	He read the book *by* daylight.
	Мы поговори́м обо всём **при** свида́нии.	We shall talk everything over when we meet.
	Я не хочу́ говори́ть **при** нём.	I don't want to speak in his presence.

34. про about:

(*Acc.*)   Расскажи́те **про** ваше путеше́ствие.

Tell us *about* your trip.

35. против in front of, against:

(*Gen.*)
{ Автомоби́ль останови́лся **против** теа́тра.
{ Я не **против** э́той тео́рии.

A car stopped *in front of* the theater.

I have nothing *against* this theory.

36. ради for the sake of:

(*Gen.*)   Я сде́лаю э́то **ради вас**.

I shall do it *for* your *sake*.

37. рядом с alongside of, beside:

(*Inst.*)
{ Наш сад нахо́дится **рядом с реко́й**.
{ Кто сиди́т **рядом с вами**?

Our garden is *alongside* the river.

Who is sitting *beside* you?

38. с (со) from, out of:

(*Gen.*)
{ Тури́сты спусти́лись **с горы́**.
{ Я рабо́тал **с утра́**.
{ **С** ра́дости он на́чал петь.

The tourists climbed *down* the mountain.
I worked *from* the morning.
He began singing *out of* joy.

39. с (со) with, of, against:

(*Inst.*)
{ Мы слу́шали его́ **с удово́льствием**.
{ Поздравля́ю вас **с Но́вым го́дом**.
{ Там стои́т стака́н **с водо́й**.

We listened to him *with* pleasure.

A Happy New Year to you.

A glass *of* water is standing there.

40. сквозь through:

(*Acc.*)   **Сквозь** занаве́ски ничего́ не ви́дно.

You can't see anything *through* the curtain.

41. среди́ among:

(*Gen.*)
{ Я до́лго жил **среди́** рыбако́в.
{ **Среди́** мои́х книг есть о́чень ста́рые.

I lived for a long time *among* fishermen.
Among my books there are some very old ones.

42. у by, with:

(*Gen.*)
{ **У меня́** есть мно́го друзе́й.
{ Дом о́тдыха стоя́л **у реки́**.

I have many friends.
The rest home stood *by* the river.

43. через (чрез)   across, through:

(*Gen.*)
- Мы переплы́ли **через** реку.
- Это письмо́ я получи́л **через** това́рища.
- Это лека́рство надо принима́ть **через** ка́ждые два часа́.

- We swam *across* the river.
- I received this letter *through* a comrade.
- This medicine must be taken every two hours.

CASES AND THE PREPOSITIONS GOVERNING THEM[18]

Gen.	без, близ, вдоль, вместо, возле, вокру́г, впереди́, в тече́ние, для, до, из, из-за, из-под, кроме, вокру́г, ми́мо, около, от, позади́, после, посреди́ (посереди́не), против, ради, **с**, среди́, у
Dat.	благодаря́, к, навстре́чу, **по**, согла́сно
Acc.	**в, за, на, о (об)**,[19] **по**,[19] **под**, про, сквозь, через
Inst.	**за, между, над**, перед, **под**, ря́дом с, **с**
Prep.	**в, на, о (об, обо)**, при

---

[18] The prepositions in boldface type may be used with two or three different cases.
[19] Rarely used with this case.

Verbs

A. Class I verbs

IMPERFECTIVE ASPECT

Infinitive: **читáть** to read		
Indicative Mood		
Present	*Past*	*Future*
я читáю ты читáешь[20] он ⎫ онá ⎬ читáет онó ⎭ мы читáем вы читáете они́ читáют	я читáл, -а ты читáл, -а он читáл онá читáла онó читáло мы ⎫ вы ⎬ читáли они́ ⎭	я бýду ⎫ ты бýдешь ⎪ он ⎪ онá ⎬ бýдет ⎬ читáть онó ⎪ мы бýдем ⎪ вы бýдете ⎪ они́ бýдут ⎭
Imperative Mood	*Conditional-Subujnctive Mood*	
читáй!, читáйте!	я читáл(а) бы, ты читáл(а) бы, etc.	
Participles		
	Active	*Passive*[21]
Present *Past*	читáющий читáвший	читáемый[22] читанный
Verbal Adverb: **читáя**		

---

[20] On pages 751 and 752, stressed **-ё-**: поёшь, поёт, etc.
[21] On pages 751 and 752, intransitive verbs have no passive participles.
[22] Present passive participles cannot be formed from all transitive verbs.

PERFECTIVE ASPECT

Infinitive: **прочита́ть** to read		
Indicative Mood		
Present	*Past*	*Future*
	я прочита́л, -а ты прочита́л, -а он прочита́л она́ прочита́ла оно́ прочита́ло мы ⎫ вы ⎬ прочита́ли они́ ⎭	я прочита́ю ты прочита́ешь[20] он ⎫ она́ ⎬ прочита́ет оно́ ⎭ мы прочита́ем вы прочита́ете они́ прочита́ют

Imperative Mood	*Conditional-Subjunctive Mood*
прочита́й!, прочита́йте!	я прочита́л(а) бы, ты про- чита́л(а) бы, etc.

Participles		
	Active	*Passive*[21]
Present *Past*	— прочита́вший	— прочи́танный
Verbal Adverb: **прочита́в (прочита́вши)**		

B. Class II verbs

<table>
<tr><td colspan="3">Infinitive: стро́ить to build</td></tr>
<tr><td colspan="3">Indicative Mood</td></tr>
<tr><td>Present</td><td>Past</td><td>Future</td></tr>
<tr>
<td>я строю
ты строишь
он
она́ } строит
оно́
мы строим
вы строите
они́ строят</td>
<td>я строил, -а
ты строил, -а
он строил
она́ строила
оно́ строило
мы
вы } строили
они́</td>
<td>я буду
ты будешь
он
она́ } будет
оно́
мы будем
вы будете
они́ будут } строить</td>
</tr>
</table>

<table>
<tr><td>Imperative Mood</td><td>Conditional-Subjunctive Mood</td></tr>
<tr><td>строй!, стройте!</td><td>я строил(а) бы, ты строил(а) бы, etc.</td></tr>
</table>

<table>
<tr><td colspan="3">Participles</td></tr>
<tr><td></td><td>Active</td><td>Passive</td></tr>
<tr><td>Present
Past</td><td>строящий
строивший</td><td>not used
not used</td></tr>
</table>

<table>
<tr><td>Verbal Adverb: строя</td></tr>
</table>

PERFECTIVE ASPECT

Infinitive: **постро́ить** to build		
Indicative Mood		
Present	*Past*	*Future*
	я постро́ил, -а ты постро́ил, -а он постро́ил она́ постро́ила оно́ постро́ило мы ⎫ вы ⎬ постро́или они́ ⎭	я постро́ю ты постро́ишь он ⎫ она́ ⎬ постро́ит оно́ ⎭ мы постро́им вы постро́ите они́ постро́ят

Imperative Mood	*Conditional-Subjunctive Mood*
постро́й!, постро́йте!	я постро́ил(а) бы, ты постро́ил(а) бы, etc.

Participles		
	Active	*Passive*
Present *Past*	– постро́ивший	– постро́енный

Verbal Adverb: **постро́ив(ши)**

Reflexive Verbs (in -ся)

Class I verbs

IMPERFECTIVE ASPECT

Infinitive: **одеваться** to dress oneself		
Indicative Mood		
Present	*Past*	*Future*
я одеваюсь ты одеваешься он ⎫ она ⎬ одевается оно ⎭ мы одеваемся вы одеваетесь они одеваются	я одевался, -лась ты одевался, -лась он одевался она одевалась оно одевалось мы ⎫ вы ⎬ одевались они ⎭	я буду ⎫ ты будешь ⎪ он ⎫ ⎬ одеваться она ⎬ будет ⎪ оно ⎭ ⎪ мы будем ⎪ вы будете ⎪ они будут ⎭
Imperative Mood	*Conditional-Subjunctive Mood*	
одевайся!, одевайтесь!	я одевался (одевалась) бы, etc.	
Participles		
	Active	*Passive*
Present *Past*	одевающийся одевавшийся	– –
Verbal Adverb: **одеваясь**		

CONJUGATION OF THE VERB **быть**

Infinitive: **быть** to be		
Indicative Mood		
Present[23]	Past	Future
я ⎫ ты ⎪ он ⎪ она́ ⎬ есть оно́ ⎪ мы ⎪ вы ⎪ они́ ⎭	я был, -а́ ты был, -а́ он был она́ была́ оно́ было мы ⎫ вы ⎬ были они́ ⎭	я буду ты будешь он ⎫ она́ ⎬ будет оно́ ⎭ мы будем вы будете они́ будут

Imperative Mood	Conditional-Subjunctive Mood	
будь!, будьте!	я был(а́) бы, ты был(а́) бы, etc.	
Participles		
	Active	Passive
Present Past Future	– бывший будущий	– – –
Verbal Adverb: **будучи**		

---

[23] Rarely used.

INTERCHANGE OF CONSONANTS IN VERB FORMS

б — бл	люби́ть	— люблю́, лю́бишь... лю́бят
в — вл	гото́вить	— гото́влю, гото́вишь... гото́вят
ж — г	бежа́ть	— бегу́, бежи́шь... бегу́т
д — ж	ходи́ть	— хожу́, хо́дишь... хо́дят
з — ж	вози́ть	— вожу́, во́зишь... во́зят
к — ч	пла́кать	— пла́чу, пла́чешь... пла́чут
п — пл	купи́ть	— куплю́, ку́пишь... ку́пят
с — ш	носи́ть	— ношу́, но́сишь... но́сят
ст — щ	чи́стить	— чи́щу, чи́стишь... чи́стят
т — ч	шути́ть	— шучу́, шу́тишь... шу́тят

VERB ENDINGS

	Imperfective Present and Perfective Future
Class I	-ю (-у)²⁴, -ешь, -ет, -ем, -ете, -ют (-ут) -ю (-у)²⁴, -ёшь, -ёт, -ём, -ёте, -ют (-ут)
Class II	-ю (-у)²⁴, -ишь, -ит, -им, -ите, -ят (-ат)²⁵

Frequently Used Verb Pairs

The conjugation of regular class I and class II verbs and of perfective verbs that are formed by merely adding a prefix to the imperfective verb is not given. Prefixed verbs of motion are not included (see **ходи́ть/идти́, е́здить (-езжа́ть)/е́хать, лета́ть/лете́ть, бе́гать/бежа́ть, носи́ть/нести́, вози́ть/везти́, води́ть/вести́**).

Imperfective	*Perfective*	
бе́гать (I) (*multidirect.*)	побежа́ть (II) побегу́, побежи́шь, побегу́т	to run
бежа́ть (II) (*unidirect.*) бегу́, бежи́шь, бегу́т	побежа́ть (II) побегу́, побежи́шь, побегу́т	to run
благодари́ть (II)	поблагодари́ть (II)	to thank

---

²⁴ After hard consonants (**иду́, живу́**) and **ж, ч, ш, щ** (**слы́шу, хочу́**).
²⁵ After **ж, ч, ш, щ** (**учат**).

Imperfective	*Perfective*	
брать (I) беру́, -ёшь, -у́т; брал, -ла́, -ло, -ли	взять (I) возьму́, -ёшь, -у́т; взял, -ла́, -ло, -ли	to take
везти́ (I) (*unidirect.*) везу́, -ёшь, -у́т; вёз, -ла́, -ло́, -ли́	повезти́ (I)	to take, haul (by vehicle)
вести́ (I) (*unidirect.*) веду́, -ёшь, -у́т; вёл, -вела́, -ло́, -ли́	повести́ (I)	to take, lead, conduct (on foot)
видеть (II) вижу, видишь, видят	увидеть (II)	to see (*pf. past,* to catch sight of)
води́ть (II) (*multidirect.*) вожу́, водишь, водят	повести́ (II) поведу́, -ёшь, -у́т; повёл, -повела́, -ло́, -ли́	to take, lead, conduct (on foot)
возвраща́ться (I)	верну́ться (I) верну́сь, -ёшься, -ну́тся; верну́лся, -лась, -лось, -лись	to return
вози́ть (II) (*multidirect.*) вожу́, возишь, возят	повезти́ (I) повезу́, -ёшь, -у́т; повёз, -повела́, -ло́, -ли́	to take, haul (by vehicle)
встава́ть (I) встаю, -ёшь, -ют	встать (I) встану, -ешь, -ут	to stand, get up
встреча́ть (I)	встретить (II) встречу, встретишь, встретят	to meet, encounter
говори́ть (II)	поговори́ть (II) сказа́ть (I) скажу́, -ешь, -ут	to talk (a while) to say, tell
гото́вить (II) гото́влю, гото́вишь, гото́вят	пригото́вить (II)	to prepare; cook
гуля́ть (I)	погуля́ть (I)	to stroll (*pf.,* to stroll awhile)
дава́ть (I) даю, -ёшь, -ют	дать (I, II) дам, дашь, даст, дади́м, дади́те, даду́т; дал, -ла́, -ло, -ли	to give
дари́ть (II) дарю́, -ишь, -ят	подари́ть (II)	to give (a present)
делать (I)	сделать (I)	to make, do
думать (I)	поду́мать (I)	to think
ездить (II) (*multidirect.*) езжу, ездишь, ездят (-езжа́ть)	пое́хать (I) пое́ду, -ешь, -ут	to go, drive

Imperfective	*Perfective*	
есть (I, II) ем, ешь, ест, еди́м, еди́те, едя́т; ел, ела, ело, ели	съесть (I, II)	to eat
ехать (I) (*unidirect.*) еду, -ешь, -ут	пое́хать (I)	to go, drive
ждать (I) жду, ждёшь, ждут; ждал, -ла́, -ло, -ли	подожда́ть (I)	to wait (*pf.*, to wait awhile)
забыва́ть (I)	забы́ть (I) забу́ду, -ешь, -ут; забыл, -ла, -ло, -ли	to forget
за́втракать (I)	поза́втракать (I)	to have breakfast
зака́зывать (I)	заказа́ть (I) закажу́, -ешь, -ут	to order
закрыва́ть (I)	закры́ть (I) закро́ю, -ешь, -ют	to close
замеча́ть (I)	заме́тить (II) заме́чу, заме́тишь, заме́тят	to notice
звони́ть (II)	позвони́ть (II)	to phone
знако́миться (II) знако́млюсь, зако́мишься, знако́мятся	познако́миться (II)	to meet, get acquainted
знать (I)	узна́ть (I) узна́ю, -ешь, -ют	to know (*pf.*, to find out)
игра́ть (I)	сыгра́ть (I)	to play
идти́ (I) (*unidirect.*) иду́, -ёшь, -у́т; шёл, шла, шло, шли	пойти́ (I)	to go, walk
иска́ть (I) ищу́, ищешь, ищут	поиска́ть (I)	to search, look for
класть (I) кладу́, -ёшь, -у́т; клал, -ла, -ло, -ли	положи́ть (II)	to put, place (in a horizontal position
конча́ть (I)	ко́нчить (II)	to finish
лета́ть (I) (*multidirect.*)	полете́ть (II) полечу́, полети́шь, полетя́т	to fly
лете́ть (II) (*unidirect.*) лечу́, лети́шь, летя́т	полете́ть (II)	to fly
ложи́ться (II)	лечь (I) ля́гу, ля́жешь, ля́гут; лёг, -ла́, -ло́, -ли́	to lie down
люби́ть (II) люблю́, лю́бишь, лю́бят	полюби́ть (II)	to like, love

Imperfective	Perfective	
мочь (I) могу́, мо́жешь, мо́гут; мог, -ла́, -ло́, -ли́	смочь (I)	to be able (can)
находи́ть (II) нахожу́, нахо́дишь, нахо́дят	найти́ (I) найду́, найдёшь, найду́т; нашёл, -шла́, -шло́, -шли́	to find
начина́ть (I)	нача́ть (I) начну́, -ёшь, -у́т; начал, -ла́, -ло, -ли	to start, begin
нести́ (I) (*unidirect.*) несу́, -ёшь, -у́т; нёс, -несла́, -ло́, -ли́	понести́ (I)	to bring, take, carry (on foot)
носи́ть (II) (*multidirect.*) ношу́, но́сишь, но́сят	понести́ (I) понесу́, -ёшь, -у́т; понёс, -понесла́, -ло́, -ли́	to bring, take, carry (on foot)
нра́виться (II) нра́влюсь, нра́вишься, нра́вятся	понра́виться (II)	to please, appeal to, "like"
обе́дать (I)	пообе́дать (I)	to have lunch or dinner
объясня́ть (I)	объясни́ть (II)	to explain
одева́ться (I)	оде́ться (I) оде́нусь, -ешься, -утся	to get dressed
опа́здывать (I)	опозда́ть (I) опозда́ю, -ешь, -ют	to be late
осма́тривать (I)	осмотре́ть (II) осмотрю́, -ишь, -ят	to survey, examine
остава́ться (I) остаю́сь, -ёшься, -ю́тся	оста́ться (I) оста́нусь, -ешься, -утся	to remain, stay
остана́вливаться (I)	остановиться (II) остановлю́сь, остано́- вишься, остано́вятся	to stop
отвеча́ть (I)	отве́тить (II) отве́чу, отве́тишь, отве́тят	to answer
отдыха́ть (I)	отдохну́ть (I) отдохну́, -ёшь, -у́т	to rest
отка́зываться (I)	отказа́ться (I) откажу́сь, -ешься, -утся	to refuse
открыва́ть (I)	откры́ть (I) откро́ю, -ешь, -ют	to open
ошиба́ться (I)	ошиби́ться (II) ошибу́сь, -ёшься, -у́тся; оши́бся, оши́блась, -лось, -лись	to be mistaken

Imperfective	*Perfective*	
переводи́ть (II)	перевести́ (I)	to translate
перевожу́, перево́дишь,	переведу́, -ёшь, -у́т;	
перево́дят	перевёл, -ла́, -ло́, -ли́	
передава́ть (I)	переда́ть (I)	to tell, give a message
передаю́, -ёшь, -ю́т	переда́м, переда́шь,	
	переда́ст, передади́м,	
	передади́те, передаду́т;	
	переда́л, -ла́, -ло́, -ли́	
переодева́ться (I)	переоде́ться (I)	to change clothes
	переоде́нусь, -ешься,	
	-утся	
петь (I)	спеть (I)	to sing
пою́, -ёшь, -ю́т		
писа́ть (I)	написа́ть (I)	to write
пишу́, -ешь, -ут		
пить (I)	вы́пить (I)	to drink
пью, пьёшь, пьют	вы́пью, вы́пьешь,	
	вы́пьют	
плати́ть (II)	заплати́ть (II)	to pay
плачу́, пла́тишь, пла́тят		
повторя́ть (I)	повтори́ть (II)	to repeat
пока́зывать (I)	показа́ть (I)	to show
	покажу́, -ешь, -ут	
покупа́ть (I)	купи́ть (II)	to buy
	куплю́, ку́пишь, ку́пят	
получа́ть (I)	получи́ть (II)	to receive
	получу́, полу́чишь,	
	полу́чат	
по́мнить (II)	вспо́мнить (II)	to remember
помога́ть (I)	помо́чь (I)	to help
	помогу́, помо́жешь,	
	помо́гут; помо́г, -ла́,	
	-ло́, -ли́	
понима́ть (I)	поня́ть (I)	to understand
	пойму́, -ёшь, -у́т;	
	по́нял, -ла́, -ло, -ли	
поступа́ть (I)	поступи́ть (II)	to enroll, enter, join
	поступлю́, посту́пишь,	
	посту́пят	
посыла́ть (I)	посла́ть (I)	to send
	пошлю́, -лёшь, -лю́т	
предлага́ть (I)	предложи́ть (II)	to suggest
	предложу́, -и́шь, -а́т	
привыка́ть (I)	привы́кнуть (I)	to become accustomed
	привы́кну, -ешь, -ут;	
	привы́к, -ла, -ло, -ли	

Imperfective	*Perfective*	
приглашáть (I)	пригласи́ть (II) приглашу́, пригласи́шь, приглася́т	to invite
продавáть (I) продаю́, -ёшь, -ю́т	продáть (I) продáм, продáшь, продáст, продади́м, продади́те, продаду́т; прóдал, -лá, -ло, -ли	to sell
проси́ть (II) прошу́, прóсишь, прóсят	попроси́ть (II)	to ask (a favor)
прощáть (I)	прости́ть (II) прощу́, прости́шь, простя́т	to forgive, pardon
расскáзывать (I)	рассказáть (I) расскажу́, -ешь, -ут	to tell, relate
решáть (I)	реши́ть (II)	to decide, solve
сади́ться (II) сажу́сь, сади́шься, садя́тся	сесть (I) ся́ду, ся́дешь, ся́дут; сел, -ла, -ло, -ли	to sit down
слу́шать (I)	послу́шать (I) прослу́шать (I)	to listen a while to listen through to the end
слы́шать (II)	услы́шать (II)	to hear (*pf. past*, to catch the sound of)
смея́ться (I) смею́сь, -ёшься, -ю́тся	засмея́ться (I)	to laugh
смотрéть (II) смотрю́, -ишь, -ят	посмотрéть (II)	to look
совéтовать (I) совéтую, -ешь, -ют	посовéтовать (I)	to advise
соглашáться (I)	согласи́ться (II) соглашу́сь, согласи́шься, соглася́тся	to agree
спрáшивать (I)	спроси́ть (II) спрошу́, спрóсишь, спрóсят	to ask (a question)
стáвить (II) стáвлю, стáвишь, стáвят	постáвить (II)	to place, put (in an upright position)
станови́ться (II) становлю́сь, станóвишь- ся, станóвятся	стать (I) стáну, -ешь, -ут	to become
стрóить (II)	пострóить (II)	to build
теря́ть (I)	потеря́ть (I)	to lose
узнавáть (I) узнаю́, -ёшь, -ю́т	узнáть (I) узнáю, -ешь, -ют	to recognize

Imperfective	*Perfective*	
улыба́ться (I)	улыбну́ться (I) улыбну́сь, -ёшься, -у́тся	to smile
успева́ть (I)	успе́ть (I) успе́ю, -ешь, -ют	to have time, get somewhere on time
учи́ть (II) учу́, -ишь, -ат	вы́учить (II) вы́учу, -ишь, -ат	to learn
учи́ться (II) учу́сь, -ишься, -атся	научи́ться (II)	to learn, study
ходи́ть (II) (*multidirect.*) хожу́, ходишь, ходят	пойти́ (I) пойду́, -ёшь, -у́т; пошёл, -шла́, -шло́, -шли	to go, walk
хоте́ть (I, II) хочу́, хочешь, хочет, хоти́м, хоти́те, хотя́т	захоте́ть (I, II)	to want
чита́ть (I)	прочита́ть (I) проче́сть (I) прочту́, -ёшь, -у́т; прочёл, прочла́, прочло́, прочли	to read
шути́ть (II) шучу́, шутишь, шутят	пошути́ть (II)	to joke

Vocabulary

Roman numerals after Russian verbs indicate the conjugation to which the verbs belong. Bracketed Arabic numerals after the English translations indicate the chapter in which the words first appear.

A

a and, but, instead [5]
абрико́с apricot [24]
абсолю́тно absolutely [14]
а́вгуст August [15]
авто́бус bus [13]
авто́бусная bus (*adj.*) [13]
  авто́бусная остано́вка bus stop
автомоби́ль (*м.*) car [10]
авторучка (*gen. pl.* **авторучек**) fountain (or ball point) pen [5]
агроно́м agronomist [8]
адвока́т lawyer [8]
администрати́вный administrative [15]
а́дрес address [8]
азиа́тский Asian [10]
акаде́мия academy [28]
аккура́тный punctual (*also,* tidy) [7]
Алло́! Hello! (when answering the phone) [12]

америка́нец (*ж.* -нка; *gen. pl.* **америка́нок**) (*pl.* -нцы;) American [4]
анекдо́т anecdote [24]
англича́нин (*pl.* **англича́не**: *gen. pl.* **англича́н**) Englishman [8]
англича́нка (*gen. pl.* **англича́нок**) Englishwoman [8]
анке́та questionnaire [28]
  заполня́ть/запо́лнить анке́ту to fill out a questionnaire
антра́кт intermission [16]
апельси́н orange [24]
аплоди́ровать (I) to applaud [16]
  аплоди́рую, -уешь, -уют
аппети́т appetite [19]
апре́ль (*м.*) April [15]
аре́нда lease [24]
  получа́ть в аре́нду (от кого́? от чего́?) to lease (from)
арестова́ть (I) *pf. of* аресто́вывать
  аресту́ю, -у́ешь, -у́ют

764

аресто́вывать (I) (*pf.* арестова́ть) to arrest [21]

армяни́н (*pl.* армя́не: *gen. pl.* армя́н) Armenian [24]

археóлог archeologist [24]

архитекту́ра architecture [15]

аспира́нт graduate student [28]

аспиранту́ра graduate work (school) [28]

атеи́зм atheism [21]

аудито́рия university classroom [20]

Ах! Oh! [3]

аэропóрт (на) airport [26]

Б

ба́бушка (*gen. pl.* ба́бушек) grandmother [8]

бага́ж (*gen.* багажа́) baggage [26]

балала́йка (*gen. pl.* балала́ек) balalaika [22]

балери́на ballerina [18]

бале́т (на) ballet [13]

ба́ня (*gen. pl.* ба́ней) steambath [25]

бара́н ram [25]

баржа́ barge [23]

бас bass (singer) [12]

баскетбóл (на) basketball [14]
    игра́ть в баскетбóл to play basketball

баскетбóльная basketball (*adj.*) [14]
    баскетбóльная площа́дка basketball court

ба́шня (*gen. pl.* ба́шен) tower [15]

бе́гать (I) (*pf.* побежа́ть) to run (*multidirect.*) [23]. *For prefixed forms of this verb, refer to vocabulary of lesson 26.*

бе́дный poor [22]

бежа́ть (II) (*pf.* по-) to run (*unidirect.*) [7]. *For prefixed forms of this verb, refer to vocabulary of lesson 26.*
    бегу́, бежи́шь, бегу́т

без (когó? чегó?) without [16]

безбóжник atheist [28]
    вои́нствующий безбóжник militant atheist

безграни́чный endless [25]

бейсбóл (на) baseball [14]
    игра́ть в бейсбóл to play baseball

бельё linen [17]

бе́лый white [17]

бе́рег (*pl.* берега́; на берегу́) bank, shore [20]

беспокóиться (II) (*pf.* о-) (о ком? о чём?) to be concerned (about) [26]

бесчи́сленный countless [26]

биле́т ticket [16]

бифште́кс beefsteak [19]

благодари́ть (II) (*pf.* по-) to thank [18]

блаже́нный blessed [15]

блат "blat," "good connections" [25]

ближа́йший nearest, next [26]

бли́же nearer [25]

блокнóт notebook [5]

блу́зка (*gen. pl.* блу́зок) blouse [17]

блю́до (*pl.* блю́да) dish, food [24]

боб bean [24]

бога́тство wealth [22]

бога́тый rich [22]

бога́че richer [25]

Бóже! Good grief! [11]

бóлее more (*compound comparative*) [25]

болéзнь (*эс.*) illness, sickness [18]

бóлен, больна́, -нó, -ны́ sick, ill [6]

болéть (II) to hurt [18]
    У меня́ боли́т... My ... hurts.

болóто swamp [21]

боль (*эс.*) pain [18]

больни́ца hospital [18]

бóльно painful [18]

бóльше more, bigger [25]

бóльше ничегó nothing else [12]

большеви́к (*pl.* большевики́) Bolshevik [21]

бóльший greater, larger; greatest, largest [25]

большинствó majority [22]

большóй big, large [10]

борщ (борща́, -у́, -óм, -é) borshch [19]

борьба́ battle [28]

боя́ться (II) (когó? чегó?) to fear [20]
    бо́юсь, -и́шься, -я́тся

брак marriage [27]

брат (*pl.* братья)   brother [8]
брать (I) (*pf.* взять)   to take [21]
  беру́, -ёшь, -у́т; брал, -ла́, -ло, -ли
  брать/взять с собо́й   to take along
бри́ться (I) (*pf.* по-)   to shave (oneself)
  [19]
  бре́юсь, -ешься, -ются
броса́ть (I) (*pf.* бро́сить)   to throw; give
  up, quit
бро́сить (II)   *pf. of* броса́ть
  бро́шу, бро́сишь, бро́сят
брошю́ра   brochure [22]
брю́ки (*always pl.*)   pants, trousers [17]
бу́дет, бу́дут   will be (*3rd person sing.*
  and pl. of быть) [2]
бу́дто   as though [28]
  как бу́дто   apparently
бума́га   paper [5]
бума́жник   wallet [28]
бутербро́д   sandwich [19]
буты́лка (*gen. pl.* буты́лок)   bottle [26]
буфе́т   snack bar, bar [23]
бы   *conditional subjunctive particle* [25]
быва́ть (I)   to occur, happen; frequent
  [10]
бы́вший   former [16]
бы́стро   fast, quick(ly) [6]
быть (I)   to be [11]
  бу́ду, -ешь, -ут   will be
  был, -ла́, -ло, -ли   was, were

В

в(о) (кого́? что?) (ком? чём?)   to, into;
  in, inside [1]
в-   *For verbs of motion with this prefix see*
  vocabulary of lesson 16.
ваго́н-рестора́н   dining car [26]
ва́жный   important [10]
вам   (to) you (*dat.*) [7]
ва́ми   you (*inst.*) [18]
ва́нная   bathroom [20]
вас   you (*gen., acc., prep.*) [4]
ваш, -а, -е, -и   your(s) [8]
вдоль (кого́? чего́?)   along [16]
вдруг   suddenly [12]
ведь   after all [17]

везде́   everywhere [25]
везти́ (I) (*pf.* по-)   to convey, transport,
  take, bring (by vehicle) (*unidirect.*)
  [24]. *For prefixed forms of this verb,*
  see vocabulary of lesson 26.
  везу́, -ёшь, -у́т; вёз, -везла́, -ло́, -ли́
век (*pl.* века́)   century [15]
  ка́менный век   Stone Age
велича́йший   greatest [26]
велосипе́д   bicycle [18]
верблю́д   camel [25]
ве́рно   really, true [21]
верну́ться (I)   *pf. of* возвраща́ться [24]
  верну́сь, -ёшься, -у́тся
вероя́тно   probably [20]
ве́ровать (I) (в кого́? во что?)   to
  believe (in) [28]
ве́рующий   believer (in God) [28]
ве́рхний, -яя, -ее, -ие   upper [26]
верши́на   summit [24]
ве́село   happy, happily [23]
весёлый   happy [23]
весна́   spring [10]
  весно́й   in the spring(time)
вести́ (I) (*pf.* по-)   to conduct, lead, take,
  bring (*unidirect.*) [24]. *For prefixed*
  forms of this verb, see vocabulary of
  lesson 26.
  веду́, -ёшь, -у́т; вёл, -вела́, -ло́, -ли́
вестибю́ль (*м.*)   vestibule, lobby [14]
весь, вся, всё, все   all (*masc., fem.,*
  neuter, pl.) [11]
ве́тер (*pl.* ве́тры)   wind [10]
ве́чер (*pl.* вечера́)   evening [4]; party
  [27]
  ве́чером   in the evening [11]
ве́чный   eternal [24]
вещь (*ж.*) (*gen. pl.* веще́й)   thing [22]
взро́слый   adult [28]
взять (I)   *pf. of* брать [19]
  возьму́, -ёшь, -у́т; взял, -ла́, -ло́, -ли́
вид   view [19]
  Вид открыва́ется на (что?)   There
  is a view of....
  име́ть в виду́   to keep in mind
ви́ден, видна́, -но́, -ны́   visible [15]

видеть (II) (*pf.* **у-**)   to see [6]
  вижу, видишь, видят
вино́ (*pl.* **ви́на**)   wine [24]
винова́т (**а, о, ы**)   guilty, "to blame"
  [11]
виногра́д (*no pl.*)   grape, grapes [24]
виногра́дник (**на**)   vineyard [24]
висе́ть (II)   to hang [28]
  вишу́, виси́шь, вися́т
вишня (*gen. pl.* **вишен**)   cherry [24]
включа́ть (I) (*pf.* **включи́ть**)   to include
  [24]
  включа́ть/включи́ть в себя́   to take
  in; consist of, include
  включа́ть/включи́ть (**свет, ра́дио**)
  to turn on (the light, radio)
включи́ть (II)   *pf. of* включа́ть [24]
вкусный   tasty [19]
владе́ть (I) (**кем? чем?**)   to master,
  have a command of [18]
влюбля́ться (I) (*pf.* **влюби́ться**) (**в**
  кого́?)   to fall in love (with) [27]
влюби́ться (II)   *pf. of* влюбля́ться [27]
  влюблю́сь, влюбишься, влюбятся
влюблён, влюблена́, -но́, -ны́   in love
  [27]
вместе   together [4]
вниз   downstairs, below (*going*) [22]
внизу́   downstairs, below (*location*) [22]
внима́ние   attention [27]
в общем   on the whole [18]
во-   *For verbs of motion with this prefix,*
  see vocabulary of lesson 26.
во вре́мя (**кого́? чего́?**)   during [16]
во ско́лько?   (at) what time? [19]
вовремя   on time, punctually [19]
вода́ (*pl.* **во́ды**)   water [19]
води́ть (II) (*pf.* **повести́**)   to conduct,
  lead, take; bring (*unidirect.*) [24]. *For*
  prefixed forms of this verb, see
  vocabulary of lesson 26.
  вожу́, водишь, водят
водка   vodka [19]
возвраща́ться (I) (*pf.* **верну́ться**)   to
  return (*intransitive*) [24]
вози́ть (II) (*pf.* **повезти́**)   to convey,

transport, take; bring (by vehicle)
  (*multidirect.*) [24]. *For prefixed forms*
  of this verb, see vocabulary of lesson 26.
  вожу́, возишь, возят
возмо́жность (*ж.*)   possibility, chance,
  opportunity [18]
возража́ть (I) (*pf.* **возрази́ть**)   to object, mind [26]
возрази́ть (II)   *pf. of* возража́ть [26]
  возражу́, возрази́шь, возразя́т
война́ (*pl.* **во́йны**)   war [10]
войти́ (I)   *pf. of* входи́ть [3]
  войду́, -ёшь, -у́т; вошёл, -шла́, -шло́,
  -шли́
волейбо́л (**на**)   volleyball [14]
  игра́ть в волейбо́л   to play volleyball
волейбо́льная   volleyball (*adj.*) [14]
  волейбо́льная площа́дкаvolleyball
  court
волжский, -ая, -ое, -ие   Volga (*adj.*) [23]
волк (*gen. pl.* **волко́в**)   wolf [25]
вокза́л (**на**)   railroad station [13]
вокру́г (**кого́? чего́?**)   around [16]
волос(ы) (*pl.* **волосы, воло́с, волоса́м,**
  волоса́ми, волоса́х)   hair [18]
вон   there [3]
  вон там   over there
вообще́   in general [10]
вопро́с   question [6]
воро́та (*neuter pl. only*) (*gen. pl.* **воро́т**)
  gates [15]
восемь   eight [6]
воскресе́нье   Sunday [12]
воспреща́ться (*pf.* **воспрети́ться**) (I)
  to be forbidden [15]
воссоедине́ние   reunion, rejoining [26]
восто́к (**на**)   east (10)
восто́рг   delight [16]
  в восто́рге от (**кого́? чего́?**)   delighted with
восто́чный   east, eastern [20]
вот   Here's.... [2]
впада́ть (I) (*pf.* **впасть**) (**во что?**)   to
  fall, empty (into) [21]
впасть (I)   *pf. of* впада́ть [21]
  впаду́, -ёшь, -у́т; впал, -ла, -ло, -ли

впереди́ (кого́? чего́?) ahead of, before [16]

впечатле́ние impression [25]

врач (*pl.* **врачи́**) physician [8]

все everyone, everybody, all [6]

всё all, everything [2]

всё вре́мя all the time [8]

всегда́ always [7]

Всего́ хоро́шего! All the best! [1]

вспаха́ть (I) *pf. of* паха́ть [25]

встава́ть (I) to get up, arise [19]
    встаю́, -ёшь, -ю́т

встать (I) *pf. of* встава́ть [26]
    встану, -ешь, -ут

встретить (II) *pf. of* встреча́ть
    встречу, встретишь, встретят

встреча meeting, encounter [10]

встреча́ть (I) (*pf.* **встретить**) to meet [14]

всходи́ть (II) (*pf.* **взойти́**) to rise, ascend [28]
    Со́лнце всхо́дит. The sun rises.

всю́ду everywhere [13]

вся́кий every, any [20]

вто́рник Tuesday [12]

второ́е second (main) course [19]

второ́й second [2]

вуз (вы́сшее уче́бное заведе́ние) "VUZ" (higher learning institution) [14]

вход entrance [15]

вчера́ yesterday [11]

вы you [1]

вы- *For verbs of motion with this prefix see vocabulary of lesson 26.*

вы́глядеть (II) to look, appear [28]
    вы́гляжу, вы́глядишь, вы́глядят

выдаю́щийся distinguished [28]

вы́йти (I) **замуж** *pf. of* выходитъ (замуж)
    вы́йду, -ешь, -ут; вышел, -шла, -шло, -шли

выключа́ть (I) (*pf.* **вы́ключить**) to turn off [26]
    выключа́ть/вы́ключить (свет, ра́дио) to turn off (the light, radio)

вы́ключить (II) *pf. of* выключа́ть [26]

вы́копать (I) *pf. of* копа́ть [24]

вы́пить (I) to have a drink (*pf. of* пить) [23]
    вы́пью, -ешь, -ют; Вы́пей(те)!

выраже́ние expression [1]

вы́расти (I) *pf. of* расти́ [24]
    вы́расту, -ешь, -ут; вы́рос, -ла, -ло, -ли

вы́растить *pf. of* выра́щивать [25]
    выращу, вырастишь, вырастят

выра́щивать (I) (*pf.* **вы́растить**) to raise, cultivate [24]

высо́кий tall, high [10]

высота́ height [26]

высо́тное зда́ние tall building, skyscraper [15]

вы́спаться *pf. of* высыпа́ться [19]
    вы́сплюсь, вы́спишься, вы́спятся; вы́спался, вы́спалась, вы́спались

высыпа́ться (I) (*pf.* **вы́спаться**) to get enough sleep [19]

вы́ставка (на) exhibition [15]

вы́учивать наизу́сть to memorize [1]

вы́учить (наизу́сть) *pf. of* вы́учивать

вы́ход exit [21]

выходи́ть (II) (*pf.* **вы́йти**) **замуж (за кого́?)** to get married (a woman to a man) [27]
    выхожу́, выхо́дишь, выхо́дят

вы́ше higher [25]

въ- *For verbs of motion with this prefix see vocabulary of lesson 26.*

въезд entrance [26]

Г

галере́я gallery [13]

га́лстук necktie [17]

гара́ж (*pl.* **гаражи́**) garage [10]

где where (at) [6]

где-нибудь somewhere (or other), anywhere [27]

где-то somewhere [27]

ге́ний genius [6]

ге́тман hetman, Cossack chief [26]

гидроэлектроста́нция hydroelectric station [23]

гимна́зия (pre-revolutionary) secondary school [20]

глава́ head, leader [23]; chapter

гла́вный main, principal [12]

глаз (*pl.* глаза́) eye [18]

глота́ть (I) to swallow [18]

глу́бже deeper [25]

глубо́кий deep [10]

глу́пый stupid, dumb [10]

говори́ть (II) (*pf.* сказа́ть, поговори́ть) to talk, speak, say, tell [6]

год (го́ды *pl. without numeral*) year [8]
2, 3, 4 го́да 2, 3, 4 years
5, 6, 7... лет 5, 6, 7 . . . years

голова́ (*pl.* го́ловы) head [18]

го́лоден, голодна́, -но, -ны hungry (*short adj.*) [16]

голубо́й light blue [17]

гольф golf [14]

гора́ (*pl.* го́ры) mountain [10]

гора́здо (лу́чше, ху́же, и т. д.) much (better, worse, etc.) [12]

горди́ться (II) (кем? чем?) to be proud (of) [18]
горжу́сь, горди́шься, гордя́тся

го́рло throat [18]

го́рный mountainous [24]

городо́к (*pl.* городки́) little town [14]

горо́х (*no pl.*) pea(s) [24]

горя́чий, -ая, -ее, -ие hot, heated (*not used in reference to the weather*) [19]

Го́споди! Lord! [13]

госпо́дство rule, reign [24]

гостеприи́мно hospitably [26]

гости́ная living room [20]

гости́ница hotel [14]

гость (*м.*) (*pl.* го́сти, госте́й, гостя́м, госте́й, гостя́ми, гостя́х) guest [7]

госуда́рственный governmental [13]

госуда́рство state, realm, empire [22]

гото́в (а, о, ы) ready [11]

гото́вить (II) (*pf.* при-) to prepare [11]
гото́влю, гото́вишь, гото́вят

гото́виться (II) (*pf.* при-) (к экза́менам) to study (for exams) [28]
гото́влюсь, гото́вишься, гото́вятся

гото́вый prepared, ready [17]
гото́вое пла́тье ready-made clothing

граждани́н (*pl.* гра́ждане; *gen. pl.* гра́ждан) citizen [8]

гражда́нка (*gen. pl.* гражда́нок) citizen (*f.*) [8]

грамма́тика grammar [6]

грани́ца border [24]

гренки́ (*pl.*) toast [27]

грипп influenza [18]

гро́мче louder [1]

грузи́н (*gen. pl.* грузи́н) Georgian [24]

грузи́нский Georgian (*adj.*) [24]

грузови́к (*pl.* грузовики́) truck [18]

гру́ппа group [21]

гру́ша pear [24]

гря́зный dirty [28]

гу́бка (*gen. pl.* гу́бок) sponge [5]

гуля́ть (I) (*pf.* по-) to stroll, take a walk (*also,* to carouse) [10]

густо́й thick, dense [28]

гусь (*м.*) (*gen. pl.* гусе́й) goose [25]

Д

да yes [23]

дава́ть (I) (*pf.* дать) to give [11]
даю́, -ёшь, -ю́т

да́вний, -яя, -ее, -ие olden [26]

давно́ (for) a long time; a long time ago [6]

да́же even [9]

далеко́ far, far away [10]

дальне́йший farther, further; farthest, furthest [26]

да́льше to continue, go on; farther, further [1]

да́нный given, the one in question [17]

дари́ть (II) (*pf.* по-) to give (a present) [17]
дарю́, да́ришь, да́рят

дать (I) *pf. of* дава́ть [22]
дам, дашь, даст, дади́м, дади́те, даду́т; дал, -ла́, -ло, -ли

дача (на)   summer house [20]
два (две)   two [6]
дворец (*pl.* дворцы́)   palace [20]
девочка (*gen. pl.* девочек)   little girl [18]
девушка (*gen. pl.* девушек)   girl [18]
девять   nine [6]
дедушка (*gen. pl.* дедушек)   grand-
    father [9]
дееприча́стие   *verbal adv.* [27]
дека́брь (*м.*) (декабря́, и т. д.)   Decem-
    ber [15]
декора́ция   decoration [16]
    декора́ции   scenery
делать (I) (*pf.* с-)   to do, make [6]
дело (*pl.* дела́)   matter, business, affair
    [17]
    Ка́к дела́?   How are things? [7]
делово́й   businesslike [27]
день (*м.*) (*pl.* дни)   day [4]
    Добрый день!   Good day! Hello!
день рожде́ния   birthday [17]
дере́вня (*gen. pl.* дереве́нь)   village [8]
дерево (*pl.* дере́вья; *gen. pl.* дере́вьев)
    tree [20]
деревя́нный   wooden [22]
деспоти́чный   despotic [20]
десятиле́тка (*gen. pl.* десятиле́ток)
    ten-year school [18]
десять   ten [6]
детский   child's, children's [13]
детство   childhood [20]
дешёвый   cheap [17]
дёшево   cheap(ly) (*adv. or short neuter
    adj.*) [17]
деше́вле   cheaper [25]
деятельность (*ж.*)   activity [28]
джаз-ба́нд   jazz band [14]
диале́кт   dialect [18]
дива́н   divan, sofa [12]
дие́та   diet [19]
    на дие́те   on a diet
дикий   wild, untamed [25]
дирижёр   director [16]
диссерта́ция   dissertation [28]
    рабо́тать над диссерта́цией   to work
    on one's dissertation

длина́   length [23]
длинный   long [10]
для (кого́? чего́?)   for [16]
днём   in (during) the day(time) [11]
до (кого́? чего́?)   until, as far as, up to,
    up until; before [16]
до-   *For verbs of motion with this prefix
    see vocabulary of lesson 26.*
до свида́ния   good-bye [1]
дово́лен, -льна, -льно, -льны (кем?
    чем?)   satisfied (with) [18]
дово́льно   rather, quite, enough [11]
дождь (*м.*) (*pl.* дожди́)   rain [10]
дои́ть (II) (*pf.* по-)   to milk [24]
доказа́ть (I)   *pf. of* дока́зывать [24]
    докажу́, -ешь, -ут
дока́зывать (I) (*pf.* доказа́ть)   to prove
    [24]
долго   long (time) [15]
долгий   long (as a time measurement)
    [20]
должен, должна́, -но́, -ны́   must, have
    to, owe [20]
    Я ему́ должен пять долларов.   I owe
    him five dollars.
должно́ быть   undoubtedly [23]
доли́на   valley [24]
дом (*pl.* дома́)   house, home [5]
    дома   at home [6]
    домо́й   (to) home [1]
дома́шний, -яя, -ее, -ие   domestic [25]
дополни́тельный   supplementary [5]
    дополни́тельный материа́л   supple-
    mentary material
дореволюцио́нный   pre-revolutionary
    [17]
доро́га   road [27]
    желе́зная доро́га   railroad
    грунтова́я доро́га   dirt road
дорого   expensive(ly) (*adv. or short neuter
    adj.*) [17]
дорого́й   expensive [17]
доро́же   dearer, more expensive [25]
доса́да   shame [18]; vexation, annoyance
доска́ (*pl.* до́ски, досо́к, доска́м, дос-
    ка́ми, доска́х)   blackboard [5]

достига́ть (кого́? чего́?) (I) (*pf.* дости́гнуть) to achieve, attain, reach [24]

дости́гнуть (кого́? чего́?) (I) *pf. of* достига́ть [24]

  дости́гну, -ешь, -ут; дости́г, -ла, -ло, -ли

достиже́ние achievement [22]

досто́инство merit [20]

достопримеча́тельность (*жс.*) sight, point of interest [15]

дохо́д(ы) income [24]

дочь (*жс.*) (*pl.* дочери, дочере́й, дочеря́м, дочерьми́, дочеря́х) daughter [8]

доя́рка (*gen. pl.* доя́рок) milkmaid [24]

драмати́ческий dramatic [16]

дре́вний, -яя, -ее, -ие ancient [23]

друг дру́га one another [12]

  друг дру́гу to one another [17]

  друг с дру́гом with one another [19]

  друг о дру́ге about one another [14]

друго́й other, another, different [10]

дру́жба friendship [22]

ду́мать (I) (*pf.* по-) to think [6]

дуть (I) (*pf.* по-) to blow [10]

  Ду́ет си́льный ве́тер. A strong wind is blowing.

душа́ (*pl.* души) soul [22]

ду́шенька "little soul" (*term of endearment*) [12]

ду́шно stuffy [26]

дыша́ть (II) to breathe [18]

  дышу́, -ишь, -ат

дя́дя (*gen. pl.* дя́дей) uncle [7]

Е

европе́йский European [10]

его́ his, its [3]; him, it [12]

еда́ food [27]

её her, hers [8]

ежего́дно yearly, annually [24]

езда́ drive, driving [26]

  Ско́лько (мину́т, часо́в) езды́ до...? How long does it take to drive to...?

е́здить (II) (*pf.* пое́хать) (*when prefixed,* -езжа́ть) to go, drive, ride (*multidirect.*). *For prefixed forms of this verb, see vocabulary of lesson 26.*

  е́зжу, е́здишь, е́здят

-езжа́ть *See* е́здить.

ей her [*dat.*—7] [*inst.*—18]

ему́ him (*dat.*) [7]

ерунда́ nonsense, stupidity [12]

е́сли if (*not* "whether") [8]

есть (I, II) to eat [19]

  ем, ешь, ест, еди́м, еди́те, едя́т; ел, е́ла, е́ло, е́ли

есть there is (are) (*stresses the existence of a given thing*) [13]

е́хать (I) to go (by vehicle), drive, travel (*unidirect.*) [18]. *For prefixed forms of this verb, see grammar and vocabulary of lesson 26.*

  е́ду, -ешь, -ут

ещё still, yet [6]

Ж

жа́лованье salary; complaint [24]

жа́ловаться (I) (на кого́? на что?) to complain (about) [18]

жаль pity, too bad [8]

  Как жаль! What a pity!

  О́чень жаль! Terribly sorry!

  Мне его́ жаль. I'm sorry for him.

жа́ркий hot [10]

жа́рче hotter [25]

ждать (I) (*pf.* подо-) to wait (for) [12]

  жду, -ёшь, -ут; ждал, -ла́, -ло, -ли

жела́ть (I) (*pf.* по-) (кому́? чего́?) to wish [22]

желе́зной iron (*adj.*) [27]

  желе́зная доро́га railroad

жёлтый yellow [17]

жена́ (*pl.* жёны; *gen. pl.* жён) wife [8]

жена́т(ы) married [8]

жена́тый married (*long form*) [27]

жени́ться (II) (*pf. and impf.*) (на ком?) to get married (a man to a woman) [27]

  женю́сь, же́нишься, же́нятся

женский feminine [8]
  женский род feminine gender
  женщина woman [8]
живот stomach, abdomen [18]
животное (*animate in the pl. only; acc.*
  животных) animal [25]
жизнь (*эс.*) life [7]
жилище dwelling [22]
жилой дом apartment house [15]
жить to live [8]
  живу, -ёшь, -ут; жил, -ла, -ло, -лиа
журналист (*эс.* -ка; *gen. pl.* журнали-
  сток) journalist, reporter [8]

З

за (кем? чем?) (кого? что?) behind
  [19]
за- *For verbs of motion with this prefix,
  see vocabulary of lesson 26.*
забыть (I) *pf. of* забывать [21]
  забуду, -ешь, -ут
заведовать (I) (чем?) to manage, be in
  charge of [28]
заведующий (чем?) manager, director
  [28]
завидовать (I) (*pf.* по-) (кому? чему?)
  to envy [20]
зависеть (II) (*no pf.*) (от кого?, от чего?)
  to depend (on) [24]
  завишу, зависишь, зависят
завтра tomorrow [7]
завтрак breakfast [19]
завтракать (I) (*pf.* по-) to have (eat)
  breakfast [19]
загорать (I) (*pf.* загореть) to sunbathe,
  get a tan [20]
за город to the suburbs, country [19]
за городом in the suburbs, country [19]
за границей abroad (*location*) [16]
за границу abroad (*direction*) [19]
ЗАГС Zags (Registry Office) [27]
задание assignment, homework [7]
Закавказье Transcaucasia [25]
заказать (I) *pf. of* заказывать
  закажу, закажешь, закажут; Зака-
  жи(те)!

заказывать (I) (*pf.* заказать) to order
  [19]
закончен (а, о, ы) concluded, over
  [28]
закрывать (I) (*pf.* закрыть) to close
  [19]
закрыт (а, о, ы) closed [22]
закрыть (I) *pf. of* закрывать [22]
  закрою, закроешь, закроют; Зак-
  рой(те)!
закусить (II) *pf. of* закусывать [23]
  закушу, закусишь, закусят
закуска a Russian snack; antipasto [19]
закуски hors-d'oeuvre [19]
закусывать (I) (*pf.* закусить) to have
  a snack [23]
зал(а) hall [16]
залив bay [20]
замерзать (I) (*pf.* замёрзнуть) to
  freeze [10]
замёрзнуть (I) *pf. of* замерзать
  замёрзну, -ешь, -ут; замёрз, -ла, -ло,
  -ли
заметить (II) *pf. of* замечать [25]
  замечу, заметишь, заметят; За-
  меть(те)!
замечательный remarkable [15]
замечать (I) (*pf.* заметить) to notice
  [7]
замужем (за кем?) married (woman to
  man) [8]
занимать (I) (*pf.* занять) to occupy,
  take up, cover [18]
заниматься (кем? чем?) to study,
  occupy oneself with [18]
  Чем вы занимаетесь? What do you
  do for a living?
занят (а, о, ы) busy, occupied [11]
занять (I) *pf. of* занимать [21]
  займу, -ёшь, -ут; занял, -а, -о, -и
заочник (*эс.* -ца) correspondence-course
  student [28]
запад (на) west [10]
западный west, western [20]
записаться (I) *pf. of* записываться [28]
  запишусь, -ешься, -утся

запи́сываться (I) (*pf.* записа́ться) to sign up [28]

запи́сываться/записа́ться на курс to sign up for a course

заплати́ть (II) *pf. of* плати́ть [22]

зараба́тывать (I) (*pf.* зарабо́тать) to earn [18]

зарегистри́ровать (I) *pf. of* регистри́ровать [27]

зарабо́тать (I) *pf. of* зараба́тывать [24]

зарпла́та wage [24]

заря́дка exercise [19]

утреняя заря́дка morning exercise

засте́нчивый bashful [20]

зате́м then [19]

зато́ for all that; to make up for it [25]

Заходи́те! Come in! [3]

защити́ть (II) *pf. of* защища́ть [22]

защищу́, защити́шь, защи́тят

защища́ть (I) (*pf.* защити́ть) to defend [28]

защища́ть/защити́ть диссерта́цию to defend one's dissertation

зва́ние title, degree [28]

почётное зва́ние honorary degree

звать (I) (*pf.* по-) to call (a person), give a name to a person [4]

зову́, -ёшь, -у́т; звал, -ла́, -ло, -ли

звезда́ (*pl.* звёзды) star [15]

зверь (*м.*) (*gen. pl.* звере́й) beast, (savage) animal [25]

звони́ть (II) (*pf.* по-) (кому́?) to ring, phone [12]

звоно́к (*pl.* звонки́) bell [16]

зда́ние building [7]

здоро́в (а, о, ы) healthy, well [11]

здоро́ваться (I) (*pf.* по-) to greet, say "hello" [25]

здоро́ваюсь, -ешься, -ются

здо́рово! marvelous! swell! [16]

здра́вствуй(те)! hello! [1]

зелёный green [17]

зима́ winter [10]

зимо́й in the winter(time)

зи́мний, -яя, -ее, -ие winter (*adj.*) [21]

знако́мить (II) (*pf.* по-) (кого́? с кем?) to acquaint [24]

знако́млю, знако́мишь, знако́мят

знако́миться (II) (*pf.* по-) (с кем? с чем?) to get acquainted with [23]

знако́млюсь, знако́мишься, знако́мятся

знако́мство acquaintance [21]

знако́мый familiar (*adj.*); acquaintance, friend (*noun*) [16]

знамени́тый famous [13]

зна́мя (*pl.* знамёна; *gen. pl.* знамён) banner [7]

знать (I) (*pf.* у-) to know [6]

зо́лото gold [25]

золото́й gold(en) [21]

зо́на zone [25]

зонт (*pl.* зонты́) umbrella [17]

зри́тель (*м.*) spectator, audience [16]

зуб tooth [18]

И

и and [3]

игра́ть (I) (*pf.* сыгра́ть) to play [14]

игру́шка toy [22]

идти́ (I) (*pf.* пойти́) to go, walk [1]. *For prefixed forms of this verb, see vocabulary of lesson 26.*

иду́, -ёшь, -у́т; шёл, шла, шло, шли

из (кого́? чего́?) from, out of [16]

изве́стный well-known [14]

извини́ть (II) *pf. of* извиня́ть [4]

извиня́ть (I) (*pf.* извини́ть) to pardon [3]

из-за (кого́? чего́?) out from behind, up from (the table); because of [19]

измени́ть (II) *pf. of* меня́ть

из-под (кого́? чего́?) from under [22]

изуча́ть (I) (*pf.* изучи́ть) to study [5]

изучи́ть (II) *pf. of* изуча́ть [28]

изучу́, изу́чишь, изу́чат

ико́на icon [28]

икра́ caviar [19]

им them [*dat.*—7], him [*inst.*—18]

и́мени (кого́? чего́?) named for [16]

имени́ны saint's day, name day [17]

и́менно just, precisely, exactly [21]

имéть (I) to have (*used with abstract nouns and in sentences without an expressed possessor*) [18]
имéется there is
ими them (*inst.*) [18]
имя (*pl.* **именá**; *gen. pl.* **имён**) first name [7]
индустриáльный industrial [22]
индюк turkey gobbler [25]
индюшка (*gen. pl.* **индюшек**) turkey hen [25]
инженéр engineer [8]
иногдá sometimes [9]
инострáнец (*ж.* **-нка**; *gen. pl.* **инострáнок**) (*pl.* **инострáнцы**) foreigner [4]
инострáнный foreign [15]
институ́т institute [8]
инструмéнт instrument [16]
интерéсно interesting [1]
интерéсный interesting [10]
интересовáться (I) (*pf.* **за-**) (**кем? чем?**) to be interested (in) [18]
Интурист (**Инострáнный тури́ст**) Intourist (Soviet Travel Agency) [22]
информáция information [13]
ирлáндский Irish (*adj.*) [8]
искáть (I) (*pf.* **по-**) (**когó? что? чегó?**) to search (look) for [22]
ищу́, ищешь, ищут
исключéние exception [23]
за исключéнием (**когó? чегó?**) with the exception (of)
исполня́ть (I) (*pf.* **испóлнить**) to perform [16]
исполня́ть/испóлнить партию to perform a role, part
исслéдование research [28]
истóк source [23]
истори́ческий historical [15]
истóрия story, history [15]
их their(s) [8]; them [12]
июль (*м.*) July [15]
июнь (*м.*) June [15]

К

к(о) (**кому́? чему́?**) to, toward [17]
к сожалéнию unfortunately [8]
к счастью fortunately [26]
к тому́ же in addition, besides [11]
кабинéт office [18]
Кавкáз (**на**) (the) Caucasus [10]
кавкáзский Caucasian [10]
каждый every, each [13]
казáться (I) (*pf.* **по-**) to seem, appear [13]
кажу́сь, кажешься, кажутся
Мне (**тебé**, и т. д.) **кажется, что...** It seems to me (you, etc.) that...
как how [2]
как бы so to say [26]
как раз exactly [19]
как только as soon as [21]
каки́м образом in what manner, by what means, how [18]
как-нибудь somehow, some way (or other), in any way [27]
как-то somehow [27]
какой which, what, what kind of, what a ... [6]
какóй-нибудь some kind (sort) of (or other), any kind [27]
какой-то some kind (sort) of [27]
кактус cactus [25]
камень (*м.*) (*pl.* **камни**; *gen. pl.* **камнéй**) rock [15]
камóрка closet (under stairs) [20]
канáдец (*ж.* **-ка**) (*pl.* **канáдцы**) Canadian [8]
канáл canal [23]
кани́кулы (*pl. only*) vacation(s) [18]
на кани́кулах on vacation
проводи́ть/провести́ кани́кулы to spend (one's) vacation
канцеля́рские товáры stationery supplies [17]
капу́ста cabbage [19]
карандáш (*pl.* **карандаши́**) pencil [5]
кармáн pocket [16]
карта (*gen. pl.* **карток**) card, map [5]
карти́на picture [12]
картóфель (*м.*) potato [19]
касса cashier's desk [22]

катастро́фа accident [28]
  автомоби́льная катастро́фа automobile accident
ката́ться (I) (*pf.* по-) to go for a ride
  [28]
  ката́ться на конька́х to skate
  ката́ться на лодке to go boating
  ката́ться на лы́жах to ski
  ката́ться на саня́х to go for a sleigh
   ride
кафе́ cafeteria [22]
ка́чество quality [24]
ка́шель (*м.*) cough [18]
кашта́н chestnut (tree) [26]
кварти́ра apartment [8]
кем whom (*inst.*) [18]
Киевля́нин (*pl.* Киевля́не; *gen. pl.*
  Киевля́н) Kievite [26]
кинотеа́тр movie theater [10]
кла́дбище cemetery [20]
класс classroom [4]
класть (I) (*pf.* положи́ть) to put, place
  (in a horizontal position) [28]
  кладу́, -ёшь, -у́т; клал, -а, -о, -и
кли́мат climate [10]
климати́ческий climatic [25]
клуб club [9]
ключ (*pl.* ключи́) key [5]
кни́га book [5]
кни́жный book (*adj.*) [20]
княги́ня princess [22]
князь (*pl.* князья́; *gen. pl.* князе́й)
  prince [22]
кобы́ла mare [25]
ковёр (*pl.* ковры́) carpet, rug [20]
когда́ when [6]
когда́-нибудь sometime (or other), any
  time [24]
когда́-то sometime [27]
кого́ whom (*acc. or gen.*) [12]
колбаса́ sausage [19]
коли́чество quantity [24]
коллекти́вный collective [24]
ко́локол (*pl.* колокола́) bell [15]
колоко́льня bell tower [15]
колхо́з kolkhoz, collective farm [8]

колхо́зник (*ж.* -ца) collective farm
  worker [8]
колыбе́ль (*ж.*) cradle [26]
комба́йн combine [24]
комму́на commune [24]
коммуни́ст (*ж.* -ка) communist [8]
коммунисти́ческий communist (*adj.*) [17]
комплиме́нт compliment [13]
ко́мната room [3]
компози́тор composer [12]
кому́ whom (*dat.*) [8]
конду́ктор conductor [26]
коне́чно of course [5]
консервато́рия conservatory [12]
конспе́кты notes [28]
  составля́ть/соста́вить конспе́кты
   to take notes
ко́нсульство consulate [18]
континента́льный continental [10]
конто́ра office [8]
ко́нчить (II) *pf. of* конча́ть [25]
конце́рт (на) concert [12]
конча́ть (I) (*pf.* ко́нчить) to finish [10]
конча́ться (I) (*pf.* ко́нчиться) to come
  to an end, be finished [19] (*passive*)
конь (*pl.* ко́ни; *gen. pl.* коне́й) horse,
  steed [25]
копа́ть (I) (*pf.* вы́-) to dig [24]
копе́йка (*pl.* копе́йки; *gen. pl.* копе́ек)
  kopeck [17]
кори́чневый brown [17]
корми́ть (II) (*pf.* на-) to feed [24]
  кормлю́, ко́рмишь, ко́рмят
коро́ва cow [24]
коро́ткий short [10]
коро́че shorter [25]
корридо́р corridor [27]
костю́м suit (of clothes) [17]
кот (*pl.* коты́) tomcat [25]
котле́та cutlet [19]
кото́рый who, which, that (*relative pronoun*) [19]
ко́фе (*м.*) coffee [19]
ко́шка (*gen. pl.* ко́шек) cat [25]
край (*pl.* края́; на краю́) edge, border
  [20]

крайний, -яя, -ее, -ие extreme [25]
красивейший most beautiful [26]
красивый pretty, beautiful, good-looking, handsome [10]
красный red [13]
красота beauty [24]
Кремль (*м.*) (Кремля, -ю, -ём, -é) Kremlin [14]
крепкий strong [19]
крепостной serf [26]
крепость (*ж.*) fortress [15]
крепче stronger [25]
кресло (*pl.* кресла) armchair [20]
крестить (II) (*pf.* о-) to baptize, christen [26]
  крещу, крестишь, крестят
кровать (*ж.*) bed(stead) [20]
кроме (кого? чего?) except; besides [16]
  кроме того besides (that) [12]
круглый round [15]
  круглый год all year round
кружиться (II) to spin [18]
крупный big, major, large scale [22]
кто who [5]
кто-нибудь someone, somebody (or other); anyone, anybody [27]
кто-то someone, somebody [27]
куда where (to) [1]
куда-нибудь somewhere (or other); anywhere [27]
куда-то somewhere [27]
кукуруза corn [24]
культурный cultural, cultured [15]
купаться (I) (*pf.* вы-) to bathe, swim [20]
купе́ compartment (railroad) [26]
купец (*pl.* купцы) merchant [20]
купить (II) *pf. of* покупать [22]
  куплю, купишь, купят
курить (II) (*pf.* по-) to smoke [9]
  курю, куришь, курят
курица (*pl.* куры; *gen. pl.* кур) chicken [25]
курорт resort [18]
курс (по чему?) course [28]

заочный курс correspondence course
частный курс private course
куст (*pl.* кусты) bush, shrub [20]
кухня kitchen [20]
кухонная посуда dinnerware [19]

Л

лаборатория laboratory [7]
лавка (*gen. pl.* лавок) shop [17]
ладно agreed, O.K. [16]
лагерь (*м.*) camp [20]
лёгкий easy, light [8]
легче easier, lighter [25]
лёд (льда, льду, льдом, льде; в, на льду) ice [23]
лежать (II) (*pf.* по-) to lie (be lying down) [6]
  лежу, -ишь, -ат
лекарство medicine [18]
лекция (на) lecture [7]
лес (*pl.* леса; в лесу) forest [19]
лесник (*pl.* лесники) forester [25]
лестница stairs [17]
лет (*gen. pl. of* лето) years [8]
летать (I) (*pf.* полететь) to fly (*multidirect.*) [23]. *For prefixed forms of this verb, see grammar and vocabulary of lesson 26.*
лететь (II) (*pf.* по-) to fly (*unidirect.*) [14]. *For prefixed forms of this verb, see grammar and vocabulary of lesson 26.*
  лечу, летишь, летят
лётный flying (*adj.*) [26]
лето summer [10]
  летом in the summer(time)
лечь (I) *pf. of* ложиться [26]
  лягу, ляжешь, лягут; лёг, -ла, -ло, -ли
либо..., либо... either..., or... [28]
лиловый purple, violet [17]
лимон lemon [19]
лисица fox [25]
литература literature [18]
лифт elevator [19]

лицей   lyceum [21]

лицо́ (*pl.* ли́ца)   face [12]

   Это вам к лицу́.   That looks nice on you.

   де́лать мра́чное лицо́   to make a gloomy face

ли́шний, -яя, -ее, -ие   spare, extra; superfluous [16]

ложи́ться (II) (*pf.* лечь)   to lie down [19]

   ложи́ться спать   to go to bed

ло́шадь (*ж.*) (*gen. pl.* лошаде́й)   horse [24]

луг (*pl.* луга́)   meadow [25]

лук   onion [24]

лу́чше   better [1]

любе́зен, любе́зна, -о, -ы   kind, amiable [22]

люби́мый   favorite [12]

люби́тель (*м.*)   lover; amateur [16]

люби́ть (II) (*pf.* по-)   to like, love [12]

   люблю́, лю́бишь, лю́бят

лю́ди (*gen. pl.* люде́й)   people [10]

М

мавзоле́й   mausoleum, tomb [15]

магази́н   store [14]

магистра́ль (*ж.*)   trunk line (railroad) [27]

май   May [15]

ма́ленький   small [10]

ма́льчик   (little) boy [8]

мандари́н   tangerine [24]

март   March [15]

ма́сло   butter [19]

матч   match (sports event) [13]

мать (*ж.*) (*pl.* ма́тери; *gen. pl.* матере́й)   mother [7]

машини́стка (*gen. pl.* машини́сток)   stenographer, typist [8]

ме́бель (*ж.*)   furniture [17]

медве́дь (*м.*)   bear [25]

ме́дик   physician, medic [28]

ме́дленно   slow(ly) [5]

медици́на   medicine (the profession) [20]

медсестра́ (*pl.* медсёстры; *gen. pl.* медсестёр)   nurse [18]

ме́жду (кем? чем?)   between [19]

ме́жду про́чим   by the way [6]

мел   chalk [5]

ме́лкий   shallow [12]

ме́льче   shallower [25]

ме́нее   less (*used with compound comparative*) [25]

ме́ньше   less [25]

меню́   menu [19]

меня́   me (*gen.; acc.*) [4]

меня́ть (I) (*pf.* измени́ть)   to change [21]

мёртвый   dead [22]

ме́сто (*pl.* места́)   place, seat [16]

ме́сяц   month [15]

метро́   subway [13]

мехово́й   fur (*adj.*) [17]

мече́ть (*ж.*)   mosque [28]

меша́ть (I) (*pf.* по-) (кому́? чему́?)   to bother, disturb [17]

милиционе́р   police officer [22]

ми́лость (*ж.*)   favor, grace; kindness [20]

   Ми́лости про́сим.   Be our guest.

ми́лый   charming, nice [14]

ми́ля (*gen. pl.* миль)   mile [23]

ми́мо (кого́? чего́?)   past, by [16]

ми́нус   minus, negative factor [27]

мир   world; peace [10]

мла́дший   younger (*adj.*) [17]

мне   me (*dat.*) [7]

мне́ние   opinion [17]

   по моему́ мне́нию   in my opinion

мно́го (чего́?)   many, a lot (of) [9]

многоуважа́емый   esteemed, "Dear…" (letters) [21]

многочи́сленный   numerous [22]

мно́жество   great number, multitude [22]

мной   me (*inst.*) [18]

моги́ла   grave [15]

могу́чий   mighty [26]

мо́жет быть   perhaps, maybe [8]

мо́жно   may (I? we?); one (you) may [3, 15]

мой, моя́, моё, мои́   my, mine [8]

молодёжь (*ж.*)   youth (*coll. sing.*) [28]

молоде́ц (*pl.* молодцы́)   smart person [9]

молодо́й   young [10]

моло́же   younger [25]

молча́ние   silence [20]

молча́ть (II)   (*pf.* за-)   to be silent, still [6]
молчу́, -и́шь, -а́т

монасты́рь (*м.*) (*pl.* монастыри́)
monastery [21]

мо́ре (*pl.* моря́)   sea [9]

морко́вь (*ж.*) (*no pl.*)   carrot [24]

моро́женое   ice cream [19]

моро́з   below freezing weather [10]
моро́з с и́неем   frost [10]

Москви́ч (*ж.* -ка) (*pl.* Москвичи́; *gen.
pl.* Москви́чек)   Moscovite [13]

Моско́вский   Moscow (*adj.*) [13]

мост (*pl.* мосты́; на мосту́)   bridge [20]

мочь (I)   (*pf.* с-)   to be able (can) [7]
могу́, мо́жешь, мо́гут; мог, -ла́, -ло́,
-ли́

мотоциклётка   motorcycle [18]

муж (*pl.* мужья́; *gen. pl.* муже́й)   husband [8]

мужско́й   masculine [8]
мужско́й род   masculine gender

мужчи́на   man [7]

музе́й   museum [7]

музыка́нт   musician [16]

мусульма́нский   Moslem [24]

мы   we [6]

мысль (*ж.*)   thought, idea [27]

мыть (I)   (*pf.* по-)   to wash (dishes,
clothes, etc.) [19]
мо́ю, -ешь, -ют; Мо́й(те)!

мя́гкий   soft [25]

мя́гче   softer [25]

мя́со   meat [19]

Н

на (*acc. or prep.*)   to, onto; on, on top of
[1]

наблюда́ть (I)   to observe [28]

наве́рно   undoubtedly [10], surely

наве́рное   undoubtedly [21]

наве́рх   upstairs, above (*going*) [22]

наверху́   upstairs, above (*location*) [22]

наводне́ние   flood [23]

навстре́чу   towards [24]
идти́ (кому́-либо) навстре́чу   to walk
up to, meet

над (кем? чем?)   above, over [19]

наде́яться (I)   to hope [18]
наде́юсь, -ешься, -ются

на́до   it is necessary, one must [12]

надоеда́ть (I)   (*pf.* надое́сть)   to weary,
tire, annoy [27]
Э́то мне надое́ло.   I'm sick of this
(that).

надое́сть (I, II)   *pf. of* надоеда́ть [27]
надое́м, надое́шь, надое́ст, надо-
еди́м; надое́дите, надоедя́т
надое́л, -а, -о, -и

наза́д   back; ago [14]

назва́ние   name (*of an inanim. object*)
[15]

назва́ть (I)   *pf. of* называ́ть [23]
назову́, -ёшь, -у́т

называ́емый   called [20]
так называ́емый   so-called

называ́ть (I) (*pf.* назва́ть)   to call, name
(*a thing, place*) [23]

называ́ться (I) (*pf.* назва́ться)   to be
called [15]

найти́ (I)   *pf. of* находи́ть [22]
найду́, -ёшь, -у́т; нашёл, нашла́, -ло́,
-ли́

наконе́ц   finally [7]

накорми́ть (II)   *pf. of* корми́ть [22]

нале́во   to (on) the left [3]

нам   us (*dat.*) [7]

на́ми   us (*inst.*) [18]

напи́сан (а, о, ы)   written [22]

написа́ть (I)   *pf. of* писа́ть [21]

напомина́ть (I) (*pf.* напо́мнить) (кому́?
кого́?)   to remind, recall; to look
like [21]
Вы мне о́чень напомина́ете мою́
сестру́.   You remind me very much
of my sister.

напо́мнить (II)   *pf. of* напомина́ть [21]

напра́вить (II)   *pf. of* направля́ть [25]
напра́влю, напра́вишь, напра́вят

направле́ние direction [23]

в како́м направле́нии? in which direction?

направля́ть (I) (*pf.* напра́вить) to direct, send, guide [25]

напра́во to (on) the right [3]

наприме́р for example [8]

наро́д people (an ethnic group), [15]

наро́дный people's, national, folk [15]

нас us (*gen., acc., prep.*) [12]

населе́ние population [15]

на́сморк head cold [18]

наста́ивать (I) (*pf.* настоя́ть) (на чём?) to insist (on) [28]

настоя́ть (II) *pf. of* наста́ивать [28]

настоя́щий genuine, real [25]

настра́ивать (I) (*pf.* настро́ить) to tune [16]

настра́ивать инструме́нты to tune instruments

настрое́ние mood [18]

в хоро́шем настрое́нии in a good mood

наступа́ть (I) (*pf.* наступи́ть) to begin, approach, be on the way [10]

Наступа́ет зима́. Winter's on its way.

нау́ка science [24]

есте́ственные нау́ка natural sciences

нахму́риться (II) *pf. of* хму́риться [27]

находи́ть (II) (*pf.* найти́) to find, locate [22]

нахожу́, нахо́дишь, нахо́дят

находи́ться (II) (*pf.* найти́сь) to be located, found [10]

нахожу́сь, нахо́дишься, нахо́дятся

нача́льник boss, superior [8]

нача́ть (I) *pf. of* начина́ть [21]

начну́, -ёшь, -у́т; на́чал, -а́, -о, -и

начина́ть (I) (*pf.* нача́ть) to begin, start [10] (*used only with direct object or verb infinitive*)

Когда́ вы на́чали э́ту рабо́ту? When did you start this work?

Когда́ вы на́чали рабо́тать? When did you start to work?

начина́ться (I) to begin, start [19] (*not used with direct object or verb infinitive*)

Когда́ начина́ется ваш уро́к? When does your class start?

начина́ющий beginning [28]

наш, -а, -е, -и our(s) [8]

не not [4]

Не́ за что. You're welcome. [3]

невероя́тно unbelievable, unbelievably, improbable [20]

неви́димый invisible [28]

невозмо́жно impossible [11]

неда́вно not long ago, recently [6]

недалеко́ not far, not far away [10]

недово́лен, недово́льна, -о, -ы (кем? чем?) dissatisfied [18]

не́кого there is no one [28]

не́которые some of the [28]

некуря́щий non-smoker [28]

нельзя́ (it) isn't allowed; you can't [15]

не́мец (*ж.* -мка; *gen. pl.* немок) (*pl.* не́мцы) German (*noun*) [8]

немно́го (чего́?) some, a little [4]

не́когда no time

Мне не́когда. I have no time. [28]

необходи́мый essential [28]

неплохо́ not bad(ly) [3]

неплохо́й not bad, fairly good [10]

непра́вильно incorrect [1]

непреодоли́мый insurmountable [27]

неприя́тный unpleasant [10]

неразры́вно inseparably [23]

не́рвный nervous [28]

не́сколько (чего́?) several, a few, some [22]

нести́ (I) (*pf.* по-) to carry, take, bring (on foot) (*unidirect.*) [24]. *For prefixed forms of this verb, see grammar and vocabulary of lesson 26.*

несу́, -ёшь, -у́т; нёс, несла́, -ло́, -ли́

нет no [1]; there is no [15]

нет ещё not yet [8]

неуже́ли! really! [14]

нефть (*ж.*) crude oil [23]

не́чего there is nothing [20]

Не́чего боя́ться. There's nothing to be afraid of.

нигде́   nowhere [9]

ниже   lower [25]

нижний, -яя, -ее, -ие   lower [26]

низкий   low [10]

никако́й   none (whatsoever) [21]

никогда́   never [9]

никто́   no one, nobody [9]

никуда́   (to) nowhere [9]

ничего́   all right [3]; nothing [6]

но   but, however [6]

новость (*ж.*)   news [27]

новый   new [10]

нога́ (*pl.* ноги)   leg; foot [18]

номер (*pl.* номера́)   number (of a street, etc.); hotel room [1]

норма   norm [26]

нос (*pl.* носа́; в носу́, на носу́)   nose [18]

носи́льщик   porter [26]

носи́ть (II) (*pf.* понести́)   to carry, take, bring (on foot) (*multidirect.*); to wear [17].   *For prefixed forms of this verb, see grammar and vocabulary of lesson 26.*

ношу́, носишь, носят

носо́к (*pl.* носки́)   sock, stocking [17]

ночева́ть (I) (*pf.* пере-)   to spend the night [20]

ночу́ю, -ешь, -ют

ночь (*ж.*)   night [4]

ночью   during the night

Споко́йной ночи.   Good night.

ноя́брь (*м.*) (ноября́, и т. д.)   November [15]

нравиться (II) (*pf.* по-)   to appeal to, be pleasing to [17]

нравлюсь, нравишься, нравятся

нужен, нужна́, нужно, нужны́   necessary (need) [7]

ныне   now, at present [21]

О

оа́зис   oasis [25]

об-   *For verbs of motion with this prefix, see vocabulary of lesson 26.*

оба (*ж.* обе)   both [18]

обду́мать (I)   *pf. of* обду́мывать [27]

обду́мывать (I) (*pf.* обду́мать)   to think over, ponder [27]

обе́д (на)   dinner [16]

Что у нас будет на обе́д?   What are we going to have for dinner?

обе́дать (I) (*pf.* по-)   to eat dinner [16]

обеспоко́иться (II)   *pf. of* беспоко́иться [26]

оби́деть (II)   *pf. of* обижа́ть [23]

оби́жу, оби́дишь, оби́дят

оби́деться (II)   *pf. of* обижа́ться [23]

оби́жусь, оби́дишься, оби́дятся

обижа́ть (I) (*pf.* оби́деть)   to offend [23]

обижа́ться (I) (*pf.* оби́деться)   to take offense [23]

область (*ж.*)   region, province [28]

обо-   *For verbs of motion with this prefix, see vocabulary of lesson 26.*

обору́довать (I) (*impf. and pf.*)   to equip [28]

обра́доваться (I) (кому́? чему́?)   to respond joyfully (to), be glad (about) [24]

образова́ние   education [28]

получа́ть/получи́ть образова́ние   to get an education

обрати́ть (II)   *pf. of* обраща́ть [27]

обращу́, обрати́шь, обратя́т

обра́тно   to go back (return) [16]

обраща́ть (I) (*pf.* обрати́ть)   to turn, direct; revert [27]

обраща́ть/обрати́ть внима́ние (на кого́? на что?)   to pay attention (to)

обруча́ться (I) (*pf.* обручи́ться) (с кем?)   to get engaged [27]

обручёна́, -но́, -ны́ (с кем?)   engaged [27]

обручи́ться (II)   *pf. of* обруча́ться [27]

обслу́живание   service [22]

Бюро́ обслу́живания   Service Bureau

обстано́вка   furnishings, furniture [20]

обувь (*ж.*)   footwear, shoes [17]

общежи́тие   dormitory [7]

объ- *For verbs of motion with this prefix, see vocabulary of lesson 26.*

объясни́ть (II) *pf. of* объясня́ть

объясня́ть (I) (*pf.* **объясни́ть**) (**кому́? что?**) to explain

обы́чно usually [9]

о́вощь (*эс.*) vegetable [24]

овца́ (*pl.* **о́вцы**; *gen. pl.* **ове́ц**) sheep [25]

огоро́д vegetable garden [25]

огро́мный huge [10]

огуре́ц (*pl.* **огурцы́**) cucumber [24]

одева́ться (I) (*pf.* **оде́ться**) to get dressed [19]

оде́жда clothes [17]

оде́ться (I) *pf. of* одева́ться [26]
    оде́нусь, -ешься, -утся

оде́тый dressed [28]

оди́н one (*м.*) [6]

одина́ковый same, identical [25]

одна́ one (*эс.*) [12]

одни́ some [12]

одно́ one (*neuter*) [12]

одна́жды once, on one occasion [20]

одна́ко but, however, still, although [23]

одни́м сло́вом in short, in a word [17]

о́зеро (*pl.* **озёра**) lake [10]

ока́нчивать (I) (*pf.* **око́нчить**) to finish, complete, get through with [27]

окно́ (*pl.* **о́кна**; *gen. pl.* **о́кон**) window [5]

о́коло (**кого́? чего́?**) near [16]

оконча́ние completion [20]

око́нчен (**а, о, ы**) finished [28]

око́нчить (II) *pf. of* ока́нчивать [27]

окрести́ть *pf. of* крести́ть [26]

октя́брь (*м.*) (**октября́**, и т. д.) October [15]

он he [3]

она́ she [6]

они́ they [6]

оно́ it [7]

опозда́ние lateness [7]

опа́здывать (I) (*pf.* **опозда́ть**) (**на что?**) to be late (for) [7]

опа́сно dangerous (*adv.*) [28]

опа́сный dangerous (*adj.*) [28]

о́пера (**на**) opera [12]

описа́ть (I) *pf. of* опи́сывать [23]
    опишу́, опи́шешь, опи́шут

опи́сывать (I) (*pf.* **описа́ть**) to describe [23]

о́пиум opium [28]

опозда́ть (I) *pf. of* опа́здывать [28]
    опозда́ю, -ешь, -ют

определённый specific [24]

опро́с interview [8]

опя́ть again [11]

организо́ванный organized [28]

орке́стр orchestra [16]

ороси́ть (II) *pf. of* ороша́ть [25]
    орошу́, ороси́шь, оросят

ороша́ть (I) (*pf.* **ороси́ть**) to irrigate [25]

осе́нний, -яя, -ее, -ие fall (*adj.*) [21]

о́сень (*эс.*) fall, autumn [10]
    о́сенью in the fall

осма́тривать (I) (*pf.* **осмотре́ть**) to survey, examine, view [15]
    осма́тривать достопримеча́тельности to take in the sights

осмо́тр inspection, examination, visit [20]

осмотре́ть (II) *pf. of* осма́тривать [21]
    осмотрю́, осмо́тришь, осмо́трят

осно́ва basis [28]
    лежа́ть в осно́ве (**чего́?**) to be the basis (of)

основа́ние founding, establishment [21]

осо́бенно especially [12]

осо́бенность (*эс.*) peculiarity [28]
    в осо́бенности in particular, especially

осо́бый special [25]

остава́ться (I) (*pf.* **оста́ться**) to remain, stay [23]
    остаю́сь, -ёшься, -ю́тся

остана́вливать(ся) (I) (*pf.* **останови́ть(ся)**) to stop [28]
    Я остана́вливаю маши́ну. I stop the car.
    Я остана́вливаюсь. I stop (myself).

оста́нки remains [15]

останови́ть(ся) (I)   *pf. of* останáвли-
вать(ся) [28]
 остановлю́(сь),   останóвишь(ся;,   ос-
 танóвят(ся)
останóвка   stop [13]
 автóбусная останóвка   bus stop
остáться (I)   *pf. of* оставáться [24]
 остáнусь, -ешься, -утся
óстров (*pl.* островá)   island [21]
от (когó? чегó?)   from [16]
от-   *For verbs of motion with this prefix,
 see vocabulary of lesson 26.*
отвéтить (II)   *pf. of* отвечáть [21]
 отвéчу, отвéтишь, отвéтят; Отвéть
 (те)!
отвечáть (I)   (*pf.* отвéтить)   to answer
 [6]
 отвечáть/отвéтить на вопрóс   to
 answer a question
отдéл   department [17]
отдохну́ть (I)   *pf. of* отдыхáть [22]
 отдохну́, -ёшь, -у́т; Отдохни́(те)!
отдыхáть (I)   (*pf.* отдохну́ть)   to rest
 [11]
отéц (*pl.* отцы́)   father [8]
отказáть (I)   *pf. of* откáзывать [24]
 откажу́, откáжешь, откáжут
отказáться (I)   *pf. of* откáзываться [24]
 откажу́сь, откáжешься, откáжутся
откáзывать (I)   (*pf.* отказáть)   (кому́?
 в чём?)   to deny, refuse (someone)
 (something) [24]
откáзываться (I)   (*pf.* отказáться)   (от
 чегó?)   to turn down, refuse (something) [24]
отклони́ться (II)   *pf. of* отклоня́ться
 [18]
 отклоню́сь, отклóнишься, отклóнятся
отклоня́ться (I)   (*pf.* отклони́ться)   to
 stray [18]
 отклоня́ться/отклони́ться от темы
 to get off the subject
открывáть (I) (*pf.* откры́ть)   to open [22]
открывáть(ся)   to open (itself) [19]
откры́т (а, о, ы)   open(ed) [22]
откры́тка   post card [21]

откры́ть (I)   *pf. of* открывáть [22]
 откро́ю, -ешь, -ют; Открóй(те)!
откýда   from where [16]
откýда-нибудь   from somewhere (or
 other), from anywhere [27]
откýда-то   from somewhere [27]
отли́чник (*ж.* -ница)   "A" student [9]
отли́чно   excellent [9]
отмéтка (*gen. pl.* отмéток)   grade, mark
 in school [28]
ото-   *For verbs of motion with this prefix,
 see vocabulary of lesson 26.*
отпрáвиться (II)   *pf. of* отправля́ться
 [26]
 отпрáвлюсь, отпрáвишься, отпрá-
 вятся
отправля́ться (I)   (*pf.* отпрáвиться)   to
 depart [26]
óтпуск   leave; vacation (from work) [23]
 éхать в óтпуск   to go on leave
 быть в óтпуске (или в отпускý)   to
 be on leave
отсю́да   from here [10]
оттýда   from there [17]
отчегó   why [16]
óтчество   patronymic [8]
отъ-   *For verbs of motion with this prefix,
 see vocabulary of lesson 26.*
официáльный   official [27]
офóрмиться (II)   *pf. of* оформля́ться
 [26]
 офóрмлюсь, офóрмишься, офóрмятся
оформля́ться (I)   (*pf.* офóрмиться)   to
 get registered [26]
охóтник   hunter [25]
óчень   very [1]
óчередь (*ж.*)   line [15]
 стоя́ть в óчереди   to stand in line
очки́ (*pl. only*)   eyeglasses [9]
очковтирáтельство   eyewash (*slang*)
 [24]
ошибáться (I)   (*pf.* ошиби́ться)   to be
 mistaken, wrong [17]
ошиби́ться (I)   *pf. of* ошибáться
 ошибу́сь, -ёшься, -у́тся; ошиби́сь,
 ошиблáсь, -лось, -лись

ошибка (*gen. pl.* ошибок) mistake [2]
(с)делать ошибку to make a mistake

П

палата chamber; mansion [15]
палец (*pl.* пальцы) finger; toe [18]
палец (на руке) finger
палец (на ноге) toe
палуба deck (of a ship) [23]
пальто overcoat [17]
памятник monument [15]
папироса cigarette [9]
параллель (*ж.*) parallel [21]
пароход steamship [18]
парк park [9]
Парк культуры и отдыха Park of
Culture and Rest [14]
парта school desk [5]
партия role [12]
петь (главную) партию to sing a
(leading) role
исполнять (главную) партию to
perform a (leading) role
пастись (I) (*no pf.*) to graze [25]
пасётся, пасутся; пасся, паслась,
паслось, паслись
пахать (I) (*pf.* вс-) to plow [18]
пашу, -ешь, -ут
певец (*pl.* певцы) singer (male) ·[16]
певица singer (female) [16]
педагогика education, pedagogy [14]
первое first course [19]
первый first [1]
пере- *For verbs of motion with this prefix,
see vocabulary of lesson 26.*
перевести (I) *pf. of* переводить
переведу, -ёшь, -ут; перевёл, -ла,
-ло, -ли
переводить (II) (*pf.* перевести) to
translate [15]; to take across [26]
перевожу, переводишь, переводят
переводить с (*gen.*) на (*acc.*) to translate from . . . into . . .
переводчик (*ж.* -чица) translator, interpreter [8]
передавать (I) (*pf.* передать) to pass;
to convey a message, tell [22]

передаю, -ёшь, -ют
Передайте соль, пожалуйста. Pass
the salt, please.
передать (I) *pf. of* передавать
передам, передашь, передаст, пере-
дадим, передадите, передадут; пе-
редал, -ла, -ло, -ли
передача broadcast (radio or television)
[19]
передумать (I) *pf. of* передумывать
передумывать (I) (*pf.* передумать) to
change one's mind [23]
переименован (а, о, ы) renamed [21]
перекличка roll [28]
(с)делать перекличку to call roll
перекрёсток (*pl.* перекрёстки) inter-
section (of streets) [26]
переночевать (I) *pf. of* ночевать
переодеваться (I) (*pf.* переодеться) to
change clothes [27]
переодеться (I) *pf. of* переодеваться
[27]
переоденусь, -ешься, -утся
переписываться (I) (*no pf.*) (с кем?) to
correspond (with) [26]
пересадка (*gen. pl.* пересадок) transfer
[26]
(с)делать пересадку to transfer
пересаживаться (I) (*pf.* пересесть) to
transfer [26]
пересесть (I) *pf. of* пересаживаться
пересяду, -ешь, -ут; пересел, -ла,
-ло, -ли
перо (*pl.* перья) pen (point), quill [5]
персик peach [24]
перчаток (*pl.* перчатки) glove [17]
пёс (*pl.* псы) dog [25]
песня (*gen. pl.* песен) song [26]
народная песня folk song [26]
петух (*pl.* петухи) rooster [25]
петь (I) (*pf.* с-) to sing [9]
пою, -ёшь, -ют; Пой(те)!
пиджак (*pl.* пиджаки) jacket [16]
пианино piano [16]
писание writing (*noun*) [20]
писатель (*ж.* -ница) writer, author [12]

писа́ть (I) (*pf.* на-) to write [9]
  пишу́, -ешь, -ут; Пиши́(те)!
пи́сьменный стол writing desk (table) [20]
письмо́ (*pl.* пи́сьма; *gen. pl.* пи́сем) letter [7]
пирожо́к (*pl.* пирожки́) pirozhok [19]
пить (I) to drink [19]
  пью, пьёшь, пьют; Пей(те)!
пляж (на) beach [18]
план plan [24]
пласти́нка (*gen. pl.* пласти́нок) record (phonograph) [20]
плати́ть (II) (*pf.* за-) to pay [22]
  плачу́, пла́тишь, пла́тят
пла́тье dress [17]
плащ (*pl.* плащи́) raincoat [17]
плен (в плену́) captivity (a prisoner) [20]
плита́ stove (kitchen) [20]
плодоро́дный fertile [25]
плоти́на dam [23]
пло́тник carpenter [27]
пло́хо bad, badly, poorly [1]
плохо́й bad, poor [10]
пло́щадь (*ж.*) (на) square [9]
плуг (*pl.* плуги́) plough [18]
плюс plus, positive factor [27]
по (кому́? чему́?) along, on, upon, by, around [17]
  по кра́йней ме́ре according to [17]; at least [21]
  по пути́ (доро́ге) on the way [10]
по-англи́йски (in) English [4]
побере́жье (на) seacoast [20]
побли́зости (от чего́?) in the vicinity (of) [22]
побри́ться (I) *pf. of* бри́ться
по-ва́шему in your opinion [17]
по́весть (*ж.*) tale, short story [20]
по-ви́димому evidently [27]
погиба́ть (I) (*pf.* поги́бнуть) to perish [25]
поги́бнуть (I) *pf. of* погиба́ть
  поги́бну, -ешь, -ут; поги́б, -ла, -ли, -ло

поговори́ть (II) to have a little talk (*a pf. of* говори́ть) [21]
пого́да weather [10]
под (кем? чем?) (кого́? что?) under, below [19]
под- *For verbs of motion with this prefix, see vocabulary of lesson 26.*
пода́рок (*pl.* пода́рки) present [17]
поддержа́ть (II) *pf. of* подде́рживать
  поддержу́, -ишь, -ат
подде́рживать (I) (*pf.* поддержа́ть) to support [28]
подё́ржанный used, second-hand [28]
поднима́ться (I) (*pf.* подня́ться) to ascend, go up [17]
  поднима́ться/подня́ться по ле́стнице to climb (take) the stairs
подня́ться (I) *pf. of* поднима́ться
  подни́мусь, -ешься, -утся; подня́лся, -ла́сь, -ло́сь, -ли́сь
подо- *For verbs of motion with this prefix, see vocabulary of lesson 26.*
подожда́ть (I) *pf. of* ждать
подойти́ (I) *pf. of* подходи́ть
  подойду́, -ёшь, -у́т; подошёл, -шла́, -шло́, -шли́
подро́бно in detail, detailed [27]
подходи́ть (II) (*pf.* подойти́) (к кому́? к чему́?) to approach; to walk up to [17]
  подхожу́, подхо́дишь, подхо́дят
подходя́щий suitable, fitting [28]
подъ- *For verbs of motion with this prefix, see vocabulary of lesson 26.*
подъезжа́ть (I) (*pf.* подъе́хать) (к кому́? к чему́?) to approach; to drive up to [24]
подъе́хать (I) *pf. of* подъезжа́ть [24]
  подъе́ду, -ешь, -ут
по́езд (*pl.* поезда́) train [18]
пое́здка trip, journey [26]
пое́хать (I) *pf. of* е́хать, е́здить [21]
пожа́луйста please; you're welcome [2]
пожела́ть (I) (кому́? чего́?) *pf. of* жела́ть [26]

пожени́ться (II) (*pf. only*) to get married (of couples only) [27]

пожива́ть (I) to feel [1]

Как пожива́ешь?
Как пожива́ете? How are you?

пожило́й elderly [26]

позавчера́ day before yesterday [11]

позади́ (кого́? чего́?) behind, to the rear of [15]

позвони́ть (II) *pf. of* звони́ть [21]

поздно late [9]

поздно́ва́то a bit late [19]

поздоро́ваться (I) *pf. of* здоро́ваться [25]

поздравля́ть (I) (*pf.* поздра́вить) (кого́? с чем?) to congratulate [17]

Поздравля́ю вас с днём рожде́ния! Happy birthday!

поздра́вить (II) *pf. of* поздравля́ть
поздра́влю, поздра́вишь, поздра́вят

поздне́е later on [20]

по́зже later [25]

познако́миться (II) *pf. of* знако́миться [4]

поиска́ть (I) *pf. of* иска́ть [22]

пойти́ (I) *pf. of* идти́, ходи́ть [12]
пойду́, -ёшь, -у́т; пошёл, -шла́, -шло́, -шли́ Пойдём(те)! Let's go! [4]

пока́ so long as, for the time being, while [3]
пока́ не + *pf. verb* until [28]

показа́ть (I) *pf. of* пока́зывать [22]
покажу́, -ешь, -ут; Покажи́(те)!

пока́зывать (I) (*pf.* показа́ть) (кому́? что?) to show [10]

поката́ться (I) *pf. of* ката́ться [28]

покупа́тель (*ж.* -ница) customer [17]

покупа́ть (I) (*pf.* купи́ть) to buy [17]

пол floor; sex [20]
на полу́ on the floor
прекра́сный пол the fair sex

полго́да half a year [25]

по́ле (*pl.* поля́) field [7]

поле́зный useful [18]

полёт flight [26]

полива́ть (I) (*pf.* поли́ть) to water [25]

поли́ть (I) *pf. of* полива́ть [25]
полью́, польёшь, полью́т; поли́л, -ла́, -ло, -ли

по́лный full, complete [22]

полови́на half [23]

положе́ние situation [13]

положи́ть (II) *pf. of* класть [28]

по́лон, полна́, по́лно́, по́лны́ full, complete [19]

полтора́ (*fem.* полторы́) one and a half [23]

полуно́чник (*ж.* -ница) night owl [28]

полуно́чничать (I) (*no pf.*) to burn midnight oil [28]

полуо́стров (*pl.* полуострова́) peninsula [20]

получа́ть (I) (*pf.* получи́ть) to receive, get [18]

получи́ть (II) *pf. of* получа́ть [21]
получу́, -ишь, -ат

полчаса́ half an hour [23]

по́люс pole [25]
Се́верный по́люс North Pole
Ю́жный по́люс South Pole

по́льзоваться (I) (кем? чем?) to use, make use of [18]

помидо́р tomato [24]

по́мнить (II) (*pf.* вс-) to remember [14]

помога́ть (I) (*pf.* помо́чь) (кому́? чему́?) to help [17]

по-мо́ему in my opinion [17]

помо́чь (I) *pf. of* помога́ть [22]
помогу́, помо́жешь, помо́гут; помо́г, -ла́, -ло́, -ли́; Помоги́(те)!

по́мощь (*ж.*) help [13]

помы́ться (I) *pf. of* мы́ться [26]

по-на́шему in our opinion [17]

понеде́льник Monday [12]

понима́ть (I) (*pf.* поня́ть) to understand [6]

понра́виться (II) *pf. of* нра́виться [21]

поня́тно understandable [13]

поня́ть (I) *pf. of* понима́ть [27]
пойму́, -ёшь, -у́т; по́нял, -ла́, -ло, -ли

пообе́дать (I) *pf. of* обе́дать [26]

попада́ть (I) (*pf.* попа́сть) (в, на что? к кому́?)   to get into [22]; to hit

попа́сть (I)   *pf. of* попада́ть [22]
попаду́, -ёшь, -у́т

попра́виться (II)   *pf. of* поправля́ться
попра́влюсь, попра́вишься, попра́вятся

поправля́ться (I) (*pf.* попра́виться) to recover [18]

попроси́ть (II)   *pf. of* проси́ть [27]

пора́   it's time [4]

поро́да   breed [25]

порт (в порту́)   port [10]

портфе́ль (*м.*)   briefcase [5]

по-ру́сски   (in) Russian [2]

поря́док   order [24]
   Всё в поря́дке.   Everything is in order.

поса́дка (*gen. pl.* поса́док)   landing (plane) [26]

посереди́не (чего́?)   in the middle [5]

посети́ть (II)   *pf. of* посеща́ть [26]
посещу́, посети́шь, посетя́т

посеща́ть (I) (*pf.* посети́ть)   to visit [26]

посла́ть (I)   *pf. of* посыла́ть [26]
пошлю́, -ёшь, -ю́т; Пошли́(те)!

после (кого́? чего́?)   after [16]

после́дний, -яя, -ее, -ие   last, latest [16]

после́довать (I)   *pf. of* сле́довать [24]

послеза́втра   day after tomorrow [11]

посмотре́ть (II)   *pf. of* смотре́ть [13]

посо́льство   embassy [18]

поста́вить (II)   *pf. of* ста́вить [28]

постано́вка   staging [16]

постара́ться (I)   *pf. of* стара́ться [24]

посте́ль (*ж.*)   bedding [11]
   лежа́ть в посте́ли   to lie in bed

постепе́нно   gradually [25]

постоя́нный   permanent, continual [28]

постро́ить (II)   *pf. of* стро́ить [17]

поступа́ть (I) (*pf.* поступи́ть) (в, на что?)   to enter, enroll; to begin; to enlist [27]

поступи́ть (II)   *pf. of* поступа́ть [27]
поступлю́, посту́пишь, посту́пят

посуди́ть (II)   *pf. of* суди́ть [25]

посыла́ть (I) (*pf.* посла́ть)   to send [17]

потеря́ть (I)   *pf. of* теря́ть [28]

по-тво́ему   in your opinion (*familiar*) [17]

поте́чь (I)   *pf. of* течь [23]

пото́м   then, later [7]

пото́мок (*pl.* пото́мки)   descendant [23]

потому́ что   because [4]

потре́бовать (I)   *pf. of* тре́бовать [22]

потяну́ться (I)   *pf. of* тяну́ться [26]

походи́ть (II)   to walk awhile (*pf.* of ходи́ть) [22]
похожу́, похо́дишь, похо́дят

похо́ж (а, о, ы) (на кого́? на что?)   similar (to), looks (like) [18]
   Он очень похо́ж на отца́.   He looks very much like his father.

похорони́ть (II)   *pf. of* хорони́ть

поцелова́ть(ся) (I)   *pf. of* целова́ть(ся) [27]

по́чва   soil [25]

почему́   why [4]

почему́-нибудь   for some (any) reason (or other) [27]

почему́-то   for some reason [17]

по́чта (на)   post office [13]

почти́   almost [11]

поэ́тому   therefore [9]

появи́ться (II)   *pf. of* появля́ться [23]
появлю́сь, поя́вишься, поя́вятся

появля́ться (I) (*pf.* появи́ться)   to appear, put in an appearance [23]

прав (а́, о, ы)   right, correct, in the right [21]

пра́вда (*ж.*)   truth [2]
   это пра́вда   that's true [2]

пра́вильно   correct [2]

прави́тельство   government [15]
   Временное прави́тельство   Provisional Government [21]

пра́вить (II) (чем?)   to drive [18]
пра́влю, пра́вишь, пра́вят

правосла́вный   orthodox [28]

пра́здник   holiday [11]

практика practice [13]
пребыва́ние stay, sojourn [21]
превосхо́дство superiority [24]
предлага́ть (I) (*pf.* предложи́ть) to suggest [13]
предложе́ние suggestion, proposal [27]
(с)де́лать предложе́ние to propose (marriage)
предложи́ть (II) *pf. of* предлага́ть [27]
предложу́, -ишь, -ат
предме́т subject [18]
гла́вный предме́т major subject
предпоче́сть (I) *pf. of* предпочита́ть
предпочту́, -ёшь, -у́т; предпочёл, предпочла́, предпочло́, предпочли́
предпочита́ть (I) (*pf.* препоче́сть) to prefer [9]
председа́тель (*м.*) chairman [24]
предста́вить (II) *pf. of* представля́ть [25]
предста́влю, предста́вишь, предста́вят
представля́ть (I) (*pf.* предста́вить) to present, introduce [25]
себе́ представля́ть/предста́вить to imagine, suppose
представля́ться (I) (*pf.* предста́виться) to introduce oneself [23]
предприя́тие enterprise [24]
предупреди́ть (II) *pf. of* предупрежда́ть
предупрежу́, предупреди́шь, предупредя́т
предупрежда́ть (I) (*pf.* предупреди́ть) (кого́? о чём?) to warn (someone) (about something) [26]
препя́тствие obstacle [27]
преиму́щественно essentially, principally [24]
прекра́сно wonderful [16]
прекра́сный wonderful [16]
пре́мия prize [28]
преподава́тель (*ж.* -ница) teacher, instructor [5]
преподава́ть (I) (*no pf.*) (кому́? что?) to teach, instruct [18]
преподаю́, -ёшь, -ю́т

при- *For verbs of motion with this prefix, see vocabulary of lesson 26.*
при (ком? чём?) during the reign (administration) of, in the presence of, at [23]
приблизи́тельно approximately [15]
прибыва́ть (I) (*pf.* прибы́ть) to arrive [26]
прибы́ть (I) *pf. of* прибыва́ть [26]
прибу́ду, -ешь, -ут; при́был, -ла́, -ло, -ли
приве́т greeting [3]
Приве́т мужу! Say "hello" to your husband.
привлека́тельный attractive [27]
привыка́ть (I) (*pf.* привы́кнуть) (к кому́? к чему́?) to get used to [28]
Он привы́к к э́тому. He got used to that.
привы́кнуть (I) *pf. of* привыка́ть [28]
привы́кну, -ешь, -ут; привы́к, -ла, -ло, -ли
пригласи́ть (II) *pf. of* приглаша́ть [24]
приглашу́, пригласи́шь, пригласи́т
приглаша́ть (I) (*pf.* пригласи́ть) to invite [24]
пригото́вить (II) *pf. of* гото́вить [24]
пригото́виться (II) *pf. of* гото́виться [28]
прие́зд arrival
приезжа́ть (I) (*pf.* прие́хать) to arrive, come (by vehicle) [19]
прие́хать (I) *pf. of* приезжа́ть [26]
прие́ду, -ешь, -ут
призна́ться to admit: "I must admit that…" [20]
прийти́ (I) *pf. of* приходи́ть [26]
приду́, -ёшь, -у́т; пришёл, -шла́, -шло́, -шли́
примеча́ние note, observation [1]
принадлежа́ть (II) (*no pf.*) (кому́? чему́?) to belong (to) [24]
принима́ть (I) (*pf.* приня́ть) to take, accept [18]
принима́ть/приня́ть лека́рство (ва́нну, душ) to take medicine (a bath, shower)

Доктор принимáет.   The doctor is in.
приня́ть (I)   *pf. of* принимáть
приму́, -ешь, -ут; принял, -лá, -ло, -ли
прито́к   tributary [23]
приходи́ть (II) (*pf.* **прийти́**)   to arrive, come (on foot) [19]
прихожу́, прихóдишь, прихóдят
причáстие   participle [28]
прия́тель (*ж.* **-ница**)   friend (*not as close a friend as* друг) [13]
прия́тно   pleasant [4]
прия́тный   pleasant [10]
про-   *For verbs of motion with this prefix, see vocabulary of lesson 26.*
провáливаться (I)   (*pf.* **провали́ться**) to fall through, collapse [28]
провали́ться на экзáмене (по чему́?) to fail a test (in) [28]
проверя́ть (I) (*pf.* **прове́рить**)   to check, correct [28]
проверя́ть/прове́рить домáшнюю рабóту   to correct homework [28]
провести́ (I)   *pf. of* проводи́ть
проведу́, -ёшь, -у́т; провёл, -велá, -лó, -ли́
провинциáльный   provincial [20]
проводи́ть (II) (*pf.* **провести́**)   to conduct, lead through [26]
провожу́, провóдишь, провóдят
проводи́ть/провести́ время (óтпуск, кани́кулы)   to spend one's time (leave, vacation) [24]
проводни́к (*pf.* **проводники́**)   porter (on a train) [26]
прóволоч   wire [24]
прогрáмма   program [12]
продавáть (I) (*pf.* **продáть**)   to sell [17]
продаю́, -ёшь, -ю́т
продаве́ц (*ж.* **-вщи́ца**) (*pl.* **продавцы́**) salesman [17]
продáть (I)   *pf. of* продавáть [22]
продáм, продáшь, продáст; продади́м, продади́те, продаду́т; продал, -лá, -ло, -ли
продолжáть(ся) (I) (*pf.* **продóлжить-(ся)**)   to continue [25] (-ся *used when*

there is no object or verb infinitive)
продолже́ние   continuation [7]
продóлжить(ся) (II)   *pf. of* продолжáть(ся)
произведе́ние   work (of literature, music, etc.) [20]
произнести́ (I)   *pf. of* произноси́ть
произнесу́, -ёшь, -у́т; произнёс, -неслá, -лó, -ли́
произноси́ть (II) (*pf.* **произнести́**)   to pronounce [11]
произношу́, произнóсишь, произнóсят
произнóсится   is pronounced
произноше́ние   pronunciation [13]
происхожде́ние   origin, descent, extraction [24]
Он (онá, они́) русского происхожде́ния.   He (she, they) is (are) of Russian descent.
происхожде́ние человéка   the origin of man [28]
проли́в   strait, channel, sound [23]
промы́шленность (*ж.*)   industry [22]
нефтянáя промы́шленность   crude oil industry [24]
пропадáть (I) (*pf.* **пропáсть**)   to disappear, vanish [25]
пропáсть (I)   *pf. of* пропадáть [25]
пропаду́, -ёшь, -у́т; пропáл, -ла, -ло, -ли
прописáть (I)   *pf. of* пропи́сывать [27]
пропишу́, пропи́шешь, пропи́шут
пропи́сывать (I) (*pf.* **прописáть**) (кому́? что?)   to prescribe [27]
пропускáть (I) (*pf.* **пропусти́ть**)   to miss, skip [28]
пропускáть/пропусти́ть урóк (лéкцию, стрóчку, и т. д.)   to miss a class (lecture, line, etc.)
пропусти́ть (II)   *pf. of* пропускáть [28]
пропущу́, пропу́стишь, пропу́стят
простирáться (I) **(на что?)**   to extend (for) [28]
проси́ть (II) (*pf.* **по-**)   to ask for, ask (a favor) [13]

прошу́, про́сишь, про́сят

просла́виться (II) (чем?) *pf. of* сла́виться

просла́влюсь, просла́вишься, просла́вятся

просма́тривать (I) (*pf.* просмотре́ть) to look through [19]

прости́ть (II) *pf. of* проща́ть

прощу́, прости́шь, простя́т

про́сто simple, simply [9]

просто́й simple [15]

просту́да cold (the illness) [18]

просту́жен (а, о, ы) ill with a cold [10]

про́тив (кого́? чего́?) against; opposite [16]

профе́ссия profession [8]

Кто вы по профе́ссии? What is your profession?

профе́ссор (*pl.* профессора́) professor [3]

прохла́дный cool [10]

прочте́сть (I) *pf. of* чита́ть [21]

прочту́, -ёшь, -у́т; прочёл, прочла́, прочло́, прочли́

прочита́ть (I) *pf. of* чита́ть [21]

про́шлое (the) past; last, previous [20]

проща́ть (I) (*pf.* прости́ть) to forgive

проща́ться (I) (*pf.* прости́ться) to say goodbye; to take leave [19]

про́ще simpler [25]

пруд (*pl.* пруды́: в, на пруду́) pond [22]

пря́мо directly, straight ahead [13]

пуска́й let (*3rd person command*) [28]

Пуска́й он э́то сде́лает! Let him do that!

пусть *same as* пуска́й [28]

Пусть она́ э́то сде́лает! Let her do that!

пусты́ня desert [10]

пустяки́ (*pl.*) trifle(s), nonsense [23]

путеше́ствие trip, journey [23]

путеше́ствовать (I) (*no pf.*) (по чему́?) to travel [23]

путеше́ствую, -уешь, -уют

пу́шка (*gen. pl.* пу́шек) cannon [15]

пшени́ца wheat [24]

пя́тница Friday [12]

пять five [6]

Р

рабо́та (на) work [8]

рабо́тать (I) (*pf.* по-) to work [7]

равно́ even, level [8]

Мне всё равно́. I don't care. (It doesn't matter.)

рабо́чий worker (*noun or adj.*) [8]

рад (а, о, ы) happy, glad [4]

радио́ла radio-phonograph [20]

ра́достный happy, glad, joyous [27]

раз (*pl.* разы́: *gen. pl.* раз) time, occasion [13]

ра́зве...? really? Do you mean to say that...?

развести́ (I) *pf. of* разводи́ть [25]

разведу́, -ёшь, -у́т; развёл, -вела́, -ло́, -ли́

развести́сь (I) *pf. of* разводи́ться [27]

разведу́сь, -ёшься, -у́тся; развёлся, -вела́сь, -ло́сь, -ли́сь

разви́тие development, growth [22]

разво́д divorce [27]

разводи́ть (II) (*pf.* развести́) to breed, cultivate, raise [25]

развожу́, разво́дишь, разво́дят

разводи́ться (II) (*pf.* развести́сь) (с кем?) to get a divorce (from) [27]

развожу́сь, разво́дишься, разво́дятся

разгова́ривать (I) to converse [7]

разгово́р conversation [1]

раздели́ться (II) *pf. of* разделя́ться [25]

разделю́сь, -и́шься, -ятся

разделя́ться (I) (*pf.* раздели́ться) (на что?) to be divided (into) [25]

разме́р size [17]

Како́й ваш разме́р? What is your size?

Пятидеся́тый. Fifty.

разница difference [24]
    Кака́я разница между (кем? чем?)
    What is the difference between . . . ?
разнообра́зный diverse [22]
разный various, different [11]
разреша́ть (I) (*pf.* **разреши́ть**) (кому́?
    что?) (*инфинитив*) to let, permit
    (someone to do something) [23]
    Он разреши́л мне э́то сде́лать. He
    let me to do that.
разреши́ть (II) *pf. of* разреша́ть [23]
рай (в раю́) paradise [25]
райо́н region [19]
ра́ковина sink [20]
ра́но early [9]
ра́ньше formerly, earlier [14]
расписа́ние schedule [26]
    расписа́ние поездо́в railroad time-
    table
распространённый widespread [28]
рассе́янный absent-minded [7]
расска́з story [12]
    коро́ткий расска́з short story
рассказа́ть (I) *pf. of* расска́зывать [21]
    расскажу́, расска́жешь, расска́жут;
    Расскажи́(те)!
расска́зывать (I) (*pf.* **рассказа́ть**) (ко-
    му́? что? или о чём?) to relate,
    tell [21]
раста́ять (I) *pf. of* та́ять [23]
расти́ (I) to grow [19]
    расту́, -ёшь, -у́т; рос, -ла́, -ло́, -ли́
расти́тельность (*ж.*) vegetation [24]
расстоя́ние distance [25]
расцвести́ (I) *pf. of* расцвета́ть [26]
    расцветёт, -у́т; расцвёл, -ла́, -ло́, -ли́
расцвета́ть (I) (*pf.* **расцвести́**) to
    blossom [26]
ребёнок (ребёнка, и т. д.; *pl.* де́ти; *gen.*
    pl. дете́й) child [9]
револю́ция revolution [15]
регистри́ровать (I) (*pf.* **за-**) to register
    [27]
регуля́рно regularly [28]
ре́дко seldom [9]
ре́же less often [25]

рези́нка (*gen. pl.* **рези́нок**) eraser [5]
река́ (*pl.* **ре́ки**) river [10]
рели́гия religion [21]
респу́блика republic
рестора́н restaurant [14]
рефле́кс reflex [28]
реша́ть (I) (*pf.* **реши́ть**) to decide [20]
    реша́ть/реши́ть зада́чу to solve a
    problem
реша́ющий decisive [26]
реше́ние decision [22]
реши́ть (II) *pf. of* реша́ть [23]
рис rice [25]
ро́вно exactly [26]
роди́тели (*pl.*) parents [9]
роди́ться (II) *pf. of* рожда́ться [25]
    рожу́сь, роди́шься, родя́тся; роди́л-
    ся, родила́сь, роди́лось, роди́ли́сь
родно́й native (town, country, etc.)
    [18]
ро́дственник (*ж.* **-ница**) relative [26]
рожда́ться (I) (*pf.* **роди́ться**) to be
    born [25]
рожде́ние birth [17]
    день рожде́ния birthday
рожь (*ж.*) (*gen.* **ржи**) rye [24]
ро́зовый pink [17]
роль (*ж.*) role, part (in a play, etc.) [26]
    игра́ть роль to play a role
роя́ль (*м.*) grand piano [16]
    игра́ть на роя́ле to play the piano
рома́н novel [12]
рот (*pl.* **рты**; **во рту́**) mouth [18]
руба́шка (*gen. pl.* **руба́шек**) shirt [17]
рубль (*м.*) (**рубля́, и т. д.;** *pl.* **рубли́:**
    gen. pl. **рубле́й**) ruble [17]
рука́ (*pl.* **ру́ки**) hand, arm [18]
ру́сский (*ж.* **-ая**) Russian (*adj, or noun*)
    [1]
руче́й brook [23]
ру́чка (*gen. pl.* **ру́чек**) pen, pen-holder
    [5]
ры́ба fish [19]
ры́нок (*pl.* **ры́нки**) marketplace [17]
рю́мка (*gen. pl.* **рю́мок**) stemmed glass
    (for vodka, etc.) [19]

рядом (с кем? с чем?) right next to, alongside of [19]

С

с(о) (кем? чем?; кого? чего?) with [16]; off, down from [26]

   с акце́нтом with an accent [6];

с- *For verbs of motion with this prefix, see vocabulary of lesson 26.*

сад (*pl.* **сады́: в саду́**) garden [19]

   фрукто́вый сад orchard [24]

сади́ться (II) (*pf.* **сесть**) to sit down, take a seat [19]

   сажу́сь, сади́шься, садя́тся; Сади́сь!, Сади́тесь! Sit down! [7]

садово́дство horticulture [25]

сала́т salad [19]; lettuce [24]

сам (-о́, -а́, -и) myself, yourself, himself, etc. [20]

   Само́ собо́й разуме́ется. This goes without saying.

самова́р samovar [19]

самолёт airplane [18]

самый the most (*used with the compound superlative*) [10]

санато́рий sanatorium, health resort [18]

сара́й barn [24]

сахар sugar [19]

свадьба (*gen. pl.* **свадеб**) wedding [27]

свёкла beet [25]

   сахарная свёкла sugar beet

свеко́р (*pl.* **свёкры**) father-in-law (*husband's father*) [27]

свекро́вь (*ж.*) mother-in-law (*husband's mother*) [27]

сверх above, over, more than [26]

свет light: world [27]

свети́ть (II) to shine [9]

   свечу́, све́тишь, све́тят

свинья́ (*pl.* **свиньи**; *gen. pl.* **свине́й**) pig [25]

свитер sweater [17]

свобо́дно freely; fluently [18]

свобо́дный free, unoccupied [11]

свобо́дный (или выходно́й) день day off

свой, своя́, своё, свои my, your, his, her, its, our, their (*relates to subject of main clause*) [18]

связан (а, о, ы) (с кем? с чем?) connected, associated (with) [20]

свыше (кого? чего́?) more than [26]

свято́й saint [21]

свяще́нник priest [28]

сдава́ть (I) (*pf.* **сдать**) to deliver, yield, surrender [24]

   сдаю́, -ёшь, -ю́т

   сдава́ть/сдать в бага́ж to check (luggage)

   сдава́ть/сдать экза́мен to take (pass) an exam [28]

сдать (I) *pf. of* сдава́ть [24]

   сдам, сдашь, сдаст, сдади́м, сдади́те, сдал, -ла́, -ло, -ли

сде́лать (I) *pf. of* де́лать [21]

сеа́нс showing (of a movie) [10]

себя́ myself, yourself, himself, etc. [17]

север (на) north [10]

северный northern [18]

   северное сия́ние northern lights [25]

сего́дня today [6]

   сего́дня утром this morning [10]

   сего́дня вечером this evening [10]

сейча́с now, right now [7]

селе́ние settlement [22]

сельское хозя́йство agriculture [22]

сельскохозя́йственный agricultural [22]

семина́р (на) seminar [28]

семина́рия seminary [28]

семь seven [6]

семья́ (*pl.* **семьи**; *gen. pl.* **семе́й**) family [8]

сердце heart [15]

серый grey [17]

сессия session [28]

сестра́ (*pl.* **сёстры**; *gen. pl.* **сестёр**) sister [8]

сесть (I) *pf. of* сади́ться [26]

   сяду, -ешь, -ут; сел, -ла, -ло, -ли

Сиби́рь (*ж.*) Siberia [10]

сиде́ть (II) (*pf.* по-) to sit [7]
 сижу́, сиди́шь, сидя́т

си́льный strong, powerful; hard [10]

симпати́чный nice [6]

симфони́ческий symphonic [14]

си́ний, -яя, -ее, -ие dark blue [17]

систе́ма system [23]

сказа́ть (I) *pf. of* говори́ть [2]
 скажу́, -ешь, -ут; Скажи́(те)!

скандина́вец (*pl.* скандина́вцы) Scandinavian [22]

склон (*pl.* склоны́) slope [25]

ско́лько (чего́?) how many, how much [8]

скоре́е (или скоре́й) quicker, sooner ("Hurry up!") [13]

скот (*pl.* скоты́) livestock, cattle [24]

скотово́дство cattle breeding [26]

скрипа́ч (*pl.* скрипачи́) violinist [16]

скри́пка violin [16]
 игра́ть на скри́пке to play the violin

скуча́ть (I) (по кому́? по чему́?) to be bored; long (for) [20]

ску́чный boring [10]

сла́бый weak [10]

сла́виться (II) (чем?) (*pf.* про-) to be famous (for) [24]
 сла́влюсь, сла́вишься, сла́вятся

сла́вный nice, fine [24]

славяни́н (*pl.* славя́не; *gen. pl.* славя́н) Slav [23]

сла́дкое dessert; sweet [19]

сле́довать (I) (*pf.* по-) to follow [24]
 Он де́лает всё, как сле́дует. He does everything as he should.

сле́дующий following [10]

сли́ва plum; prune [24]

сли́шком (мно́го, ма́ло, и т. д.) too (much, little, etc.) [11]

слова́рь (*pl.* словари́) dictionary [5]

сло́жно complicated(ly) [9]

слу́жба (на) job, service, work [18]

служи́ть (II) (*pf.* по-) (кем?) to work (in an office) [18]

слу́чай event, case, occurrence [23]

в тако́м слу́чае in that case (event)

во вся́ком слу́чае in any case (event)

случа́йно accidentally, by chance [23]

случа́ться (I) (*pf.* случи́ться) to happen, occur [27]
 Что случи́лось? What happened?

случи́ться (II) *pf. of* случа́ться [27]

слу́шать (I) (*pf.* по-, про-) to listen [7]
 (про)слу́шать ле́кцию (уро́к, и т. д.) to attend a lecture (lesson, etc.) [28]

слы́шать (II) (*pf.* у-) to hear [11]
 слы́шу, -ишь, -ат

смерть (*ж.*) death [21]

смета́на sour cream [19]

смея́ться (I) (*pf.* рас-) (над кем? над чем?) to laugh (at) [18]
 смею́сь, -ёшься, -ю́тся

смотре́ть (II) (*pf.* по-) to watch, look [12]
 смотрю́, -ишь, -ят

смочь (I) *pf. of* мочь [27]
 смогу́, смо́жешь, смо́гут; смог, -ла́, -ло́, -ли́

снача́ла first (of all) [13]

снег (в, на снегу́) snow [10]
 ве́чные снега́ eternal snows

снижа́ться (I) (*pf.* сни́зиться) (до чего́?) to descend, drop (to) [25]

сни́зиться (II) *pf. of* снижа́ться [25]

снима́ть (I) (*pf.* снять) to take off; to take a picture [15]
 Мо́жно вас снять? May I take your picture?
 Сними́те пальто́! Take off your coat!

сно́ва again [22]

снять (I) *pf. of* снима́ть
 сниму́, -ешь, -ут; снял, -ла́, -ло, -ли; Сними́(те)!

со- *For verbs of motion with this prefix, see vocabulary of lesson 26.*

соба́ка dog [25]

собира́ть (I) (*pf.* собра́ть) to pick, gather [24] (*requires a direct object*)

собира́ться (I) (*pf.* собра́ться) to gather together, meet; to plan to, intend to [26]

Все собрали́сь на пло́щади. Every-one gathered in the square.

Мы собира́емся пойти́ в кино́. We plan to go to the movies.

собо́р cathedral [15]

собо́рный cathedral (*adjective*) [15]

собра́ние (на) meeting [13]

собра́ть (I) *pf. of* собира́ть [24]
  соберу́, -ёшь, -у́т; собра́л, -ла́, -ло, -ли

собра́ться (I) *pf. of* собира́ться [26]
  соберу́сь, -ёшься, -у́тся; собра́лся, -ла́сь, -ло́сь, -ли́сь

соверша́ть (I) (*pf.* **соверши́ть**) to com-plete, accomplish, perfect [26]
  соверша́ть/соверши́ть путеше́ствие (по чему́?) to take a trip (around)

соверши́ть (II) *pf. of* соверша́ть [26]

сове́товать (I) (*pf.* **по-**) (**кому́?**) to advise [17]
  сове́тую, -уешь, -уют

сове́тский soviet [10]

совреме́нный modern, contemporary [15]

совсе́м completely [4]
  совсе́м не not at all
  не совсе́м not completely

совхо́з sovkhoz (government farm) [24]

согла́сен (согла́сна, -о, -ы) (с кем? с чем?) (в чём?) agree(d) (with) [20]

согласи́ться (II) *pf. of* соглаша́ться [27]
  соглашу́сь, -и́шься, -я́тся

соглаша́ться (I) (*pf.* **согласи́ться**) (**с кем? с чем?) (в чём?**) to agree (with)

соедини́ть (II) *pf. of* соединя́ть [23]

соедини́ться (II) *pf. of* соединя́ться [23]

соединя́ть (I) (*pf.* **соедини́ться**) (**что? с чем?**) to join, connect, unite [23]

соединя́ться (I) (*pf.* **соедини́ться**) (**чем?**) to be joined, connected, united [23]

созрева́ть (I) (*pf.* **созре́ть**) to ripen [24]

созре́ть (I) *pf. of* созрева́ть [24]

созре́ю, -ешь, -ют

со́лнце sun [9]
  Со́лнце све́тит. The sun is shining.
  Со́лнце всхо́дит (захо́дит). The sun rises (sets).

соло́нка (*gen. pl.* **соло́нок**) saltcellar [19]

соль (*ж.*) salt [19]

соотве́тствовать (I) (*no pf.*) (**кому́? чему́?**) to correspond (to); to suit [24]

состоя́ние condition [28]
  в хоро́шем (плохо́м) состоя́нии in good (bad) condition

сочине́ние composition [22]

сою́з union [10]

спа́льня (*gen. pl.* **спа́лен**) bedroom [20]

спаси́бо thank you [1]

спать (II) (*pf.* **по-**) to sleep [18]
  сплю, спишь, спят; спал, -ла́, -ло, -ли

спекта́кль (*м.*) performance, spectacle [16]

спе́лый ripe [24]

сперва́ first (of all) [7]

спеши́ть (II) (*pf.* **по-**) to hurry, be in a hurry [7]
  спешу́, -и́шь, -а́т

спина́ back, spine [18]

споко́йный peaceful [4]
  Споко́йной но́чи. Good night.

спор quarrel [24]

спорт sport [14]

спорти́вный sport (*adj.*) [14]

спортсме́н (*ж.* -ка) sportsman [14]

спорттова́ры sporting goods [17]

спо́соб means [18]
  спо́соб передвиже́ния means of transportation

спаведли́во just(ly) [26]

спра́вка information [26]
  спра́вочное бюро́ information bureau

спра́шивать (I) (*pf.* **спроси́ть**) (**кого́? о чём?**) to ask (a question) [6]

спроси́ть (II) *pf. of* спра́шивать [21]
  спрошу́, спро́сишь, спро́сят

спуска́ться (I) (*pf.* спусти́ться) to descend, come down [17]

спуска́ться/спусти́ться по лестнице to go (come) down the stairs

спусти́ться (II)   *pf. of* спуска́ться

спущу́сь, спусти́шься, спустя́тся

спу́тник   satellite, traveling companion [24]

сравне́ние   comparison [25]

   по сравне́нию (с кем? с чем?)   in comparison (with)

сра́зу   immediately [16]

среда́ (в сре́ду)   Wednesday [12]

среди́ (кого́? чего́?)   among [22]

сре́дний, -яя, -ее, -ие   middle [25]

ста́вить (II) (*pf.* по-)   to place, put (in a vertical position) [28]; to put on, present, stage [16]

   ста́влю, ста́вишь, ста́вят; Ставь(те)!

   (по)ста́вить отме́тку   to give a grade [28]

стадио́н (на)   stadium [13]

ста́до (*pl.* стада́)   herd [25]

стака́н   glass (drinking) [19]

станови́ться (II) (*pf.* стать) (кем?)   to become [25]

   становлю́сь, стано́вишься, стано́вятся

ста́нция (на)   station [13]

стара́ться (I) (*pf.* по-)   to try, endeavor [24]

стари́нный   ancient [15]

стару́ха   old woman [26]

ста́рше   older [25]

ста́рший   older [17]

ста́рый   old [10]

стать (I)   *pf. of* станови́ться [18]

   ста́ну, -ешь, -ут; стал, -ла, -ло, -ли

стена́ (*pl.* сте́ны)   wall [15]

сте́пень (*ж.*)   degree [28]

   сте́пень бакала́вра   B.A.

   магисте́рская сте́пень   M.A.

   до́кторская сте́пень   Ph.D.

степь (*ж.*) (*gen. pl.* степе́й)   steppe [25]

стипе́ндия   scholarship, stipend [28]

подава́ть/пода́ть проше́ние на стипе́ндию   to apply for a scholarship

получа́ть/получи́ть стипе́ндию   to receive a scholarship

стира́лка (*gen. pl.* стира́лок)   blackboard eraser [5]

сто́ить (II)   to cost [17]

стол (*pl.* столы́)   table [5]

   пи́сьменный стол   writing desk (table) [20]

сто́лик   little table [19]

столи́ца   capital city [15]

столо́вая   dining room [20]

сто́лько (чего́?)   so much, so many [22]

стоя́нка такси́   taxi stand [26]

стоя́ть (II) (*pf.* по-)   to stand (11)

   стою́, -и́шь, -я́т

страда́ть (I) (*pf.* по-) (от чего́?)   to suffer (from) [23]

страна́ (*pl.* стра́ны)   country, land [10]

страни́ца   page [13]

стра́нно   strange(ly) [20]

стра́нный   strange [9]

стрела́   arrow [21]

   Кра́сная Стрела́   Red Arrow Express

стре́лка   pointer; hand of a clock [21]

стро́гий   severe, strict

стро́го   severely, strictly [15]

строи́тельство   construction [22]

стро́ить (II) (*pf.* по-)   to build [21]

студе́нт (*ж.* -ка; *gen. pl.* студе́нток)   student [5]

стул (*pl.* сту́лья)   chair [5]

суббо́та   Saturday [12]

субтропи́ческий   subtropical [25]

сувени́р   souvenir [26]

суди́ть (II) (*pf.* по-)   to judge [25]

су́дно (*pl.* суда́)   ship, vessel [23]

   парово́е су́дно   steamship

судохо́дство   navigation [23]

су́мка (*gen. pl.* су́мок)   purse [17]

супру́г   spouse (husband) [27]

супру́га   spouse (wife) [27]

супру́жеский   married; conjugal [27]

   супру́жеская жизнь   married life

суро́вый   severe, stern [20]

сутки (*gen. pl.* **суток**) day (24-hour period) [21]

сухой dry [24]

суше drier [25]

сцена stage [16]

счастливый happy [27]

счёт bill, check (in a restaurant) [19]

считать (I) (**кого? что?**) (**кем? чем?**) to consider (someone, something) to be [18]

считаться (I) (**кем? чем?**) to be considered to be [18]

США U.S.A. [7]

ссылка exile [20]

   в ссылке in exile

сын (*pl.* **сыновья**; *gen. pl.* **сыновей**) son [8]

съ- *For verbs of motion with this prefix, see vocabulary of lesson 26.*

съезд (**на**) meeting, congress, conference [13]

сюда here [9]

сюрприз surprise [14]

Т

тайга taiga [25]

так so, thus, this way; that's right [6]

   так как since, because [18]

   так себе so-so [3]

   так что so that; therefore [18]

также also, too, in addition [14]

такой such a, so [17]

   таким образом in this (that) way, like this [18]

такси taxi [18]

   на такси by taxi

талантливый talented [16]

там there [3]

танцевать (I) (*pf.* **по-**) to dance [16]

   танцую, -уешь, -уют

танцор dancer (*male*) [16]

тарелка (*gen. pl.* **тарелок**) dish, plate [19]

татарин (*pl.* **татары**; *gen. pl.* **татар**) Tartar [23]

таять (I) (*pf.* **рас-**) to thaw [23]

твёрдо firm(ly), hard [28]

твёрдый firm, hard [28]

твой, твоя, твоё, твой your [8]

творчество creativity [20]

тебе you [*dat.*—7; *prep.*—14]

тебя you [*acc.*—4; *gen.*—15]

текст text [6]

   текст для чтения reading text

телевизор television [12]

   смотреть телевизор to watch T.V.

телеграф telegraph [24]

телёнок (*pl.* **телята**; *gen. pl.* **телят**) calf [25]

телефон telephone [12]

   (по)звонить по телефону to phone

тело (*pl.* **тела**) body [15]

тема theme, subject [18]

температура temperature [18]

теннис tennis [14]

   играть в теннис to play tennis

теннисный корт tennis court [14]

теория theory [12]

теперь now [2]

теплоход motorlaunch [23]

тёплый warm [10]

терраса terrace [16]

террор terror [25]

терять (I) (*pf.* **по-**) to lose [28]

   терять даром to waste

   потеря времени waste of time

тесть (*м.*) father-in-law (*wife's father*) [27]

тетрадь (*ж.*) copybook [5]

тётя (*gen. pl.* **тётей**) aunt [8]

техникум technical school [20]

течение current [23]

   вверх по течению upstream

   вниз по течению downstream

течь (I) (*pf.* **потечь**) to flow [23]

   течёт, текут

тёща mother-in-law (*wife's mother*) [27]

тихоокеанский Pacific Ocean (*adj.*) [27]

тише! quiet!; sh! [7]

товарищ comrade [9]

   товарищ по комнате roommate

   товарищ по работе friend at work

товáрищ по шкóле   schoolmate

тогдá   then, at that time [9]

тóже   also, too [1]

толпá   crowd [16]

тóлще   fatter [25]

тóлько   only [9]

томý назáд   ago [14]

томý подóбное (т.п.)   so forth; the like [27]

тот, та, то; те   that (one); those [10]

тóчка (*gen. pl.* **тóчек**)   point, period [25]

точнéе   more exactly [20]

тóчный   exact [26]

травá   grass [28]

трамвáй   streetcar [18]

трансконтинентáльный   transcontinental

трáнспорт   transportation [22]

тряпка (*gen. pl.* **тряпок**)   rag [5]

трéбовать (I) (*pf.* **по-**) (**когó? чегó?**) (**от когó?**)   to demand [22]

  трéбую, -уешь, -уют

треть (*ж.*)   third [25]

  однá треть   one third

  две трéти   two thirds

трéтий, -ья, -ье, -ьи   third [3]

трéтье   third course, dessert [19]

три   three [6]

трóгать (I) (*pf.* **трóнуть**)   to touch [28]

трóнуть (I)   *pf. of* трóгать [28]

  трóну, -ешь, -ут

труд   labor, work [20]

трýдный   difficult [8]

трудя́щийся   laborer, worker [28]

тудá   (to) there [9]

тумáн   fog [10]

тýндра   tundra [25]

тут   here [3]

тýфля (*gen. pl.* **тýфель**)   shoe [17]

ты   you (*nominative*) [1]

тянýться (I) (*pf.* **по-**)   to extend, stretch [26]

  тянýсь, -ешься, -утся

У

у (**когó? чегó?**)   next to, alongside of;

at, at the home or office of [15]

у-   *For verbs of motion with this prefix, see vocabulary of lesson 26.*

убивáть (I) (*pf.* **убить**)   to kill [28]

убирáть (I) (*pf.* **убрáть**)   to harvest [24]

убит (а, о, ы)   killed [21]

убить (I)   *pf. of* убивáть [28]

  убью, убьёшь, убьют; Убéй(те)!

убрáть (I)   *pf. of* убирáть [24]

  уберý, -ёшь, -ýт

уважáемый   respected, honored, dear [28]

уважáть (I) (*no pf.*)   to respect, esteem [28]

увéрен (а, о, ы)   sure, certain [23]

увидеть (II)   *pf. of* видеть (*past tense:* to catch sight of) [21]

  Увидимся!   See you later! [4]

угадáть (I)   *pf. of* угáдывать [23]

угáдывать (I) (*pf.* **угадáть**)   to guess (correctly) [23]

ýгол (*pl.* **углы́**) (**в, на углý**)   corner [20]

удивительно   surprisingly [13]

удивиться (II)   *pf. of* удивля́ться [27]

  удивлю́сь, удивишься, удивя́тся

удивля́ться (I) (*pf.* **удивиться**) (**комý? чемý?**)   to be surprised (at, by) [27]

удовлетворительно   satisfactory, satisfactorily [28]

удобрéние   fertilizer [24]

удовóльствие   pleasure [20]

  с удовóльствием   with pleasure

уезжáть (I) (*pf.* **уéхать**)   to leave, depart drive away [19]

уéхать (I)   *pf. of* уезжáть [26]

  уéду, -ешь, -ут; Уезжáй(те)!

уж   *an untranslatable stress particle* [20]

ужáсно   terrible, terribly [9]

ýже   narrower [25]

ужé   already [7]

ýжин   supper [19]

ýжинать (I) (*pf.* **по-**)   to have supper, dine [19]

узнавáть (I) (*pf.* **узнáть**)   to recognize [24]

  узнаю́, -ёшь, -ю́т

узнáть (I)   *pf. of* знать *and* узнавáть

узна́ю, -ешь, -ют

уйти́ (I) *pf. of* уезжа́ть [26]
уйду́, -ёшь, -у́т; ушёл, -шла́, -шло́, -шли́

украси́ть (II) *pf. of* украша́ть
украшу́, укра́сишь, укра́сят

украша́ть (I) (*pf.* украси́ть) to make beautiful, adorn [20]

у́лица street [8]
вы́йти/выходи́ть на у́лицу to go outside

улыба́ться (I) (*pf.* улыбну́ться) to smile [18]

улыбну́ться (I) *pf. of* улыба́ться
улыбну́сь, -ёшься, -у́тся

умере́ть (I) *pf. of* умира́ть [20]
умру́, -ёшь, -у́т; у́мер, -ла́, -ло́, -ли́

уме́ть (I) (*pf.* с-) to know how, be able to [12]

умира́ть (I) (*pf.* умере́ть) to die [25]

у́мный intelligent, smart [10]

умыва́ться (I) (*pf.* умы́ться) to wash (oneself) [19]

умы́ться (I) *pf. of* умыва́ться
умо́юсь, умо́ешься, умо́ются

универма́г department store [17]

универса́льный universal [14]

университе́т university [14]

уничто́жен (а, о, ы) destroyed [28]

упомина́ться (I) (*pf.* упомяну́ться) to be mentioned [25]

управля́ющий (чем?) operator, manager [28]

упражне́ние exercise [1]

Ура́л (на) Urals [10]

урожа́й harvest [24]

уро́к (на) lesson, class [1]

усло́вие condition [25]

усло́вный conditioned [28]

успева́ть (I) (*pf.* успе́ть) to have time to; to get somewhere or do something on time [26]

успе́ть (I) *pf. of* успева́ть [26]
успе́ю, -ешь, -ют

успе́х success, progress [9]
де́лать успе́хи to make progress

уста́л (а, о, и) tired [11]

у́стье mouth (of a river) [23]

у́тка (*gen. pl.* у́ток) duck [25]

утоми́тельно fatiguing, tiring [26]

у́тро morning [3]
у́тром in the morning [11]
До́брое у́тро! Good morning! [3]

уха́живать (I) (*no pf.*) (за кем?) to court, go out with [27]

у́хо (*pl.* у́ши; *gen. pl.* уше́й) ear [18]

уходи́ть (II) (*pf.* уйти́) to depart, go away, leave (on foot) [19]
ухожу́, ухо́дишь, ухо́дят

уча́сток (*pl.* уча́стки) part, piece (of land) [24]

уча́щийся (чему?) student (of) [28]

учёба school years [28]

уче́бник textbook [9]

уче́бный год school (academic) year [28]

учени́к (*ж.* -ница) (*pl.* ученики́) pupil [5]

учёный scholar [28]

учи́тель (*ж.* -ница) (*pl.* учителя́) teacher [2]

учи́ть (II) (*pf.* вы-) to learn, study [1]; to teach [17]
учу́, -ишь, -ат
вы́учить наизу́сть to memorize

учи́ться (II) (*pf.* на-) to study; to go to school [18]
учу́сь, -ишься, -атся
Где вы научи́лись говори́ть по-ру́сски? Where did you learn to speak Russian?

Ф

факт fact [25]

факти́чески in fact, practically [20]

факульте́т (на) faculty, university department [20]

фами́лия last name [8]

февра́ль (*м.*) (февраля́, и т. д.) February [15]

фе́рма (на) farm [8]

физио́лог physiologist [28]

физиологи́ческий physiological [21]

филосо́фия philosophy [18]
фильм (на) film, movie [10]
фонта́н fountain [16]
фотографи́ческий аппара́т camera [15]
фотопортре́т photo-portrait [20]
францу́з (*ж.* -же́нка) Frenchman [8]
фрукт fruit [24]
фрукто́вый сад orchard [24]
футбо́л (на) football [14]
  игра́ть в футбо́л to play football

X

хвата́ть (I) (*pf.* хвати́ть) (кого́? чего́?)
  to be enough [26]
  Чего́ у вас не хвата́ет? What are
  you lacking (missing)?
  Вре́мени не хвата́ет на всё. There's
  not enough time for everything.
  Хва́тит? Is that enough?
  Хва́тит. Yes, it is.
хвати́ть (II) *pf. of* хвата́ть [26]
хи́мик chemist [7]
хи́трый clever, sly [20]
хладнокро́вно calmly [23]
хлеб bread [19]; grain [24]
хлев barn (for livestock) [24]
хло́пок (*gen.* хло́пка) cotton [25]
хму́риться (II) (*pf.* на-) to frown [18]
ходи́ть (II) (*pf.* пойти́) to go, walk
  (*multidirect.*). *For prefixed forms of
  this verb, see vocabulary of lesson 26.*
  хожу́, хо́дишь, хо́дят
ходьба́ walking [26]
  **Ско́лько мину́т (часо́в, вре́мени)
  ходьбы́ до...?** How many minutes
  (hours, much time) does it take to
  walk to ...?
хозя́йство economy [15]
хокке́й (на) hockey [14]
  игра́ть в хокке́й to play hockey
холм (*pl.* холмы́) hill [22]
хо́лод cold (*noun*) [25]
холоди́льник refrigerator [20]
холо́дный cold (*adj.*) [11]
холосто́й single, unmarried [23]

холостя́к (*pl.* холостяки́) bachelor [23]
хорони́ть (II) (*pf.* по-) to bury [20]
  хороню́, хоро́нишь, хоро́нят
хороше́нько carefully, very well [27]
хоро́ший well, good, fine, nice [10]
хорошо́ well, fine, nice [1]
хоте́ть (I, II) (*pf.* за-) (кого́? чего́?) to
  want [8]
  хочу́, хо́чешь, хо́чет, хоти́м, хоти́те,
  хотя́т
хотя́ although [9]
храм temple [15]
христиани́н (*pl.* христиа́не: *gen. pl.*
  христиа́н) Christian (*noun*) [26]
христиа́нский Christian (*adj.*) [24]
худо́жественный artistic, art (*adj.*) [16]
худо́жник (*ж.* -ца) artist [20]
ху́же worse [18]

Ц

царь (*м.*) (*pl.* цари́) czar [15]
цвет (*pl.* цвета́) color [17]
цвет (*pl.* цветы́) flower (*Normally, the
  singular* цвето́к *is used.*)
целова́ть (I) (*pf.* по-) to kiss [27]
  целу́ю, -у́ешь, -у́ют
целова́ться (I) (*pf.* по-) to kiss one
  another [27]
  целу́емся, -у́етесь, -у́ются
цена́ (*pl.* це́ны) price [17]
це́нный valuable [25]
центра́льный central [13]
церемо́ния ceremony [28]
церко́вный church (*adj.*) [15]
це́рковь (*ж.*) church (*noun*)
  (це́ркви, це́ркви, це́рковь, це́рковью,
  це́ркви; це́ркви, церкве́й, церква́м,
  це́ркви, церква́ми, церква́х)

Ч

чай tea [7]
ча́йка gull [23]
час (*gen. sing.* часа́, *gen. pl.* часо́в) hour,
  o'clock [19]
  В кото́ром часу́? At what time?
ча́сто often [7]

часть (*ж.*) part [10]
часы́ (*pl. only*) watch; clock [9]
чашка (*gen. pl.* чашек) cup [19]
чаще more often [25]
чей? чья? чьё? чьи? whose? [8]
чек check [22]
челове́к (*pl.* люди; *gen. pl.* люде́й) person [6] (*The gen. pl.* челове́к *is used after numerals,* сколько *and* несколько.)
  молодо́й челове́к young man [8]
человеконенави́стничество misanthropy [7]
челове́ческий human, civilized [18]
чем than [9]; what (*inst.*) [18]
чемода́н suitcase [17]
через (кого́? что?) through, across, over [13]
черни́ла (*neuter pl.*) ink [20]
чернозём black soil, chernozem [25]
чёрный black [17]
чертóвски devilishly, dreadfully [20]
четве́рг (четверга́, и т. д.) Thursday [12]
четвёртый fourth [4]
четы́ре four [6]
чита́ть (I) (*pf.* про-; прочёсть) to read [6]
числó (*pl.* числа; *gen. pl.* чисел) number, digit: date [14]
  Кaкóe сегóдня числó? What is the date today?
чистить (II) (*pf.* по-) to clean [19]
  чищу, чистишь, чистят
член member [26]
что what, that [5]
чтобы in order to, so that [21]
что-нибудь anything [19]; something (or other) [27]
что-то something [27]
чу́вствовать себя́ (I) to feel (concerning one's health) [18]
чуде́сный marvelous [13]
чудно marvelous(ly), wonderful(ly) [16]
чудный marvelous, wonderful [16]

чуть не (*used with past tense pf. verb*) nearly, came close to (doing something which was to be avoided) [28]

Ш

шаг (*pl.* шаги́) step [26]
шампа́нское champagne [26]
шапка (*gen. pl.* шапок) cap [17]
шар sphere, globe [23]
шарф scarf [17]
шахматы chess [14]
  игра́ть в шахматы to play chess
  шахматный клуб chess club
швейца́р doorman, hall porter [26]
шедший *pap. of* идти́ [28]
шелково́дство silkworm culture [25]
шесть six [6]
шея neck [18]
шире wider, broader [25]
шкаф (*pl.* шкафы́; в, на шкафу́) cupboard; case [20]
школа school [5]
шпиóн (*ж.* -ка) spy [8]
штатский civilian [22]
штук piece
  штука apiece, each [17]
шути́ть (II) (*pf.* по-) to joke [11]
  шучу́, шутишь, шутят
шутка (*gen. pl.* шуток) joke [24]

Щ

щи (*pl.*) shchi (a Russian soup) [19]

Э

эква́тор equator [25]
экза́мен examination [11]
  прове́рочный экза́мен quiz
  сдава́ть/сдать экза́мен to take (pass) an examination
  прова́ливаться/провали́ться на экза́мене to fail an examination
эконóмика economics [22]
экску́рсия excursion [14]
экскурсовóд tour guide [18]
экспонáт exhibit, display [22]

эта́ж (на) (*pl.* этажи́)   floor, story (of a building) [17]

это   this (that) is; these (those) are [1]

этот, эта, это; эти   this (that); these (those) [10]

Ю

юбка (*gen. pl.* юбок)   skirt [17]

юг (на)   south [10]

южный   southern [20]

юмористи́ческий   humorous, comical [20]

юноша   teenage boy [8]

Я

я   I [1]

яблоко (*pl.* яблоки)   apple [24]

яви́ться (II)   *pf. of* явля́ться [25]
   явлю́сь, яви́шься, явятся

явля́ться (I) (*pf.* яви́ться) (кем? чем?) to be [25]

ягод   berry [24]

язык (*pl.* языки́)   language, tongue [1]

январь (января́, и т. д.)   January [15]

япо́нец (*ж.* -нка; *gen. pl.* япо́нок) (*pl.* япо́нцы)   Japanese [8]

ярче   brighter [25]

ясно   clear(ly), distinct(ly) [10]

ясный   clear, distinct

ячме́нь (*м.*)   barley [24]

Index

Format by Emily Harste
Set in Modern No. 1 and Bodoni Ultra Bold
Composed by Santype Limited
Printed by Murray Printing Company
Bound by The Haddon Craftsmen, Inc.
HARPER & ROW, PUBLISHERS, INCORPORATED